Ouvrages du même auteur :

- **Procédés annexes d'expression**
  (Classes 2e, 1re, Terminale)
  – *inventaire des connotations et de leurs marques :*
    sons ⟶ mots ⟶ phrases
  – *histoire de la rhétorique*
  – *poétique : du classicisme à la chanson contemporaine*

- **Exercices de langue française**
  En collaboration avec Raymond Arveiller
  (Classes 2e, 1re, Terminale)
  – *analyse de mots et de propositions*
  – *emploi des temps et des modes*
  – *transposition*
  – *mécanismes de subordination*
  – *analyse formelle des textes*
  – *identification des types de discours*
  – *analyse des éléments affectifs du discours*
  – *reconnaissance des genres littéraires*
  – *le discours poétique*

CODE DU
FRANÇAIS COURANT

H. Bonnard
Agrégé de grammaire
Professeur à l'Université Paris X Nanterre

MAGNARD

AVANT-PROPOS

Jusqu'à cette année 1981, il était tacitement admis que les jeunes gens titulaires ou non d'un Brevet d'études au terme de la classe de troisième pouvaient sans dommage rendre à l'établissement qu'ils quittaient leurs livres de langue française, dont le contenu était censé acquis pour le restant de leurs classes, et de leur vie.

En réalité, chacun gardait, d'une étude de la langue étalée sur cinq ans d'école et quatre ans de collège, le souvenir d'un code aux limites incertaines, dont il avait chaque année réappris ou remis en question quelques termes et quelques règles au fil d'un manuel ou au gré d'un maître. La plupart, possédant en propre un dictionnaire, souhaitaient le doubler d'une grammaire, mais reculaient devant le choix déroutant qu'en proposent les supermarchés de la librairie.

L'institution, par les programmes publiés le 5 mars 1981, d'une ultime étude de la langue au niveau des dernières classes secondaires nous a donné l'occasion de réaliser, pour ces lecteurs au seuil de la vie active comme pour ceux qui y sont plus ou moins largement engagés, l'**ouvrage de synthèse et de référence** dont le besoin est évident.

A la différence des recueils de règles fondés sur une conception répressive de la Norme, ce « **Code du français courant** » n'est « code » qu'au sens où ce mot désigne un ensemble de conventions donnant à chacun le moyen de traduire sa pensée pour communiquer avec ses semblables, comme on use d'autres codes pour traduire en chaîne sonore une ligne écrite, ou pour ouvrir la porte d'un immeuble. Choisir, quand on parle, un temps ou un autre de l'Indicatif n'est pas plus s'asservir à une règle despotique que d'appuyer sur le bouton du 4e étage dans un ascenseur. Pour qui adopte cette conception pragmatique, la norme n'est plus une contrainte.

S'il y a deux façons, ou dix, d'exprimer en français telle ou telle pensée, nous n'imposerons pas l'une aux dépens de toute autre ; nous nous efforcerons de justifier l'emploi de chacune des deux ou des dix, selon les facteurs de la communication : qui parle ou qui écrit ? Quel est son métier ? A qui s'adresse-t-il ? Pourquoi ? Quel sentiment l'anime ? Une fois connus ces facteurs de différenciation des codes, l'usager n'a qu'à choisir. Un photographe peut dire « Ne bougez pas » ou « Bougez pas » : selon les personnes à qui il s'adresse, la seconde phrase est « incorrecte » ou ne l'est pas.

Pourtant, il faut reconnaître que personne ne jugera incorrecte la première phrase, « Ne bougez pas », quels que soient les destinataires de l'ordre donné. Elle est du « français courant », si nous appelons ainsi la langue comprise de tous les Français, pratiquée à la fois par le journaliste de la télévision, le représentant de commerce, le médecin, l'instituteur, celle des règles de jeux, des notices de fonctionnement des machines. Ce français sobre, transparent, fidèle, langue de la « dénotation » des faits et des opinions énoncés, peut être pris comme étalon pour définir, ensuite, les langues de « connotation » que sont le discours affectif, le discours populaire, le discours scientifique, le discours littéraire, le discours poétique...

Ici sera décrit le français courant, dont les autres codes seront distingués dans le volume **« Procédés annexes d'expression ».** L'illustration des couvertures manifeste à sa façon cette dualité de vue : celle du présent livre exprime en un dessin aux lignes franches et neutres ce que l'autre, reproduction d'un tableau de Monet, interprète avec les nuances, les profusions et les imprécisions suggestives de l'art impressionniste.

L'auteur a publié en 1950 une **grammaire française des lycées et collèges** dont quelques-uns retrouveront l'esprit, à travers une évidente évolution. L'ouvrage de 1950 faisait bénéficier la doctrine scolaire des fécondes théories du premier demi-siècle. Celui de 1981 est marqué par le siècle, affermi à la fois dans la rigueur formelle des critères d'analyse et dans le propos de justification sémantique des formes ainsi définies. La grammaire de 1950 innovait en plaçant la Syntaxe en tête de sa description de la langue. Celle-ci y place les facteurs universels que sont **les moyens et les fins de la communication humaine.**

Des chapitres ont été développés : étude des phonèmes, du sens des mots ; d'autres, créés de toutes pièces : théorie du signe, orthographe, pratique des dictionnaires. Les uns et les autres répondent aux impératifs (salutaires) des nouveaux programmes. La terminologie respecte la nomenclature édictée en 1975 ; des termes y sont ajoutés, toujours définis dans l'exposé à leur place logique, où permet de les retrouver l'Index final.

Raymond Arveiller, collaborateur de notre volume d'**exercices de la langue française,** a bien voulu lire le manuscrit de ce Code, et suggérer d'utiles corrections. Qu'il en soit amicalement remercié.

Henri Bonnard.

moyens et fins de la communication humaine

CHAPITRE 1

Les
signes

1. LA SÉMIOLOGIE

L'étude du français applique les principes d'une science plus générale, la **linguistique,** dont le champ d'étude est l'ensemble des langues. La linguistique elle-même est une application au langage d'une science dont l'objet est l'ensemble des **signes** (en grec *sêmeion),* conçue au début du XXᵉ siècle par le Suisse Ferdinand de Saussure qui l'a appelée **sémiologie** et par l'Américain Ch. S. Peirce qui l'a appelée **sémiotique.** Les recherches dans ce domaine n'ont commencé vraiment que dans la seconde moitié du siècle.

● On dit couramment que la fumée est le signe du feu, les larmes le signe de la douleur, la canne blanche le signe de la cécité, la croix le signe du christianisme, le feu vert le signe du passage libre, le clin d'œil le signe de la complicité. En parlant ainsi, on désigne par le même mot *signe* des faits bien différents.

La fumée et les larmes sont les conséquences naturelles du feu et de la douleur : la fumée n'est pas volontaire, les larmes ne sont jamais censées l'être. Au contraire, les autres "signes" nommés plus haut sont employés à dessein pour donner une information (la canne, la croix, le clin d'œil) ou une permission (le feu vert). Le linguiste belge Eric Buyssens, dans *Les langages et le discours* (1943), a proposé une terminologie distinguant :

— les **indices,** produits sans volonté de communication,
— les **signaux,** produits avec volonté de communication.

● L'étude des phénomènes naturels en tant qu'indices ne semble pas concerner la sémiologie : ainsi la forme, la couleur, la hauteur des nuages, présages du beau ou du mauvais temps, intéressent la météorologie ; le pouls et la température, symptômes éventuels de fièvre, intéressent la médecine. Mais qu'en est-il des indices dont la production peut résulter d'un choix, par exemple le costume (manifestant le caractère), le menu d'un repas (significatif des goûts et des ressources de l'hôte), la marque et le modèle d'une automobile (affichant le niveau social) ? Est-ce l'affaire du sémiologue ? Oui, selon certains comme Roland Barthes, pour qui l'effet à produire compte parmi les premiers facteurs du choix ; non, selon d'autres comme Georges Mounin, pour qui l'effet produit, même lorsqu'il est secrètement espéré, n'est jamais donné pour l'objet d'une communication volontaire.

8

2. SIGNIFIANT ET SIGNIFIÉ

Constituée en science, la sémiologie devait commencer par définir son objet, le signe. Il est évident que **tout signe associe un élément perçu** (par exemple la canne blanche, le feu vert ou un bruit de sirène) **à un élément non perçu** ("infirme des yeux", "permission de passer", "départ imminent d'un bateau"). L'élément perçu est le **signifiant,** l'autre est le **signifié,** ce qu'on exprime ordinairement par la formule :

$$Si = Sa/Sé.$$

Appeler *signes* la canne blanche ou le feu vert est donc impropre pour un sémiologue : ce ne sont que des *signifiants.*

Il y a **solidarité du signifiant et du signifié :** l'un n'existe pas sans l'autre. La canne blanche est un signifiant ; noire, elle n'en est pas un. L'infirmité des yeux est un signifié parce qu'elle est marquée par le port d'une canne blanche, mais d'autres infirmités non perceptibles comme la surdité, le mutisme, n'ayant pas de marque analogue, ne sont pas des signifiés. La claudication, directement perceptible, n'en est pas un non plus.

● On demande avant tout au signifiant d'être perceptible quand l'objet signalé ne l'est pas. Ainsi, le conducteur d'une automobile signale son approche par un bruit de klaxon pendant le jour et par la lumière de ses phares la nuit. Un bateau, en plein jour, est directement visible de tous côtés ; la nuit, il doit être signalé par des feux (rouge à gauche, vert à droite) ; le signifié "bateau" existe de nuit, non de jour, à moins que la brume n'impose l'emploi d'avertisseurs sonores, tels que des sirènes. La signification peut être obtenue par des différences de couleur (feux rouge, vert, orange), de hauteur (tonalité, indicatifs téléphoniques), de durée (alphabet morse), etc.

● Certains signifiants ont une forme évoquant leur signifié par ressemblance ou par association d'idées : une tête de cheval signale une boucherie chevaline, une croix évoque la mort du Christ ; on dit qu'ils sont **motivés,** et les sémiologues leur ont quelquefois réservé le nom de **symboles.** D'autres sont **arbitraires,** comme le feu vert donnant la voie libre, ou les "trois coups" frappés derrière le rideau pour annoncer le début du spectacle. La motivation facilite la mémorisation du sens des signaux, et même permet de le deviner ; elle n'est pas indispensable, et l'on reconnaît le symbole des jeux Olympiques sans savoir que ses cinq cercles évoquent les cinq continents participant aux épreuves.

● Il existe fatalement des différences entre les réalisations d'un même signifiant : le rouge d'un feu peut être framboise, carmin, vermillon ; l'essentiel est qu'il se distingue du vert et de l'orange dont les signifiés sont différents. On dit que "rouge" est le **trait pertinent** de ce signifiant, les nuances ne devant pas trop s'écarter d'un rouge moyen.

Certains calendriers représentent ainsi les phases de la lune :

| nouvelle lune | premier quartier | pleine lune | dernier quartier |

D'autres réduisent ces figures à leurs traits pertinents, cercles ou demi-cercles blancs ou noirs :

Les signifiés aussi ont des traits pertinents : la canne blanche n'indique pas la cécité complète, mais seulement une vue assez mauvaise pour rendre les déplacements dangereux. Un tournant de route est signalé aux automobilistes par un panneau n'indiquant pas l'angle du virage, mais précisant obligatoirement s'il est à gauche ou à droite : le côté est pertinent, l'angle ne l'est pas. Un ruban rouge à la boutonnière marque le grade de chevalier dans l'ordre de la Légion d'honneur, quels que soient l'âge, le sexe et la couleur de la personne décorée (traits non pertinents). Il faut bien comprendre que le signifié est abstrait : une chose ou une personne réelles ne sont pas des signifiés.

3. SYSTÈMES DE SIGNES ; CODES :

La canne blanche est un signe isolé. Souvent les signes sont organisés en **systèmes,** c'est-à-dire donnent avec des signifiants adéquats et nettement distincts diverses indications concernant un même ordre de phénomènes ou d'activités. C'est le cas des quatre signes des phases de la lune, des douze signes du zodiaque, des trois feux de carrefour suffisants et nécessaires à la prévention des accidents.

La notion de système, c'est-à-dire d'ensemble aux parties interdépendantes, s'applique au mieux quand les signes sont limités en nombre comme les feux de carrefour et les signes du zodiaque. Le nombre des signifiants recouvre ordinairement le nombre des signifiés utiles.

En bordure d'une carte géographique figurent sous le titre *Légende* les conventions symboliques ou arbitraires permettant de "lire la carte" : routes départementales, nationales, autoroutes, voies navigables, voies ferrées, ponts, etc. Le système varie selon la destination : une carte touristique indiquera les routes pittoresques, les "bonnes tables", alors qu'une carte militaire marquera le relief. **Le système des signifiés commande le système des signifiants**.

Le sémiologue Luis J. Prieto, dans *Messages et signaux,* appelle *champ noétique* (du grec *noêsis,* "conception", "connaissance") l'ensemble des signifiés d'un système.

Dans le cas des cartes géographiques, les signifiés dénotés ne constituent pas à proprement parler un système à dépendance interne, comme sont les signes du zodiaque, les points cardinaux ou quatre billes posées en pyramide. Certains champs noétiques peuvent ressembler à un étalement de billes informe auquel on peut ajouter ou retrancher un élément sans toucher aux autres. Mais l'ensemble des signifiants reste "systématique" dans la mesure où chaque élément doit rester distinct des autres.

L'unité d'un système est encore manifestée par le fait qu'**un signe ne peut appartenir à la fois à deux systèmes.** Le feu rouge des carrefours est un signifiant, celui qui signale de nuit un bateau se dirigeant à gauche en est un autre : chacun a son signifié propre, partie d'un champ noétique différent ; de même le mot *police* en français n'est pas le même signe que *polis,* "ville", en grec.

Que l'ensemble signifié soit plus ou moins systématique, et que les signifiants soient motivés ou arbitraires, tout ensemble de signaux est observé comme un **code,** c'est-à-dire un règlement, par ceux qui en font usage activement ou passivement. Mais il serait peut-être abusif de parler de "code" pour un ensemble d'indices, dont la fonction expressive, quand elle n'est pas involontaire (un costume râpé) est censée secondaire (un manteau de fourrure est une protection contre le froid avant d'être une marque de richesse).

4. POLYSÉMIE :

Le code Braille pour les aveugles traduit en signifiants tactiles les signifiants visuels de l'écriture tels que lettres et chiffres : c'est un **code substitutif** (substituant simplement ses signifiants à ceux d'un autre code).

Chaque signifiant du Braille est composé de points, perceptibles au toucher, disposés sur trois rangs pouvant contenir chacun deux points (ou un seul, ou aucun). Quatre possibilités existant ainsi sur chaque rang :

(oo/o-/-o/--)

cela fait au total 64 possibilités, dont voici la première série, avec les lettres signifiées :

```
o-   o-   oo   oo   o-   oo   oo   o-   -o   -o
--   o-   --   -o   -o   o-   oo   oo   o-   oo
--   --   --   --   --   --   --   --   --   --
(a)  (b)  (c)  (d)  (e)  (f)  (g)  (h)  (i)  (j)
```

Le mot *bac* s'écrira donc :

```
o-   o-   oo
o-   --   --
--   --   --
 b    a    c
```

Mais si cette suite est précédée d'un signifiant appelé "clef numérique", elle prend un sens différent, les signifiants de la première série étant alors affectés à la traduction des chiffres 1, 2, 3, 4, 5, 6, 7, 8, 9, 0, et la suite se lit donc 213 :

```
-o   o-   o-   oo
-o   o-   --   --
oo   --   --   --
 2    1    3
```

On dit que les signifiants de la première série sont **polysémiques,** leur sens pouvant varier selon l'entourage sémiologique, qu'on appellera le **contexte.**

5. ARTICULATION DES SIGNIFIANTS :

On relève dans l'ouvrage de Luis J. Prieto l'exemple d'un ensemble de signes aussi simple que systématique, celui des signaux lumineux qui renseignent les marins pendant la nuit, en cas de tempête, sur la direction du vent.

Le champ noétique est la partition de l'espace en quatre quadrants : "nord-ouest", "sud-ouest", "nord-est", "sud-est".

A ces quatre signifiés pourraient correspondre des feux de quatre couleurs différentes (ex. : rouge = NO ; blanc = SO ; vert = NE ; jaune = SE) ; en ce cas, chaque feu serait **immédiatement significatif.**

Mais la distinction de quatre couleurs est aléatoire dans de mauvaises conditions de visibilité ; d'autre part un feu rouge isolé signale de nuit le flanc gauche d'un bateau, un feu blanc signale un mât. Pour ces raisons ou d'autres, on a préféré un système à deux feux superposés, rouges ou blancs :

nord-ouest   sud-ouest   nord-est   sud-est

S'agit-il d'un code substitutif à clef (§4), où chaque couleur de feu prendrait un sens différent selon la position supérieure ou inférieure? On peut penser que le feu du haut signifie "nord" ou "sud" selon qu'il est rouge ou blanc, mais aucune correspondance n'existe, pour le feu du bas, entre "ouest" ou "est" et "rouge" ou "blanc".

Les feux ne prennent ici leur valeur significative que par leur association deux à deux : l'**unité significative** de ce code est le groupe de deux feux. Chaque feu n'est qu'une **unité distinctive.**

On dit qu'un tel système de signifiants est **articulé.** L'articulation est économique, puisqu'il suffit ici de 2 unités distinctives pour exprimer 4 signifiés. Trois unités distinctives, par exemple les chiffres 1, 2, 3, groupées par trois, composeraient 27 unités significatives :

111, 112, 113, 121, 122, 123, 131, 132, 133
211, 212, 213, 221, 222, 223, 231, 232, 233
311, 312, 313, 321, 322, 323, 331, 332, 333

Deux unités distinctives, si on les groupe par trois, quatre, cinq, six et ainsi de suite, peuvent composer un nombre infini d'unités significatives : c'est le cas dans le système de numération binaire des ordinateurs.

CHAPITRE II

La
communication

6. COMMUNICATION, CANAL, BRUIT, REDONDANCE :

Tout code de signaux a pour raison d'être le besoin de communiquer qui appartient aux hommes et aux animaux.

L'acte de **communication** est conditionné par différents facteurs que représente le schéma ci-dessous :

Message ⟶ Emetteur ⟶ Canal ⟶ Récepteur ⟶ Message
(Codage) ↑ ↑ ↑ (Décodage)
Bruit

Le **message** est un signifié ou une suite de signifiés.

L'**émetteur** est l'homme ou l'animal qui traduit le signifié en signifiant ; l'opération inverse est faite par le **récepteur,** qui peut être indéterminé (lecteurs d'un écriteau).

Le **canal** est le support physique transmettant l'information : voix humaine, cri d'animal, sonnerie, rayon lumineux, panneau peint, lettre manuscrite ou livre imprimé, fil téléphonique, ondes hertziennes, disque, bande magnétique, odeur, toucher, frottement, etc.

On appelle **bruit** toute cause d'une perte d'information entre l'émetteur et le récepteur ; le mot a son sens habituel s'il s'agit d'un canal sonore que troublent les bruits ambiants : appareils ménagers, voix superposées, cris de foule, vent, "friture" radiophonique ; il est métaphorique s'il désigne une mauvaise articulation de l'émetteur, une mauvaise ouïe du récepteur, ou s'il s'applique à des canaux non sonores : l'obscurité est un "bruit" pour une transmission visuelle sans lumière artificielle, une mauvaise écriture ou une peinture écaillée sont des "bruits" pour le lecteur d'une lettre ou d'un écriteau, ainsi qu'une vue faible ; l'écrasement des points en Braille est un "bruit" pour l'aveugle.

Un remède préventif au bruit est la répétition du message, ou la **redondance** qui consiste à exprimer le même signifié par deux signifiants simultanés. La position des feux de carrefour, rouge en haut, vert en bas, est redondante à la couleur. Un autre exemple peut être emprunté au code de balisage des côtes de France. A l'entrée d'un chenal, une balise peinte en rouge signale aux bateaux venant du large qu'ils doivent passer à sa droite, alors qu'il doivent passer à gauche d'une balise peinte en noir. En prévision sans doute du mauvais temps ou de l'usure entraînant la confusion des couleurs, les deux balises sont surmontées de voyants dont la forme est cylindrique pour la rouge et conique pour la noire. Les différences de forme et de couleur sont redondantes.

7. CODES ANIMAUX :

Beaucoup d'animaux usent de véritables codes pour se communiquer leurs désirs, leurs craintes, leurs colères, et toutes informations utiles à leurs activités alimentaires, sexuelles ou autres (voir J.-Cl. Filloux, *Psychologie des animaux;* D' Fernand Méry, *Les bêtes aussi ont leurs langages).*

Il semble que certains insectes, comme les abeilles, les fourmis, communiquent entre eux par la palpation des antennes, par la sécrétion de substances odorantes (différentes selon le message).

Les abeilles ont en plus un langage gestuel, découvert par le naturaliste allemand von Frisch qui en a déchiffré le code en trente ans d'observation. Une abeille qui a trouvé un butin alimentaire en informe ses compagnes de ruche par une danse voletante avec ou sans frétillement de l'abdomen combinant les déplacements en cercle et en ligne droite; les signifiés sont "existence d'un butin", "distance approximative", "direction".

Certaines espèces de fourmis, pour donner l'alerte, produisent en se frottant l'abdomen des sons très aigus qui se transmettent par vibrations du sol dans toute la fourmilière et jusqu'aux fourmilières voisines.

Les poissons, contrairement à l'opinion répandue, communiquent entre eux par des sons, que l'eau transmet quatre fois plus vite que l'air.

On a enregistré des dialogues de dauphins, où l'on a cru possible de reconnaître des appels (comme notre "Allô"), des indicatifs personnels, et des discours plus complexes qui restent à interpréter.

Quantité de témoignages et d'expériences ingénieuses ont démontré que la communication existe chez les corbeaux, les grenouilles, les loups, les singes, les chiens, les chats, les chevaux ; et le "vocabulaire" est souvent très riche si l'on fait état du langage gestuel. "Avec sa trompe et ses oreilles, un éléphant exprime tout" (Dr Méry).

Incontestablement, les animaux communiquent entre eux, par des "canaux" longtemps insoupçonnés ; quelques espèces communiquent même avec l'homme. Mais c'est improprement que cette communication est parfois appelée "langage". Toutes les observations qu'on en a faites prouvent que leurs messages sont des suites de sons émises et comprises **globalement,** sans possibilité d'analyse en éléments dont la combinaison exprimerait un autre sens. L'agronome Philippe Gramet, observant les corbeaux, a distingué chez eux une quinzaine de ''cris'' différents entraînant des réactions spécifiques chez leurs congénères; l'audition des cris enregistrés provoque les mêmes réactions, mais chaque ''cri'' doit être complet : toute troncation enlève au message son sens.

Les signaux des animaux sont des messages non analysables et non combinables, déclenchés par des situations bien définies; leur usage des codes de signaux n'est pas **créatif.**

8. LE LANGAGE HUMAIN :

Le langage humain a pour canal essentiel la **voix.**

L'**écriture** est dans une large mesure un code visuel substitué au code sonore; on verra pourtant qu'elle exprime souvent avec plus de rigueur que la chaîne orale le système des signifiés (§44).

L'alphabet Braille remplace par un signifiant tactile chaque signifiant visuel de l'écriture.

Les sourds-muets, quand ils n'essaient pas de produire par imitation et de reconnaître sur les lèvres de leurs interlocuteurs les sons du langage, communiquent entre eux par des gestes dont les signifiés se rapprochent le plus possible de ceux du langage commun —qu'ils peuvent lire et écrire.

Tout langage oral s'accompagne d'ailleurs de mimiques et de mouvements de mains constituant pour ainsi dire une intonation (§ 38-41) gestuelle.

Il existe de nombreux codes du langage humain : ce sont les **langues,** dont plusieurs milliers sont actuellement parlées. La science des langues s'appelle la **linguistique.**

Le **système des signifiants est articulé** (§ 5) : un petit nombre (en français, 36) d'unités **distinctives** appelées **phonèmes** (§ 30) produisent par leurs combinaisons (même si l'on écarte les suites non prononçables) un nombre très élevé d'unités **significatives** appelées **mots.** On a estimé qu'un Français cultivé emploie environ 5 000 mots exprimant par l'effet de la polysémie (§ 4) quelque 20 000 signifiés.

Ce nombre, discutable et variable, importe peu, car 20 000 signifiés ne sont rien à côté du nombre des messages différents que l'homme peut émettre, du fait que **le système des signifiés est également articulé.** Des règles de combinaison permettent d'associer les mots en unités de niveau supérieur, les **groupes syntaxiques** (§ 21 et sv.).

La double articulation donne au langage humain la **créativité** qui lui est propre, cette aptitude à exprimer par des combinaisons perpétuellement nouvelles des pensées perpétuellement nouvelles. Le langage donne à l'homme le moyen de décrire tout le monde de son expérience, tout ce que son esprit peut concevoir. Son ''champ noétique'' (§3) est illimité.

Remarque : Ces caractéristiques définissent le langage proprement dit, c'est-à-dire le plus haut niveau de communication. Dans les §§ 1 à 6 ont été mentionnés des codes sémiologiques humains plus pauvres, sans articulation des signifiés, donc de pouvoir strictement limité, comme les systèmes de symboles ou de signaux peints ou lumineux, fixes ou mobiles, flèches, croix, triangles, les indicatifs sonores, klaxons, sirènes, etc. Des systèmes plus ouverts passent par le langage, tels les panneaux indiquant le nom ou la direction des villes (noms propres), les numéros minéralogiques de voitures (système numéral et alphabet).

L'emploi conjugué du langage et des signes non verbaux est étudié dans le volume *Procédés annexes d'expression.*

9. LEXIQUE ET GRAMMAIRE ; LANGUE ET DISCOURS :

L'ensemble des mots d'une langue constitue le **lexique** (du grec *lexis,* mot), qu'enregistrent les dictionnaires.

L'ensemble des règles déterminant le choix et la combinaison des mots dans la communication constitue la **grammaire**.

Tout homme qui parle observe un code de langage, c'est-à-dire connaît (sans en avoir obligatoirement conscience) un lexique et une grammaire. Cette connaissance est en lui, même lorsqu'il ne parle pas ; la **langue** est chez lui une science acquise, certains disent une *compétence.*

L'emploi de la langue produit le **discours,** terme emprunté au latin où *discursus* signifiait "cours capricieux d'un fleuve ou d'une troupe". Ce mot désigne pour les linguistes toute suite de mots significative, orale (parole) ou écrite (texte).

CHAPITRE III

L'énonciation

10. LES FACTEURS PRINCIPAUX DE L'ÉNONCIATION :

L'exercice du langage en général et d'une langue en particulier gagne beaucoup en clarté à être étudié dans le cadre même de la vie active.

Dans la communication humaine, l'acte de langage créateur est **l'énonciation.**

Le produit d'une énonciation est un **énoncé** (l'énoncé est donc une portion limitée de discours).

Nous appellerons **locuteur** l'émetteur d'un énoncé (oral ou écrit) et **destinataire** le récepteur.

Et nous tiendrons pour facteurs principaux de l'énonciation :

1. **les personnes du locuteur et de son destinataire ;**
2. **le temps, le lieu, la situation ;**
3. **la motivation.**

11. EXEMPLE D'ÉNONCÉ :

Ce court dialogue servira d'exemple aux démonstrations qui vont suivre (§§ 12 à 14) :

M. BROSSE : — *Allô... Vous êtes Madame Lebel ?*

Mme LEBEL : — *Oui. J'écoute.*

M. BROSSE : — *Je suis M. Brosse de Sonorama. Ma camionnette est tombée en panne. Je vous livrerai votre poste demain.*

Mme LEBEL : — *Quelle malchance ! Je ne serai pas ici demain. Venez plutôt jeudi.*

12. LES COORDONNÉES DU RÉEL :

Il est dit au § 2 que les signifiés sont des idées abstraites, à ne pas confondre avec les êtres, les choses, les faits réels dont nous avons connaissance par nos sensations. C'est pourquoi certains linguistes substituent à la définition binaire du signe *(Si = Sa/Sé,* § 2) une définition ternaire que résume le triangle ci-dessous :

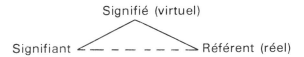

Signifié (virtuel)

Signifiant ← — — — — — → Référent (réel)

Le terme *référent* désigne tout élément du "monde de référence" ou "monde réel", qui peut être selon les circonstances de l'énonciation le monde où nous vivons tous, ou la "situation" que vivent les personnages du récit.

Le réel est conçu comme tel dans la mesure où le locuteur et le destinataire — ou seulement le premier — peuvent le situer par rapport à leur personne, au lieu où ils sont et au moment où ils parlent : **MOI, ICI, MAINTENANT** sont les points d'ancrage de tout individu dans le monde vécu.

● Un nom comme *camionnette* ou *poste* peut désigner une infinité d'objets ayant certaines propriétés ; dans le dictionnaire, ces noms ont un sens **virtuel.** Mais quand M. Brosse, dans la situation de l'exemple donné au § 11, dit à Mme Lebel *ma camionnette, votre poste,* ces noms désignent des objets particuliers, parce qu'une relation de possession les rapporte au locuteur et à la destinataire. On dit que ces noms ont été **actualisés.** L'actualisation est faite par l'adjectif qui précède le nom.

Les pronoms *je* et *vous,* tels qu'ils figurent dans le dictionnaire ou la grammaire, ne désignent aucune personne particulière, ils sont virtuels ; mais ils sont **actuels** dès qu'ils sont employés, puisque *je* désigne le locuteur et *vous* le destinataire.

Dans une autre situation d'énonciation, un nom comme *camionnette* ou *poste* pourrait être actualisé par un adjectif démonstratif :

Cette camionnette roule bien vite.

Ce poste me plaît.

L'actualisation est alors effectuée par repérage de l'objet relativement à l'ICI du locuteur et du destinataire.

Si l'objet est montré dans l'espace ambiant, on dit qu'il est actualisé par **deixis** (mot grec signifiant "action de montrer"). Mais souvent l'adjectif démonstratif sert à montrer un objet dans l'espace créé par le contexte, où il a été déjà nommé : on dit qu'il est actualisé par **anaphore** (mot d'origine grecque signifiant "reprise").

L'adverbe *ici* prend un sens actuel du fait qu'il est employé par Mme Lebel : il veut dire "là où je suis". L'adverbe *là* le remplace si le repère spatial est un point défini dans le contexte :

M. Brosse se présente chez Mme Lebel qui n'est pas **là.**

● Les verbes *être, écouter, tomber, livrer, venir* expriment des états ou des actions dont les définitions des dictionnaires disent les caractères sans les situer à un moment du temps réel : ils y figurent à l'Infinitif et ont un sens virtuel. Mais dans l'énonciation le seul fait de les employer au Présent, au Passé ou au Futur de l'Indicatif leur donne un sens réel en les situant par rapport au MAINTENANT du locuteur et du destinataire, soit au moment présent *(vous êtes, j'écoute, je suis),* soit à un moment passé *(est tombée),* soit à un moment futur *(je vous livrerai, je ne serai pas ici).* La variation du verbe en "temps" **actualise** son sens en repérant l'action par rapport au présent réel (défini par "maintenant").

Au lieu d'être fondé sur le MAINTENANT du locuteur et du destinataire, le repérage peut prendre pour origine un moment du temps déterminé dans le contexte ; dans ce cas, les temps du verbe sont rapportés à ce nouveau repère en vertu des règles de "concordance des temps" (§§ 187, 189, 190) ; aux **temps absolus** repérés sur le MAINTENANT présent du locuteur sont substitués des **temps relatifs** repérés sur un MAINTENANT passé (ou futur selon le contexte) :

Il n'a pas livré le poste à l'heure convenue *parce que sa camionnette* était tombée *en panne.*

L'adverbe *demain* prend un sens réel du moment qu'il est employé par un locuteur : il situe l'action dans la journée qui suit celle où se place le MAINTENANT de l'énonciation :

Je ne serai pas ici demain.

En repérage "relatif" (rapporté à un moment passé ou futur défini dans le contexte), *demain* est remplacé par *le lendemain :*

Samedi, *M*ᵐᵉ *Lebel a commandé (ou commandera) un rosbif pour* le lendemain.

L'actualisation, qui intéresse les **mots** (noms, pronoms, adverbes, verbes) est une fonction du langage s'exerçant par essence dans le cadre de l'énonciation.

13. DÉCALAGE DES COORDONNÉES ; DISCOURS INDIRECT :

La communication animale ne semble pas connaître la transmission indirecte d'un message : l'abeille qui informe ses compagnes est celle qui a trouvé le butin, aucune autre ne la relaie dans son rôle d'informatrice.

Au contraire, l'homme assume couramment le rôle de relais dans la communication, et marque alors plus ou moins rigoureusement le décalage entre les points de repère.

● Dans l'énoncé du § 11, M. Brosse et Mᵐᵉ Lebel pratiquent le **repérage absolu,** chacun rapportant les choses et les faits énoncés à son MOI-ICI-MAINTENANT ; on dit qu'ils s'expriment au **discours direct.**

● Mais il se peut qu'un tiers se fasse, par exemple, l'intermédiaire de M. Brosse dans la communication avec Mᵐᵉ Lebel ; il s'exprimera ainsi :

"M. Brosse me demande de vous dire que **sa** *camionnette est tombée en panne et qu'*il *vous livrera votre poste demain."*

Les paroles de M. Brosse sont rapportées dans des propositions subordonnées introduites par *que,* dépendant du verbe *dire :* elles sont exprimées au **discours indirect** (un énoncé dans un énoncé). Le locuteur de l'énonciation entre guillemets est le tiers et non M. Brosse ; ce tiers se désigne normalement par le pronom de la première personne *(me),* et désigne Mᵐᵉ Lebel par *vous* puisqu'elle est sa destinataire. Quand il rapporte l'énoncé de M. Brosse, il présente le message de celui-ci en modifiant les coordonnées personnelles : M. Brosse n'étant plus locuteur ni destinataire, il le désigne par *il ; ma camionnette* devient *sa camionnette.* C'est le **repérage relatif.**

Bien entendu, si Mme Lebel est absente et si le tiers ne peut parler qu'à une quatrième personne, Mme Lebel subira le même décalage, et le discours prendra la forme suivante:

*M. Brosse fait dire à Mme Lebel que sa camionnette est tombée en panne et qu'il **lui** livrera **son** poste demain.*

Le repérage déictique peut être également décalé:

*... il lui livrera son poste demain si elle est **là**.*

Dans tous les cas, le choix des pronoms personnels et des adjectifs possessifs exige une vue claire des rapports de repérage à travers les énonciations superposées.

Les coordonnées temporelles sont également sujettes au décalage. Le MAINTENANT du locuteur initial appartient souvent au passé quand les paroles sont rapportées (§12):

*M. Brosse a fait dire à Mme Lebel que sa camionnette **était tombée** en panne et qu'il lui **livrerait** son poste **le lendemain**.*

En résumé, le **discours indirect** est caractérisé par plusieurs traits:
1° le verbe introducteur;
2° la conjonction subordonnant à ce verbe l'énoncé rapporté;
3° le décalage des coordonnées personnelles, déictiques et temporelles selon le changement de locuteur et de destinataire, de lieu et de temps.

Ces marques n'apparaissent pas forcément au complet. Il peut y avoir décalage temporel, mais non personnel, si le locuteur rapporte ses propres paroles:

*"**Je** vous ai fait dire que **ma** camionnette **était tombée** en panne..."*

● Il se peut aussi que la **conjonction de subordination manque,** le repérage relatif restant la seule marque de discours indirect; on dit alors que l'énoncé rapporté est **au discours indirect libre:**

M. Brosse téléphona: sa camionnette était tombée en panne, il livrerait le lendemain.

Remarque: L'énoncé rapporté au discours indirect est très souvent une pensée, et non une parole:

Madame Lebel s'avisa qu'elle ne serait pas là le lendemain; elle jugea que cela tombait mal.

14. PROPOS; MODALITÉS DE LA PHRASE:

L'énonciation est encore le cadre où s'éclairent d'autres fonctions de la langue, liées à la motivation (3e facteur au §10), et qui s'appliquent cette fois **au niveau du groupe de mots appelé phrase.**

Hormis les cas, toujours discutables, où le locuteur "parle pour ne rien dire", son discours a toujours une fonction, qui suppose une intention, un **propos;** ce propos donne au groupe la valeur de phrase.

● Pourquoi M. Brosse, dans l'exemple du § 11, demande-t-il si la personne au bout du fil est Mme Lebel? Parce qu'il l'ignore et a besoin qu'elle le lui fasse savoir. Fonction **interrogative** du langage, propos interrogatif appelant une réponse du destinataire (Mme Lebel répond effectivement par *oui).*

● Qu'est-ce qui motive les paroles que prononce ensuite M. Brosse? Le besoin de faire savoir à sa destinataire trois choses qu'elle ignore: qui il est, ce qui lui est arrivé, ce qu'il compte faire. Elle doit croire ce qu'il dit: rien qu'en parlant, il "donne sa parole". Fonction **déclarative** du langage.

● Quand Mme Lebel s'écrie *Quelle malchance !,* elle ne vise pas à provoquer une réponse de M. Brosse, ni à lui apprendre du nouveau. Elle manifeste seulement son sentiment personnel sur ce qu'ils savent tous les deux. Fonction **exclamative** (le locuteur s'épanche).

● Quand Mme Lebel dit *Venez jeudi,* elle se propose d'influer sur le comportement de M. Brosse, de lui imposer sa propre volonté. Fonction **impérative.**

Les phrases ainsi examinées étaient motivées par 4 **modalités du propos,** donc **de la phrase.**

● La notion de modalité s'éclaire particulièrement si l'on montre qu'**une même représentation,** dont le signifiant est, par exemple, le groupe syntaxique enchaînant le pronom *vous,* le verbe *déjeuner* et l'adverbe *tôt,* peut être exprimée **selon les quatre modalités :**

> **déclarative :** *Vous déjeunez tôt.*
> **interrogative :** *Déjeunez-vous tôt ?*
> **impérative :** *Déjeunez tôt.*
> **exclamative :** *Que vous déjeunez tôt !*

Les différences de modalité ont des marques diverses, qui peuvent être réparties sur toute la phrase ; ce sont ici :

— le mode du verbe (Indicatif ou Impératif) ;
— l'ordre des mots (inversion du pronom sujet) ;
— l'emploi d'un adverbe de sens modal (*que* exclamatif) ;
— l'intonation (§ 41) imparfaitement traduite dans l'écriture par les différences de **point** (§ 61).

Une étude plus complète de ces marques sera faite dans la IVe Partie (la Phrase).

● Toutes les phrases des exemples précédents étaient énoncées au "discours direct" (§ 13). Or ces énoncés peuvent devenir des "énoncés d'énoncé" au "discours indirect" ; ce qu'exprimait la modalité des phrases est alors exprimé par le sens du verbe introducteur :

> *J'*estime *que vous déjeunez tôt.*
> *Je* demande *si vous déjeunez tôt.*
> *J'*ordonne *que vous déjeuniez tôt.*
> *Je* m'étonne *que vous déjeuniez si tôt.*

La **lexicalisation des modalités** est un trait à ajouter aux caractéristiques du discours indirect énumérées au § 13.

L'ancien énoncé figure ici en proposition subordonnée, dépouillé des marques de modalité qu'on observait au discours direct (Impératif, inversion du sujet, adverbe *que,* point d'interrogation) : ces subordonnées n'expriment plus que la "représentation" commune sur laquelle portaient les modalités. On est en présence de nouvelles phrases, complexes, qui ont leur modalité propre.

Celle-ci est déclarative dans nos exemples, mais peut aussi bien varier ; exemples :

> *As-tu ordonné que nous déjeunions tôt ?* (Phrase interrogative)

> *Demande-lui si nous déjeunons tôt.* (Phrase impérative).

Dans une phrase complexe, la modalité n'affecte que la proposition principale. Une phrase comme

> *Je me demande qui a pris mes cigarettes.*

est déclarative et non interrogative : elle n'admettrait pas un point d'interrogation.

Remarques : a) Le **discours indirect libre** peut conserver certaines marques des modalités du discours direct :

Grand-mère téléphonait quelquefois : étions-nous en bonne santé ? qu'elle serait heureuse de nous voir !

b) Les exemples utilisés dans cette étude ont été choisis pour illustrer les 4 "types de phrase" énumérés dans la nomenclature ministérielle française. Mais cette liste peut être augmentée ou diminuée, les frontières entre modalités étant souvent très délicates à tracer.

Une phrase d'**affirmation probable** comme :

Il peut être neuf heures.

sera-t-elle tenue pour déclarative ? On l'admettra si l'on prend pour critère de la déclaration **la possibilité de soumettre la phrase à un jugement de vérité** ("vrai" ou "faux"), comme c'est possible pour les phrases déclaratives prononcées par M. Brosse (ce qu'il dit à Mme Lebel est vrai jusqu'à preuve du contraire : il est M. Brosse, il est tombé en panne, il livrera le poste). Ce critère élimine les phrases d'interrogation et de volonté (on ne peut dire qu'une question ou un ordre sont vrais ou faux). Mais le cas des phrases exclamatives est moins évident : *Que vous déjeunez tôt !* associe en effet l'expression d'une réaction personnelle incontrôlable à celle d'un jugement contrôlable ("vous déjeunez tôt"). D'autre part, un énoncé exclamatif comme *Pourvu qu'il vienne !* exprime un sentiment de désir qui, sans prétendre influencer le comportement du destinataire, s'apparente à la volonté.

Le nombre des modalités est aussi grand que le nombre des verbes de sens modal, comme *estimer, penser, croire, douter, supposer, vouloir, commander, défendre, attendre, désirer, craindre, regretter, s'étonner, s'indigner, se réjouir,* etc. Les regroupements que peut faire un grammairien n'ont d'autre critère valable que la similitude des marques grammaticales, mais il y a peu d'unité sur ce point.

c) Les psychologues et des logiciens ont identifié d'autres fonctions du langage. Ils disent, par exemple, qu'*allô* et *j'écoute* mettent en jeu une fonction "phatique" ayant pour objet de vérifier si le contact existe entre locuteur et destinataire ; mais *allô,* mot-phrase étranger à l'articulation en groupes syntaxiques, n'intéresse pas plus le grammairien qu'un coup de sonnette, et *j'écoute* a la forme d'une phrase déclarative.

D'autres disent que des phrases comme *je vous pardonne* ou *je vous permets de sortir* ne sont pas déclaratives, mais "performatives", réalisant l'acte de "pardonner" et de "permettre" en même temps qu'elles l'énoncent (le jugement de vérité est inapplicable) ; mais la forme syntaxique est la même qu'à la 3e personne *(il pardonne, il permet)* où le sens est déclaratif.

Le grammairien peut borner son ambition à inventorier les **formes de phrase.** Au stylisticien de chercher si une phrase de forme déclarative comme *J'écoute* ne présente pas dans son contexte énonciatif un sens "phatique", ou interrogatif *(J'écoute = "Que voulez-vous ?"),* ou impératif *(J'écoute = "Parlez"),* trois nuances possibles que l'intonation peut marquer, non l'écriture (un point d'interrogation serait injustifié).

15. LA PORTÉE DU PROPOS :

La phrase suivante est interrogative :

Quand aura lieu la rentrée ?

Tout le propos interrogatif de cette phrase porte sur la date, car personne ne met en question que la rentrée aura lieu.

On dit que *quand* exprime le **propos** de la phrase ; *aura lieu la rentrée* en exprime le **thème** (du grec *thêma,* "ce qui est posé"). Cette distinction est de nature "logique".

Si quelqu'un répond :

La rentrée aura lieu le 15 septembre.

les mots *La rentrée aura lieu* n'ont aucune valeur informative ; l'élément d'information est apporté par la date, *le 15 septembre,* à laquelle se réduit la portée du "propos" déclaratif ; les mots qui précèdent constituent le "thème".

Mais si le Préfet de police reçoit un avis anonyme comme :

Un attentat aura lieu contre le Président le 15 septembre.

le propos déclaratif porte sur toute la phrase, le Préfet n'étant pas censé savoir qu'un attentat devait avoir lieu ; il n'y a pas de thème.

Quand un homme, voyant un tableau, dit :

"Affreux."

l'adjectif suffit à exprimer son propos déclaratif, et le tableau même, qui fait partie de la "situation", dispense d'exprimer le thème. Pour plus de clarté, on peut cependant l'introduire dans l'énoncé, en disant :

"Ce tableau est affreux."

Les mots *ce tableau* remplacent la situation et constituent le thème de la phrase.

Au lieu d'être pris dans le monde de référence, le thème peut être emprunté au contexte :

Tante Jeanne nous a légué un portrait de famille. Ce tableau est affreux.

Dans une suite d'énoncés comme un récit, un exposé scientifique, la majorité des phrases reprennent en thème ce qui a fait le propos d'une ou plusieurs phrases précédentes.

● Les exemples donnés jusqu'ici peuvent faire penser que le thème, lorsqu'il existe, est exprimé par le sujet de la phrase. En fait, la seule loi universelle, vérifiée dans toutes les langues, est que **le thème précède le propos** (sauf exceptions mentionnées plus loin).

Le sujet tend à la valeur de thème dans les langues dont la syntaxe le place normalement avant le verbe. C'est le cas en français moderne : le sujet, placé en tête, y désigne le plus souvent un être ou une chose connus (par la situation ou le contexte), tremplin d'une envolée vers l'inconnu du propos.

Le nom ou le pronom sujet a donc par prédilection un sens déterminé ; on dit :

Paul/ Mon cousin/ Il a acheté un chien.

plus normalement que :

*Un chien a été acheté par Paul/ mon cousin/ lui.

Dans une phrase comme

Un merle a sifflé.

le sujet est de sens indéterminé, mais il fait partie du propos avec le verbe.

Même s'il est précédé de l'article défini, le sujet peut faire partie du propos, voire être le propos ; c'est le cas dans la phrase suivante, où le complément fait le thème :

La joie était dans la maison.

● Un complément à valeur de thème est souvent détaché (§ 243) de sa place postverbale et anticipé (§ 242) en tête de la phrase ; exemples :

Thème	Propos
Dans ma chambre,	*il y a une table de nuit.*
Dans le tiroir de cette table,	*tu trouveras des comprimés.*
Ces comprimés,	*apporte-les-moi.*

● On observe **une prédilection** corollaire **du propos pour la dernière place**. Ainsi l'on dira :

Tu achèteras chez Oscar des œufs

ou

Tu achèteras les œufs chez Oscar.

selon qu'il est entendu que le destinataire doit aller chez Oscar, ou qu'il doit acheter des œufs.

Ce sont là quelques exemples de l'influence que peut avoir, sur la forme de l'énoncé, la valeur de thème ou de propos d'un mot ou d'une suite de mots. On rencontrera dans les prochains paragraphes, et dans la IVᵉ Partie de ce livre *(La phrase),* beaucoup de faits qui ne s'expliquent qu'en recourant à ce partage logique du signifié de la phrase, toujours lié aux facteurs de l'énonciation.

16. LA MISE EN PROPOS
PAR *C'EST... QUI/ C'EST... QUE* :

Soit l'énoncé suivant :

Paul a acheté ce tableau en Italie.

En raison du sens déterminé des mots *Paul* et *ce tableau,* et de la place finale des mots *en Italie,* il est à présumer que ces derniers mots expriment seuls le propos de la phrase. Pourtant n'importe lequel des autres mots, selon la situation, pourrait apporter l'information essentielle, ce que la langue orale ferait sentir par un accent d'insistance (§ 40) distinguant ce mot.

Or la langue dispose aussi de moyens grammaticaux de **mise en propos,** dont le plus général consiste à enchâsser les mots dans la locution *c'est... qui/ c'est... que,* le reste de la phrase étant alors donné pour thème.

La forme en *qui* fait le propos du sujet :

C'est **Paul** *qui a acheté ce tableau en Italie.*

La forme en *que* fait le propos d'un complément :

C'est **ce tableau** *que Paul a acheté en Italie.*
C'est **en Italie** *que Paul a acheté ce tableau.*

L'enchâssement du verbe est impossible, puisqu'il figure obligatoirement après le *qui* ou le *que* de la locution.

L'enchâssement d'un attribut est peu naturel, l'attribut ayant la valeur de propos par définition (§ 219); on n'a pas besoin d'un énoncé comme :

*C'est affreux qu'est ce tableau.

à moins qu'on ne veuille insister sur la pertinence lexicale d'un qualificatif :

C'est avare, et non économe, que vous êtes.

17. ÉNONCIATION ET INTERPRÉTATION
LEXICALE :

La plupart des mots sont susceptibles de prendre plusieurs sens; cette polysémie (§§ 4 et 8), très inégale selon les mots, entraînerait d'incessantes ambiguïtés si les destinataires des énoncés n'éliminaient automatiquement les sens qui ne conviennent pas au locuteur et à la situation (ou au contexte).

Ainsi, le mot *opération* est compris différemment selon qu'il est prononcé par un médecin, un mathématicien, un général ou un banquier. Une phrase comme

Chou est en train de percer une dent

a deux sens bien distincts selon que Chou est un bébé que la dentition énerve ou un artisan canaque fabriquant des colliers.

L'intelligence exacte d'un énoncé oral ou écrit exige une connaissance des facteurs de l'énonciation.

CHAPITRE IV

Chaînes
syntaxiques

18. MORPHOLOGIE, SYNTAXE, LEXIQUE :

Au § 14, les différences de modalité ont été mises en évidence par la comparaison de quatre phrases où les quatre modalités distinguées étaient appliquées à une chaîne constante de signifiés dont l'ensemble constituait une ''représentation'' :

''vous'' - ''déjeuner'' - ''tôt''

Comparons les énoncés suivants :

(1) Paul (à Jean et Marie) : *Vous déjeunez tôt.*

(2) Paul (à Jean et Marie) : *Déjeunez-vous tôt ?*

(3) Jean (à Paul) : *Nous déjeunons tôt.*

(4) Paul (à Jean et Marie) : *Vous déjeuniez tôt.*

(5) Paul (à Jean et Marie) : *Vous déjeunez tard.*

(6) Paul (à Jean et Marie) : *Vous partez tôt.*

Entre (1) et (2), on observe une différence de modalité, tenant à une différence de motivation : (1) énonce un jugement, vrai ou faux, (2) pose une question, marquée en particulier par l'inversion. Le rapport entre *déjeunez* et *tôt* est inchangé, de même que le rapport entre *vous* et *déjeunez :* dans les deux phrases, *vous* désigne ''Jean et Marie'' comme ceux qui font l'action de ''déjeuner''.

Entre (1) et (3), on observe une différence dans la désignation des personnes, due à la modification du facteur MOI ; Jean, destinataire en (1), est locuteur en (3). Cela ne modifie en rien le rapport entre *tôt* et le verbe, ni entre le sujet et le verbe : *nous* désigne en (3) le même référent (§ 12) que *vous* en (1), à savoir le couple ''Jean et Marie''.

Entre (1) et (4), on observe une différence de temps, la représentation étant donnée comme antérieure au MAINTENANT de l'énonciation. Les rapports entre *vous* et le verbe, entre le verbe et *tôt* n'en sont pas modifiés.

De la phrase (1) à la phrase (4), tous les changements relèvent de l'**énonciation** (facteurs personnels, temporels, motivation). Une trame est restée **constante,** c'est la **représentation** du fait que "Jean et Marie déjeunent tôt", exprimée par trois termes constituant un **groupe syntaxique,** une chaîne de mots en rapport les uns avec les autres.

L'action exprimée en (1) par *déjeunez,* en (3) par *déjeunons* et en (4) par *déjeuniez* est la même action, que le dictionnaire définit "prendre le repas de midi"; les trois signifiants sont des formes différentes d'**un même mot,** des variantes morphologiques, la **morphologie** étant l'étude des variations de "forme" (grec *morphê)* des mots.

La différence entre *vous* et *nous,* qui ont en (1) et (3) le même référent, relève également de la morphologie, *vous* et *nous* étant tenus pour deux formes d'un même mot, le "pronom personnel", variable en personne.

La différence entre *vous déjeunez* (1) et *déjeunez-vous* (2) n'est pas une différence formelle des mots entre eux, c'est une différence de place des mots les uns par rapport aux autres, elle relève de la **syntaxe** (du grec *syntaxis,* "assemblage").

Les règles de la morphologie et de la syntaxe constituent la **grammaire** (§ 9).

Entre la phrase (1) d'une part et les phrases (5) et (6) de l'autre, on n'observe pas de différence grammaticale. La **chaîne syntaxique,** élément constant des phrases (1) à (4), se retrouve inchangée en (5) et (6), composée d'un pronom sujet à la 2ᵉ personne du pluriel, d'un verbe au présent disant l'action faite par le sujet, et d'un adverbe se rapportant au verbe. Mais des **mots** ont changé : *tôt* et *tard* sont deux mots de signifié différent, dont le référent ne peut être le même s'ils se rapportent à *déjeuner (tôt* ne peut signifier qu'"avant midi", *tard* "après midi"). De même, *déjeunez* et *partez,* grammaticalement interchangeables, ont des signifiés et des référents différents, ce sont deux mots.

La différence entre *tôt* et *tard,* entre *déjeuner* et *partir,* est **lexicale** (v. *lexique,* § 9) et concerne la **lexicologie.**

19. GRAMMATICALITÉ, INTELLIGIBILITÉ, ACCEPTABILITÉ :

Quiconque a la compétence (§ 9) de la langue française jugera **grammaticale,** c'est-à-dire conforme aux règles de la grammaire, une suite comme *Vous déjeunez tôt.* Au contraire, il rejettera comme **agrammaticales** des suites comme :

*Déjeunez tôt vous.   **Vous déjeunons tôt.*

La grammaire impose des règles, de l'application desquelles chaque sujet parlant se sent un peu juge. Si tous ne pratiquent pas rigoureusement le code, tous admettent l'existence d'un code, et par suite d'infractions appelées "fautes" qu'on recommande d'éviter. On se reprend mutuellement autant dans le peuple que dans les classes cultivées.

Les règles du lexique sont moins contraignantes. Personne ne jugera "fautive" la phrase suivante :

La boîte vient saluer le` béton du soir.

On dit qu'elle est grammaticale, mais **inintelligible,** en raison d'incohérences relevant de notre expérience du monde, donc d'une compétence non linguistique.

Mais on jugera incorrectes (agrammaticales) les phrases suivantes, pourtant intelligibles :

Ouvriers venir défoncer béton mur.

Les ouvriers vient défoncer le béton du mur.

Une phrase grammaticale peut être inintelligible dans des conditions normales d'énonciation pour des raisons ne relevant pas de l'incohérence lexicale, par exemple une complexité excessive de l'imbrication des règles ; voici un cas d'enchâssement abusivement doublé :

L'homme que le bandit qui a été arrêté avait blessé est mort ce matin à l'hôpital.

On dit qu'une telle phrase est **inacceptable**, parce qu'inadaptée aux conditions normales du discours.

La première tâche d'un grammairien est de démêler les facteurs conditionnant le choix des signifiants morphologiques et syntaxiques, analyse sans laquelle aucune formulation des règles n'est pertinente. C'est ce qui a été fait au chapitre III à partir de l'énonciation, dont les facteurs commandent surtout les règles morphologiques (choix des personnes, des temps, des modes). Le présent chapitre exposera les aspects et facteurs principaux du groupement des mots en **chaînes**.

20. CLASSES GRAMMATICALES :

La comparaison des phrases (1), (5) et (6) données au § 18 met en évidence la possibilité de substituer un mot à un autre sans altérer la grammaticalité des rapports syntaxiques dans la chaîne ; le mot *tard* (mais non le mot *partez)* peut remplacer *tôt* dans *Vous déjeunez tôt.*

On reconnaît la même propriété à un assez grand nombre d'autres mots : *bien, mal, souvent, vite, lentement, bientôt, après, d'abord...* On dit que ces mots sont de la même **classe grammaticale**, appelée *adverbe* (parce qu'ils se rapportent au verbe).

L'épreuve de **substitution**, pratiquée sur tous les points d'un grand nombre de chaînes, permet de répartir tous les mots du lexique en un certain nombre de classes grammaticales qu'on appelle aussi **parties du discours** : principalement le *nom*, l'*article*, l'*adjectif*, le *pronom*, le *verbe*, l'*adverbe*, la *préposition*, la *conjonction*, l'*interjection*.

En réalité, la méthode de substitution n'est praticable que si l'on se limite à certains types de chaînes. Le linguiste Maurice Gross, au terme d'un inventaire minutieux des possibilités de construction de 12.000 verbes français, n'en a pas trouvé deux admettant exactement les mêmes positions. Le cas des pronoms, des adjectifs, des adverbes a peu de chances d'être différent. C'est pourquoi beaucoup de grammairiens préfèrent définir les classes à partir de leur signifié (v. § 107).

21. LES TROIS RAPPORTS SYNTAXIQUES :

L'épreuve essentielle, dans l'étude des rapports syntaxiques, est la **suppression** d'un mot ou groupe de mots — fondée encore sur le sentiment de grammaticalité.

Ce seul critère a permis aux linguistes de distinguer trois types de groupement syntaxique, qu'on retrouve dans toutes les langues :

1° GROUPEMENTS DE SOLIDARITE :

Paris dormait.

On ne fait pas une phrase si l'on dit seulement :

*Paris

ou :

*dormait.

Ces deux mots sont **solidaires** ; ils reçoivent leur fonction l'un de l'autre et dépendent l'un de l'autre comme les deux chaînons de la figure.

Remarque : Si l'on dit :

La ville dormait.

la suite *la ville* est dans le même rapport de solidarité avec *dormait* que *Paris* dans l'exemple précédent. On observe entre *la* et *ville* un autre rapport de solidarité, puisqu'on ne peut pas dire **La dormait*, ni **ville dormait*. Mais il s'agit d'un rapport "morphologique" : l'article actualise le nom *ville* comme la terminaison *-ait* actualise *dormir* (§ 12). On dit indifféremment "le nom *ville*" ou "le nom *la ville*" pour parler des rapports de cette suite avec les autres mots de l'énoncé.

2° GROUPEMENTS DE COMPLÉMENTATION :

Les roses de septembre refleuriront.

On peut dire :

Les roses refleuriront.

L'énoncé reste grammatical.

Le nom *les roses* est avec *refleuriront* dans le même rapport que *la ville* avec *dormait* (1°) ; la suite *de septembre* est étrangère à ce rapport ; ni *les roses* ni *refleuriront* ne dépendent de *septembre*.

Mais on ne peut pas dire :

*De septembre refleuriront.

La suppression du nom *roses* prive de fonction la suite *de septembre,* qui se rapporte donc au nom *roses.*

Il n'y a pas de solidarité entre *les roses* et *de septembre,* qui est représenté sur la figure par un anneau brisé (détachable).

Ce rapport de **dépendance unilatérale** (c'est-à-dire dans un seul sens) est appelé **complémentation** : *de septembre* est **complément** de *les roses,* qu'on peut appeler son **support,** et qui est la **base** du groupe.

Un groupe à base de nom est un **groupe nominal** ; à base d'adjectif, un **groupe adjectival** ; etc.

Du point de vue syntaxique, le groupe support+complément a globalement la même fonction que le support seul : on l'appelle **groupe fonctionnel.**

Le mot complément n'a aucune influence sur la fonction globale, qui est totalement assumée par le support. Dans l'exemple donné, le nom *roses,* base du groupe sujet, commande seul le nombre du verbe *(refleuriront).*

Il en est de même si l'on dit :

Le muguet *des bois* **est fleuri.**

On pourrait appeler *monarchique* un tel groupe dont la base répond seule des relations extérieures. A qui ne vise que la correction orthographique, il suffit de dire que *"roses* est le sujet" (alors qu'il est "mot base du groupe sujet"). Du point de vue du sens, les déterminations peuvent toujours être importantes. Si l'on dit :

Un petit chien a déchiré la poupée de ma fille.

il s'agit d'un chien qui a déchiré une poupée, mais les compléments *petit* et *de ma fille* ont un rôle à jouer dans l'accusation et dans l'identification du coupable. De même, *septembre* est essentiel pour Verlaine lorsqu'il écrit :

Ah ! quand refleuriront les roses de septembre ! (Sagesse)

3° GROUPEMENTS DE COORDINATION :

Les roses, les tulipes, les lis refleuriront.

La suite les roses, les tulipes, les lis peut être réduite à *les roses,* ou à *les tulipes,* ou à *les lis.* Ces trois noms ont la même fonction que le tout : ils sont solidaires de *refleuriront.* Mais ils ne sont pas solidaires entre eux : chacun peut se passer des autres ; on dit qu'ils sont, entre eux, en rapport de **coordination :**

– *les roses* est coordonné à *les tulipes* et à *les lis ;*
– *les tulipes* est coordonné à *les roses* et à *les lis ;*
– *les lis* est coordonné à *les roses* et à *les tulipes.*

Les éléments coordonnés peuvent être des groupes fonctionnels monarchiques :

Oublie **les lis de mai, les roses de septembre.**

Ils peuvent être aussi des groupes à solidarité interne (§ 236) :

Les soldats défilaient **la tête droite, le regard fixe.**

Plusieurs mots ou groupes de mots sont coordonnés quand ils exercent dans un énoncé la même fonction.

Les termes peuvent être coordonnés

— par **juxtaposition** (virgule obligatoire, § 58) : *Coupe des roses, des lis ;*

— par **conjonction** (§ 134) : *Coupe des roses et des lis.*

Remarque : On verra (§ 23) que les termes coordonnés peuvent être aussi des unités complexes du type appelé "proposition", ou même des phrases.

29

22. LA PROPOSITION ; LES FONCTIONS SYNTAXIQUES :

L'oued grossit très vite, l'eau arrache la terre aux berges desséchées.

Si l'on représente par un trait le rapport syntaxique d'un mot à un mot, cet énoncé peut être schématisé ainsi :

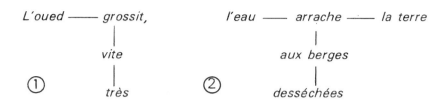

Le schéma rend manifeste la division de l'énoncé en deux chaînes, à gauche et à droite de la virgule. Aucun mot de la chaîne 1 ne se rapporte à un mot de la chaîne 2, ni vice versa.

Ces chaînes sont appelées **propositions**.

Le mot solidaire du verbe, et qui est écrit à sa gauche, est avec lui le seul terme qui ne peut manquer à la proposition. On dit qu'il a la **fonction** "sujet". La fonction syntaxique des autres mots reçoit d'autres noms (v. IVᵉ Partie) : "complément d'objet" *(la terre)*, "complément circonstantiel" *(vite, aux berges)*, "complément d'adverbe" *(très)*, "épithète" *(desséchées)*.

La **fonction syntaxique** ne se confond pas avec la **classe grammaticale** : le sujet peut être un nom, un pronom *(Il grossit)*, un verbe *(Ramer fatigue)* ; le nom peut être sujet *(l'eau)*, complément d'objet *(la terre)*, complément de lieu *(Nous vivons sur la terre)*, etc.

Les mots *grossit* et *arrache* ont la classe "verbe" et la fonction **base de la proposition,** terme officiellement adopté en Belgique, mais ordinairement remplacé en France par "verbe", parce que cette fonction ne peut être remplie que par un mot de cette classe.

On peut définir la proposition : **le groupe formé par un sujet et un verbe, et tous les mots se rapportant directement ou non au sujet ou au verbe.**

Remarques : a) Le sujet manque devant un Impératif, où il est indiqué par la personne du verbe : *Coupe/Coupons/Coupez des roses.*

b) Il ne faut pas identifier la proposition, **unité de groupement,** à la phrase, **unité d'énonciation,** définie par le "propos". Dans l'exemple du § 11, l'énoncé *Quelle malchance !* est une phrase sans être une proposition. Dans l'énoncé ci-dessous, ponctué comme il l'est, on doit voir trois phrases, dont seule la première a la forme d'une proposition :

Paul s'est coupé ! Vite ! Un pansement !

Il n'y a qu'une phrase en tout si l'on écrit :

Paul s'est coupé : vite un pansement !

Sur 100 phrases d'un roman de J. Le Clézio, nous avons compté :

1 phrase contenant 10 propositions,
3 phrases contenant 6 propositions,
8 phrases contenant 5 propositions,
6 phrases contenant 4 propositions,
13 phrases contenant 3 propositions,
27 phrases contenant 2 propositions,
24 phrases contenant une proposition,
18 phrases ne contenant aucune proposition.

23. LA PROPOSITION COMME TERME D'UN GROUPE :

Une proposition, tout comme un groupe monarchique, peut remplacer un mot comme terme d'un groupe ; trois cas sont à distinguer :

1° Coordination :

Les deux propositions distinguées dans l'exemple initial du paragraphe précédent sont entre elles dans un rapport très comparable au rapport de coordination défini au § 21. En effet, chacune des deux peut être supprimée sans faire défaut à l'autre, **leur fonction syntaxique est la même : elles n'en ont pas.** On peut toutefois observer qu'elles ont **la même fonction phrastique :** toutes deux sont de modalité déclarative, sans changement de locuteur.

Dans l'exemple, une virgule marque la coordination. La conjonction *et* pourrait la remplacer.

Plusieurs propositions voisines de même fonction phrastique sont coordonnées entre elles comme le sont des mots.

Il n'y a pas coordination entre deux propositions de modalité différente ; on ne peut donc dire :

*Es-tu prêt et viens.

Dans une phrase comme :

Frappez, (et) on vous ouvrira.

la première proposition n'est pas vraiment impérative (§ 251, Rem. b).

2° Subordination :

Comparer :

a. *Je crains la crue de l'oued.*

b. *Je crains que l'oued grossisse.*

En a, le verbe a pour complément le groupe nominal *la crue de l'oued ;* en b, la proposition *que l'oued grossisse.*

Une proposition qui a dans une autre proposition la fonction d'un mot est dite subordonnée.

Plusieurs subordonnées peuvent être coordonnées entre elles tout comme les mots et les groupes de mots "monarchiques" ;

Je crains que l'oued grossisse et que les champs soient inondés.

3° Corrélation :

Cette phrase de Le Clézio :

Plus le soleil était bas dans le couloir vertical, plus l'ombre marchait vite.

se compose de propositions unies entre elles par un rapport de solidarité : l'épreuve de suppression établit qu'aucune des deux ne peut se passer de l'autre.

On dit qu'elles sont **corrélatives.**

24. GROUPES SUPPORTS :

On a vu jusqu'ici comment un groupe d'un des trois types distingués au § 21 peut se rapporter à un mot. L'inverse est-il possible ?

1° Groupes de coordination supports :

Il n'est pas rare qu'un mot se rapporte à tous les termes unis par un rapport de coordination :

Elle gardait des lis et des roses **fanés.**

L'accord de *fanés* au masculin pluriel marque pour un lecteur que l'épithète se rapporte aux deux noms. Dans une communication orale, l'information est le plus souvent sans marque audible, et le sens peut rester ambigu.

Dans l'exemple suivant, le complément de temps se rapporte vraisemblablement aux verbes des deux propositions coordonnées :

A six heures, *les lampes s'allumaient et les stores se baissaient.*

Le bon sens orienterait autrement l'interprétation si la phrase était :

A six heures, *il prit le train et il fut à Marseille pour dîner.*

2° Groupes de complémentation supports :

Dans une suite comme :

des vêtements de fête **clairs**

certains se demandent si l'épithète *clairs* se rapporte à *vêtements* ou à *vêtements de fête ;* de toute façon, *clairs* est accordé avec *vêtements* qui est le mot de base de ce groupe monarchique.

Dans une suite comme

des vêtements de fête **populaire**

le sens comme l'accord invitent à rapporter l'adjectif au seul nom *fête,* complément du nom base.

Mais devant une suite comme :

les fumées blanches des paquebots

on évitera de se lancer dans des discussions byzantines pour savoir si le complément *des paquebots* se rapporte au seul nom base ou au groupe *les fumées blanches.* Ni l'accord ni le sens ne sont en jeu.

3° Propositions supports :

Dans une phrase comme

Il appuya **un peu** *sur l'accélérateur*

le complément de quantité *un peu* se rapporte étroitement au sens du verbe *appuya.* Mais dans une phrase comme

Heureusement, *Paul paiera la note.*

le sens du complément de manière *heureusement* paraît plutôt se rapporter à l'ensemble de la proposition.

On appelle quelquefois "complément de phrase" un complément dont le sens porte sur l'ensemble de la proposition plutôt que sur un mot. Ce peut être un groupe fonctionnel :

Par un hasard extraordinaire, *aucun véhicule ne passait à ce moment.*

Le détachement du complément par une (ou deux) virgule(s) ne suffit pas pour marquer que la portée s'étend à la proposition ; on admet très bien :

Paul avait heureusement payé la note.

et aussi :

Il appuya, un peu, sur l'accélérateur.

En fait, les différences d'ordre des mots et d'intonation expriment des différences de partage en thème et propos; comparer:

Jacques va à la montagne	**à Noël.**
Thème	Propos

A Noël, Jacques	va à la **montagne.**
Thème	Propos

Jacques va	**à la montagne**	*à Noël.*
Thème	Propos	Thème

Sous ces différences relevant de la phrase, la structure syntaxique reste constantes, et c'est pourquoi le plus sûr pour l'analyste, dans ce cas comme dans celui des groupes de complémentation supports, est de rapporter les compléments douteux au mot-base, ici le verbe.

La conclusion générale de ce paragraphe est que la langue marque peu la portée d'un complément à l'intérieur d'un support complexe, quel qu'il soit.

25. LA NÉGATION :

a. *Paul a acheté ce tableau en Italie.*

b. *Paul* **n'**a **pas** *acheté ce tableau en Italie.*

Ces deux phrases sont déclaratives, car chacune peut être jugée vraie ou fausse par un arbitre bien renseigné. Or cet arbitre n'aurait qu'à énoncer la seconde pour déclarer fausse la première, sens qui résulte de la locution *ne... pas* enchâssant le verbe (§ 129). On dit que:

— la phrase *a* est **positive**;

— la phrase *b* est **négative.**

(Une phrase à la fois déclarative et positive est également appelée **affirmative).**

Le sens négatif n'est pas une "modalité" phrastique, car il peut être (ou non) associé à toutes les modalités; on vient de le voir pour le type déclaratif, voici pour les autres:

Phrase interrogative :

Pourquoi a-t-il acheté ce tableau ?
Pourquoi **n'**a-t-il **pas** *acheté ce tableau ?*

Phrase impérative :

Achète ce tableau.
N'*achète* **pas** *ce tableau.*

Phrase exclamative :

Avoir acheté ce tableau !
N'*avoir* **pas** *acheté ce tableau !*

Le sens négatif est du ressort de la proposition, non de la phrase.

Alors que beaucoup d'adverbes (comme *vraiment, remarquablement)* peuvent modifier un adjectif ou un adverbe aussi bien qu'un verbe, la négation *ne... pas* est **exclusivement verbale.** Devant certains adjectifs ou adverbes, le mot négatif est *non* (en français familier *pas):*

J'ai un bateau **non** *submersible* (fam.: **pas** *submersible).*

Paul habite **non** *loin d'ici* (fam.: **pas** *loin d'ici).*

La négation d'une qualité ou d'une manière peut aussi s'exprimer par des préfixes (§ 86):

J'ai un bateau insubmersible.

Elle peut enfin s'exprimer par un mot positif de sens contraire *(antonyme,* § 75) :

Paul habite près d'ici.

Ce qui a fait souvent prendre la négation pour une modalité de la phrase, c'est l'ambiguïté de sa portée, comparable à celle du propos (§ 15). La négation enchâssant le verbe semble porter sur toute la phrase, même si un seul terme est "faux". C'est qu'il suffit — en bonne théorie logique — qu'un terme d'une proposition (logique) soit faux pour que l'ensemble le soit aussi (comme une erreur dans une seule opération rend fausse la solution d'un problème).

Ce que la phrase *b* déclare faux en *a* peut être un seul des éléments suivants :

— l'identité du sujet (ce n'est pas Paul) ;

— la nature de l'action (tableau non acheté, mais reçu en cadeau ou volé) ;

— l'identité du tableau acheté (c'est un autre) ;

— le lieu de l'action (ailleurs qu'en Italie).

La portée de la négation peut être précisée, comme dans la phrase positive, par la locution *c'est... qui/que* (§ 16) :

Ce n'est pas Paul qui *a acheté ce tableau en Italie,* etc.

Dans les phrases où un verbe est subordonné au verbe principal, la locution *ne... pas* enchâsse en principe le verbe dont le sens doit être annulé ; comparer :

Je **n'espère pas** *partir* – *Je* **n'espère pas** *qu'il partira.*
J'espère **ne pas partir** – *J'espère qu'il* **ne partira pas.**

Or si le verbe principal est *falloir, sembler, devoir, vouloir,* la négation portant sur le verbe dépendant enchâsse quand même le verbe principal :

Je **ne veux pas** *partir (= Je veux* **ne pas partir).**
Je ne veux pas *qu'il parte (= Je veux qu'il* **ne parte pas).**

La portée est encore plus lointaine dans une phrase comme :

Tu **ne** *chantes* **pas** *des chansons* **gaies.**

(= Tu chantes des chansons **non gaies/pas gaies, tristes).**

Quand une phrase contient le mot *tout,* ce mot supporte seul l'effet négatif :

Ne *prenez* **pas tout** *le sucre.*

(= Prenez-en une partie seulement).

Tous *mes amis* **ne** *sont* **pas** *venus.*

(= Une partie seulement de mes amis sont venus).

La phrase suivante :

Tous les animaux sont acceptés.

a deux négatives de sens différent :

Tous *les animaux* **ne** *sont* **pas** *acceptés* (Certains seulement le sont)

Aucun *animal* **n'***est acceptés* (Tous sont refusés).

Un nom de nombre qui vient après le verbe attire également à lui la portée de la négation :

Il **n'***a* **pas** *invité* **trois** *de ses amis.*

(= Il a invité moins de trois amis)

Pour dire que trois amis n'ont pas été invités, on tournera plutôt ainsi :

Il y a trois de ses amis qu'il n'a pas invités.

26. RÉDUCTION, REPRÉSENTATION, ELLIPSE :

Une loi d'économie qui joue dans toutes les langues tend à raccourcir les mots et les chaînes syntaxiques sans diminuer le nombre d'informations communiquées.

● Cette réduction se fait :

— soit par l'emploi de **représentants,** pronoms ou adverbes, qui désignent un référent déjà nommé dans le contexte **(anaphore, §12)** :

Ce livre *est pour toi, prends-***le** (= prends ce livre).

A ce type se rattache l'emploi d'un mot "vicaire" tel que le verbe *faire (Il* a **travaillé** *beaucoup moins que son frère n'***avait fait),** la conjonction *que* **(Quand** *il fera jour et* **que** *le brouillard sera levé),* ainsi que la réponse par *oui* ou *non* à une question.

— soit par la **suppression** d'un ou plusieurs éléments signifiants dont le signifié est facile à sous-entendre.

● La réduction phonétique des mots est un procédé de la langue familière, populaire ou argotique ; souvent les mots réduits passent dans le vocabulaire commun : *faire une radio* (= une radiographie), *prendre le métro* (le chemin de fer métropolitain). Elle est à l'origine des "sigles" comme l'abréviation latine *S.P.Q.R. (Senatus Populusque Romanus),* les noms de pays comme *U.S.A. (United States of America), Benelux (Belgique, Nederland, Luxembourg),* les noms de partis, de syndicats, etc. Elle est pratiquée couramment, par nécessité, dans les "petites annonces" payées à la ligne :

TOUS TRAVAUX D'APPARTEMENT : Élect., plomb., peint., moqu., pap. peints, etc. 850.13.65.

● La suppression d'un mot entier ou de plusieurs mots est appelée **ellipse** (du grec *elleipsis,* manque).

On distingue souvent deux sortes d'ellipse :

1° L'ellipse de discours :

Dans les réponses à une interrogation partielle, on se contente pratiquement d'énoncer le "propos" :

– Où les Romains ont-ils écrasé Hannibal ?

– A Zama.

Quand certains agencements syntaxiques impliquent la répétition d'un ou plusieurs termes, on les sous-entend souvent par ellipse ; c'est principalement le cas dans les propositions coordonnées :

Paul a quatre ans et Pierre dix (= a dix ans).

et dans les subordonnées de comparaison (§273) :

Je ne suis plus le même qu'hier (= que j'étais hier).

La notion d'ellipse est indispensable pour comprendre la fonction des mots *dix* et *hier* dans ces exemples, où il appartient à des **propositions elliptiques.**

Certaines doctrines linguistiques supposent une proposition elliptique dans tous les cas de coordination ; il y aurait ainsi quatre propositions en "structure profonde" dans une phrase comme :

Paul et Jean rencontrent Marie et Denise.

La grammaire traditionnelle se contente d'y voir une seule proposition avec un groupe de coordination sujet et un autre complément d'objet. Mais on convient de voir **une proposition par verbe à un mode personnel ;** il y a donc deux propositions elliptiques dans la phrase :

Paul rencontre et salue Marie.

(le complément *Marie* est sous entendu dans la première, le sujet *Paul* dans la seconde.)

On admet qu'il y a ellipse chaque fois que les maillons inexprimés de la chaîne syntaxique sont clairement impliqués par les maillons restants ; c'est le cas dans ces deux énoncés (non sans hardiesse) :

Cette merveille qu'est ton corps, cette plus étonnante encore, ton esprit. (Gide)

Au milieu de six voyageurs, dont on n'a jamais su tout à fait si, eux aussi, ils dormaient, ou s'ils faisaient ceux qui. (Montherlant).

Mais le terme d'ellipse est impropre quand l'absence d'un mot n'est qu'un archaïsme, comme la non-expression du pronom sujet dans le vieux proverbe *Fais ce que dois,* et quand la phrase est d'un type non propositionnel, comme l'exclamation *Quelle malchance !* (§11).

2° L'ellipse de langue :

A la différence des ellipses mentionnées précédemment, il en est qui peuvent être enregistrées dans les dictionnaires, parce qu'elles modifient le statut d'un mot ou d'une construction dans l'usage commun. Ainsi l'emploi de l'adjectif *documentaire* comme nom dans une phrase telle que :

As-tu vu **le documentaire** *sur le Ceylan ?*

Le nom *film* est sous-entendu, mais de manière si courante qu'on l'oublie, et qu'il est finalement permis de tenir pour deux homonymes (§71) le nom *documentaire* et l'adjectif *documentaire*.

La notion d'ellipse de langue est en somme une notion historique, justifiée seulement par l'étymologie. On y recourra dans l'étude de la formation des mots (§82).

Elle intervient aussi dans l'explication de certaines constructions comme *si* + conditionnel marquant le désir ou le regret (§247) :

Ah ! si Paul venait (sous-entendu : *comme ce serait mieux !*).

L'ellipse est un des grands facteurs d'évolution du lexique et de la grammaire. Elle n'intéresse la description du français moderne que dans la mesure où l'emploi premier se maintient à côté de l'emploi second, comme c'est le cas pour *documentaire*, adjectif et nom.

27. TERMES HORS PROPOSITION : INTERJECTION, APOSTROPHE, ONOMATOPÉE :

Oh ! merci, je ne veux pas de vin, mademoiselle. (Ch. Vildrac)

Cette phrase contient une proposition, *je ne veux pas de vin,* et plusieurs mots qui, n'apportant aucune information sur la représentation énoncée, ne se rapportent à aucun mot de la proposition ; pour cette raison, ils en sont détachés par des virgules, et pourraient être placés différemment, par exemple :

Oh ! mademoiselle, je ne veux pas de vin, merci.

● *Mademoiselle* est un nom, qui pourrait être remplacé ou suivi par un nom propre *(Solange, mademoiselle Solange, mademoiselle Dupont)* ; sa fonction relève de la communication : il indique la destinataire de l'énoncé. On l'analyse **"mot en apostrophe"**.

Le mot en apostrophe peut n'être qu'un pronom :

Vous, *répondez.*

La langue littéraire conserve une marque latine et grecque de l'apostrophe, l'interjection *ô :*

O toi que j'eusse aimée, ô toi qui le savais. (Baudelaire)

● *Oh* et *merci* sont des **interjections,** dont la fonction relève de la **modalité** (§ 14) : *oh !* exprime la surprise, *merci* la gratitude.

Les interjections évoquent souvent des cris inarticulés (dont elles sont nées) : *ah ! oh ! eh ! hi !* Elles prennent tout leur sens par l'intonation, et pour cela sont souvent répétées *(ha ha ha !).* Leur sens résulte parfois de la grimace qui les produit : une moue d'indifférence ou de dégoût entraîne une consonne labiale dans *peuh !, pouah !* (ou *bof, berk !).*

● Il faut en distinguer les **onomatopées,** lorsqu'elles sont des suites phoniques de forme très libre imitant n'importe quel bruit, et qui **contribuent à la description** formulée dans la proposition sans se rapporter à un mot en particulier :

Je ne sais pas, mais je me figure qu'une fois que tu seras rentré, je vais en entendre de drôles... **pif, paf ! taratata poum !...** *les meubles qu'on renverse.* (Meilhac et Halévy).

Chapitre V

**Pluralité
des codes**

28. NORME ET GRAMMAIRE :

L'étude des formes grammaticales dans les précédents paragraphes est essentiellement étayée sur le sentiment de *grammaticalité* (§ 19), c'est-à-dire sur la conscience d'une **norme** imposée ou consentie, commune aux hommes parlant une même langue, soit le français. Les règles lexicales du choix des mots reposent aussi sur un sentiment commun de propriété ou d'impropriété.

Beaucoup de linguistes ont contesté ce critère du **sens de la langue,** en observant que tous les Français, par exemple, n'appliquent pas rigoureusement le même code. L'avocat ne parle pas comme le terrassier ; l'astronome n'écrit pas comme le poète, etc. Il est même avéré que chacun de nous parle une langue différente selon les conditions de l'énonciation : canal oral ou écrit, niveau social, âge et profession du destinataire, lieu, situation, motivation...

Il paraît plus scientifique d'établir le code du français d'après le dépouillement d'un ensemble de textes reconnus par tous comme représentatifs de la langue commune. Hélas, le problème reste entier, puisqu'il faut encore en appeler au sentiment de chacun pour dresser la liste des éléments d'un tel ensemble.

On invoque l'histoire, qui prouve que la langue évolue perpétuellement ; s'il était incorrect au XIXᵉ s. de dire *se rappeler d'une chose,* faut-il imposer en 1980 la construction directe de ce verbe, alors qu'elle devient minoritaire dans l'usage courant ?

Un linguiste a appelé ''français avancé'' le français populaire, pour la raison souvent admise que la faute d'aujourd'hui est la règle de demain. Cette croyance, appuyée sur d'innombrables exemples historiques, néglige les cas aussi nombreux où la faute d'aujourd'hui est la règle d'hier (ainsi le français populaire maintient la langue du Moyen Age en disant : *faut du pain, assois-toi dessus la table, je li ai dit, j'y ai pas dit, un enfant ostiné).*

A supposer même qu'il ne reste pas des cas où la faute d'aujourd'hui ne reflète aucune norme passée ni future, à partir de quel moment, de quel pourcentage d'emploi une forme ancienne cesse-t-elle d'être la norme ? Les participes latins *venditus* et *morsus* sont devenus en latin vulgaire *vendutus et **mordutus,* auxquels remontent les formes françaises normales *vendu* et *mordu :* quand a-t-on pu parler d'une nouvelle norme ? Et pourquoi a-t-on rejeté *sentu* et *éteindu,* coulés dans le même moule ?

En bonne logique, une évolution de la langue n'est souhaitable que dans le domaine lexical, où des mots doivent être indéfiniment créés ou modifiés pour désigner les choses nouvelles, les notions nouvelles. On ne voit pas en quoi l'évolution sociale, scientifique ou économique appellerait des changements grammaticaux. Pour le plus grand bien de la communication, un code grammatical doit rester **stable,** et c'est pourquoi les grammairiens qui ont décrit le français — surtout à partir du XVIe s. — ont tous été implicitement ou explicitement **normatifs.** Ils ont pris pour norme l'usage du milieu le plus représentatif du français commun, soit, pour Vaugelas, la Cour et les "bons écrivains". Ces derniers régnèrent seuls une fois constitués en Académie.

L'usage littéraire est resté la norme dans la société bourgeoise et dans l'enseignement à tous les niveaux jusqu'au XXe siècle. Un grand progrès, réalisé depuis 1936 par le grammairien belge Maurice Grevisse, fut de montrer que ce "bon usage" n'a pas de règles absolues : aux exemples de bonne source conformes à la Norme s'opposent toujours des exemples contraires empruntés aux meilleurs écrivains. La présentation des différents usages ouvre la voie à un choix éclairé. Le grammairien n'est plus un policier ni un juge de la langue, il se transforme en juriste exposant l'esprit du code, la diversité des cas et des décisions antérieures faisant jurisprudence.

D'assez nombreuses études sur le **français parlé** ont paru dans la seconde moitié du XXe s., aboutissant pratiquement à des manuels de français oral indispensables aux étrangers moins pour se faire comprendre des Français que pour les comprendre. Il n'est pas question qu'elles débouchent sur un manuel de grammaire à l'usage des jeunes Français, vu qu'ils n'ont rien à apprendre d'une langue qu'ils parlent depuis leur naissance.

Ce que les Français demandent avant tout aux maîtres d'école et de collège est d'enseigner à leurs enfants et aux illettrés la "correction" du langage qui facilitera leur insertion dans la société. La **"faute de français",** si elle n'est pas sanctionnée par les tribunaux, est réputée indice d'une instruction médiocre, et interdit pratiquement l'accès à un grand nombre d'emplois.

29. REGISTRES ; ÉCARTS, DIFFÉRENCES ; STYLISTIQUE, RHÉTORIQUE, POÉTIQUE :

L'enseignement de la langue ne peut se borner à la description et à la prescription d'un code. Ignorer qu'il en existe d'autres serait non seulement s'aveugler sur les lois d'une activité fondamentalement humaine, mais se priver de précieuses ressources d'expression.

Chaque Français a des habitudes de langage, un usage personnel que ses proches connaissent et que remarque tout nouvel interlocuteur. Ces traits propres tiennent à sa région natale et à celle de ses parents, aux influences de toute sorte superposées, à son caractère, à son goût, à sa profession, à sa classe sociale, à sa culture.

Chaque type de communication comporte aussi un code particulier : le courrier d'affaires n'est pas rédigé comme la correspondance amicale, un discours de propagande électorale n'a pas le vocabulaire et la syntaxe d'une conférence savante ni même d'un boniment de camelot.

Pour qui embrasse du regard tous les **registres de langue,** les traits qui les distinguent apparaissent moins comme des **écarts** à partir d'une norme que comme des **différences** d'un type à l'autre.

Des spécialistes ont entrepris l'inventaire et le classement de ces différences, tenues pour des indices (§ 1) du caractère, des sentiments, du niveau social, etc.; Charles Bally, l'initiateur de cette science (1905), l'a baptisée **stylistique.**

De tout temps, des amateurs de langue et de littérature ont remarqué chez les écrivains ou les orateurs de telles différences, en ont apprécié et analysé les effets, et ont tiré de cette étude les éléments d'une science appelée depuis les Grecs la **rhétorique,** ensemble de préceptes pour améliorer la qualité de l'énoncé, en agrémenter la forme, en renforcer l'effet.

L'adoption de certains agréments d'expression — principalement de régularités rythmiques — comme une contrainte de discours superposée aux règles de la langue, a défini de tout temps le langage **poétique.**

Stylistique, rhétorique et poétique font l'objet du volume *Procédés annexes d'expression.*

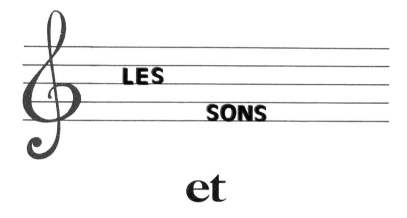

LES SONS

et

Chapitre I

Phonétique

30. PHONÈMES :

On écrit les sons de la langue française au moyen de 26 lettres dont l'ensemble constitue l'**alphabet** :

a b c d e f g h i j k l m n o p q r s t u v w x y z

L'énoncé suivant :

Le sol céda

est une suite de 9 sons vocaux prononcés sans pause intermédiaire, que l'écriture figure en la segmentant (c'est-à-dire en la divisant en morceaux) comme il est montré ci-dessous :

1	2	3	4	5	6	7	8	9
l	*e*	*s*	*o*	*l*	*c*	*é*	*d*	*a*

Aucun des 9 segments de cette chaîne orale ne peut être lui-même divisé : on appelle **phonèmes** ces **segments indivisibles de la chaîne orale.**

A chaque segment correspond, dans l'exemple donné, une lettre. Or cette coïncidence n'est pas constante. Un énoncé comme *L'ombre descendait* est à diviser en 11 phonèmes, mais il faut 16 lettres pour les écrire :

1	2	3	4	5	6	7	8	9	10	11
l'	*om*	*b*	*r*	*e*	*d*	*e*	*sc*	*en*	*d*	*ait*

La correspondance entre ces 16 lettres et les 11 phonèmes apparaît assez confuse :

— Plusieurs lettres sont associées pour traduire un seul phonème : *om, en, ait* ;

— Une même lettre écrit des phonèmes différents : comparez le son de *e* dans *ombre* et dans *descendait* ;

— Un même phonème est écrit par des lettres différentes : *s* dans *sol, c* dans *céda* et *sc* dans *descendait* ont le même son.

Il est donc inexact de dire que l'écriture transpose simplement, pour l'œil, le discours oral. Elle y introduit des variations dont la plupart ont une raison d'être indépendante de la traduction des sons et dont la connaissance ressortit à l'**orthographe** (v. Chapitre II).

Remarques : a) Comme il est dit au § 8, les phonèmes sont des unités **distinctives,** et non significatives. C'est au niveau du mot, unité significative, que la substitution d'un phonème à un autre peut entraîner une modification de sens ; comparez :

le / ce   *sol* / *bol*   *il* **a** / *il* **eut**

le / *les*   *sol* / *soc*   *toi* **et** *moi* / *toi* **ou** *moi.*

b) Pour distinguer les phonèmes des lettres, on les écrit entre crochets ; exemple :

Le phonème [s] s'écrit *c* dans *céda.*

31. ALPHABET PHONÉTIQUE :

Puisque l'alphabet traditionnel ne donne pas un reflet exact des variations phoniques de la parole. il a fallu le remplacer par un **alphabet phonétique** faisant correspondre à chaque phonème une lettre et une seule. Un tel alphabet, applicable, avec quelques additions, à toutes les grandes langues parlées dans le monde, a été créé au XIXᵉ s. par des linguistes groupés en Association Phonétique Internationale. Le voici, avec des exemples donnant la valeur exacte des signes :

VOYELLES (au nombre de 16)

[i]	*habit, île*	[œ]	*peur, œuf*
[y]	*tu, j'ai eu*	[œ̃]	*brun, humble*
[u]	*loup, jour*	[o]	*pot, beau*
[e]	*thé, boucher*	[ɔ]	*pomme, Paul*
[ɛ]	*forêt, mai*	[ɔ̃]	*pont, honte*
[ɛ̃]	*brin, faim*	[a]	*papa, pars*
[ə]	*le, repos*	[ɑ]	*pas, vase*
[ø]	*peu, œufs*	[ɑ̃]	*paon, prend*

SEMI-CONSONNES (au nombre de 3)

[j]	(yod)	*yeux, lieu, travail*
[ɥ]	(ué)	*huile, puis, remuer*
[w]	(wé)	*oui, ouest, roi, loin*

CONSONNES (au nombre de 17)

[p]	*père, cap*	[f]	*fou, if*
[t]	*tu, mat*	[v]	*vous, lave*
[k]	*cas, bac, qui*	[s]	*sort, bosse*
[b]	*bon, robe*	[z]	*zéro, rose*
[d]	*dire, mode*	[ʃ]	*chou, biche*

[g]	*goût, bague*	[ʒ]	*joue, rage*	
[m]	*mer, homme*	[l]	*les, ville*	
[n]	*nous, banal*	[r]	*roi, barre*	
[ɲ]	*agneau, poigne* (''*n* mouillé'')			

Comme on s'y attendait, cet alphabet ne dispose que d'un signe pour représenter, par exemple, le phonème unique [ɛ] écrit *ê* dans *forêt* et *ai* dans *mai.*

Il a un signe simple [ʃ] pour représenter le phonème écrit *ch.*

Il n'a pas de signe unique correspondant à *x* qui marque toujours, quand il est prononcé, un son divisible en deux phonèmes : *examen* [ɛgzamɛ̃] , *taxi* [taksi] .

Remarques : a) Dans certaines langues, la lettre *h* note un bruit de soufflement qu'on appelle ''aspiration'' (ex.: anglais *hand,* allemand *Hand,* ''main''). Ce phonème n'existe pas en français, où *h* est **''muet''**, c'est-à-dire ne note aucun son, dans les mots comme *humble, huile, homme;* dans d'autres mots, où il est dit **''aspiré''**, l'*h* fait obstacle à l'élision et à la liaison (§ 35), notant une ''disjonction'' et non pas une véritable aspiration. Quelques interjections et onomatopées (§ 27) contiennent un *h* vraiment aspiré, qui est expressif et non distinctif : *hop! hm!*

b) On notera que l'alphabet phonétique ne comporte que des lettres simples alors que, dans l'alphabet orthographique, certains phonèmes sont représentés par plusieurs lettres solidairement ; ainsi, les lettres *c* et *h* associées écrivent le phonème [ʃ] de *chou,* qui n'est pas le sens de *c* ou de *h* isolés : on dit que *ch* est un **digraphe,** de même que *ph* dans *pharmacie, gn* dans *agneau, ou* dans *chou, ai* dans *mai, eu* dans *peur.* Il existe aussi des **trigraphes,** comme *aim* dans *faim, ign* dans *oignon; o* et *e* sont liés dans *œil, œuf, bœuf,* etc. Dans un mot comme *fait, ai* suffit pour exprimer le phonème [ɛ]; le *t* qui s'y ajoute est une lettre **muette.**

32. PHONÉTIQUE ARTICULATOIRE ; VOYELLES, CONSONNES, SEMI-CONSONNES :

Les sons du langage sont produits par une expiration d'air pouvant rencontrer différents obstacles entre les poumons et les lèvres. Ces différences d'obstacle produisent les différences de son qui font distinguer les phonèmes les uns des autres : chacun a son **articulation** propre.

La fonction distinctive permet de faire l'inventaire des phonèmes ; un classement peut en être fait d'après la manière de les produire, qu'étudie la **phonétique articulatoire.**

Le premier obstacle est rencontré au niveau du larynx : ce sont les ''cordes vocales'', deux replis de la paroi, que l'air fait vibrer lorsqu'elles sont tendues, en produisant le caractère phonique appelé **sonorité.** Toutes les voyelles sont **sonores ;** certaines consonnes le sont aussi, entre autres :

[b] [d] [g] [v] [z] [ʒ];

d'autres consonnes se distinguent de celles-ci uniquement par le fait qu'elles sont **sourdes** (prononcées avec écartement des cordes vocales); ce sont respectivement :

[p] [t] [k] [f] [s] [ʃ].

La différence entre les voyelles et les consonnes dépend des obstacles rencontrés au-dessus du larynx, dans le **canal buccal.**

Les phonèmes appelés **voyelles** se prononcent sans fermer la bouche ; lorsqu'on articule une voyelle deux fois en mettant plus d'énergie la seconde fois, on augmente l'ouverture de la bouche (prononcez : *a* - **a,** *é* - **é,** , etc.).

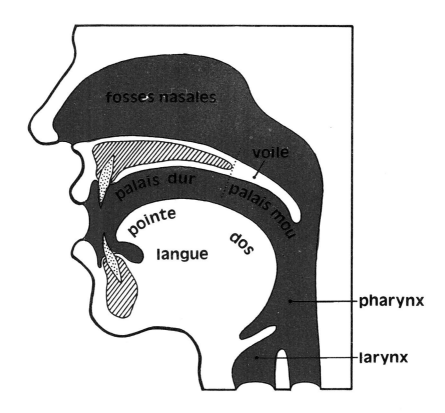

Au contraire, quand on renforce l'émission d'une **consonne,** on ferme de plus en plus la bouche. Pour certaines, la fermeture est complète (prononcez : *ba* - **ba,** *to* - **to**) : on les appelle **occlusives ;** pour d'autres, ce n'est qu'un rétrécissement (prononcez : *re* - **re,** *se* - **se**) ; on les appelle **constrictives.**

Les **semi-consonnes** sont de ce dernier type ; elles tiennent leur nom du fait qu'elles sont souvent écrites *i, u, ou* et qu'elles alternent avec les voyelles [i], [y], [u] dans la conjugaison de certains verbes ; comparez :

je lie [li]	*je tue* [ty]	*je loue* [lu]
nous lions [ljɔ̃]	*nous tuons* [tɥɔ̃]	*nous louons* [lwɔ̃]

La prononciation hésite, pour ces dernières formes, entre la voyelle et la consonne. En vers, on prononce une voyelle.

Dans le canal buccal, des obstacles peuvent être produits par l'élèvement du dos (latin *dorsum)* ou de la pointe (lat. *apex)* de la langue. Ainsi, le phonème [r] est une constrictive *dorsale* en français commun, mais la Normandie et la Bourgogne, entre autres, conservent une prononciation ancienne *apicale* et vibrante.

La fermeture des lèvres (lat. *labra)* produit les consonnes **labiales** [b], [p], [m]. L'application de la langue contre les dents supérieures produit les **dentales** [d], [t], [n]. Quoique très proches des dentales, les constrictives [z] et [s] sont couramment appelées **sifflantes** d'après leur effet auditif ; [ʒ] et [ʃ] sont appelées **chuintantes** pour une raison semblable. Le terme articulatoire **labiodentales** désigne [f] et [v], prononcées entre lèvre et dents. Les occlusives [g] et [k], articulées au niveau du "palais dur" (lat. *palatum)* ou du voile (lat. *velum)* selon la voyelle dont elles sont suivies, sont **palato-vélaires.**

Les voyelles diffèrent entre elles par trois traits qui permettent de les classer comme suit :

	ANTÉRIEURES		POSTÉRIEURES
OUVERTES	[a]		[ɑ]
MI-OUVERTES	[ɛ]	[œ]	[ɔ]
MI-FERMÉES	[e]	[ø]	[o]
FERMÉES	[i]	[y]	[u]
	NON ARRONDIES	ARRONDIES	

Toutes sont par définition ouvertes, mais, l'ouverture (ou **aperture**) variant d'un millimètre à dix entre les incisives supérieures et les inférieures, on appelle **fermées** les moins ouvertes.

Les **antérieures** sont des palatales, les **postérieures** des vélaires.

Les **arrondies** sont prononcées avec un avancement et un arrondissement des lèvres (on dit aussi qu'elles sont "labialisées").

Certaines consonnes et certaines voyelles ont des variétés dites **nasales** ou **nasalisées,** obtenues par un relâchement et un abaissement du voile du palais qui fait des fosses nasales un résonateur :

[m] est un [b] nasal

[n] est un [d] nasal

[ɲ] appelé "*n* mouillé", est une nasale fortement articulée contre le palais dur. On la distingue nettement de [n] si l'on prononce successivement *compagnie* et *Campanie ;* le phonème "*e* caduc" [ə] (§ 33), qui n'existe pas après un groupe [consonne+yod] (exemple : *allie,* prononcé [ali] et non *[aljə]), se rencontre couramment après *gn : pagne* [paɲə].

La nasale vélaire articulée au niveau du voile comme [k] et [g] n'est pas un phonème du français ; on l'entend dans des mots comme *parking, building* prononcés à l'anglaise.

Les voyelles nasales [ɛ̃], [œ̃], [ɔ̃], [ɑ̃] sont articulées à peu près aux mêmes points que [ɛ], [œ], [ɔ], [ɑ]. Dans certaines régions comme Paris, le Centre et l'Ouest, [œ̃] tend à être remplacé par [ɛ̃] : *brun* s'y prononce comme *brin, lundi* comme **lindi;* mais la distinction est solide en français commun, où *brun* s'articule en arrondissant les lèvres comme pour *broc,* et *brin* en les écartant comme pour *brait.*

Les consonnes et les voyelles non nasales sont appelées **orales.**

Remarque : On appelle parfois "*l* mouillé" le son [l] suivi d'un yod : *allié* [alje] (2 syllabes). Ce terme est impropre ; le français commun ne connaît plus d'*l* mouillé.

33. L'*E* "MUET" OU "CADUC" :

On écrit "*e* renversé" [ə] une voyelle d'aperture moyenne, de timbre central et arrondi, qu'on appelle "*e* muet" ou plus exactement "*e* caduc" en raison de sa tendance à s'effacer dans la prononciation. Cet effacement dépend de l'entourage.

On ne prononce jamais l'*e* caduc au voisinage d'une voyelle. Quand cette rencontre se produit dans l'écriture, il s'agit toujours :

— soit s'un digraphe (§ 31, R.b.) comme *ei, eu, œ*, notant une voyelle simple comme dans *reine* [rɛn], *seul* [sœl], *œil* [œj];

— soit d'un *e* purement graphique comme dans *asseoir, j'eus, gageure* [gaʒyr], *nettoiement, baie, fée, mue.*

On prononce l'*e* caduc après deux consonnes s'il est suivi d'au moins une consonne :

mercredi   amplement   encre noire   temple grec

(mais : *Je n'ai plus d'encre* [ãkr]   *Venez au temple* [tãpl].)

On le prononce rarement s'il n'est précédé que d'une consonne :

lentement [lãtmã]   *pureté* [pyrte]   *elle rêve* [ɛlrɛv]

une longue traite [ynlɔ̃gtrɛt]   *une bête splendide* [ynbɛtsplãdid].

34. SYLLABE PHONIQUE :

En écriture phonétique, un énoncé comme *J'ai du bon tabac* demande l'emploi de 10 signes, correspondant à ses 10 phonèmes :

1	2	3	4	5	6	7	8	9	10
[ʒ]	[e]	[d]	[y]	[b]	[ɔ̃]	[t]	[a]	[b]	[a]

Mais si vous chantez ces dix phonèmes sur l'air de la chanson bien connue, vous n'aurez que 5 notes : do, ré, mi, do, ré. Sur chaque note, vous aurez prononcé une **syllabe phonique** (du grec *syllabê*, "réunion").

En principe, la syllabe phonique se compose, comme les cinq syllabes de cet exemple, **d'une consonne et d'une voyelle prononcées** :

1	2	3	4	5
[ʒe]	[dy]	[bɔ̃]	[ta]	[ba]

Mais il y a des syllabes composées uniquement d'une voyelle :

Léon a eu faim

1	2	3	4	5
[le]	[ɔ̃]	[a]	[y]	[fɛ̃]

Il y a des syllabes commençant par un groupe de consonnes (dont la dernière est le plus souvent [r] ou [l]) :

statue [sta-ty]   *bravo* [bra-vo]   *doublé* [du-ble]

Il y a des syllabes commençant par une consonne suivie d'une semi-consonne :

les siens

1	2
[le]	[sjɛ̃]

les soins

1	2
[le]	[swɛ̃]

la nuit

1	2
[la]	[nɥi]

Il y a des syllabes se terminant par une ou plusieurs consonnes ou semi-consonnes prononcées (on les appelle "syllabes fermées") :

art [ar] **forte** [fɔrt] **strict** [strikt] *réveil* [re-vɛj]

artistique [ar-tis-tik] **arctique** [ark-tik]

spectral [spɛk-tral] **cons***truit* [kɔ̃s-trɥi].

Au début d'un mot, la syllabe peut commencer par trois consonnes (ci-dessus : *strict).* Mais à l'intérieur du mot, elle commence à la dernière consonne d'un groupe (ci-dessus : *artistique, arctique),* à moins qu'il ne s'agisse d'un combiné [consonne + r ou l] (ci-dessus : *spectral, construit).*

Beaucoup de syllabes fermées sont créées par l'effacement des *e* caducs dans la prononciation. Ainsi, l'énoncé suivant :

dans le fond de la remise

se compose de 4 syllabes phoniques seulement, toutes terminées par une consonne :

1	2	3	4
[dɑ̃l]	[fɔ̃d]	[lar]	[miz]

Les consonnes doublées dans l'écriture sont presque toujours prononcées simples :

attirail [a-ti-raj] *souffler* [su-fle].

Le doublement de la consonne prononcée n'existe que pour distinguer deux formes voisines : *cour-rais/courais,* ou sous l'accent d'insistance (§ 44), ou pour marquer l'étymologie : *gram-matical, col-lègue* (prononciation affec-tée).

35. SYLLABATION DANS LE DISCOURS ; ÉLISION, LIAISON :

Prononcez cette phrase :

Les avis d'un autre ont ouvert mes yeux.

[le]	[za]	[vi]	[dœ̃]	[no]	[trɔ̃]	[tu]	[vɛr]	[me]	[zjø]

Alors que l'écriture fait distinguer 9 mots séparés par des blancs, la pro-nonciation ne comporte aucune pause, et l'on peut seulement distinguer 10 syllabes, dont les limites ne correspondent pas forcément avec celles des mots.

Quand un mot terminé par *e* caduc est suivi d'un mot commençant par une voyelle quelconque (ex.: *autre ont*), l'*e* n'est pas prononcé, on dit qu'il **s'élide,** et la consonne ou le groupe initial de syllabe forme syllabe avec la voyelle qui suit.

L'écriture ne marque pas l'élision du mot *autre* devant *ont,* mais elle la marque pour *de* devant *un* en remplaçant la voyelle finale élidée par une **apostrophe** (qui conserve, pour l'œil, le partage en mots). On verra plus loin (§ 36) dans quels cas l'écriture marque ainsi l'élision.

Plusieurs consonnes finales qui seraient muettes si l'on prononçait le mot seul *(les, un, on*t) sont prononcées dans notre exemple parce que le mot y est suivi d'un mot à initiale vocalique *(avis, autre, ouvert);* elles constituent avec cette voyelle une syllabe sans coupure: on dit qu'on fait **la liaison** entre les deux mots.

Les semi-consonnes placées au début d'un mot devant une voyelle sont traitées comme des voyelles pour l'élision et pour la liaison, sauf s'il s'agit d'un mot d'origine étrangère:

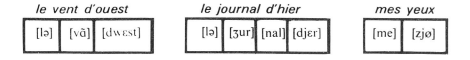

mais

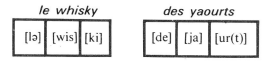

La lettre *h* ne représente aucun phonème en français: elle n'est jamais prononcée (§ 31, Rem. a); cependant elle influe sur l'application des règles d'élision et de liaison de la façon suivante:

— Les mots commençant par *h* dit **muet** entraînent l'élision et la liaison comme les mots à initiale vocalique:

l'homme [lɔm]   *un homme* [œ̃ nɔm]   *des hôtes* [de zot]

— Les mots commençant par *h* dit **aspiré** ne prêtent ni à l'élision ni à la liaison:

le hareng [lə arɑ̃]   *un hareng* [œ̃ arɑ̃]   *des hottes* [de ɔt].

Remarques: a) Les règles d'élision et de liaison peuvent être enfreintes par analogie dans des séries comme celle des noms de nombre: on dit *le un, le huit, le onze* comme *le deux, le trois* etc. Mais on fait l'élision devant *un* en fonction adjective: *un enfant d'un an.* On prononce *dix-huit* avec liaison, mais *des huit* sans liaison et *le huit* sans élision.

Comme on dit *le non, les non,* on dit *le oui* sans élision, *les oui,* sans liaison (en évitant la confusion avec *les ouïes).*

b) *Ouate* fait élision et liaison pour ceux qui l'emploient communément: un médecin demande *un tampon d'ouate.* Ceux qui emploient ordinairement le mot *coton* traitent *ouate* comme un mot étranger: *Un peu de ouate* (J. Renard).

c) En français parlé relâché, l'élision efface avec l'*e* muet les consonnes finales normalement muettes qui peuvent le suivre; on prononce donc sans liaison:

Vous êt' (= êtes) *imprudent*   *Les vieill'* (= vieilles) *auberges*

Ces faits donn' (= donnent) *à réfléchir.*

36. RÈGLES GRAPHIQUES DE L'ÉLISION :

Voyelle élidée	Mots élidés	Mots devant lesquels l'élision a lieu
e	ce, me, te, se, le, ce, de, ne, que, jusque	Mots à initiale vocalique : j'ai, l'un, l'homme, c'est, celui qu'on voit, depuis qu'on est là, jusqu'alors.
	lorsque, puisque, quoique	il(s), elle(s), un(e), en, on, ainsi : lorsqu'il est là (mais : lorsque Elsa est là).
	quelque	un(e) : quelqu'un (mais : quelque autre)
	presque	île : presqu'île (mais : presque épuisé)
	entre	cinq verbes (selon l'Académie) : s'entr'aimer, s'entr'apercevoir, s'entr'appeler, s'entr'avertir, s'entr'égorger, (mais s'entraccorder, entre eux).
a	la, article et pronom	Mots à l'initiale vocalique : l'âme. je l'ai eue.
i	si, conj. de cond.	il(s) : s'il veut, s'ils veulent.

Remarques : a) L'apostrophe ne doit jamais tomber en fin de ligne.

b) On écrivait autrefois avec apostrophe les mots *grand-mère, grand-tante, grand-route,* etc. où il faut un trait d'union, car l'adjectif *grand* n'y a jamais comporté d'*e*.

37. ASPECTS ET FACTEURS DE LA LIAISON :

La prononciation des consonnes en liaison n'est pas toujours conforme à leur graphie :

— *s* et *x* se prononcent comme *z : les amis* [lezami], *deux amis* [døzami] comme *allez-y* [alezi] ;

— *d* se prononce comme *t : grand homme* [grãtɔm] comme *petit homme* [pətitɔm] ;

— *g* se prononce *k* dans *sang impur (La Marseillaise)* et *suer sang et eau ;* ailleurs, il est sonore ou n'est pas prononcé : *un long intervalle* [œ̃ lɔ̃ (g) ɛ̃tɛrval] ;

— *f* se prononce *v* dans *neuf ans, neuf heures,* mais *f* partout ailleurs : *neuf élèves, les neuf autres.*

La liaison entraîne parfois une modification du timbre de la voyelle précédente ; les adjectifs en *-ain, -ein, -en, -on* (sauf *mon, ton, son)* se prononcent comme s'ils étaient féminins :

un certain âge (prononcez [sɛrtɛn], comme *certaine)*

un plein arrosoir (prononcez [plɛn], comme *pleine)*

le Moyen Age (prononcez [mwajɛn], comme *moyenne)*

un bon ami (prononcez [bɔn], comme *bonne).*

Pour les adjectifs en -*in,* la dénasalisation de la voyelle est facultative :

le divin Homère (prononcez [divɛ̃] ou [divin]).

Une liberté analogue s'observe pour les adjectifs en -*er :*

le dernier acte (prononcez [dɛrnje] ou [dɛrnjɛr]).

On ne fait pas toutes les liaisons. En principe, un mot accentué (§ 39) n'est pas lié au mot suivant : personne ne prononcera avec liaison *un marchand adroit, le camp ennemi;* pourtant l'habitude de **marquer le pluriel** par [z] devant voyelle *(de grands enfants)* fait souvent prononcer un [z] dans *des marchands adroits, les camps ennemis.* Ainsi distingue-t-on : *un prix élevé* (sans liaison), *des prix élevés* (avec liaison). La langue populaire ou dialectale (Québec) va même jusqu'à prononcer *cinq enfants* avec un [z] de pluriel supprimant le [k] final ou s'y ajoutant : [sɛ̃zɑ̃fɑ̃], [sɛ̃kzɑ̃fɑ̃].

Historiquement, la liaison est née de la cohésion du ''groupe syntaxique'' (§ 39); c'est encore ce qui en conserve l'usage, et l'on peut la donner pour **obligatoire** (c'est-à-dire toujours faite en français commun) dans les cas suivants :

1° **groupe nominal** :

déterminant (+ adjectif) (+ adjectif) + nom

deux amis   *les anciens amis*

les bonnes anciennes auberges

On notera la différence entre

un savant Anglais (avec liaison) : *savant* est adjectif

un savant anglais (sans liaison) : *savant* est un nom.

2° **groupe adjectival** :

adverbe + adjectif

très important   *plus ouvert*   *tout entier*

3° **groupe verbal** :

(sujet) (+ pronon atone) (+ pronom atone) + verbe

vous êtes   *Paul les aime*   *nous en avons*

Je les en ai félicités.

verbe + pronom ou adverbe atone postposé

Vient-elle ?   *Paul vient-il ?*

Félicitez-vous-en   *Mets-y un accent*

verbe *être* + attribut ou complément

Je suis un homme   *C'est inutile*   *Ils sont ensemble*

Les mots essentiellement atones que sont les prépositions sont généralement prononcés avec liaison : *avant eux, dans une heure, sans eux, sous un toit.*

La cohésion explique également la liaison obligatoire dans les mots composés et locutions : *pot-au-feu, pied-à-terre, Arts et Métiers, États-Unis, bout à bout, vis-à-vis, de haut en bas,* etc.

On lie très peu les conjonctions de coordination : *pas lundi, mais après; et puis il s'en va. Et* n'est jamais lié : *et il s'en va.*

Les règles données plus haut ne s'appliquent pas également à tous les mots. Avec les adverbes *fort, toujours,* par exemple, la liaison est affectée *(fort agréable, toujours un peu);* c'est que l'*r* a très tôt dominé la consonne finale.

38. INTONATION :

La division du discours oral en phonèmes et en syllabes est appelée *analyse segmentale* parce que les phonèmes et les syllabes sont des unités composant elles-mêmes l'énoncé par leur juxtaposition, comme des segments de ligne mis bout à bout.

Or on peut aussi pratiquer diverses analyses qu'on appelle *suprasegmentales* parce que les unités qu'elles connaissent ne peuvent être émises qu'à l'occasion des unités segmentales, pour ainsi dire "par-dessus les segments". Ce sont les unités d'**intonation**.

39. L'ACCENT TONIQUE ;
MOTS TONIQUES ET MOTS ATONES :

On attend un gros arrivage de poisson frais.

Cet énoncé se compose de douze syllabes :

1	2	3	4	5	6	7	8	9	10	11	12
[ɔ̃]	[na]	[tɑ̃]	[œ̃]	[gro]	[za]	[ri]	[vaʒ]	[də]	[pwa]	[sɔ̃]	[frɛ]

Quoiqu'on les prononce normalement sans aucune pause dans le débit, l'émission de ces 12 syllabes donne l'impression de se faire en trois fois (3 + 5 + 4). C'est que la 3e, la 8e et la 12e syllabe portent l'**accent tonique,** c'est-à-dire sont prononcées plus fort, sur une note plus haute et, surtout, avec une durée plus longue que les autres.

L'accent tonique en français est à la fois un accent d'**intensité,** de **hauteur** et de **durée.**

Il porte toujours sur la dernière syllabe d'un mot (ex. : *at*tend, frais), ou sur l'avant-dernière si la dernière est muette *(arri*vage).

Si tous les mots portaient l'accent tonique, on pourrait dire que la prononciation divise le discours en mots comme le fait l'écriture ; mais certains mots seulement reçoivent l'accent, les derniers mots de groupes dont la composition est réglée par le sens et qu'on appelle **groupes syntaxiques.**

Les mots accentués (comme *attend, arrivage, frais* dans l'exemple) sont dits **toniques,** les mots inaccentués (comme *on, un, gros, de, poisson* dans l'exemple) sont dits **atones.**

Certains pronoms ont des formes différentes pour l'emploi tonique et l'emploi atone ; ainsi, dans la phrase

*Je te condui*rai *chez* **toi**

te et *toi* désignent la même personne, exprimée par la forme atone devant le verbe qui termine un groupe, et par la forme tonique à la fin du groupe prépositionnel *chez toi.*

Les formes de l'article, précédant toujours un nom ou un mot à valeur de nom, sont toujours atones : *le so*leil, *la* lune.

L'indication donnée par l'accent tonique sur la division de l'énoncé en groupes syntaxiques est superflue puisque le discours écrit s'en passe : les marques grammaticales suffisent pour indiquer les limites de ces groupes ; seule, l'analyse grammaticale révèle leur composition et leur fonction, qui sont essentielles et dont l'intonation ne dit rien (elles sont différentes dans les trois groupes de l'exemple donné).

C'est pourquoi certains linguistes pensent que l'accent tonique n'a pas de fonction linguistique : dans la progression du discours, il est une conséquence physique, comme le crissement des pneus d'une voiture dans les virages.

Mais il est utilisé dans la langue des vers, où il devient le facteur dominant du **rythme.**

Remarque : On prononce avec l'accent l'*e* caduc du pronom *le* s'il suit le verbe *(Dis-***le**) et celui du pronom *ce* dans quelques constructions : *sur* **ce,** *et* **ce** *en ma présence.*

40. L'''ACCENT D'INSISTANCE'' :

Certaines marques accentuelles sont du moins usitées volontairement, pour souligner l'emploi d'un élément linguistique sans rien ajouter à son sens ; ce sont :

● **L'accent d'insistance affectif,** principalement caractérisé par l'allongement de la première consonne :

C'est **ff**or*midable !*   *C'est é*ppou*vantable !*

● **L'accent d'insistance intellectuel,** renforçant l'intensité de la syllabe mise en relief :

C'est un **in**ci*dent, non un* **ac**ci*dent.*

*La chapelle est dé***s**af*fectée, et non dé***sin**fectée.*

Le renforcement peut intéresser tout le mot :

J'ai dit **Vaux-le-Vicomte** *et non* **Vaux-sur-Seine.**

41. PAUSES ET MÉLODIE :

Il écouta. Toute la maison semblait frémir ; des portes se fermaient, des pas rapides couraient sur le plancher de dessus. (Maupassant)

La prononciation divise cet énoncé en quatre parties, séparées par des pauses plus ou moins longues. Ces quatre parties sont quatre propositions (§ 22). Les pauses ont une valeur **syntaxique.**

L'écriture marque et distingue les pauses plus nettement que la parole grâce aux signes de ponctuation hiérarchisés : point, point-virgule, virgule. Les pauses de la parole sont de durée mal définie, et des suspensions de débit s'ajoutent aux pauses syntaxiques chaque fois que le locuteur s'arrête pour chercher ou peser un mot, ou pour le faire peser à son destinataire (**pause d'insistance).**Mais la délimitation des propositions est rendue claire par une **mélodie** dont la pause est inséparable et que l'écriture ignore.

Dans l'exemple donné, chaque proposition a la même ''courbe mélodique'' ; la voix monte, puis descend pour terminer la phrase un peu plus bas qu'elle ne l'a commencée :

4	*é*		*-son*	
3		*-cou-*		*sem-*
2	*Il*	*Toute la mai-*		*-blait fré-*
1		*-ta*		*-mir*

L'absence de pause résulte des liens de dépendance unissant entre eux les termes de la proposition. Il n'est pas surprenant que le rapport d'indépendance réciproque existant entre des termes de même fonction coordonnés par juxtaposition (§ 21) soit marqué par une pause :

Coupe des roses, des tulipes, des lis.

Une inflexion mélodique est liée à ces pauses :

4				
3	*roses*		*-lipes*	
2	*Coupe des*	*des tu-*		*des*
1				*lis*

La montée sur la dernière syllabe non muette des deux premiers mots coordonnés souligne le fait que la proposition n'est pas achevée, comme le croirait le locuteur si la voix tombait ; c'est une **montée d'attente**. La chute sur le dernier mot marque l'achèvement. La voix tomberait sur *roses* et sur *tulipes* si le locuteur, en prononçant chacun de ces mots, ne pensait pas au suivant.

Les termes coordonnés peuvent être des propositions (§ 23). Dans le texte de Maupassant, le verbe *se fermaient* peut être prononcé soit avec une montée d'attente, soit avec une chute ; mais la chute seule est possible sur le complément final *de dessus*.

La courbe montante-descendante s'applique à la **phrase** quand celle-ci n'a qu'une proposition ou quand elle se compose de plusieurs propositions enchaînées (§ 23) :

Je crains que l'oued grossisse.

4			
3		*l'oued*	
2	*Je crains que*	*gros-*	
1			*-sisse*

Si la phrase, comme celle de Maupassant, se compose de plusieurs propositions coordonnées, la fin de phrase n'est souvent distinguée des fins de proposition que par une pause plus longue.

Tout point final de phrase n'est pas précédé d'une mélodie montante-descendante. Dans tous les exemples précédents, la phrase avait la modalité **déclarative** (§ 14), qui appelle cette mélodie, mais d'autres courbes marquent d'autres modalités. On mentionnera tout particulièrement la mélodie **interrogative** montante et la mélodie **impérative** descendante :

Il travaille la nuit ?

4		*nuit*
3	*-vaille la*	
2	*Il tra-*	
1		

Fais ce que je te dis.

4	*Fais*	
3	*ce*	
2	*que je te*	
1		*dis*

D'autres courbes ont un sens moins tranché, interprétable en fonction du sens de l'énoncé; leurs nuances ont tant de degrés et sont si variables selon le locuteur que beaucoup de linguistes se refusent à tenir l'intonation pour un élément du code grammatical. Selon le phonéticien suédois Malmberg (1966), sur une centaine de courbes mélodiques qu'on peut distinguer en français, quelques-unes seulement ont un sens à peu prés défini.

Dans le cadre de la phrase dont elle marque ainsi, plus ou moins bien selon les cas, les limites et la modalité, l'intonation souligne très utilement le partage en Thème et Propos, défini au §15. La phrase suivante:

Tu as rencontré Jean en Hollande?

peut signifier:

1° "Lorsque tu es allé en Hollande, as-tu rencontré Jean?"

2° "Est-ce en Hollande que tu as rencontré Jean?"

Dans le premier cas, le complément *en Hollande* fait partie du thème, et pourrait être détaché par une pause; la courbe atteint sa hauteur maximum sur le mot *Jean:*

4			
3	*Jean*		*-lande*
2	*Tu as rencontré*		*en Hol-*
1			

Dans le second cas, *en Hollande* est le propos, et tout le reste est thème; la voix ne monte que sur *en Hollande:*

4	
3	*-lande*
2	*Tu as rencontré Jean en Hol-*
1	

Enfin, l'intonation marque très nettement les décalages du discours tenant à un changement dans les facteurs de la communication, que la langue écrite marquerait par des guillemets, des virgules doubles, des tirets ou des parenthèses. Par exemple, un ton plus bas et uniforme signale l'incise (§250) qui représente le discours du narrateur au sein d'un discours rapporté:

Ils sont trop verts, dit-il, et bons pour les goujats.

Des marques analogues distinguent les mots hors proposition que sont les apostrophes, les interjections (§27).

Chapitre II

Écriture du mot

42. ON ÉCRIT DES MOTS, NON DES PHONÈMES :

Une machine à écrire automatique, tapant à la dictée le discours oral qu'on veut conserver, rendrait les plus grands services dans les bureaux de toutes les administrations et aux rédacteurs de toutes catégories. Le fonctionnement d'une telle machine serait assez simple s'il lui suffisait de traduire chaque phonème articulé par une lettre, un digraphe ou un trigraphe (§ 31, Rem. b), par exemple [ɛ] toujours par *ai*. Mais, comme il est montré au § 30, il n'en est pas ainsi en français — pour ne parler que de notre langue. Le phonème [ɛ] s'écrit différemment selon le mot où il apparaît : *mais, forêt, père, reine*. C'est au niveau du mot que se détermine l'**orthographe,** ensemble de règles pour écrire (grec *graphein)* de façon correcte (grec *orthos,* ''droit'').

L'orthographe implique une analyse du discours en **mots.**

43. MARQUES DE L'UNITÉ DU MOT : BLANC, POINT ABRÉVIATIF, POINTS DE SUSPENSION, TRAIT D'UNION :

● La première marque de l'analyse en mots est le **blanc** séparant chaque mot de son voisin, même quand la chaîne des phonèmes est interrompue. Alors qu'on prononce **sans aucune pause** un *groupe syntaxique* (§ 39), et même une proposition composée de plusieurs groupes, comme

On attend un gros arrivage de poisson frais,

l'écriture analyse cette suite de phonèmes **en mots** (ici 8). Ce découpage qu'aucune machine commercialisée n'est actuellement capable de faire, notre sens grammatical le fait par une évaluation inconsciente des possibilités de substitution d'un autre mot à chacun des mots de la chaîne.

● La troncation de la fin d'un mot pour économie de place (§ 26) est marquée obligatoirement par le **point abréviatif :**

Beau liv. + *2 chbres, tt cft, asc. S/pl. vendredi 14 h. à 19 h. 6 r. de la Sorbonne.*

Noter ces abréviations usuelles :

M. : *Monsieur*   **MM.** : *Messieurs*   **etc.** : *et caetera*

p. : *page*   **pp.** : *pages*   **cf.** : *confer* (reportez-vous à).

On ne met pas de point si l'abréviation conserve la dernière lettre :

Mme : *Madame*   **Me** : *Maître*   **Dr** : *Docteur*

Mlle : *Mademoiselle*   **Mgr** : *Monseigneur*   **Cie** : *Compagnie*

On n'en met pas non plus, ni d's au pluriel, dans les abréviations des noms d'unités de monnaie, de mesure :

2,40 F *(deux francs quarante)*   **1,500 kg** *(un kilo cinq cents)*
3,5 l *(trois litres cinq).*

● La troncation de la fin d'un mot par souci des convenances ou par discrétion est marquée par les **points de suspension** (trois points) :

A LA FORGE : *Hé, l'Aztec, chaud-là, mon garçon ! Serre la vis. En vigueur. Hardi donc, N... d... D... !* (A. Daudet)

● Par contre, si un mot est coupé à la fin d'une ligne faute de place, et est terminé au début de la ligne suivante, **on emploie le trait d'union à la fin de la première ligne** (et non au début de la seconde). Cet usage est soumis à certaines contraintes :

1º La coupe doit tomber **à la fin d'une syllabe graphique** (la syllabation graphique se distingue de la syllabation phonique étudiée au §34 par le fait qu'elle conserve tout *e* muet placé entre une consonne et une autre consonne ou une fin de mot, et sépare les consonnes doubles même si elles sont prononcées simples) ; on coupe donc :

com-plé-ment, pu-re-té, gran-de sot-te, ren-voie, par-tie, net-toie-ment, col-lè-gue, com-met-tra, as-cen-seur.

2º On ne coupe pas **avant ou après une seule lettre** ; ainsi les mots *obéi, agréé*, qui ont trois syllabes, ne peuvent être coupés.

3º On ne coupe pas **entre deux voyelles** : *monsieur* ne peut être coupé qu'après le *n* ; *Léon, pays, maïs* sont insécables.

4º On ne coupe pas **avant ou après un** *x* **ou un** *y* **placé entre deux voyelles** ; ainsi les mots *fixer, moyen* ne peuvent être coupés (mais on coupe *mix-ture, tex-tile, cy-gne*).

5º On évite de faire coïncider le trait d'union de coupe de mot avec les emplois dont il va maintenant être parlé.

● **Le trait d'union sert aussi à marquer la cohésion étroite de deux éléments d'un mot, ou de deux mots** ; ainsi :

— Il marque l'unité de sens des **mots composés** : *timbre-poste, radical-socialiste ;* mais cet emploi n'obéit pas à des règles strictes : le trait d'union manque dans certains mots comme *garde champêtre* et surtout dans des mots composés avec une préposition : *pomme de terre, tout à fait, peu à peu ;* l'usage est ici très capricieux.

— Il s'emploie entre deux nombres inférieurs à 100 dans les noms de nombre composés : *trois cent quatre-vingt-deux* (§164).

— Il marque l'unité de sens des adjectifs ou pronoms composés dont le second élément est *ci* ou *là* (§146) : *ce livre-ci, celui-là ;* il apparaît aussi dans les adverbes composés de *ci* ou *là* et d'une préposition ou d'un adverbe : *de-ci, par-là, ci-contre, là-bas,* etc.

— Il unit l'adjectif *même* aux formes du pronom personnel : *moi-même, eux-mêmes* (mais : *le roi même ; vous autres*).

— Il précède et suit le *t* "euphonique", analogique de formes verbales finissant par *t* (§179) : *Où va-t-on ? Sans doute se trompe-t-il* (d'après *dit-il, vient-il*).

— Il est mis devant les formes atones des pronoms personnels, le pronom *ce* et les adverbes atones *en* et *y*, quand ces mots suivent le verbe auquel ils se rapportent : *dit-il* (mais : *il dit), Venez-vous ?* (mais : *Venez vous asseoir), fût-ce* (mais *ce fût), Dites-le-lui* (mais : *Vous le lui dites, Allez le lui dire), Prenez-en, venez-y* (mais : *Je veux en prendre, il faut y travailler), Allez-vous-en, va-t'en* (élision de *va-te-en).*

Remarques : a) L'arrêté du 28-12-1976 rend facultatif le trait d'union, sauf quand il évite une ambiguité *(petite-fille)* et devant et après le *t* euphonique.

b) Même l'usage de l'apostrophe a été un progrès dans l'analyse en mots ; ce que nous écrivons *l'homme d'Athènes* était écrit au Moyen Age : *lome dathenes*. Les règles de l'élision graphique ont été données au §36.

44. ORTHOGRAPHE GRAMMATICALE :

L'écriture manifeste sous une forme simple et systématique les variations morphologiques des mots. Par exemple :

La variation du nom et de l'adjectif en genre est manifestée dans l'écriture par une marque à peu près constante : l'*e* muet du féminin. Au contraire, en français oral, le féminin n'a pas de marque unique et permanente (§§120, 125) ; comparez :

MARQUE DU FÉMININ EN FRANÇAIS ÉCRIT	MARQUES DU FÉMININ EN FRANÇAIS ORAL
addition d'un *e :* *vert/ verte gris/grise*	**addition d'une consonne :** [vɛr] / [vɛrt] [gri] / [griz]
addition d'un *e* *cousin/cousine brun/brune*	**addition d'une consonne et changement de timbre vocalique :** [kuzɛ̃] / [kuzin] [brœ̃] / [bryn]
addition d'un *e* *menteur/menteuse*	**changement de consonne et de timbre vocalique :** [mɑ̃tœr] / [mɑ̃tøz]
addition d'un *e* *flou/floue nu/nue*	**aucune marque :** [flu] / [flu] [ny] / [ny]

La variation du nom et de l'adjectif en nombre est manifestée en français écrit par la marque *s,* devenant *x* dans certaines conditions (§124); en français oral, cet *s* et cet *x* sont le plus souvent muets, sauf devant une voyelle au sein du groupe syntaxique, où ils font "liaison" (§35). Il est vrai que les déterminants du nom comme l'article opposent le pluriel au singulier *(le/les, un/des),* mais le nom n'en est pas moins le siège du nombre, et il n'a pas toujours d'article.

Une distinction importante rattachée à la morphologie est celle **des noms communs et des noms propres;** les seconds sont écrits avec une **majuscule** (§110), marque sans équivalent en français oral.

L'orthographe maintient en grande partie une **distinction des "personnes"** dans certains temps de la **conjugaison** verbale où la langue orale les confond; comparez:

je chante			*je chantais*	
tu chantes	$= [\int \tilde{a}t]$		*tu chantais*	$= [\int \tilde{a}t\varepsilon]$
il chante			*il chantait*	
ils chantent			*ils chantaient*	

Les notions grammaticales dont l'orthographe impose l'acquisition ne se bornent pas à une conception claire et complète du système **morphologique** du français (partiellement oblitérée dans l'usage oral), la **syntaxe** est également impliquée:

— Celui qui écrit doit avoir une conscience claire des rapports entre les mots dans la proposition pour accorder conformément à sa pensée l'épithète (§233), l'attribut (§220), le verbe (§214), le participe passé (§228).

— Il doit avoir l'intelligence du système des modes verbaux pour écrire correctement *chantez, chanter* ou *chanté* là où le français oral prononce [ʃãte]. Sans doute, cette distinction graphique est un luxe, et personne n'hésite lorsqu'il s'agit des formes homologues d'un verbe du 2e groupe comme *prenez, prendre, pris,* mais l'effort mental que réclame ce superflu est précisément si faible qu'une erreur sur ce point risque d'être imputée à l'ignorance ou à l'incapacité.

Chaque règle de l'orthographe dite grammaticale trouve sa place dans l'exposé de la morphologie et de la syntaxe. On en finira ici avec les généralités en observant que les marques orthographiques ayant cette valeur sont principalement des lettres finales de mot, muettes —sauf en cas de liaison.

45. ORTHOGRAPHE LEXICALE:

Les noms suivants ont un point commun: ils se terminent tous par [ɛ]; mais ce phonème y est écrit différemment:

balai, marais, souhait, portefaix, procès, beignet, poney, respect, genêt, entremets, legs.

Ces différences d'écriture n'ont aucune signification grammaticale; un étranger n'ayant qu'une pratique orale de la langue devra, pour écrire correctement ces mots, consulter le dictionnaire. Ces différences sont du ressort de **l'orthographe lexicale.**

Dans l'arbitraire apparent de ces graphies contradictoires — dont la seule explication, quand elle existe, est le plus souvent historique (ex.: *procès* remonte au latin *processus, faix* au latin *fascem...)* — deux sources de difficulté interfèrent :

— l'existence de **lettres muettes** sans fonction grammaticale, comme l'*s* final de *marais, procès, entremets, legs,* l'*x* de *portefaix,* le *t* de *souhait, beignet, respect, genêt,* le *c* de *respect,* le *g* de *legs;*

— la concurrence de lettres ou digraphes **de même valeur :** *ai, ê, ey,* etc.

Alors qu'une personne ayant acquis l'usage oral de l'allemand ou de l'espagnol n'a besoin pour écrire ces langues que de savoir écrire les phonèmes, celui qui veut écrire le français doit apprendre **la graphie particulière de tous les mots.**

La complexité de l'orthographe lexicale française a fait proposer, depuis la naissance de l'imprimerie, maints projets de réforme, dont aucun n'a abouti — mis à part quelques simplifications de portée très réduite dans les éditions successives du dictionnaire de l'Académie (surtout en 1740).

Les adversaires de la réforme font valoir deux arguments :

● La variété des graphies permet de **différencier les homonymes** (§ 71), comme *ver, vers, vert, verre, vair.* Les mots de deux syllabes, ou d'une seule, étant nombreux en français, l'homonymie y est fréquente. Pourtant la communication orale ne paraît guère perturbée par la confusion phonétique de *balai* et *ballet,* de *legs, lait* et *lai,* de *genêt* (plante) et *genet* (cheval), qui ne s'emploient pas dans les mêmes contextes.

● L'addition de lettres muettes et le choix même des lettres prononcées permettent de **rapprocher des mots de la même famille** (réellement ou apparemment) ; exemples :

— Le *c* de *respect* évoque celui de *respecter,* le *g* de *doigt* celui de *digital,* le *g* de *legs* (pourtant dérivé de *laisser)* celui de *léguer.*

— L'*a* de *chaud* évoque celui de *chaleur,* l'*e* de *bateau* celui de *batelier.*

C'est aussi le moyen d'**assortir les dérivés de même sens :**

— Les diminutifs en [ɛ] s'écrivent -*et : livret, porcelet, aigrelet;*

— Les noms de plantation en [ɛ] s'écrivent -*aie : roseraie, saulaie,* etc.

Les traditionalistes de l'orthographe réussissent à regrouper ainsi une bonne partie des mots français en micro-systèmes où leurs graphies s'éclairent mutuellement. Le succès actuel de cette vue "structuraliste" de l'orthographe française, dû notamment aux travaux du Français René Thimonnier (§ 52) et du Russe Vladimir G. Gak, a momentanément affaibli la tendance réformiste, ou en a limité le programme à un très petit nombre de mots (228 selon R. Thimonnier). En attendant cette réforme — ou une autre — il faut rappeler, à tous les niveaux de l'école au lycée, les impératifs — justifiés ou non — de cette orthographe de plus en plus maltraitée dans l'usage. Comme il existe des manuels entièrement consacrés à cette discipline, on ne présentera ici qu'un choix des règles couramment appliquées et des anomalies les plus rebutantes.

46. LES ACCENTS ET LE TRÉMA :

L'écriture dispose de signes auxiliaires servant soit à distinguer différentes valeurs phoniques des lettres, soit à différencier des homonymes ; ce sont les *accents* et le *tréma.*

● **L'accent aigu** marque le timbre fermé du *e : blé, poupée;* on le rencontre exceptionnellement sur *e* ouvert dans les conditions indiquées au § 47.

● **L'accent grave** sur *e* marque le timbre ouvert : *dès, après.*

Ailleurs, il ne sert qu'à différencier des homonymes : comparez :

où (adv. de lieu)	*à* (préposition)	*là* (adverbe de lieu)
ou (conjonction)	*a* (verbe *avoir)*	*la* (article et pronom)

Les mots composés de *là,* qui ne peuvent faire confusion, conservent cependant l'accent : *au-delà, celui-là,* sauf *cela* et sa forme abrégée *ça,* qui se distingue ainsi de l'adverbe de lieu *çà.*

● **L'accent circonflexe** a servi d'abord à noter la durée longue de certaines voyelles consécutive à la disparition d'un *e* comme dans *piqûre* (pour *piqueüre), mûr* (pour *meür),* et d'un *s* comme dans *côte, fête, château, prévôt* (comparez : *intercostal, festoyer, Castelneuf, Prévost).*

Mais il n'est conservé, en général, que lorsqu'il est utile :

a) Soit pour marquer le timbre spécial de certaines voyelles ; comparez :

âne	*côte*	*grêlon*
Anne	*coteau*	*grelot*

Cet emploi s'est même étendu à des mots qui n'ont perdu aucune lettre, comme *infâme, cône, pôle, extrême* (mais on écrit *zone* sans accent) ; l'accent tombe ou est modifié dans *infamie, conique, polaire, extrémité.*

b) Soit pour différencier des homonymes ; comparez :

mûr (adjectif)	*dû* (participe)	*crû* (verbe *croître)*
mur (nom)	*du* (article)	*cru* (verbe *croire).*

En général, l'accent ne subsiste pas dans les formes où l'homonymie n'est pas à craindre : *dû* fait au féminin *due,* au pluriel *dus ;* le nom *le cru* (le terroir), qui vient du participe passé de *croître,* perd l'accent puisqu'il n'y a plus à craindre de confusion avec le participe de *croire.*

L'arrêté du 28-12-1976 autorise la suppression de tout accent circonflexe ne distinguant pas des homonymes.

● **Le tréma** sur *i* note le phonème yod (§ 31) dans *aïeul, baïonnette, faïence, glaïeul, ïambe, païen.*

On le place aussi sur *e, i, u* lorsqu'**on doit prononcer séparément la voyelle qui précède** :

— dans le nom *ciguë* et le féminin des adjectifs *aigu, ambigu, contigu, exigu, (aiguë,* etc. ; comparez *bague, Aigues-Mortes) ;*

— dans *caïd, celluloïd, coïncidence, haïr, héroïne, héroïsme, Isaïe, maïs, naïf ;*

— dans *Esaü, Saül.*

Les noms de *Saint-Saëns* et de *Mme de Staël* sont prononcés comme s'ils n'avaient pas d'*e.*

Enfin le tréma est inutile, mais traditionnel, dans *Noël, Israël* et la famille d'*ouïr (inouï, l'ouïe).*

47. LES GRAPHIES *E, É, È, Ê :*

C'est souvent un problème de savoir si la lettre *e* doit porter un accent.

● La voyelle [ə] dite "*e* muet" ou "caduc" (§ 33) est toujours écrite *e* **sans accent** : *je, petite.*

On écrit *e* **sans accent** le phonème "*e* fermé" [e] (§§ 31, 32) :

a) devant *r* final dans les infinitifs du type *aimer,* et les noms et adjectifs en -*ier (épic*ier), -*cher (bouc*her), -*ger (lé*ger) ;

b) devant *z* final dans quelques mots comme *chez.*

Dans les monosyllabes comme *les, mes, ces,* etc., la prononciation du groupe -*es* hésite entre [e] et [ɛ] selon la région natale du locuteur, selon le niveau de langue (tenue ou familière) et selon que le mot, lié au contexte ou prononcé isolément, est atone ou accentué.

On écrit *e* **sans accent** le phonème "*e* ouvert" [ɛ] :

a) devant une consonne non nasale redoublée : **el**le, **net**te, **grec**que ; mais, en position atone, le timbre passe facilement de [ɛ] à [e] : **ess**ai, **eff**ort, **ter**rible ; dans quelques mots à préfixe *re-,* l'*s* double n'empêche pas que l'*e* soit prononcé "muet" : le doublement de l'*s* marque le maintien du timbre [s] entre deux voyelles : res**s**embler, res**s**entiment, res**s**ource ;

b) devant une suite de deux consonnes différentes dont la seconde n'est ni *r* ni *l* : *si*este, *fer*me, an*nex*e, (*x* note [k] + [s]), e*x*emple (*x* note [g] + [z]) ; mais *nè*gre, *siè*cle avec accent ;

c) devant une consonne finale prononcée : *sel, fer, hymen* ;

d) devant un -*t* final non prononcé : *guet ;* quelques mots ont l'accent circonflexe : *genêt, forêt, intérêt, arrêt.*

Remarque : Devant une consonne nasale redoublée, l'*e* peut noter :

a) le phonème [ɛ] : *gemme, benne ;*

b) le phonème [a] dans *femme, solennel* et les adverbes en -*emment* comme *prudemment ;*

c) le phonème [ɑ̃] suivi d'une nasale au début de certains mots : *emmitouflé, ennui.*

● **Avec l'accent aigu,** la lettre *e* note le phonème [e] : *blé, poupée.*

● **Avec l'accent grave ou circonflexe,** la lettre *e* note le phonème [ɛ] : *dès, après, fête.*

Selon une loi **phonétique, tout *e* en syllabe phonique fermée** (§ 38), c'est-à-dire terminée par une consonne prononcée, **a le timbre ouvert** ; d'où la différence entre

collégien [kɔ-le-ʒjɛ̃] et *collège* [kɔ-lɛʒ]

ébéniste [e-be-nist] et *ébène* [e-bɛn].

L'effacement de l'*e* caduc dans la langue parlée est cause de modifications de coupe syllabique entraînant le passage de [e] à [ɛ], alors que la langue écrite maintient l'accent aigu. Ainsi, des mots comme *allégement, événement,* prononcés [a-lɛʒ-mɑ̃], [e-vɛn-mɑ̃] par suite de l'effacement d'*e* caduc, conservent un accent aigu devenu impropre. D'autres mots, comme *avènement,* ont pris l'accent grave.

La même anomalie s'observe dans les formes de futur et de conditionnel des verbes du type *céder* (§ 175) : *je céderais,* prononcé [sɛd-rɛ].

L'arrêté du 28.12.1976 autorise l'accent grave dans tous ces cas : *évènement, je cèderais.*

Remarques : a) On écrit *e* sans accent le phonème [œ] après *u* dans les mots comme *orgueil, accueil.*

b)   La lettre *e* est un constituant des digraphes :

ei, notant [ɛ] : *reine ;*

eu, notant [œ] et [ø] : *heure, eux ;*

œ, notant [œ] dans *œil,* et [e] dans des mots d'origine grecque comme *œsophage, œnophile, œcuménique.*

en, notant [ɑ̃] dans *enlever, enivrer, client, vent ;* [ɛ̃] dans *chien, lycéen, benzine, examen ;*

em, notant [ɑ̃] devant *b, p, m: septembre, tempe,* emmène.

Elle est aussi un constituant des trigraphes :

œu, notant [œ] ou [ø] : œuf, vœu ;

ein, notant [ɛ̃] : ceintre.

c) Sans rappeler les cas où *e* note un *"e caduc"* effacé (§ 33), il faut signaler son emploi pour donner à *g* le son [ʒ] devant *a, o, u: geai, pigeon, gageure* [gaʒyr]

48. ÉCRITURE DU PHONÈME "YOD" :

La semi-consonne appelée "yod" (§§ 31, 32) a trois graphies :

● Le plus souvent la lettre *i :*

— Entre consonne et voyelle : *bien, orient, confiant, nation,* etc.

Par exception, on écrit *Lyon, aryen, fjord.*

— A l'initiale : *iode, ion, iota.*

L'*i* est surmonté du tréma (§46) dans *ïambe, ïambique.*

Il est précédé d'un *h* dans *hier, hiatus, hiérarchie, hiéroglyphe.*

- Entre voyelles : *caféier, théière.*

Il est surmonté du tréma dans *païen, aïeul, baïonnette, faïence, glaïeul.*

● Moins souvent le digraphe *il* (en fin de mot) ou le trigraphe *ill* (entre voyelles) :

— Après *a, e, eu, œ, ou :*

> *rail, soleil, treuil, œil, fenouil* (masculins)
> *paille, treille, feuille, fouille* (féminins).

Dans les mots comme *groseillier, quincaillier,* le yod écrit *ill* est suivi du suffixe *-ier.*

— Après *i,* seulement sous la forme *ll* (le trigraphe amputé de son *i);* l'écriture confond [ij] comme dans *fille, juillet, cuiller, aiguille,* avec [il] comme dans *ville.*

Les mots terminés par *il* précédé de consonne ne présentent pas cette ambiguïté, ayant tous le son [il] comme *péril,* ou [i] comme *fusil;* seul, *gril* présente trois prononciations : [gril], [gri] ou [grij].

● Quelquefois *y :*

— A l'initiale : *yeux, yacht, yoga, yaourt, yod,* etc.

— Surtout entre voyelles : *mayonnaise, bayadère, bruyère,* etc. ; verbes en *-eyer (grasseyer), -ayer (balayer), -oyer (noyer), -uyer (ennuyer).*

On notera que souvent dans ces mots *y* donne à *a* le son [ɛ] *(rayon),* à *o* le son [wa] *(moyen),* et se prononce [i] après *u (tuyau)* avant de se prononcer yod.

Dans *abbaye,* l'*y* donne à *a* le son [ɛ], puis se prononce comme [i] ([abɛi]) ou comme [ji] ([abɛji]).

49. ÉCRITURE DU PHONÈME [S] :

La consonne [s] peut s'écrire :

● *c devant e, i, y : ce, cire, cygne.*

● *ç devant a, o, u : façade, maçon, reçu.*

● *s* en début de mot, avant ou après consonne, ou en fin de mot : *sel, reste, danse, as.*

Entre deux voyelles, *s* a le son [z] : *poison;* on lui conserve le son [s] en le doublant : *poisson.*

Par exception, l's initial d'un radical peut garder le son [s] après certains préfixes ou éléments de composition à finale vocalique : *préséance, entresol, havresac* (§ 51).

- *sc* devant *e* ou *i: ascenseur, piscine.*
- *t* devant *i* + voyelle : *satiété, nation.*
- *x* dans *six, dix, soixante.*

Le tableau ci-dessous donne l'orthographe de plusieurs séries de mots contenant le son [sj] écrit *ci, si, ssi* ou *ti.* Le haut et le bord droit du tableau classent les mots selon les lettres de la terminaison. Les cases sont blanches quand aucun mot ne présente cette graphie.

c...	s... (ss...)	t...	
appréciable, etc.		seulement : *insatiable*	**iable**
seulement : *bénéficiaire, fiduciaire, judiciaire.*		seulement : *pénitentiaire, plénipotentiaire, rétiaire.*	**iaire**
seulement : *crucial, glacial, provincial, social, spécial.*	seulement : *paroissial.*	seulement : *abbatial, impartial, initial, martial, nuptial, partial, primatial.*	**ial**
chiromancie, éclaircie, pharmacie, superficie, etc.	*autopsie, épilepsie messie, vessie.*	*acrobatie,* etc.	**ie**
seulement : *artificiel, ciel, circonstanciel, officiel, préjudiciel, superficiel.*		*confidentiel, essentiel, partiel, pestilentiel, potentiel, préférentiel, présidentiel, providentiel, substantiel, torrentiel.*	**iel**
ancien, etc.	seulement : *paroissien, prussien.*	Dérivés de noms propres : *capétien, égyptien,* etc.	**ien**
acier, scier, etc.	*boursier,* etc. *caissier,* etc.	seulement : *balbutier, initier.*	**ier**
audacieux, (comme *audace), fallacieux, pernicieux,* etc.	seulement : *essieux* (plur.), *chassieux.*	seulement : *ambitieux, contentieux, facétieux, minutieux, prétentieux, superstitieux.*	**ieux**
seulement : *scion, suspicion.*	*ascension,* etc. *agression,* etc.	Très nombreux mots comme : *admiration, ambition, déception, potion... (1)*	**ion**

(1) S'écrivent avec *t :* tous les mots en [asjɔ̃] sauf *passion* et *compassion ;* tous les mots en [isjɔ̃] sauf *suspicion, scission, mission* et les mots en *-mission.*

64

50. CONSONNES DOUBLES :

Un mot français sur cinq contient une consonne double, **toujours placée entre une voyelle et une autre voyelle ou la consonne *r* ou *l* suivie de voyelle** :

> *attirer   ficelle   approuver   affluent.*

Or, il est dit au § 34 que les consonnes doubles de l'écriture sont prononcées simples, sauf de rares exceptions. La graphie simple ou double des consonnes est donc un problème qui se pose continuellement.

De l'orthographe grammaticale relève le doublement de la consonne dans les féminins des noms et adjectifs (§ 120, 125), et celui du *l* et du *t* dans les verbes en *-eler* et *-eter* (§ 175). On traitera seulement ici des points relevant de l'orthographe lexicale, en distinguant le cas des préfixes, celui des radicaux, et celui des suffixes.

51. CONSONNES DOUBLES EN FIN DE PRÉFIXE :

Devant un radical à initiale consonantique, la consonne finale d'un préfixe se conserve en principe, soit sous sa forme originelle *(b* dans *subdiviser, x* dans *exporter),* soit en s'assimilant à la consonne initiale du radical *(b* devenu *c* dans *succéder, d* devenu *g* dans *aggraver);* elle peut aussi disparaître comme le *b* de *sub* dans *soulever,* le *d* de *ad* dans *aboutir,* l'*x* de *ex* dans *écrémer.* Voici quelques règles à connaître (avec leurs nombreuses exceptions) :

AD-/A-   (Sens : "en direction de")

Devant **b,** toujours **a-** : *abattre, aborder, aboutir...*

Devant **c,** et **q,** toujours **ac-** : *accéder, accrocher, acquérir...*

> **Remarque :** Dans *acéphale,* le préfixe est *a-,* de sens négatif, et non *ad-.*

Devant **d,** soit **ad-** : *addition, adducteur, adduction ;*
soit **-a** : *adoucir, adosser...*

Devant **f,** toujours **af-** : *affaiblir, affoler, affronter...*
Exception : afin.

Devant **g,** soit **ag-** : *agglomérer, agglutiner, aggraver* et leurs dérivés ;
soit **a-** : *agrandir, agréer, agréger, agrément, agresseur, agressif, agripper, aguerrir...*

Devant **l,** soit **al-** : *allaiter, allécher, alléger, alléguer, allocution, allonger, allumer, alluvion...*
soit **a-** : dans *alanguir, aligner, alourdir.*

> **Remarque :** *alarmer, alimenter* ne contiennent pas le préfixe *ad.*

Devant **m,** toujours **a-** : *améliorer, amerrir, ameuter, amortir...*

> **Remarque :** *ammoniaque* ne contient pas le préfixe *ad-.*

Devant **n,** toujours **an-** : *annexe, annonce, annoter, annuler...*
Exception : anoblir.

> **Remarque :** Dans *anomalie,* le préfixe est *a-,* de sens négatif.

Devant **p,** soit **ap-** : *apparaître, appeler, appesantir...*
soit **a-** dans **aplanir, aplatir, apercevoir, apaiser, apitoyer.**

Devant **r,** toujours **ar-** : *arracher, arriver...*
Exception : araser.

Devant **s,** toujours **as-** : *assagir, assainir, assourdir...*

> **Remarque** : Dans *aseptie, asexué, asymétrie, asymptote,* etc., le préfixe est *a-,* de sens négatif.

Devant **t,** toujours *at-* : *atterrir, attirer, attraper...*
Exception : *atout.* Dans *atome,* le préfixe est *a-.*

COM-/CON-/CO-   (Sens : "avec")

Devant **l,** toujours **col-** : *collaborer, collecteur, colloque...*
Exceptions : *colégataire, colistier, colocataire.*

Devant **m,** toujours **com-** : *commander, commencer, commissaire...*

> **Remarque** : *coma, comte, comice, comédie, comestible, comité* ne contiennent pas le préfixe *com-.*

Devant **r,** toujours **cor-** : *corrélatif, correspondre, corrompre...*
Exception : *coreligionnaire.*

> **Remarque** : *corollaire,* dérivé de *corolle,* ne contient pas le préfixe *com-.*

DIS-/DES-/DÉ-   (Sens : écart, d'où contraire)

Devant **f,** soit **dif-** : *différent, diffusion...*
soit **dé-** : *défaut, définition...*

Devant **s,** soit **dis-** : *disséminer, dissoudre, dissymétrie...*
soit **des-** (évitant la prononciation [z] de l'*s*) : *dessaler, desserrer...*
soit **dé-** dans *désolidariser.*

EX-/E-   (Sens : "hors de")

Devant **f,** toujours **ef-** : *effacer, effeuiller, effilocher...*

IN-/EN-   (Sens : "dans")

Devant **m,** toujours **em-** : *emmener, emmurer...*

Devant **n,** soit **in-** : *inné, innover...*
soit **en-** : *enneigé, ennoblir...*

> **Remarque** : Dans *inonder,* le radical commence par *o.*

IN-   (Sens négatif)

Devant **l,** toujours **il-** : *illégal...*

Devant **m,** toujours **im-** : *immoral...*

Devant **n,** toujours **in-** : *innocent, innombrable...*

Devant **r,** toujours **ir-** : *irrationnel, irréfléchi...*

Remarque : Il n'y a pas de préfixe dans *irascible* et *ironie.*

OB-   (Sens : opposition, rencontre)

Devant **c,** toujours **oc-** : *occasion, occurrence...*

Devant **f,** toujours **of-** : *offense...*

Devant **p,** toujours **op-** : *opportun, opposer, oppresser...*

RE   (Sens : répétition, retour)

Devant **s** prononcé [s], toujours **res-** : *ressembler...*

SUB-/SOUS-/SOU-   (Sens : "dessous")

Devant **c,** toujours **suc-** : *succéder...*

Devant **f,** soit **suf-** : *suffixe, suffoquer, suffrage...*
soit **souf-** : *souffler, souffrir* et leurs dérivés.

> **Remarque** : Le nom *soufre,* qui n'a pas de préfixe, est avec ses dérivés le seul mot en *souf-*qui n'ait qu'un *f.*

Devant **g,** toujours **sug-** : *suggérer, suggestion.*

Devant **p,** toujours **sup-** : *supposer...*

> **Remarque** : L's au début d'un radical reste simple après tous les autres préfixes, sauf *trans-*(qui apporte son *s): antisocial, contresens, parasol...* (mais *transsibérien).*

52. CONSONNES DOUBLES RADICALES :

Une famille de mots comme *moral, morale, moralité, moraliste, moraliser, immoral, démoraliser* est régulièrement formée sur un radical inchangé (conservant l'*l* simple de *moral).*

Une famille comme *terre, terrain, terrestre, terrasse, terrine, enterrer,* etc. est également régulière : tous les dérivés présentent l'*r* double de *terre.*

Une famille comme *fer, ferreux, ferrure, ferrailleur, enferrer* est-elle irrégulière ? L'*r* y est doublé partout sauf dans *fer,* mais sa simplification dans ce mot obéit à une règle, donnée au § 50, selon laquelle une consonne double ne peut terminer un mot français *(hall, mess, express* sont des mots anglais).

Cette raison ne peut être invoquée pour justifier la différence entre les deux séries de mots composant la famille d'*honneur :*

HONNEUR			
honneur	*déshonneur*	*honorer*	*honoraire*
honnête	*déshonnête*	*honorable*	*honorariat*
honnêtement	*déshonnêtement*	*honorablement*	*honorifique*
honnêteté	*déshonnêteté*	*honorabilité*	*honorifiquement*
malhonnête	*malhonnêteté*	*déshonorer*	
malhonnêtement		*déshonorant*	

Mais on voit que les deux séries sont construites sur des radicaux différents, l'un d'origine populaire (§ 79) : *honn-;* l'autre d'origine savante : *honor-.* Il est facile d'associer l'*n* simple à une seconde syllabe en *-nor-,* moyennant quoi la famille devient régulière.

Semblable est le cas des familles suivantes :

NOM	
Rad. *nomm-*	Rad. *nomi-/ nomen-*
nom, nommer, nommément, renommée, innommable, dénommer prénommer	nominal, nomination dénominateur, nomenclature

MONNAIE	
Rad. *monn-*	Rad. *monét-.*
monnaie monnayer monnayeur	monétaire démonétiser

BARIL	
Rad. *barric-*	Rad. *baril*
barrique barricade	baril, barillet

ORDRE	
Rad. *ordonn-*	Rad. *ordin-*
ordonner, ordonnance	ordinaire, ordinateur

René Thimonnier rattache à ce type de familles "apparemment irrégulières" celles qui présentent un radical populaire à consonne double à côté d'un radical savant à consonne simple, sans différence de prononciation; les mots savants peuvent être reconnus à ce qu'ils sont suivis d'un des suffixes savants dont il donne cette liste :

-al (d'où **-alisme, -aliste**), **-at** (d'où **-ataire, -ateur, -ation**), **-ance, -ie, -ien, -ique, -isme, -iste, -iser.**

C'est en vertu de cette règle qu'on écrit :

> *cantonnier* mais *cantonal*
> *gasconnade* mais *gasconisme*
> *traditionnel* mais *traditionalisme*
> *millionnaire* mais *millionième*,
> etc.

Cette règle explique les contradictions qui apparaissent dans les familles suivantes :

DON	
donner donneur, pardonner s'adonner	donataire, donateur, donation

BANAL	
bannir bannissement bannissable	banal banalité,

TON	
tonner, tonnerre, entonner, détonner (= sortir du ton)	tonique, tonalité, intonation, détonation, détonateur

SON	
sonner, sonneur sonnet, sonnerie sonnette, sonnaille consonne, résonner assonner	consonance, résonance, assonance, dissonance,

La règle devrait être complétée pour justifier *sonore, sonate, dissoner,* et *tonifier, monotone, détoner* (= exploser). Elle est contredite par *patronage* (à côté de *patronner), cantonade, baronnie, maçonnique.*

R. Thimonnier invoque une autre règle pour expliquer les familles suivantes, où **la consonne est simplifiée quand les radicaux sont préfixés :**

NUL	
nulle, nullité	*annuler*
nullement	*annulable,*
	annulation

TRAPPE	
trappeur	*attraper,*
trappiste	*rattraper,*
	attrape-nigaud

C'est une règle *ad hoc,* qui ne s'applique pas ailleurs : *guerre, aguerrir; balle, emballer, déballer;* etc.

Pour les deux familles suivantes, R. Thimonnier estime que le sens du simple est oublié dans le préfixé :

SIFFLER	
siffler, sifflet,	*persifler*
sifflement,	*persifleur,*
siffleur	*persiflage*

SOUFFLER	
souffler, soufflet	*boursoufler,*
soufflement, souffleur	*boursouflure,*
soufflage	*boursouflage*
soufflerie,	
souffleter	

Mais ailleurs une différence de sens ne s'accompagne d'aucune différence d'orthographe : *mettre, promettre; donner, pardonner,* etc.

C'est comme de simples procédés mnémotechniques qu'il faut prendre ces règles applicables chacune à deux ou trois familles de mots. Voici d'autres familles que R. Thimonnier appelle "réellement irrégulières" :

BATTRE	
battage, batteuse	*bataille*
batterie, battue,	*combatif,*
abattage,	*courbatu,*
abattis, abattre,	*courbature*
combattre,	
débattre,	
s'ébattre	

BON	
bonnement,	*bonasse,*
débonnaire	*bonifier,*
	boniment

CHAR	
charrette	*chariot*
charretier,	
charrier,	
charroi,	
charron,	
charrue,	
carriole,	
carrosse,	
carrossable	

CHAT	
chatte,	*chaton,*
chatterie	*chatière,*
	chatoyer,
	chatouiller

COU	
collet, colleter collerette, collier, décolleter décollation	accoler, accolade, encolure colis, racoler

COURIR	
chasse à courre, courrier, concurrence, occurrence	courant coureur, accourir, concourir recourir

FOU	
folle, follet follement	folie folâtre, folichon, affoler, batifoler

HOMME	
hommage, bonhomme, surhomme, hommasse	bonhomie, homicide, homuncule

GUERRE	
guerrier guerroyer aguerrir	guérilla, guérillero

MER	
marée marin maritime	amerrir (d'après atterrir), amerrissage

PATTE	
pattu empattement	patin, pataud, patauger, tripatouiller

53. CONSONNES DOUBLES SUFFIXALES :

● Les verbes en **-onner** sont très nombreux, et s'écrivent avec deux *n* s'ils contiennent le suffixe *-onner (chantonner, grisonner)*. S'ils sont dérivés des mots en *-on* ils doublent l'*n (claironner, sermonner)* sauf 4 verbes :

détoner (= exploser), **dissoner** (= produire des sons discordants), **s'époumoner, ramoner.**

On écrit aussi **téléphoner** (de *téléphone*).

● Les verber en **-oter** s'écrivent généralement avec un seul *t*. Parmi les exceptions, on peut retenir :

ballotter, calotter, culotter, flotter, frisotter, frotter, garrotter, grelotter, marmotter, trotter.

54. MÉMOIRE RATIONNELLE OU EMPREINTE VISUELLE?

Toutes les anomalies de l'orthographe d'usage ne sont pas passées en revue dans les pages qui précèdent, mais les faits présentés dans les paragraphes 47 à 53, choisis pour leur difficulté, prouvent par là-même l'impossibilité de concevoir un "système orthographique" propre à en rendre compte.

En réalité, parmi les Français capables d'écrire correctement tous les mots figurant dans ces paragraphes, pas un ne pourrait justifier la manière dont il les écrit en invoquant cette casuistique incohérente. Ce qu'on retient, c'est **l'écriture de chaque mot** comme son phonétisme, et indépendamment. L'effort d'apprentissage est double, auditif et visuel, particularité qui fait redouter le français dans le monde entier.

Une réforme, appelée par tant de grammairiens, se réalisera fatalement un jour ou l'autre, pour le bien des étrangers qui voudront écrire notre langue, et pour celui des jeunes Français qui pourront ainsi consacrer plus de temps à des disciplines réellement formatrices.

Chapitre III

Écriture de la phrase

55. PONCTUATION :

Les signes d'écriture étudiés dans le second chapitre avaient pour fonction de visualiser les signifiants *segmentaux* (§ 38) que sont les phonèmes.

On a vu que des marques orales (pauses, accents, mélodie), dont l'ensemble est désigné sous le terme d'*intonation,* se superposent aux phonèmes en donnant des indications au niveau d'unités significatives qui sont le mot, le groupe syntaxique, la proposition, la phrase. L'écriture aussi possède des marques **suprasegmentales,** principalement des signes de pause, interprétables au niveau du mot, de la proposition et de la phrase. On désigne l'ensemble de ces marques sous le terme de **ponctuation.**

56. NIVEAU DU MOT :

Il est montré au § 43 comment le **blanc** sépare le discours en mots — à l'exclusion de toute autre fonction. Au niveau du mot, le **point** /./ et les **points de suspension** /.../ marquent l'abréviation, le **trait d'union** /-/ marque la cohésion des éléments coupés ou rapprochés, l'**apostrophe** /'/ marque l'élision (§ 36) et la **majuscule** marque le nom propre (§ 44, § 11C).

La plupart des signes de ponctuation intéressant la proposition et la phrase prendront place dans le blanc qui suit ou précède les mots.

Remarque : Le trait d'union et l'apostrophe **excluent tout autre signe de ponctuation.** Cette loi explique l'omission d'une virgule ouvrante (§ 62) dans une phrase comme

Il se disait qu'en le voulant extrêmement, il parviendrait peut-être à la ressusciter. (Flaubert)

Comparez : *Il se disait que, s'il le voulait extrêmement,* etc.

Certains auteurs préfèrent ne pas élider, pour écrire la virgule que réclame le sens :

Il s'agit de prouver que, en toute condition, ce qu'on appelle la conduite est préférable aux talents. (Töpffer)

57. NIVEAU DE LA PROPOSITION ; L'ENCHAINEMENT SYNTAXIQUE :

On écrit sans pause une proposition dont les termes se succèdent dans l'ordre normal de l'enchaînement grammatical :

Une colombe buvait le long d'un clair ruisseau

ou dans l'ordre inverse :

Le long d'un clair ruisseau buvait une colombe. (La Fontaine)

Les groupes enchaînés peuvent être des propositions :

Nous partîmes de Suisse dans une Austin sans âge dont le pot d'échappement avait perdu le système de ressort qui le reliait à la carrosserie. (Pascal Jardin)

Cette phrase est faite d'une proposition complexe ; un terme, le nom *Austin,* en est caractérisé par une proposition relative dont un terme, le nom *système,* est déterminé par une autre proposition relative. L'absence de pause marque l'enchaînement ininterrompu.

La fin de la proposition n'a pas de marque constante : si la proposition termine la phrase, on y rencontre le point ; dans le cas contraire, un des signes de coordination qui vont être étudiés : virgule et point-virgule (§ 58), deux-points(§ 60).

58. COORDINATION ; LA VIRGULE ET LE POINT-VIRGULE :

Il est montré au § 41 que la juxtaposition de deux termes coordonnés d'une proposition est marquée par une courte pause ; **dans l'écriture, une virgule sépare deux termes coordonnés juxtaposés :**

Les roses, les tulipes, les lis refleuriront (§ 21, 3°)

Une virgule sépare le sujet *les tulipes* du sujet *les roses,* mais non du verbe dont il est solidaire au même titre que *les roses ;* une virgule le sépare aussi du sujet *les lis,* dans les mêmes conditions : chacun des trois sujets est coordonné aux deux autres.

Bien entendu, un des termes coordonnés peut être une proposition subordonnée :

Il racontait ses déceptions non pas pour qu'on les partage, mais plutôt pour s'en défaire. (P. Jardin)

Quand les termes coordonnés sont des propositions non dépendantes (c'est-à-dire "indépendantes" ou "principales"), leur coordination peut être marquée soit par la **virgule,** soit par le **point-virgule.** Les deux sont employés dans la seconde phrase du texte de Maupassant cité au début du § 41 :

Toute la maison semblait frémir ; des portes se fermaient, des pas rapides couraient sur le plancher du dessus.

La hiérarchie des signes de pause manifeste ici l'organisation de la pensée : les deux dernières propositions énoncent des faits de même ordre donnés à l'appui du jugement énoncé dans la première.

Ces deux signes ont un point commun : ils impliquent que la phrase n'est pas achevée, et que ce qui suit est coordonné à ce qui précède ; à cette propriété, le **point-virgule** en ajoute une autre qu'il ne partage qu'avec le point : **il marque la fin d'un enchaînement.** Aucun mot ou groupe de mots placé après le point-virgule ne peut se rapporter grammaticalement à un mot placé avant, et vice versa.

Le remplacement d'une virgule par un point-virgule peut répondre à la nécessité de marquer une fin d'enchaînement; voici, par exemple, un texte ambigu :

*Paul vient nous voir quelquefois, le dimanche, dans l'après-midi, nous jouons aux cartes.

Il y a là deux propositions : où s'arrête la première ? Seul un point-virgule peut marquer si le complément de temps *le dimanche* se rapporte à ce qui précède ou à ce qui suit, et de même pour *dans l'après-midi.*

Il est dit au § 21, 3° que la coordination a pour marque **la juxtaposition ou la conjonction.** On comprend que l'emploi d'une conjonction puisse remplacer le signe de pause. C'est ainsi que *et, ou, ni* peuvent dispenser d'employer la virgule de coordination :

J'ai été fabriqué spirituellement et moralement par mon père et sensoriellement par ma mère. (Pascal Jardin)

On empoigna le Nain Jaune et on le reconduisit de force jusqu'à son lit. (id.)

Elle courait à la fenêtre pour voir s'il y avait de nouveaux arbres en fleurs ou pour suivre le vol des premières hirondelles. (Ch. Vildrac)

Pourtant ni les agneaux ni les alouettes ne portent de chapeau. (Tristan Derème)

L'omission de la virgule est plus rare, mais non sans exemple, avec d'autres conjonctions. Même avec ces trois-là, son emploi est toujours possible, pour des raisons de clarté ou de rythme :

La lumière baissa, le ciel cotonneux descendit, et se posa comme un couvercle sur la crête des collines. (Pagnol)

Remarque : L'emploi de la virgule et du point-virgule ainsi défini est le statut que les grammairiens leur ont donné à partir du XIXe s. Mais les textes antérieurs, dont la langue littéraire conserve souvent les usages, font de la virgule et du point-virgule les marques de **pauses respiratoires** justifiées par la longueur des membres d'une "période" même si l'enchaînement grammatical n'est pas terminé.

Dans une prose rythmée comme celle de Chateaubriand, la virgule peut avoir pour seule fonction d'équilibrer des groupes de mots :

Bientôt elle répandit dans les bois, ce grand secret de mélancolie, qu'elle aime à raconter aux vieux chênes, et aux rivages antiques des mers. (Atala)

En poésie, il n'est pas rare que le point-virgule coupe l'enchaînement pour marquer le rythme et permettre un repos de la voix (mais on observera l'intonation d'attente) :

> *Par les sentiers perdus au creux des forêts vierges*
> *Où l'herbe épaisse fume au soleil du matin;*
> *Le long des cours d'eau vive encaissées dans leurs berges,*
> *Sous de verts arceaux de rotin;*
>
> *La reine de Java, la noire chasseresse,*
> *Avec l'aube, revient au gîte...* (Leconte de Lisle)

59. VIRGULE D'ELLIPSE :

Au niveau de la proposition se situe l'emploi (facultatif) de la virgule pour marquer l'ellipse (§ 26) du verbe comme dans l'énoncé suivant :

> *Le cheval s'approchant lui donne un coup de pied;*
> *Le loup, un coup de dent; le bœuf, un coup de corne.*

(La Fontaine ; ponctuation modernisée)

60. LE DEUX-POINTS :

La virgule et le point-virgule n'expriment aucune relation logique entre les termes qu'ils coordonnent : les roses, les tulipes, les lis sont simplement les éléments d'un même ensemble défini par la propriété "objet de l'action de couper". Au contraire, le signe appelé **deux-points** /:/ implique l'existence d'une relation entre le terme qui le suit et celui qui le précède, relation binaire dont le premier terme fait fortement attendre le second : une montée mélodique d'attente (§ 41) correspond au deux-points dans l'énoncé oral.

Entre deux propositions non dépendantes, le deux-points remplace toute conjonction de coordination ; il peut exprimer :

— la **cause** (avec le sens de *car*) :

Le roi des animaux se mit un jour en tête
De giboyer : il célébrait sa fête. (La Fontaine)

— la **conséquence** (avec le sens de *donc*) :

Martin-bâton accourt : l'âne change de ton. (La Fontaine)

— l'**opposition** (avec le sens de *mais*) :

Il aimerait bien vous attendre : il ne peut pas. (G. Nigond)

La gamme des relations ainsi suggérées n'est pas limitée. Dans la phrase suivante, de Marcel Aymé, exprimant la résignation d'un veuf, la relation n'est peut-être que l'absence des réactions et démonstrations sentimentales possibles :

Elle était morte : elle était morte.

A l'intérieur d'une proposition, le deux-points peut exprimer la relation d'égalité qui revient en grammaire à l'attribut :

Pour moi, v'là le meilleur morceau du bœuf : la hampe. (H. Barbusse)

ou à l'apposition :

Il ferait son marché dans les villages : un peu de pain, de la charcuterie, des fruits. (Vercors)

Il introduit des énoncés rapportés au discours direct (§ 13) quand ils sont annoncés par le contexte (généralement un verbe comme *dire, demander, commander, s'exclamer...*) :

Il demande qu'on ouvre, en disant : "Foin du loup !" (La Fontaine)

Remarques : a) Il n'y a aucune raison d'employer le deux-points devant un terme qui est complément d'objet ou attribut selon la norme grammaticale :

*Jeanne a cueilli : des roses.   **Paul était : médecin.*

Cet emploi ne se justifie que dans un exposé scientifique ou didactique, généralement combiné avec l'alinéa (§ 67), quand plusieurs compléments d'objet ou attributs doivent être énumérés.

b) Le deux-points exprimant un rapport binaire, il est peu logique de l'employer deux fois dans un même enchaînement : on évite des phrases telles que :

*Il n'est pas chez lui : il fait son marché : du pain, de la viande, des fruits.

61. NIVEAU DE LA PHRASE ;
LA MAJUSCULE ET LE POINT :

La **majuscule** marque le début de la phrase, c'est-à-dire de ce que la personne qui écrit donne pour unité d'énonciation (§ 14).

Le **point** en marque la fin.

Le choix du point donne une indication de "modalité" :

Toute phrase *déclarative* se termine par un **point simple** /./ ; comme le point-virgule, le point simple implique la fin de l'enchaînement (§ 58).

Toute phrase *interrogative* se termine par un **point d'interrogation** /?/.

Toute phrase *exclamative* se termine par un **point d'exclamation** /!/.

En principe, une phrase *impérative* n'appelle que le point simple :

> *Karl disait : "Éteignez le feu. Voici l'aurore."* (Maupassant)

Mais, comme il est dit dans la remarque b du § 14, les frontières de l'exclamation avec les autres modalités ne sont pas toujours discernables : une nuance d'émotion, d'autoritarisme ou de simple intensité sonore peut justifier le point d'exclamation à la fin d'une phrase impérative :

> *Il cria éperdu : "Va-t'en !"* (Maupassant)

Remarques : a) Dans la poésie régulière, la majuscule marque non seulement le début des phrases, mais aussi le **début des vers**.

b) Le code normal du français commun admet qu'une phrase contienne plusieurs propositions, et non l'inverse. On rencontre pourtant, chez les écrivains du XIXe et du XXe, beaucoup d'emplois du point semblant interrompre la proposition, qui est ensuite poursuivie :

Il arriva qu'un hiver fut rude. Jean n'eut pas d'ouvrage. La famille n'eut pas de pain. Pas de pain. A la lettre. (Hugo, *Les Misérables*)

Il s'agit bien dans ce texte de cinq phrases, dont deux seront dites elliptiques si l'on veut y retrouver des propositions. Il est montré au § 22 que la phrase n'a pas forcément la structure propositionnelle.

62. DÉTACHEMENT :

Au niveau de la phrase se situe l'emploi de la virgule pour marquer le "détachement" de certains compléments. En effet, comme il est montré au § 15, ce détachement est lié à la répartition du "thème" et du "propos".

Dans la phrase :

> *Tu as rencontré Jean, en Hollande ?*

prononcée avec une montée sur *Jean* comme il est dit au § 41, la virgule indique que le complément *en Hollande* **fait partie du thème.**

Ce complément, étant "détaché" de l'enchaînement propositionnel normal, peut être placé en tête et suivi d'une virgule :

> *En Hollande, tu as rencontré Jean ?*

Il peut aussi être inséré en cours de phrase, comme dans l'exemple suivant :

> *Paul, en Hollande, a-t-il rencontré Jean ?*

Dans ce dernier cas, le détachement est marqué obligatoirement par un signe **double** : une première virgule **ouvrante,** une seconde **fermante.**

63. SIGNES D'INSERTION

Il arrive souvent qu'on insère dans le cours de la phrase un terme "hors proposition", interjection, onomatopée, mot en apostrophe (§ 27). Ce terme, qui ne participe pas à l'enchaînement propositionnel mais le suspend momentanément, est séparé du contexte par un double signe de pause, qui peut être une **double virgule :**

> *"Qu'est-ce que je vais devenir, mon Dieu, si cette dame se trouve mal ?"*
> (Alphonse Daudet)

"L'exploit, mademoiselle, est mis sous votre nom." (Racine)

Après une interjection ou une onomatopée, la virgule fermante est le plus souvent remplacée par un point d'exclamation :

Mais, hélas ! les dragues continuent leur travail. (F. Blanche)

Ce signe apparaît aussi après l'apostrophe, pour marquer l'intensité sonore ou souligner une qualification qui y est contenue :

Madame, madame ! il faut venir tout de suite. (A. Daudet)

Le terme inséré peut être aussi un groupe de mots ou même une phrase exprimant une réflexion de l'auteur en marge de l'exposé principal. La double marque d'insertion peut être alors :

— une double **virgule** :

> *Oui, ma juste fureur, et j'en fais vanité,*
> *A vengé mes parents sur ma postérité.* (Racine)

— une double **parenthèse** /( )/ :

Mme Fontanier (voici que le nom de notre compagne de voyage me revient) se moqua d'elle. (G. Sand)

— un double **tiret** /— —/ :

Et je me disais alors – je me dis encore aujourd'hui – qu'aucune joie au monde ne doit égaler celle du virtuose... (Bernard Pingaud)

Quand le membre inséré est une phrase interrogative ou exclamative, sa modalité propre peut être marquée par le point approprié précédant la parenthèse ou le tiret fermant :

Boules blanches également en latin : Cicéron, Tite-Live (qui donc m'interrogeait ?), et en grec,... (Verlaine)

Quelqu'un – était-ce l'intrus encore ? – me guettait. (B. Pingaud)

"Il me semble, monsieur, – je ne vous en fais pas reproche ! – que vous jouez un peu la comédie." (H. Queffélec).

Les insertions peuvent être placées aussi en début ou en fin de phrase ou d'enchaînement, ou après ou avant une autre insertion. Dans ces cas :

— La parenthèse fermante n'est jamais omise, et ne dispense pas d'employer le signe de pause requis par le sens, fût-ce une virgule :

Blond et rose encore plus qu'avant (il avait pris quatre livres à l'hôpital et s'en félicitait), il exsudait la confiance en l'avenir. (Georges Magnane)

— Un tiret ouvrant ne peut commencer la phrase. Un tiret fermant est absorbé par un point ou un point-virgule :

Et voilà comme je fus reçu à l'oral – donc, bachelier ès lettres à vie. (Verlaine)

Mais il est maintenu devant une virgule :

Elle avait secoué la tête, prétendant qu'elle ne me croyait pas – c'est sournois, les filles –, mais son regard avait brillé d'une lueur plus vive. (G. Magnane)

— La virgule, ouvrante ou fermante, est absorbée par le point-virgule et toute espèce de point :

– Comment ! monsieur Jack, vous n'êtes plus à la pension ? (A. Daudet)

– Eh bien, soit, madame ; puisque vous y tenez absolument, je me rends à votre désir. (A. Daudet)

– Allons, adieu, monsieur Jack ! (A. Daudet)

Dans ce dernier exemple, le point d'exclamation marquant la modalité de la phrase absorbe la virgule fermant l'apostrophe.

Remarques : a) On n'emploie la majuscule au début d'un membre inséré que s'il commence la phrase. Après l'insertion, si la phrase continue, on emploie la minuscule, même si l'insertion se termine par un point d'interrogation ou d'exclamation, comme le montrent les exemples donnés.

b) Les **parenthèses** ont un emploi particulier dans le discours mathématique ; comparez :

$$4 \times (3+2) = 20 \qquad (4 \times 3) + 2 = 14$$

Les **crochets droits** s'emploient pour ne pas doubler les parenthèses :

$$x \, (a[b+4]+b) = 0$$

En phonétique, ils ont l'emploi défini au § 34, Rem. b.

64. NIVEAU DE LA COMMUNICATION :

La ponctuation marque certains facteurs de la communication.

● Le **tiret** s'emploie :

1° Au début d'une ligne, devant les paroles d'un personnage :

Mina tapa du pied :
– Eh bien, Simon, on va déjeuner, oui ou non ?
– Oui. (Didier Decoin).

DEMANDE EN MARIAGE (vers 1860) : *"Qui êtes-vous ? – J'ai vingt-deux francs de rente... – Sortez ! – Par jour ! Asseyez-vous donc !"* (Labiche)

● Les **guillemets** /" "/ s'emploient quand un écrivain interrompt son récit pour rapporter au **discours direct** (§ 13) les paroles (ou les pensées) d'un personnage. Ils sont précédés du deux-points si l'énoncé rapporté est annoncé dans le contexte, comme il est montré au § 60.

L'indication du locuteur peut être donnée dans une **incise à inversion,** insérée entre deux virgules ou postposée à l'énoncé :

"Ah ! vipère, pensa-t-il, je m'en vais t'arracher les crocs." **(A. Daudet)**

"A quoi rêve-t-il ?" se dit-elle. (A. Daudet)

Les guillemets s'emploient aussi, assez souvent, en dehors du discours direct, pour spécifier que certains mots sont rapportés tels qu'ils ont été dits, ou dans un registre que l'auteur ne prend pas à son compte :

Il alla voir ses parents et s'engagea à l'épouser dès qu'il aurait "fait le soldat". (G. Magnane)

Le frère aîné "pionçait" déjà, comme Gavroche le lui avait ordonné. (Hugo)

65. LES POINTS DE SUSPENSION :

Au niveau de la communication se situe aussi l'emploi des **points de suspension** /.../, qui marquent une pause plus forte que le point, une interruption du débit avec ou sans reprise :

Je me verrai trahir, mettre en pièces, voler,
Sans que je sois... Morbleu ! Je ne veux point parler. (Molière)

L'abbé Martin était curé de... Cucugnan. (A. Daudet)

A la fin d'une phrase complète, les points de suspension marquent un silence prolongé :

"J'ai froid... j'ai froid, j'ai très froid..." dit-elle. (J. Le Clézio)

66. MISE EN RELIEF A TOUS NIVEAUX :

On peut intégrer aux signes de ponctuation, parce qu'ils ont le caractère "suprasegmental" tout en affectant typographiquement les mots et les groupes de mots eux-mêmes, divers procédés de mise en relief qui, au niveau du mot, répondent aux "accents d'insistance" (§40) du discours oral.

Dans l'écriture manuscrite, le plus commun est le **soulignement.**

En typographie, le soulignement est ordinairement remplacé par l'emploi de l'**italique** ou des lettres **capitales** :

Supporter en pleine conscience l'idée que *l'on n'est rien* est impossible. (B. Pingaud)

"Les fantômes, ça les fait rigoler. Et moi aussi, ça me fait rigoler ! oui, par-faitement. RIGOLER" (Pagnol)

On sépare quelquefois les syllabes par des **traits d'union** : *Oui, c'est un mot qu'elle aime : mé-tho-di-que.* (G. Magnane)

Dans un texte scientifique, on use aussi de **lettres grasses.** Dans les manuels scolaires et les prospectus publicitaires, on détache certains mots par des encres de couleur.

L'**astérisque** ou **étoile** /*/ signale les mots présentant une particularité commune définie quelque part dans l'ouvrage. Dans cette grammaire, comme dans beaucoup de livres linguistiques, l'étoile marque les mots ou tours resti-tués par conjecture (ex. : *vendutus, §28) ou agrammaticaux (§19).

67. AU-DELA DE LA PHRASE :

Au-delà des mots délimités par des blancs, et des phrases délimitées par des points, des blancs plus importants et d'étendue inégale découpent le texte écrit ou imprimé en **paragraphes** — marqués par des **alinéas** (du latin *a linea,* "à partir de la ligne de marge") — et, s'il s'agit d'un livre, en **chapitres** (du latin *capitulum,* "titre").

Ces unités sont du ressort de la science (rhétorique ou sémiotique litté-raire) qui prend la relève de la linguistique au-dessus du niveau de la phrase. La typographie est encore concernée, la ponctuation ne l'est plus.

68. DOUBLE NATURE DU MOT :

Le mot est défini au § 8 comme la première unité significative de la langue. On découvre en analysant les mots des éléments significatifs plus petits : radicaux, préfixes, suffixes (§§ 83-84) ; mais ils n'apparaissent pas à l'état isolé, on ne les distingue pas dans l'écriture.

L'épreuve de substitution (§§ 18, 20) établit l'existence, entre les mots, de deux sortes de différences :

● des différences **lexicales,** qu'on observe par exemple en substituant *tard* à *tôt, partez* à *déjeunez* dans *Vous déjeunez tôt ;*

● des différences **grammaticales ;**

— de **classe,** empêchant de substituer, par exemple, *partez* à *tôt,* ou *tard* à *vous ;*

— de **catégorie,** entraînant les variations en personne *(vous/nous),* en temps *(déjeunez/déjeuniez),* etc.

Tout mot relève à la fois du lexique et de la grammaire. Dans les dictionnaires, les premières indications données à propos d'un mot sont sa classe et sa catégorie grammaticale ; les définitions suivent. C'est ainsi que, dans un grand dictionnaire de langue (§ 102), le mot *lapidaire,* nom masculin ou féminin, a deux "entrées" :

1. **lapidaire,** n. m. I. *Ouvrier taillant les pierres fines autres que le diamant.* II. *Celui qui fait le commerce de ces pierres.*

2. **lapidaire,** adj. *Relatif aux pierres, en particulier aux pierres précieuses.*

Le mot *ridicule,* dans le même dictionnaire, a une seule entrée, mais l'article est divisé en trois parties :

— adj. *Qui prête à rire ;*

— n.m. (class.) *Personne digne de moquerie ;*

— n.m. *Caractère ridicule d'une personne ou d'une chose.*

On remarquera que les définitions elles-mêmes se présentent le plus souvent comme des groupes syntaxiques dont la base est un mot de sens plus général grammaticalement substituable au mot défini :

— pour le nom, un nom *(ouvrier)* ou un pronom *(celui) ;*

— pour l'adjectif, un adjectif *(relatif),* un participe ou une proposition relative ;

— pour le verbe, un verbe (**lancer :** *envoyer avec force loin de soi) ;*

— pour l'adverbe, un nom introduit par une préposition (**loin :** *à une grande distance).*

A cette règle échappent les mots (articles, prépositions, conjonctions...) auxquels on ne peut substituer un mot de sens plus général (ex. : *le, pour, mais).*

Malgré cette imbrication étroite des traits grammaticaux et lexicaux, la discipline linguistique appelée **lexicologie** étudie le contenu proprement lexical des mots, et leurs règles de formation, à l'exclusion de leur fonctionnement dans la proposition ou dans la phrase.

Remarque : L'étude du sens lexical a longtemps été appelée **sémantique,** mot d'origine grecque signifiant "science du sens". On estime aujourd'hui que les formes grammaticales aussi ont un sens, et le terme de *sémantique* est appliqué au sens grammatical comme au sens lexical.

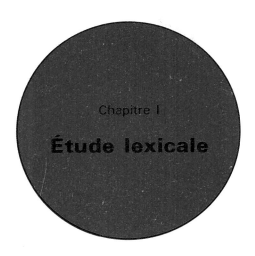

Chapitre I

Étude lexicale

A. Éléments de sémantique lexicale

69. DÉFINITION ESSENTIELLE ET DÉFINITION RÉFÉRENTIELLE ; ANALYSE SÉMIQUE :

La figure A représente quatre jetons sur un tableau. Chaque jeton peut être distingué des autres par l'énoncé de deux propriétés, et ces définitions peuvent être faites de deux façons:

 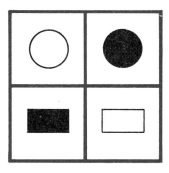

1°
    le jeton rond blanc
    le jeton rond noir
    le jeton rectangulaire noir
    le jeton rectangulaire blanc

L'énoncé de ces définitions permet au destinataire d'imaginer la forme et la couleur du jeton même s'il n'a pas la figure sous les yeux.

Les propriétés mentionnées définissent les jetons dans leur **essence,** c'est-à-dire sans référence à l'entourage, indépendamment des conditions de l'énonciation. Nous appellerons ces définitions **"essentielles"**

2°
    le jeton supérieur gauche
    le jeton supérieur droit
    le jeton inférieur gauche
    le jeton inférieur droit

Ces définitions ne mentionnent aucune propriété essentielle des jetons ; elles les situent seulement en référence au tableau : celui-ci est un référent (§ 12) lié aux conditions de l'énonciation. Nous appellerons ces définitions **"référentielles"**.

Les jetons pourraient être numérotés de 1 à 4 dans le tableau, auquel cas on n'a plus à les définir pour indiquer duquel on parle : le numéro suffit ; la **désignation** pure et simple remplace la définition. Une désignation par geste *(deixis,* § 12) joue le même rôle en remplaçant les numéros. Dans la désignation, le jeton lui-même est le référent.

La définition du sens lexical des mots se fait selon les mêmes procédés : elle est référentielle ou essentielle.

Les noms propres (§ 109) ont une définition référentielle ; leur signifié a des coordonnées "réelles", historiques ou géographiques ; exemple :

Platon : *philosophe grec né à Egine en 429 av. J.-C.*

Pour tous les autres mots, le signifié est distinct du référent : un dictionnaire ne peut faire état des coordonnées variables de l'énonciation, même s'il prend en compte l'entourage lexical ; les définitions doivent donc être essentielles.

Une définition essentielle analyse la **compréhension** du mot, c'est-à-dire l'ensemble des traits sémantiques permettant de distinguer parmi les autres le signifié concerné. Une fois posé le mot *jeton* dont le signifié est commun aux quatre éléments du tableau, on devra, si l'on veut définir le jeton supérieur gauche, noter

— le trait "rond" qui le distingue des jetons rectangulaires,

— le trait "blanc" qui le distingue des jetons noirs.

Ces traits sémantiques dégagés par comparaison et opposition sont appelés **sèmes** ; "jeton" —qui oppose les objets définis à toute autre espèce d'objet— est également un sème. La formule suivante représente l'**analyse sémique** du jeton en question :

Sé : "jeton" + "rond" + "blanc".

La forme grammaticale donnée à l'expression des sèmes est indifférente puisqu'on n'analyse que le signifié lexical des mots. On peut aussi bien écrire :

Sé : "jeton" +"rondeur" + "blancheur".

Remarque : L'analyse sémique est une technique de formulation du sens des mots à laquelle il ne faut pas accorder une valeur absolue. La formule du dernier exemple fait état d'un sème "jeton" qui, en d'autres circonstances, devra être analysé à son tour. Cette analyse n'est achevée qu'en fonction de l'utilité du moment. Elle ne peut être qu'un idéal théorique.

70. STRUCTURE DU LEXIQUE ; GENRE ET ESPÈCE ; EXTENSION :

A considérer la figure A (§ 69), il est indifférent qu'on donne priorité, dans le classement des jetons, à la forme plutôt qu'à la couleur. On dit aussi bien *le jeton blanc rond* que *le jeton rond blanc.*

Les tableaux de classement B et C se valent (tout y entre dans le même nombre de colonnes) :

blancs		noirs	
ronds	rectangulaires	ronds	rectangulaires

B

ronds		rectangulaires	
blancs	noirs	blancs	noirs

C

Mais si l'on avait à classer les quatre ensembles désignés par les mots *animés, inanimé, mâle, femelle,* on devrait mettre en tête la distinction *animé/inanimé* (tableau D) et non la distinction *mâle/femelle* (tableau E):

animé		inanimé
mâle	femelle	

D

mâle	femelle
?	?

E

La raison en est claire: il existe des animés mâles et femelles, il n'existe pas de mâles et de femelles inanimés. Seul le tableau D peut tout contenir.

Notre expérience du monde nous impose un classement des êtres et des choses que reflète le lexique. On dit qu'il existe une **structure** du lexique, dont les facteurs sont principalement extralinguistiques.

Cette classification naturelle commande l'ordre des sèmes dans la définition d'un mot. Ainsi, on définira *femme* par "animé" + "humain" + "femelle" et non par "femelle" + "humain" + "animé" car "femelle" ainsi qu'"humain" impliquent "animé" qui serait redondant s'il venait à la fin. L'ordre suivi est celui d'une généralité décroissante quand celle-ci existe (elle n'existe pas pour "humain" et "femelle" qui peuvent se succéder dans n'importe quel ordre comme les traits de couleur et de forme des jetons de la figure A).

On peut affecter les termes de **genre** et **espèce** à la distinction des niveaux de généralité; dans l'exemple du tableau D, "mâle" et "femelle" sont deux espèces du genre "animé".

L'**extension** d'un mot est le nombre d'éléments qu'il est apte à désigner. Mais il faut distinguer

— l'**extension référentielle**: celle du mot dans le discours, dans le cadre d'une énonciation; elle est de deux si l'on dit: *les jetons blancs de la figure A;* elle est de trois quand on dit: *ces trois femmes.*

— l'**extension essentielle**: celle du mot dans la compétence des locuteurs hors de toute énonciation; elle est en principe infinie pour tout nom commun, mais il y a des ordres d'infini: l'extension du nom *animé* est plus grande que celle du nom *femme,* puisqu'il y a des "animés" qui ne sont pas de l'espèce "femme", mais aucune femme qui ne soit du genre "animé". L'extension essentielle varie en raison inverse de la "compréhension" (§ 73).

La figure F illustre l'extension essentielle des noms *femme* (de signifiant Sa 1) et *animé* (Sa 2); la ligne du bas représente le plan des signifiés.

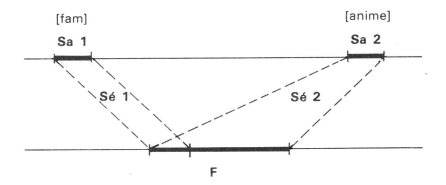

F

71. HOMONYMIE ET POLYSÉMIE :

La figure G illustre le phénomène d'**homonymie** : deux mots de signifié différent (Sé 1, Sé 2) ont un même signifiant Sa.

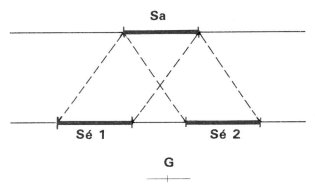

G

La confusion peut être à la fois graphique et phonique : les homonymes sont alors **homographes** : ex. :

I. *Cet appartement est à* **louer.**

II. *Ce comportement est à* **louer.**

Si elle n'est pas graphique, ils sont seulement **homophones,** comme *ver, vers, vert, verre, vair* (§ 45).

Mais la figure G illustre aussi bien le phénomène de **polysémie** (§§ 4, 8, 17) en vertu duquel un mot comme *caisse* peut avoir plusieurs signifiés, entre autres :

Sé 1 : "boîte faite de planches assemblées"
Sé 2 : "guichet où se font les mouvements d'argent".

Pourquoi les dictionnaires font-ils deux mots de *louer* I et *louer* II, alors qu'ils n'en font qu'un de ces deux sens de *caisse ?*

On pourrait invoquer l'**étymologie,** c'est-à-dire l'origine des mots : *louer* I remonte au latin *locare, louer* II à *laudare.* Mais il est des mots tenus pour homonymes qui remontent au même mot ancien, comme *voler* en parlant d'un oiseau et *voler* en parlant d'un voleur, le second ayant été dérivé du premier à l'époque (oubliée) de la chasse au faucon.

La différence qui compte ici, c'est qu'on ne voit aujourd'hui aucun rapport entre les sens de *louer* I et de *louer* II (non plus qu'entre *voler* I et *voler* II), alors que les deux signifiés de *caisse* sont liés par un certain nombre d'emplois intermédiaires :

— "boîte où l'on dépose de l'argent" (ex. : *La caisse de la Compagnie est pleine);*

— "argent d'une entreprise déposé dans une caisse" (ex. : *Il est parti en emportant la caisse).*

La polysémie peut se définir : **la coexistence de plusieurs sens dérivant clairement de l'un d'entre eux.**

Celui-ci est appelé **sens propre,** c'est souvent le sens étymologique. La polysémie implique une conscience des changements de sens (§ 77), donc une vue **historique** du vocabulaire dans la compétence des usagers de la langue.

La distinction entre homonymie et polysémie est une question que seuls les auteurs de dictionnaires ont à se poser, puisqu'ils doivent choisir entre deux "entrées" distinctes, ou une seule. Que l'usager tienne *voler* I et *voler* II pour un ou deux mots (selon sa culture), cela n'influe en rien sur l'emploi qu'il en fera.

Homonymie et polysémie vont à l'encontre du principe d'économie sur lequel repose tout code : **à signifiant différent signifié différent, et vice versa.**

La polysémie est bien acceptée des usagers, parce qu'elle éclaire les sens des mots les uns par les autres. Elle est d'ailleurs inévitable et très répandue ; les mots qui n'ont qu'un signifié *(monosémiques)* sont la minorité : principalement les noms propres, et souvent des mots savants, par exemple *macrophage,* "globule blanc qui détruit des éléments de grande taille".

L'homonymie, génératrice de plus graves confusions, est combattue de trois façons :

1° Abandon d'un des mots concurrents :

Ainsi *moudre,* "traire" (du latin *mulgere),* qui se confondait avec *moudre,* "broyer" (lat. *molere),* a été abandonné au profit de *traire,* qui signifiait "tirer".

G. Gougenheim a relevé en latin 24 couples de mots tels que *lentum,* "lent" et *lentem,* "lentille", condamnés par les lois de l'évolution phonétique à se confondre en français. Deux de ces couples ont disparu, un autre a donné deux homonymes : *part* (de *partem)* et *part,* "enfant" (de *partum),* propre à la langue du droit. Dans les 21 couples restant, un seul des deux mots a été conservé : *lentum* a donné *lent* pendant que *lentem* faisant place au dérivé *lenticula* d'où vient *lentille; murum* a donné *mur* en éliminant *murem,* "rat" ; et ainsi de suite.

2° Différenciation des signifiants :

L's final de *lis,* qui aurait dû tomber dans la prononciation comme celui de *radis, ris, mis,* a été conservé pour distinguer ce mot de *lit.* De même la prononciation de *Christ* a maintenu *-st* final par opposition au nom *cri* (mais on prononce sans *-st* le nom *Jésus-Christ* où la confusion n'est plus à craindre).

Au XVᵉ s. s'est imposée la différenciation par l'orthographe de *compter* et *conter,* dont les signifiés très éloignés remontent à celui de leur ancêtre commun, le latin *computare,* "compter".

Rappelons le rôle différenciateur des accents (§ 46).

3° Rapprochement des signifiés :

L'ancien français connaissait deux verbes *errer,* l'un venu d'*iterare* et signifiant "voyager", l'autre venu d'*errare* et signifiant "se tromper" ; le premier a acquis sous l'influence du second le sens d'"'aller au hasard comme quelqu'un qui s'est trompé de route", et les deux mots n'en font plus qu'un.

Remarques : a) Aux signifiés différents d'un même signifiant se rattachent souvent des dérivés différents :

— à *louer* I se rattachent *location, locataire;* à *louer* II : *louange, louangeur, louable;*

— *voler* I donne *volière, volée, voleter, volaille, volatile, convoler, envol, survol;* *voler* II ne donne que *voleur;*

— à *caisse* I se rattachent *caisson, cassette;* à *caisse* II : *caissier, encaisser, encaisse, encaisseur.*

b) L'homonymie entre un mot et un groupe de mots ou entre deux groupes de mots est désignée plus proprement par le terme d'**homophonie;** elle est génératrice de calembours :

> *Le grand Dieu fit les* **planètes**, *et nous faisons les* **plats nets**. (Rabelais)

72. PARONYMIE :

Les **paronymes** sont de faux homonymes, c'est-à-dire des mots de signifié différent qui ont des signifiants voisins mais non identiques, comme les verbes *recouvrer* ("rentrer en possession de quelque chose") et *recouvrir* ("couvrir de nouveau ou entièrement").

Ces ressemblances risquent d'entraîner des confusions dans l'usage courant. C'est parler proprement que de dire :

> *Il* **recouvra** *enfin ses biens confisqués.*

Employer *recouvrit* dans cette phrase serait une impropriété.

De même, on doit dire :

> *Le voisin m'a agoni* (et non **agonisé) de sottises.*

> *Nous avons applaudi l'allocution* (et non **allocation) du maire.*

> *On en a les oreilles rebattues* (et non **rabattues).*

> *Le chien a fait irruption* (et non **éruption) dans la salle.*

Comme dans le cas des homonymes, des rapprochements de sens résultent de la paronymie. Dans le dernier exemple, le locuteur qui dit **éruption* pense peut-être évoquer la soudaineté d'une éruption volcanique. L'évolution du sens de certains mots ne s'explique que par une attraction paronymique : *hébété* (du latin *hebes,* "émoussé") doit beaucoup à *bête* (de *bestia); souffreteux,* dérivé de *soufraite,* "privation" (du lat. *suffracta),* a été attiré dans l'orbite de *souffrir* (lat. **sufferire),* les jours *ouvrables,* jours où l'on peut *œuvrer* (lat. *operare,* "travailler") sont pour beaucoup de locuteurs ceux où les magasins peuvent *ouvrir.*

73. ÉLÉMENTS CONTEXTUELS DU SENS :

Il est dit au § 71 que la plupart des mots sont polysémiques, et que l'intelligence du discours n'en est pas compromise. La raison est donnée au § 17 : dans chaque situation d'énonciation, le locuteur et le destinataire sélectionnent parmi les divers signifiés d'un mot celui qui donne le meilleur sens. Voici quatre phrases contenant *lapin* :

> 1. *Va donner à manger au lapin.*
> 2. *Nous avons mangé du lapin.*
> 3. *Elle a mis son lapin par-dessus sa robe.*
> 4. *Il ne me pardonne pas mon lapin.*

Les signifiés de *lapin* y sont respectivement :

> Sé 1. "mammifère rongeur domestique à longues oreilles" ;
> Sé 2. "chair comestible du lapin" ;
> Sé 3. "veste ou manteau en peau de lapin" ;
> Sé 4. "promesse de rendez-vous non tenue".

Le schéma suivant classe ces sens :

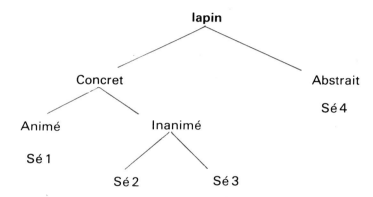

Certains linguistes ont proposé d'enregistrer au dictionnaire les contraintes contextuelles attachées aux verbes :

— *manger* veut un sujet animé et un complément d'objet inanimé ;
— *mettre* au sens de "vêtir" veut un complément d'objet inanimé ;
— *pardonner* veut un complément d'objet abstrait.

Ces contraintes seraient des "sèmes contextuels" s'ajoutant aux sèmes essentiels définissant *manger, mettre, pardonner.* Si, d'autre part, on tient "concret", "abstrait", "animé", "inanimé" pour des "sèmes contextuels" s'ajoutant aux sèmes essentiels de *lapin,* on expliquera le choix et l'interprétation des signifiés de ce mot dans le discours par une **loi de convenance entre les sèmes contextuels.**

Cette théorie ne peut être prise à la lettre. L'application aveugle d'une telle règle dans la fabrication des phrases, éventuellement utile au fonctionnement de machines à phraser, ne pourrait que compliquer la communication entre les hommes. Notre expérience du monde suffit, sans invoquer une compétence linguistique, à expliquer pourquoi nous ne donnons pas à *lapin* le sens Sé 2 dans la phrase 1, le sens Sé 3 dans la phrase 2, etc. ! Des infractions sont d'ailleurs très possibles : un boa peut manger un lapin vivant (Sé 1); la phrase 4 peut faire allusion à un lapin mal cuit (Sé 2 et non Sé 4). La situation d'énonciation détermine l'interprétation.

Il n'en est que plus vrai que les **compatibilités entre signifiés** doivent être tenues pour éléments du sens ; dans les cas où elles sont enfreintes, l'insolite de l'emploi produit un effet stylistique : *manger quelqu'un des yeux, l'ambition mange cet homme.*

Par ailleurs, les dictionnaires ont à faire état d'**affinités** existant entre des mots fréquemment associés (§ 81) ; cette tendance à la co-occurrence est à l'origine des "mots composés" ou "locutions" comme *boîte aux lettres, attendre de pied ferme ;* elle fait associer par prédilection à *malade* l'adverbe *gravement* et à *blessé* l'adverbe *grièvement* qui a le même signifié (comme la même étymologie) : il s'agit moins ici de compatibilités sémantiques que d'habitudes phoniques.

74. SYNONYMIE :

La figure H présente le cas inverse de celui de la figure G : deux signifiants Sa 1 et Sa 2 ont un même signifié Sé. On a là deux mots **synonymes ;** exemple :

> *Attends-moi à l'****arrêt*** *de l'autobus.*
> *Attends-moi à la* **station** *de l'autobus.*

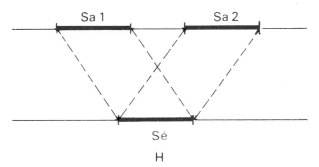

H

● Les synonymes sont généralement des mots polysémiques : dans un autre contexte, chacun des deux signifiants Sa 1 et Sa 2 peut avoir des signifiés différents, que l'autre n'a pas ; ainsi l'échange des deux n'est plus possible dans les phrases suivantes :

> La pluie a imposé l'**arrêt** des travaux.
> La **station** debout a permis à l'homme d'utiliser ses mains.

Dans ces phrases, *arrêt* pourrait être remplacé par *suspension,* et *station* par *position.*

Les **synonymes absolus,** interchangeables dans n'importe quel contexte, sont très rares. Si deux mots ont exactement les mêmes emplois, l'un d'eux tend bientôt à disparaître ou à changer de sens, en vertu de la loi d'**économie** qui endigue l'évolution des langues (§ 71). Des mots comme *soixante-dix* et *septante* ont certes le même signifié numérique, mais ils n'appartiennent pas à la même langue : les Belges, les Suisses et les Savoyards qui emploient le second n'emploient pas spontanément le premier ; de même *léopard* et *panthère* désignent un seul animal, mais à propos de régions différentes ; il s'agit encore de langues différentes quand deux théoriciens désignent les mêmes notions par des termes propres à chacun d'eux (ex. : *sémiologie* et *sémiotique,* § 1) et à plus forte raison quand le médecin et l'homme de la rue appellent respectivement *ictère* et *jaunisse* la même maladie.

La synonymie est donc le plus souvent **partielle :** coïncidence d'un des signifiés d'un mot avec un des signifiés d'un autre ; deux mots sont synonymes dans un certain contexte. Il ne s'agit cependant pas d'une identité du référent (§ 12) ; des groupes comme *le vainqueur d'Austerlitz* et *le vaincu de Waterloo* ne sont pas synonymes : ils n'ont pas le même signifié (on le prouve en pratiquant l'analyse sémique des deux groupes).

● L'usage le plus répandu est de n'appeler synonymes que des mots **de même classe grammaticale** (donc substituables l'un à l'autre dans un énoncé) : *jovial* sera appelé synonyme de *gai,* mais non de *gaieté.*

● Là même où deux synonymes sont substituables l'un à l'autre, dans un même contexte et au sein d'un même code, de légères nuances de sens les différencient presque toujours : au sème "gaieté" de *gai, jovial* ajoute un sème "enjouement communicatif" ; *guilleret* y ajoute un sème "vivacité euphorique".

Les définitions des dictionnaires doivent pousser l'analyse sémique jusqu'à la plus grande précision pour distinguer les synonymes ; mais, pour être complètes, elles doivent noter :

1º Les **affinités contextuelles** des mots (§ 73) qui pratiquement commandent leurs associations plus souvent qu'une pesée savante des signifiés. Les usagers savent de mémoire — sans être en mesure de justifier leur choix par une analyse consciente — qu'il faut dire :

De l'eau **croupie**	mais : *Du pain* **moisi**
Des légumes **avariés**	mais : *Du beurre* **rance**
Une voiture **stationne**	mais : *De l'eau* **stagne**
La cire s'est **solidifiée**	mais : *Notre amitié s'est* **consolidée.**

On commettrait une impropriété en disant :

*de l'eau **moisie**   ou : *du pain **croupi**
etc.

Les verbes *rompre, briser* et *casser* ont apparemment le même signifié ;
pourtant on dit :

rompre ou *briser* (et non *casser) un silence* ou *un entretien ;*
casser (et non *rompre* ou *briser) du sucre ;*
briser ou *casser* (et non *rompre) un carreau.*

2° Les **traits stylistiques** (langue littéraire, familière, vulgaire, technique,
etc.) qui ne sont pas assimilables à des "sèmes" et dont on trouvera l'inventaire dans le volume consacré aux *Procédés annexes d'expression.*

Remarque : Un groupe de mots synonyme d'un mot s'appelle *périphrase ;* une phrase synonyme d'une phrase plus courte s'appelle *paraphrase.*

75. ANTONYMIE :

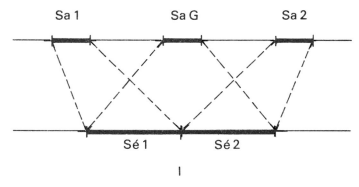

I

La figure I illustre le rapport d'antonymie : deux mots, *mâle* et *femelle,* de
signifiants respectifs Sa 1 et Sa 2, ont des signifiés Sé 1 et Sé 2 "complémen-
taires" dans la classe qui a pour signifiant *animé* (Sa G) ; tout élément de cette
classe qui n'est pas mâle est femelle et vice versa. *Mâle* et *femelle* sont **antonymes,** c'est-à-dire contraires.

Le rapport d'antonymie existe entre les espèces d'un genre quand elles
sont seulement deux et sans aucune partie commune. Alors la négation d'une
des deux espèces équivaut à l'affirmation de son contraire : *non mâle* est synonyme de *femelle.* Mais *non do* ne désigne pas une note de musique : il n'y a
pas d'antonyme dans la gamme, le genre "note" ayant sept espèces.

La division du genre en espèces peut être faite de différents points de vue.
Mâle s'oppose à *femelle* sous le chef du "sexe", mais le genre "animé" pourrait aussi bien être divisé en "animés terrestres", "animés aquatiques", "animés aériens", partition qui ne donnerait aucune prise à l'antonymie. Dans le
genre "humain adulte", *marié* a pour antonyme *célibataire* sous le chef "état-
civil". Dans le genre "points cardinaux", *sud* n'a pas d'antonyme sous le chef
"rose des vents", mais il s'oppose à *nord* sous le chef "direction de méridien" ;
et *ouest* a pour antonyme *est* sous le chef "direction de parallèle". Tout mot
peut devenir l'antonyme d'un autre si la situation ou le contexte fait de leurs
signifiés respectifs un ensemble binaire ; exemple : le *corbeau* et le *renard*
dans la fable de La Fontaine.

Souvent le rapport d'exclusion réciproque qu'on établit mentalement
entre deux mots antonymes paraît négliger toute une zone intermédiaire. Il
existe par exemple entre le chaud et le froid des intermédiaires qui sont le
frais, le tiède, la température moyenne. Pourtant un énoncé comme *Je n'ai pas*

chaud signifie souvent *J'ai froid; Il n'est pas beau* est une façon de dire *Il est laid.* L'intermédiaire neutre n'est exprimé clairement que par une double négation : *Je n'ai ni chaud ni froid, Il n'est ni beau ni laid.*

Cette difficulté est résolue si l'on considère que l'antonymie existe seulement entre un sème d'un mot et un sème de l'autre. *Chaud* et *froid* ont en commun le sème "degré de température s'écartant sensiblement de la moyenne", ils ne diffèrent que par les sèmes opposés "vers le haut" et "vers le bas" : la classe commune que se partagent *chaud* et *froid* ne contient pas les sèmes "degré moyen" et "degré nul". De même *plein* et *vide* s'opposent en tant que maximums.

L'épreuve de la négation n'est pas souveraine : on tient *vide* pour l'antonyme de *plein* quoique tous les intermédiaires soient possibles, et pourtant *Il n'est pas plein* ne signifie nullement *Il est vide.* La négation porte ici sur le caractère extrême.

Comme les synonymes, les antonymes sont le plus souvent polysémiques, et ne s'opposent que dans certains de leurs sens : *raison* a pour antonyme *tort* dans *avoir raison,* mais non dans *avoir une bonne raison* (motif) ou *à raison de* (proportion).

Le facteur contextuel est primordial puisqu'il contribue à définir le genre à deux espèces où le mot en question prend la valeur antonymique. L'adjectif *plein* est antonyme

— de *vide* dans l'énoncé *Mon verre est plein;*
— de *creux* dans l'énoncé *Il a les joues pleines;*
— d'*exempt* dans l'énoncé *Son livre de comptes est plein d'erreurs.*

Des mots dérivés peuvent être antonymes par leur radical :

*centri***fuge**	*hydro***phile**
*centri***pète**	*hydro***phobe**

ou par leur préfixe :

em*barquement*	**hyper***tension*	**poly***culture*
dé*barquement*	**hypo***tension*	**mono***culture.*

Les préfixes négatifs sont essentiellement antonymiques :

in- (il-, im-, ir-) : *commode / incommode ; prudence / imprudence ; vaincu / invaincu*

mal- : *adroit / maladroit*

mé-, mes- : *content / mécontent ; entente / mésentente*

dé-, dés-, dis- : *croître / décroître ; unir / désunir ; courtois / discourtois*

a-, an- : *symétrie / asymétrie ; aérobie / anaérobie*

non : *violent / non violent ; violence / non-violence.*

76. CHAMPS SÉMANTIQUES :

Dans les paragraphes 71 à 75, l'étude structurale du lexique s'est limitée à reconnaître de courtes séries de mots de même forme, ou de même sens, ou de sens opposé. Certains systèmes, tels que celui des notes de musique, échappaient à ce classement, les noms de notes n'étant ni homonymes, ni synonymes, ni antonymes. Si l'on objecte que la distinction des notes est de nature scientifique et non linguistique, on ne pourra en dire autant des noms de couleurs, dont la liste est différente dans chaque langue. Une des tâches les plus délicates, mais les plus intéressantes de la lexicologie est d'étudier la structure des systèmes que constituent, par exemple, les noms de couleurs, les noms de parenté, les noms de maladies, les termes d'équitation, de navigation, de critique littéraire ou artistique, de politique. Ces ensembles de notions **organisés selon les cadres que manifeste le vocabulaire** sont appelés **champs sémantiques.**

Leur étude méthodique n'a commencé qu'au XXe s.

Deux conceptions du champ sémantique entraînent deux types d'étude.

On peut entreprendre l'analyse et le classement du vocabulaire par une progression de genre en espèce éventuellement répétée jusqu'à épuisement de l'inventaire. La classe grammaticale du terme supérieur d'identification sera celle de tous les mots analysés — comme dans le cas des synonymes.

Par exemple, 146 "termes d'habitation" ont été relevés dans le *Petit Larousse* (G. Mounin, *Clefs pour la Sémantique*). Ce sont des noms, qu'on peut classer par accolades :

construction {
  maison..... {
    etc.
    etc.
} {
  auberge
  bastide
  cabane.....
  etc.
} {
  buron
  gourbi
  hutte.....
  etc.
} {
  cahute
  igloo
  kraal
  paillotte
  etc.
}

On peut analyser leurs sèmes en un tableau :

Sèmes / Mots	Maison	A la campagne	Où l'on mange, boit, etc.	Dans le Midi	Petite	De peu de Valeur	etc.
Auberge	+	+	+				
Bastide	+	+		+			
Bastidon	+	+		+	+		
Bicoque	+					+	
etc.							

L'autre conception du "champ" fait abstraction de tous les traits grammaticaux, comme non pertinents pour l'analyse sémique (cf. § 69), et réunit tous les mots relatifs au thème choisi, noms, adjectifs, verbes et adverbes.

Les deux démarches sont fécondes en débouchés sur l'étude historique ou locale des choses ou des faits que recouvrent les mots.

On découvre de sérieuses différences entre les champs sémantiques d'une langue à l'autre, parce que le nombre de mots utiles dans tel ou tel domaine varie selon les activités dominantes, les mentalités, les institutions politiques et sociales, le climat. Les gauchos argentins, tous cavaliers, disposent de deux cents mots pour désigner les pelages des chevaux ; les Esquimaux appellent de noms différents la *neige qui tombe*, la *neige au sol*, la *neige molle*, la *neige durcie*, la *neige poudreuse*, etc.

Chaque langue exprime par la structure de son lexique une vue particulière du monde, élaborée au cours des siècles. Et chaque usager en naissant reçoit ce vocabulaire comme une grille à travers laquelle il percevra le monde, et qu'il contribuera plus tard à modifier si le besoin l'en aiguillonne et selon la force de son génie.

77. CHANGEMENTS DE SENS ;
"VIE DES MOTS" :

La notion de polysémie (§ 71) repose sur l'idée d'une parenté sémantique : deux signifiés sont tenus pour deux sens d'un même mot si l'un des deux, **sens dérivé,** est explicable par une altération de l'autre, **sens** premier ou **propre,** ou tous les deux par l'altération d'un plus ancien.

Le sens propre n'est pas le sens étymologique si celui-ci est oublié (comme dans le cas de *chétif* remontant au latin *captivus,* "prisonnier").

Ces changements sont à distinguer des écarts appelés "figures" de rhétorique, qui naissent pour un emploi dans le discours et n'ont pas leur place dans les dictionnaires ; les sens dérivés appartiennent à la compétence commune des usagers, qui les emploient sans avoir conscience de changer la valeur du vocabulaire.

● La cause principale d'altération est **l'ambiguïté des référents.** On n'apprend pas la langue comme on apprend la table de multiplication : le sens des mots se délimite dans notre conscience par l'interprétation de leurs emplois, et reste sujet à révision en fonction de toute nouvelle rencontre. Un étranger à qui l'on montre une bibliothèque en disant *"bibliothèque"* doit-il comprendre qu'il s'agit des livres, ou du meuble, ou des deux à la fois ? Un enfant à qui l'on montre un créneau le confond souvent avec le merlon. Que faut-il exactement abstraire du référent ? Les erreurs qu'un étranger ou un enfant peuvent commettre au hasard de cette évaluation (quitte à se corriger en face d'un second référent), les usagers de la langue y sont perpétuellement exposés. C'est l'origine de tant d'impropriétés qui se glissent dans la conversation courante et dans la presse orale ou écrite.

Dans beaucoup de cas, la polysémie n'est qu'une **latitude d'abstraction** qu'entretient l'ambiguïté du référent ; ainsi, dans les trois phrases suivantes :

1. *Il faut gauler ces noix.*
2. *Je viens d'acheter ces noix.*
3. *J'ai mangé des noix.*

le mot *noix* a trois signifiés différents que représentent ces trois dessins :

1   2   3

Désigner par *lapin* successivement l'animal et la chair de l'animal dans les exemples du § 73 n'est que jouer sur une semblable latitude.

Les **redondances** du discours sont une source fréquente d'altération par la latitude d'abstraction qu'elles occasionnent. Un enfant parle de *vert écarlate* après avoir entendu appeler *rouge écarlate* une variété de rouge ; ignorant la redondance du sème "rouge" contenu à la fois dans *rouge* et *écarlate,* il a interprété ce mot comme "vif", indépendamment de la couleur. Erreur assurément au XXe s., mais une erreur inverse pourrait expliquer pourquoi le sème "rouge" a été associé jadis à ce signifiant, emprunté à la langue persane où il désignait un tissu bleu.

Le verbe *risquer,* impliquant un danger dans *Il risque de pleuvoir,* perd cette nuance par redondance et l'on entend dire : *Il ne risque pas de faire beau.* L'adjectif *imminent,* du radical latin qui a donné *menace,* a changé de valeur dans des groupes redondants comme *défaite imminente,* et l'on parle aussi bien d'un *succès imminent.*

Le verbe *arriver* signifiait autrefois "atteindre le rivage" (du latin *adripare,* de *ripa,* "rivage"); s'il a perdu le sème "rivage" pour signifier "atteindre un lieu quelconque", ce peut être dans l'usage des marins, à la faveur d'énoncés redondants tels que : *Nous arrivons à Saint-Cast, à Saint-Brieuc,* où les compléments contiennent l'idée de "rivage"; ainsi appauvri, le verbe a pu être employé sans impropriété avec des noms de villes de l'intérieur : *arriver à Matignon, à Lamballe.*

L'inverse a pu se produire pour le nom *bâtiment,* désignant d'abord une construction quelconque, mais employé par les marins en parlant des constructions navales que sont les vaisseaux : *Je me cachai à fond de cale d'un bâtiment marchand* (Vigny). A la campagne, *les bêtes* signifie pour un vacher "les vaches", pour un porcher "les porcs", pour un berger "les moutons". Le verbe latin *laborare,* signifiant "travailler", est devenu *labourer,* "travailler la terre", en milieu rural.

Les exemples donnés jusqu'ici sont des cas d'**appauvrissement** ou d'**enrichissement,** selon que le nouveau signifié est plus ou moins abstrait que le précédent. Dans d'autres cas, le signifié est totalement changé, passant par exemple **du contenant au contenu** pour le mot *verre* dans les énoncés suivants :

1. *J'ai acheté des verres* (contenant).
2. *Apportez-moi un verre d'eau* (contenant + contenu).
3. *J'ai bu le verre d'un trait* (contenu seul).

Le *courrier* était autrefois un porteur de message, qui courait. A force de dire *J'attends un courrier* en pensant au message plus qu'au porteur, on est venu à appeler *courrier* le message et non l'homme, au point de pouvoir dire sans éveiller le soupçon d'une intention criminelle : *Passe-moi un couteau pour ouvrir mon courrier.*

La latitude d'abstraction du référent, jouant dans un sens puis dans un autre, explique ces **glissements de sens,** au bout desquels **rien** ne subsiste du sens initial.

Les mots *bureau* et *toilette,* dérivés de *bure* et de *toile,* ont passé l'un et l'autre par la désignation d'un meuble couvert de bureau ou de toilette pour en arriver insensiblement et sans "figure de style" à leurs nombreux sens modernes.

Des déplacements de proche en proche sont fréquents dans la désignation des parties du corps, et surtout du costume :

— *bucca,* "la joue", est devenu *bouche,* dont il avait déjà le sens dans l'usage familier de Cicéron ;

— *coxa,* "la hanche", est devenu *cuisse* pour remplacer *femur* devenu homonyme de *fimus,* "fumier" ;

— les *chausses* sont montées des pieds *(calcea,* chaussure) à la ceinture ;

— la *cape* (radical de *caput)* est tombée de la tête jusqu'aux genoux.

● Un facteur a favorisé grandement, ou provoqué, les changements de sens : c'est la **tendance à la réduction** des groupes fréquemment répétés (§ 26, 2°).

Comme on réduit *du vin rouge* à *du rouge,* on réduit *du vin de Champagne* à *du champagne.* Ainsi le nom de lieu devient nom de vin, par une ellipse à laquelle un nombre illimité de vins et de fromages doivent leur nom. De même on dit *Prenez votre Virgile* pour *votre livre de Virgile,* ou *Mets ton lapin* pour *ton manteau de lapin* (§ 73).

● Les deux voies du changement de sens qui viennent d'être décrites dispensent dans bien des cas d'invoquer les "figures"telles que la synecdoque, la métaphore, la métonymie, entorses au code commun, dont l'étude a sa place dans un autre livre. Pourtant il est un grand nombre de sens "figurés" nés simultanément sur tout le domaine d'une langue, ou répandus par imitation à partir d'une création individuelle, qui sont passés dans le domaine commun avec très peu de force expressive.

Pour beaucoup, la valeur stylistique n'avait jamais été forte. Elle l'est pour un mot superflu comme *pince* ou *cuiller* désignant la "main", mais parler des *dents* d'une scie comme des dents d'un animal n'était pas doubler d'une métaphore un mot banal : la langue, dès le latin, n'a jamais eu d'autre mot pour ce signifié. On parlera d'**extension d'emploi** plutôt que de métaphore dans tous les cas où l'image était originellement le seul moyen de dénoter un signifié nouveau. Nommer l'*avion* avec le radical du latin *avis,* "oiseau", n'a pas été une figure de style. Les médecins latins, pour désigner la partie osseuse de la tête, ont employé, au lieu du mot *caput* (conservé en français dans *chef),* le mot *testa* signifiant "poterie" ; cette dénomination techniquement motivée, et qui s'est répandue au point que *teste* remplaça *chef* à la fin du Moyen Age, n'a jamais eu plus de valeur stylistique que n'en a aujourd'hui *boîte* dans *boîte crânienne.*

Les grammairiens du XIXe s. se sont plu à observer et à décrire la **"vie des mots"**, résumant par cette image l'ensemble des phénomènes d'évolution affectant les signifiants et les signifiés. Pour ce qui est des signifiés, on vient de voir qu'il ne faut pas parler d'un développement ordonné et prévisible comme l'est celui des hommes. Le sens des mots est vivant si vivre, c'est être muable.

B. La formation des mots

78. PASSÉ ET AVENIR DES MOTS ; LES SOURCES DU LEXIQUE :

Vivre, pour les hommes et les animaux, c'est évoluer dans la permanence entre l'instant de la naissance et celui de la mort. Ces deux limites s'effacent pour les plantes qui se reproduisent par bouture. Or c'est assez le cas des mots.

Il est très difficile de dire quand naît un mot, et quand il meurt. Son apparition dans les dictionnaires, ou sa disparition, ne renseignent que très approximativement.

La langue moderne contient d'ailleurs beaucoup de mots qui ont toujours existé et dont rien ne donne à croire qu'ils mourront : ils sont **hérités** du latin par le gallo-roman comme *herbe* (latin *herba),* grand (lat. *grandis),* rire (lat. *ridere),* parfois **empruntés** par le gallo-roman, avant la naissance du français (qu'on date des *Serments de Strasbourg,* 842), soit au gaulois comme *borne* (de **bodina), lande* (de **landa),* soit au germanique comme *guerre* (francique **werra), robe* (germanique **rauba,* "butin").

La "vie" de ces mots n'a eu pour accidents que des changements :

— de **sens** (§ 77) comme pour *robe* dont le sens "butin" s'est conservé jusqu'au XVIe s., mais dont le sens vestimentaire se relève dès le XIIIe ;

— de **prononciation** (§ 79) comme pour *bodina devenu *bodne, bosne* et *borne,* et pour *werra devenu *gwerre dès le gallo-roman puis, en français, *guerre ;* l'étymon *aqua* est méconnaissable dans *eau,* comme *placere* dans *plaisir, negat* dans *nie.*

Sans chercher l'origine de ces mots latins, germaniques ou gaulois qui peut se perdre dans l'indo-européen (voir la figure p. 98), on examinera les mots dont la naissance se situe apparemment au cours de la période française.

Rien n'est créé de toutes pièces.

Les onomatopées (§ 27) ne sont que l'intégration, à la langue, des bruits externes, qu'ils soient de toujours comme *plaf* (chute sur le sol) ou d'aujourd'hui comme *bip-bip* (indicatifs divers, à commencer par le premier satellite russe); certaines *interjections* notent simplement les bruits par lesquels nous manifestons nos sentiments (rires, soupirs) : *hi-hi! ouf!*

Ces copies de bruits sont tenues pour créations parce qu'elles diffèrent selon les langues : en français le canard fait *coin-coin,* en hongrois *hap hap ;* en français le coq fait *cocorico,* en allemand *kikeriki.* Pour des bruits en fait identiques à travers le monde, chaque langue est un filtre différent. Beaucoup d'onomatopées ont d'ailleurs été intégrées à la classe nominale (comme *taquet* au sens de "coup"), ou adjective *(gnangnan),* ou verbale *(claquer, toquer).*

Les autres créations de mots relèvent toutes du grand principe économique de faire du neuf avec du vieux, qu'il s'agisse :

— de **changements d'emploi** (§ 82) : l'onomatopée *bip-bip* devient le nom *un bip-bip;* le nom *la rose* devient l'adjectif *rose,* etc.

— de **composition** : un mot est fabriqué par juxtaposition de mots existant déjà dans la langue *(coffre-fort, pomme de terre)* ou repris aux langues anciennes *(centimètre, anthropophage).*

— de **dérivation** : un mot est fabriqué par réduction d'un mot à son radical, et le plus souvent addition de préfixe(s) et/ou de suffixe(s) imité(s) d'autres mots existants (comparez : *porter, port, apporter, rapporter, portable, comportement).*

— d'**emprunt** à une langue étrangère (ou régionale); l'emprunt n'est pas à confondre avec le **xénisme,** insertion accidentelle d'un mot étranger *(dolce vita, struggle for life)* dans un discours en français; l'emprunt proprement dit est une naturalisation à effet durable. Le mot adopté est conservé dans sa forme originelle (comme *film, foot-ball)* ou plus ou moins adapté à la phonétique et à la morphologie françaises *(boulingrin* pour l'anglais *bowling-green,* "gazon pour les boules", au XVIIe s. ; *banquier* pour l'italien *banchiere* au XIVe). L'emprunt s'est pratiqué à toute époque, et l'on a puisé aux sources les plus diverses :

café, sirop, zéro sont des mots arabes

balcon, colonel, piano sont des mots italiens

bouledogue, standard, planning sont des mots anglais...

Mais la plus grande partie des emprunts ont été faits au latin et au grec (§ 79 et 84).

La naissance d'un mot (création ou adoption) n'est jamais annoncée à grand tapage. Dans les rares dictionnaires qui donnent la date d'apparition (§ 102), les mots nouveaux ne sont pas les mieux datés (qui connaît le premier emploi écrit? quant au premier emploi oral, il n'en est pas question).

La mort d'un mot est encore plus discrète, puisqu'il est mort quand on ne l'entend plus. Encore est-il conservé par les textes où il a figuré, ou même se

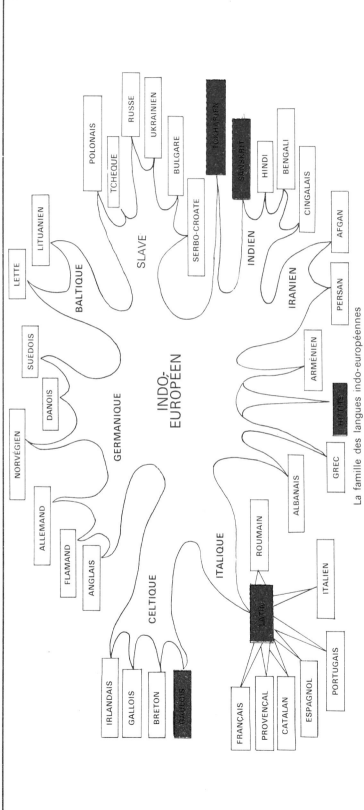

La famille des langues indo-européennes

Ce tableau montre la parenté du français avec les langues dites *romanes*, c'est-à-dire les langues issues du latin ; le latin lui-même remonte, avec beaucoup d'autres langues de l'Europe et de l'Asie, à une langue appelée *indo-européen*, qui était parlée il y a plus de 4 000 ans par un peuple ignorant l'écriture, et que les linguistes ont restituée en comparant les langues les plus anciennes.

Les noms des langues parlées aujourd'hui sont encadrés ci-dessus dans un rectangle en trait continu ; ceux des langues attestées seulement par des documents écrits sont encadrés en couleur ; les noms imprimés en couleur désignent des langues sans textes restituées par conjecture. Une langue indienne, le *tzigane*, a été transportée par ses usagers nomades en Perse, en Arménie, et dans toute l'Europe.

Signalons enfin qu'il existe, même sur le territoire de l'Europe et de l'Asie, beaucoup de langues (tels le basque, le hongrois, le géorgien, le turc, l'arabe, le chinois) qui appartiennent à d'autres familles, moins bien connues.

maintient-il dans l'usage littéraire, où il peut ressusciter. Si un mot sort de l'usage avec la chose qu'il dénotait, comme *heaume* et *morion,* il reste affecté à la dénotation rétrospective de cette chose. S'il cède la place à un autre mot, comme *geline* remplacé par *poule,* c'est quelquefois après une concurrence séculaire.

79. HÉRITAGE ET EMPRUNT ; FORMATION POPULAIRE ET FORMATION SAVANTE :

Les mots reçus par le français en **héritage** sont des mots de souche latine ou empruntés par le latin de Gaule ; comme il est montré au paragraphe précédent, ils ont subi au cours des siècles une forte usure phonétique, et sont plus courts que les mots latins originels, auxquels ils ressemblent souvent très peu :

securum a donné *sûr*   *augustum* a donné *août*
pavorem a donné *peur*   *mansionaticum* a donné *ménage*

On dit que des mots comme *sûr, août, peur, ménage* sont de **formation populaire,** parce qu'ils ont évolué dans l'usage parlé commun.

Pendant tout le Moyen Age et jusqu'au XVIe s., les savants écrivirent en latin ; quand ils voulurent écrire en français, ne trouvant pas les mots dont ils avaient besoin, ils empruntèrent en les francisant des mots latins dont la science s'était servie ; ces mots dits de **formation savante** ressemblent toujours beaucoup au mot latin d'origine ; ainsi on a fait :

épigramme sur *epigramma*   *germination* sur *germinatio*
pénitent sur *poenitens*   *prolétaire* sur *proletarius*

Les mots ainsi formés, s'ils ne sont pas les plus fréquemment employés, sont les plus nombreux de notre vocabulaire (v. §84).

Il existe parfois deux mots français remontant au même ancêtre latin, l'un de formation populaire, l'autre de formation savante ; on les appelle *doublets ;* exemples :

hôtel   } lat. *hospitale*   *aigre*   } lat. *acrem*   *frêle*   } lat. *fragilem*
hôpital }   *âcre*   }   *fragile* }

80. LA NÉOLOGIE :

On appelle **néologisme** l'apparition d'un signifié nouveau

— soit par création ou emprunt d'un signifiant nouveau,

— soit par changement de sens ou de valeur morphologique d'un mot existant.

L'évolution de la société et des techniques imposent un apport incessant de mots ou de sens nouveaux. La néologie se fait par trois voies :

● **Néologismes scientifiques, techniques, commerciaux :**

Chaque année, en France, l'*Institut national de la propriété industrielle*, dont la fonction est de délivrer les brevets d'invention et de garantir les marques déposées, examine près de 45.000 mots dénommant des appareils ou des produits nouveaux.

De nombreux organismes privés ou publics ont pour fonction de passer au crible le vocabulaire luxuriant de la technique moderne. Au plus haut niveau, citons le *Comité consultatif du langage scientifique* de l'Académie des Sciences, et l'*Association Française de Normalisation* (AFNOR) qui confie à des Comités et à des Commissions d'études rassemblant des savants de haute qualification, des ingénieurs, des industriels, des distributeurs, des consommateurs, la tâche d'établir une terminologie normalisée dans les domaines les plus divers ; les notions y sont définies et les termes sélectionnés en fonction d'une structure d'ensemble. Les travaux de l'AFNOR sont confrontés au sein de l'Association Internationale de Normalisation (ISO) à ceux d'associations semblables existant dans plus de 20 pays ; l'ISO travaille en commun avec la *Commission Electrotechnique Internationale* (CEA) pour mettre au point un vocabulaire nucléaire international. Ainsi est évité à l'échelle mondiale un "babélisme" préjudiciable à l'échange des découvertes.

Les organismes français s'efforcent de mettre en service des mots sans équivoque, de radical transparent, aptes à la dérivation ; ils luttent contre l'invasion tumultueuse des termes étrangers, surtout américains, en leur trouvant des équivalents clairs. Il s'agit bien d'une création collective, et des calculatrices électroniques sont utilisées pour faciliter la recherche à travers le vocabulaire de tous les domaines jusqu'aux mots du terroir et de l'ancien français.

Ce dirigisme s'est même manifesté par la publication au *Journal officiel* des termes scientifiques et techniques dont l'emploi est obligatoire dans tout texte officiel.

Mais la plupart des néologismes ainsi fabriqués et estampillés ne pénétreront jamais dans l'usage commun. Voici, à titre d'exemple, parmi les 300 mots retenus et définis par une Commission de terminologie pétrolière (1970), les néologismes (de sens ou de forme) concernant le forage (avec le mot anglais qu'ils traduisent) :

cheminement (channeling)	*genouillère (knuckle joint)*
duse (choke)	*trou de souris (mouse hole)*
clapet de sécurité (storm choke)	*coins de retenue (power-slips)*
forage carottier (core drill)	*gerbage (racking)*
compound (compound)	*trou de rat (rat hole)*
patte de chien (dog leg)	*rotary (rotary)*
digitation (fingering)	*esquiche (squezze)*
col de cygne (goose neck)	*rame (string)*
chèvre (gin pole)	*tender (tender)*
trépan à jet (jet bill)	*peson (weight indicator)*.

Quelques mots savants nés par siglaison (§ 86) ont dû pourtant une grande fortune à la diffusion des techniques qu'ils désignent : *radar* (de *radio detection and ranging,* "détection et repérage par radio"), *laser (light amplification by stimulated emission of radiations,* "amplification de lumière par émission de radiations stimulée'').

● **Néologismes de la presse :**

Le mot *enzyme* était depuis le XIXᵉ s. propriété privée des chimistes et des biologistes, et l'Académie des Sciences venait de lui attribuer le genre féminin lorsque, vers 1970, il est apparu, avec le genre masculin et l'épithète *glouton,* dans la publicité d'un produit détergent, qui l'a vulgarisé du jour au lendemain. D'origine savante ou d'origine populaire, les néologismes ont quelque chance de pénétrer, momentanément ou durablement, dans la langue commune lorsqu'ils sont répandus par la presse radiophonique ou écrite, antichambre des dictionnaires. Il s'agit de mots touchant à tous les domaines : sportif, culturel, technique, politique. Les journalistes et les publicitaires en tirent les effets d'inattendu et de modernisme qui les ont déjà "promus" dans l'usage oral.

Voici quelques échantillons de cette production collectés à la fin de 1979 (choix tiré d'une publication des "Amis du lexique français") :

américanade, n.f. : aventure américaine *(France-Soir,* 8-XI-79).

antho, n.f. : réduction d'*anthologie (Libération,* 31-VII-79).

barriquette, n.f. : récipient contenant 5 l de vin *(Le Point,* 1-X-79).

beaubourgite, n.f. : engouement pour le Centre Pompidou *(France-Soir,* 31-XII-79).

bitume (racler le), loc. verb. : prendre le maximum de risques dans un virage *(France-Soir Dimanche,* 28-X-79).

bluesy, adj. : du style des "blues" *(France-Soir,* 17-X-79).

bocal, n.m. : "cabine circulaire vitrée abritant le commentateur des courses de chevaux" (André Théron à la TV le 23-XII-79).

branchant, adj. : intéressant, captivant (Radio RTL).

briefer (se) sur une question, v. pron. : organiser une séance d'information sur un sujet *(Le Monde,* 3-XI-79).

cargolade, n.f. : grillade d'escargots *(Le Monde,* 1-XII-79).

chaussette à spi, loc. f. : étui dans lequel est logé le spinnaker (E. Tabarly dans *l'Equipe,* 24-IX-79).

chefs (petits), n.m.pl. : les agents de maîtrise *(Le Matin,* 26-IX-79).

chocolat, n.m. : "tuyau" de première qualité pour les turfistes (Supplément au *Journal du dimanche,* 7-X-79).

cibiste, n.m. : radio-amateur utilisant la bande radio de 27 MHZ appelée aussi Citizen band *(Le Monde,* 31-X-79).

claquette, n.f. : petite tape donnée sur un ballon avec la main *(Journal du dimanche,* 2-XII-79).

etc.

Cette avalanche quotidienne de "mots sauvages" a besoin d'être endiguée et filtrée, fonction remplie par des grammairiens qui, dans les mêmes journaux, consacrent des rubriques à l'épuration de la langue. Des sociétés s'y emploient aussi. Un *Conseil international de la langue française* (CILF), dont les membres sont des francophones de France, du Canada, de Belgique, de Suisse, du Luxembourg, d'Haïti, d'Afrique, de Madagascar, de l'île Maurice et d'Asie a été créé en 1967 pour maintenir dans le monde l'unité du français ; le contrôle des néologismes est une de ses premières tâches.

● **Néologismes littéraires :**

On ne peut contester aux écrivains, à qui la langue est redevable d'une grande partie de son renom, le droit de former des mots. Beaucoup le prennent et certains y ajoutent celui de les déformer. Voici quelques formations :

surdécoré (Alexandre Arnoux)
se plénifier, élusion, sédulosité (Paul Claudel)
vagueur (Marcel Aymé)
frissoulis, le cœur me dole (Blaise Cendrars)
dépantiniser, touchatouisme (Jean Cocteau)

édiliquement, sentenciel (Colette).

Et quelques déformations de Céline :

carafouillage, phrasibuler, phrasouilleur, superspicace, rhétoreux, presti-digieux, falsifis, miraginer.

Ces néologismes relèvent plus des techniques littéraires que du code de la langue commune où ils n'ont aucune prétention d'entrer.

81. GROUPES LEXICAUX ; CRITÈRES DE COHÉSION :

La principale source d'enrichissement du lexique a été la formation de mots nouveaux par "composition" ou "dérivation" à partir de plusieurs éléments significatifs préexistants. Ainsi naissent des unités sémantiques que nous appellerons **groupes lexicaux** pour les distinguer des **groupes discursifs** formés au moment du discours selon les rapports définis au § 21. (Au lieu de *groupes,* les linguistes disent *syntagmes).*

Les groupes lexicaux, appelés couramment "mots composés" et "dérivés", se distinguent aisément des autres groupes quand ils sont formés selon les modèles d'une syntaxe propre au lexique (§§ 82-83). Mais un grand nombre naissent par figement de groupes discursifs souvent répétés, dont ils conservent la forme : *coffre-fort, pomme de terre.* Dans tous les cas, le groupe lexical est caractérisé par une cohésion qu'on peut reconnaître aux critères suivants :

● **Inséparabilité :**

Comme les phonèmes d'un mot, les éléments significatifs du groupe lexical font bloc et refusent d'être séparés par un élément significatif libre.

C'est clair pour les mots "dérivés", que le radical soit soudé à un préfixe *(com-porter),* à un suffixe *(port-atif)* ou aux deux à la fois *(com-port-ement);* c'est aussi clair pour les mots "composés" d'éléments gréco-latins comme *anthropophage* (§ 84).

Mais l'épreuve est également applicable aux groupes lexicaux composés de mots français, si proches soient-ils des groupes discursifs ; on dit :

un coffre-fort mural	et non : **un coffre mural fort*
des pommes de terre nouvelles	et non : **des pommes nouvelles de terre*
Il a froid dans sa chambre	et non : **Il a dans sa chambre froid.*

Cette cohésion est quelquefois marquée par le trait d'union (§ 43), principalement quand il faut distinguer le groupe lexical d'un groupe discursif homophone :

Il est parti sur-le-champ   *L'épervier plane sur le champ.*

L'épreuve de séparabilité amène à distinguer des **degrés de cohésion :** des groupes lexicaux comme *chemise de nuit, filet de pêche, journal du matin* exigent en principe la postposition d'une épithète se rapportant au nom de base : *une chemise de nuit rose,* etc. ; pourtant on a pu relever dans la presse ou dans la littérature des chaînes de mots telles que : *une chemise rose de nuit, des filets gris de pêche, les journaux britanniques du matin* — constructions étrangères au français parlé courant.

Les lexicologues admettent l'existence, à côté des mots composés proprement dits, de groupes **en voie de figement** dont un type très important, observé dans la plupart des langues techniques, se compose d'un nom de sens général accompagné de caractérisations : *navigation aérienne, hélice à pas variable, moteur à refroidissement par air, fauteuil à bascule, fausse orange, peuplier noir, pin sylvestre, pin de Weymouth,* etc. Tous ces groupes refusent plus ou moins l'insertion.

● **Invariabilité interne :**

Comme un mot, le groupe lexical, formant bloc, tend à refuser toute variation interne.

C'est évident pour les dérivés, dont le préfixe est invariable, le suffixe portant seul les marques de catégorie grammaticale (féminin, pluriel, personne, temps, mode).

Mais une tendance à l'invariabilité du mot base s'observe même dans les groupes lexicaux composés de mots. Alors que les mots simples *œil* et *ciel* font au pluriel *yeux* et *cieux*, le pluriel des mots *œil-de-bœuf* et *ciel de lit* est *œils-de-bœuf* et *ciels de lits,* où l's est purement graphique ; et le verbe reste invariable quand on écrit *des porte-drapeaux.* Pourtant la langue écrite maintient la variation graphique le plus souvent possible, et la langue parlée elle-même dit *chevaux à bascule, chevaux vapeur.* La variabilité du nom base est inobservable quand elle se limite à l'-s de pluriel, que la prononciation familière ne fait pas plus entendre dans les groupes discursifs comme *des spectateurs en retard* que dans les groupes lexicaux comme *des arcs-en-ciel.*

● **Incommutabilité des éléments :**

S'il est probable que le "mot" figure en tant qu'unité significative dans la conscience de chaque locuteur (ce qui permet de pratiquer de nombreux jeux tels que le *scrabble),* les éléments inférieurs au mot n'y sont pas communément analysés. Aussi ne peut-on y pratiquer librement la substitution.

L'usage limite le nombre des préfixes pouvant être accolés à tel radical ; s'ils sont assez nombreux par exemple devant *clamer (ac-clamer, dé-clamer, ex-clamer, pro-clamer, ré-clamer,* mais non **en-clamer, *inter-clamer, *suc-clamer, *sur-clamer), plaindre* n'en admet aucun.

N'importe quel radical n'admet pas n'importe quel suffixe : on dit *naissance, fiançailles, mariage, enterrement,* on ne dit pas **naissement, *fiançage, *mariance,, *enterrailles.*

Bref, la dérivation n'est pas libre comme la formation de groupes discursifs.

La substitution n'est pas libre non plus dans les groupes lexicaux formés de mots : aucun mot n'y peut être remplacé par n'importe quel autre de même classe, fût-il synonyme ou antonyme ; on dit :

boîte aux lettres	et non : **boîte aux missives*
gardien de la paix	et non : **gardien du calme*
chemin de fer	et non : **voie de fer*
voie ferrée	et non : **chemin ferré*
un manteau bon marché	et non : **un manteau mauvais marché*
Il avait froid	et non : **Il avait tiède*
etc.	

L'épreuve de substitution s'applique moins bien aux groupes en voie de figement. On parle surtout des *journaux du matin* et des *journaux du soir,* mais des groupes comme *les journaux de l'après-midi, les journaux de la nuit* sont parfaitement admissibles : ce sont des groupes discursifs ordinaires, moins employés que les précédents.

● **Virtualité du nom dépendant :**

Quand le groupe lexical a pour base un mot dont dépend un nom (ex. : *chien de berger, vague à l'âme),* le nom dépendant n'apporte dans cet ensemble que son contenu lexical, à l'exclusion de toute référence aux coordonnées du réel (MOI-ICI-MAINTENANT, § 12) : il a donc un sens **virtuel.**

De là l'absence d'article si fréquente dans les locutions verbales *(avoir peur, prendre fin, donner raison)* et dans les noms composés : le groupe lexical *chien de berger* désigne un type de chien pouvant appartenir à un médecin, à un instituteur comme à un berger, alors que le groupe discursif *le chien du berger* désigne un animal qui peut être un fox-terrier ou un saint-bernard comme un briare, mais qui appartient à un berger.

Quand l'article défini figure devant le nom dépendant, il a un sens "générique" (ne désignant pas un élément particulier d'un ensemble) comme dans *vague à l'âme, boîte aux lettres* qui ne peuvent devenir **vague à mon âme, *boîte à tes lettres.* Même un nom propre a le sens virtuel dans un nom composé, ce qui interdit des phrases comme : **Nos amis ont mis dans leur véranda un pommier du Japon dont ils reviennent.*

82. SYNTAXE LEXICALE ; RÉDUCTION PAR EFFACEMENT :

Le groupe lexical, ayant la valeur d'un mot, tend à une réduction de volume le ramenant au calibre du mot. Cette réduction peur se faire par **ellipse** (§ 26, 2º) :

un film documentaire   — un documentaire.

(L'adjectif *documentaire* est ainsi versé dans la classe des noms.)

un bateau à vapeur — un vapeur

(Le nom féminin *vapeur* devient un nom masculin désignant un bateau comme le nom base effacé.)

un bateau à trois mâts — un trois-mâts
des chaussures à mettre après le ski — des après-ski
un oiseau à rouge gorge — un rouge-gorge.

Dans les précédents exemples, le mot effacé est **le mot base,** dont le mot restant prend la fonction et éventuellement la classe ; les mots conservés sont ceux qui apportent l'information essentielle.

L'élément effacé peut être aussi **un mot de liaison :**

un timbre de la poste — un timbre poste.

Bien plus rarement, l'élément effacé est **le terme dépendant :**

un bifteck aux pommes de terre frites — un bifteck aux pommes.

L'ellipse produit ainsi des unités sémantiques qu'on appelle "mots composés" s'il reste plusieurs mots du groupe initial (ex : *trois-mâts, après-ski, timbre poste) ;* s'il ne reste qu'un mot, on ne peut parler de "composition" ni de "groupe" : la tradition est de dire qu'il y a "dérivation impropre", et nous dirons simplement que les mots comme *un documentaire, un vapeur* sont "dérivés par changement d'emploi".

La **siglaison** est un procédé de réduction propre à des groupes nominaux désignant en général un corps abstrait (quelquefois concret) dont le nom revient souvent dans certaines activités (politiques, administratives, médicales). Le groupe est réduit aux initiales des mots qui le composent :

Confédération Générale du Travail — C.G.T. (ou CGT)
acide désoxyribonucléique — A.D.N (ou ADN)

ou aux premières syllabes de chaque mot

Société Bordelaise de Diffusion — SOBODI.

CGT, ADN, SOBODI sont des **sigles** (du latin *sigla,* "signes abréviatifs"). Les noms ainsi créés ont le genre du nom base : *la cégété, le polmar* (organisme de lutte contre la pollution marine). Souvent le groupe originel est oublié, et son existence peut être insoupçonnée du locuteur moyen (ex. : *radar,* *laser,* § 80). L'homonymie est à craindre (la *CGT* est aussi la *Compagnie Géné-rale Transatlantique).*

Les sigles deviennent de véritables radicaux sur lesquels on forme des dérivés : *cégétistes, énarque* (ancien élève de l'*École Nationale d'Adminis-tration).*

83. SYNTAXE LEXICALE ; RÉDUCTION PAR AFFIXES :

Le resserrement du groupe peut consister dans la transformation d'un de ses éléments en un **affixe** (c'est-à-dire un **préfixe** ou un **suffixe),** qui ne dépasse jamais deux syllabes. L'usage le plus commode, et le plus répandu aujourd'hui, est de parler de "dérivation" dans tous ces cas.

● Le remplacement du **mot base** se fait toujours par un suffixe :

un **bateau** *à voile* ⟶ *un voil-***ier**
*l'***homme qui** *conduit* ⟶ *le conduct-***eur**
rendre *clair* ⟶ *clar-***ifier**
user *du téléphone* ⟶ *téléphon-***er**
d'une **manière** *polie* ⟶ *poli-***ment**

Ces suffixes déterminent donc la classe grammaticale du radical auquel on les ajoute.

● Le remplacement du **mot dépendant** peut se faire :

— par certains suffixes (appréciatifs, diminutifs, augmentatifs) :

un **petit** *livre* ⟶ *un livr-***et**
un peu *pâle* ⟶ *pâl-***ot,** *pâl-***ichon**

— par la plupart des préfixes :

légataire **en même temps** ⟶ **co-***légataire*
sonner **de nouveau** ⟶ **re-***sonner*
poser **entre** ⟶ **inter-***poser*

Ces affixes ne modifient pas la classe du mot de base.

● Dans les mots suivants, les préfixes jouent le rôle de la préposition *après* dans *après-ski,* et il y a ellipse du mot base :

un (appareil) **contre** *la chute* ⟶ *un* **para-***chute*
la (membrane) **autour de** *l'os* ⟶ *le* **péri-***oste*
la (période) **avant** *le romantisme* ⟶ *le* **pré-***romantisme*
une (inscription) **sur** *un tombeau* ⟶ *une* **épi-***taphe* (grec *taphos,* tombeau).

● On appelle dérivés **parasynthétiques** des groupes lexicaux réduits à la fois par préfixe et par suffixe :

mettre en *Bastille* ⟶ **em-***bastill-***er**

● Les parasynthétiques ne sont pas à confondre avec les **dérivés de déri-vés ;** exemple : *nationalis-ation* est dérivé de *national-iser,* lui-même dérivé de *nation-al,* lui-même dérivé de *nation* (emprunté du latin *natio,* dérivé de *nat-us,* participe de *nascere,* fr. *naître).*

Les suffixes se distinguent des marques de catégorie appelées *désinences* (comme l'*-e* du féminin, l'*-s* du pluriel des noms et adjectifs, les terminaisons personnelles *-ons, -ez, -ent)* par cette aptitude à se superposer un nombre indéfini de fois, et par le pouvoir de changer la classe grammaticale du mot dont ils prennent le radical.

84. RADICAUX; FAMILLES :

Le radical lui-même n'a pas de classe, et n'apparaît que rarement à l'état isolé dans le discours.

● On **extrait** le radical d'un mot par comparaison de ce mot avec d'autres dont on le rapproche par la forme et par le sens. Ainsi, la comparaison de

jurer, jurement, juron, parjurer, conjurer, adjurer, injure, juriste, juridique

permet d'extraire une partie commune par la forme et par le sens, *jur-* ; le radical *jur-* n'apparaît jamais seul dans l'énoncé.

Le radical n'entre dans l'énoncé que prolongé par un suffixe qui lui donne valeur de nom, d'adjectif, de verbe, d'adverbe : *jur-on, jur-eur, jur-er.*

Cette règle ne manque pas d'exceptions apparentes :

— Le radical de mots comme *porter, porteur, portatif* est *port-,* qui apparaît dans le discours avec la valeur d'un nom : *port payé ;* mais *port,* nom masculin, n'est pas *port-,* radical : c'est le dérivé régressif (§ 92) de *porter ;* on peut estimer qu'il comporte le ''suffixe zéro''.

— Un mot simple nouvellement créé ou adopté, par exemple *film* (dont l'emprunt est daté de 1889) peut servir tel quel de radical si sa forme s'y prête : *filmer* (1919) est né du cinéma, bien après *film ;* il n'en faut pas moins distinguer du nom *film* le radical *film-,* sans classe ni genre.

Si le radical apparaît en tête d'un ''mot composé'', suivi d'un autre radical et non d'un suffixe, une voyelle de liaison peut faciliter la soudure ; c'est généralement un *o (film-o-logue),* quelquefois un *i (rat-i-cide).*

Les radicaux gréco-latins, dont la liste sera donnée au § 93, n'échappent pas à ces règles. Ainsi, le radical *anthrop-,* ''homme'' (grec *anthrôpos)* apparaît toujours en composition sous trois formes :

– *anthropo-* s'il est en tête d'un mot composé : *anthropophagie...*

– *anthrope* et *anthropie* s'il termine le mot : *philanthrope, philanthropie.*

L'*o* de liaison remonte au grec, où il caractérisait la flexion des noms masculins ; le grec l'avait déjà étendu aux autres mots, disant *akro-polis* (acropole) pour remplacer le groupe discursif *akra polis* (la ville haute). L'*i* remonte au latin : *homicide* (lat. *homicida)* est le modèle de *raticide, insecticide,* etc. aussi bien que *bactéricide* (où l'*i* est justifié par *bactérie).*

● La frontière phonique entre radical et suffixe n'est pas sans poser des problèmes. S'il est clair que *comportement* a le radical *port-* de *portatif,* dira-t-on que *blanchiment* a le radical *blanchi-, agrandissement* le radical *grandisse-* ? *Sexué* sera-t-il coupé *sex-ué* d'après *sexe,* ou *sexu-é* d'après *habitué ? Italien* sera-t-il coupé *itali-en* d'après *Italie,* ou *ital-ien* d'après *paris-ien ?*

De telles questions sont le plus souvent sans réponse, le mots ou leurs modèles ayant été formés dès le latin, par imitation d'autres dérivés dont l'analyse n'était pas consciemment faite. Il existe pour beaucoup de mots un *no mans's land* à la frontière du radical et du suffixe.

Cette liberté est mise à profit pour éviter certains hiatus ; un *t* que l'étymologie ne justifie pas est intercalé entre une voyelle finale de radical et une voyelle initiale de suffixe dans

cailloutis analogique d'*abatis* formé sur *abat*
biseauter analogique de *gigoter* formé sur *gigot*
recruter analogique de *buter* formé sur *but.*

De même on a dérivé l'adjectif *onusien* du sigle *ONU (Organisation des Nations Unies),* peut-être sur le modèle de *Vénusien,* ou d'*obusier.*

Faisander doit son *d* non à *faisan* (du lat. *phasianus),* mais à des modèles comme *marchander.*

● Le radical peut varier sensiblement entre le mot simple et le dérivé ; un dérivé savant peut être construit sur le radical latin du mot auquel remonte le simple ; comparer :

dimanche (lat. *die dominica*) siècle (lat. *saeculum*)
dominical séculaire

cœur (lat. *cor, cordis*) été (lat. *aestatem*)
cordial estival

La dérivation reste claire dans ces quatre exemples, et l'on comprend qu'on puisse appeler **famille de mots** l'ensemble constitué, par exemple, par

siècle, séculier, séculariser, séculaire

mots rattachés manifestement au radical latin de *saeculum*. Mais si l'on pousse jusqu'au latin l'enquête généalogique, on devra incorporer à la famille du nom *été* non seulement *estival, estivant, estiver, estivage, estivation,* mais *estuaire* (où le radical signifiait "bouillonnement" et non plus "chaleur brûlante") ; si l'on remonte à l'indo-européen, la même racine *aidh-*, "brûler", est à l'origine de mots latins relatifs au "foyer", donc à l'habitat, auxquels remontent les mots français *édifier, édifice, édicule, édile*. L'intérêt pratique de rattacher *été* à *édifice* est nul. Les **familles étymologiques** ne sont à explorer, pour qui vise le meilleur usage de la langue, que dans la mesure où le radical, à travers ses avatars, conserve son sens.

Mais l'intérêt philosophique des parentés sémantiquement non évidentes est loin d'être nul. L'étymologie se classe au premier niveau des sciences humaines quand elle nous apprend, par exemple, que les mots *enfants, infanterie, fantassin, ineffable, fée, fatal, farfadet, fabuleux, mauvais, hâbleur, affable, blâmer, infâme, profession, confession, préfacer, aphasie, prophète, blasphème* remontent à la racine indo-européenne *bha-*, "parler". L'étude des filiations passe par celle des civilisations, et souvent l'éclaire.

● Le terme de dérivation serait impropre si on l'appliquait aux cas où le radical latin (ou grec) du mot dérivé n'est pas le mot qui a donné le simple ; exemples :

aveugle (lat. *ab oculis*) amener (lat. *adminari*)
cécité (lat. *caecitas*) adduction (lat. *adductio*)

estomac (lat. *stomachus*) cœur (lat. *cor, cordis*)
gastrique (lat. *gaster*) cardiaque (grec *kardia*).

Cécité n'est pas "dérivé" d'*aveugle* : les deux mots ne sont pas de la même famille étymologique ; mais on peut dire qu'ils sont parents par le sens : il existe des **familles de sens,** qui sont les *champs sémantiques* (§ 76), plus utiles à connaître dans l'improvisation du discours.

85. SENS DES PRÉFIXES ET DES SUFFIXES :

Les prochains paragraphes donneront la liste des préfixes les plus employés avec un aperçu de leurs sens. L'analyse sémique (§ 69) des affixes est plus difficile que celle des mots dont, ainsi qu'il est dit au § 83, ils tiennent la place. Le rapprochement et la comparaison des mots contenant un même affixe ne livre pas toujours un signifié net et stable.

● Les **préfixes,** associés à des noms, à des adjectifs, à des verbes, apportent une détermination au sens de la base à la manière d'un complément.

Comme les mots, les préfixes peuvent être **homonymes ;** exemples :

– *a-* marquant le rapprochement (latin *ad) dans amener* et l'éloignement (lat. *ab)* dans *aversion;*

– *in-* négatif dans *inégal* et locatif dans *inhaler.*

Beaucoup sont **polysémiques;** par exemple, le préfixe *r-, re-, ré-* signifie

"en sens inverse" dans *revenir, réagir*
"de nouveau" dans *rouvrir, relire*
"complètement" dans *remplir, recouvrir.*

La **synonymie** y est fréquente; un bon exemple en est donné par les préfixes négatifs (§ 75); le préfixe grec *di-* exprime la dualité dans *diptère* (qui a deux ailes) comme le préfixe latin *bi-* dans *bipède* (qui a deux pieds); le préfixe grec *hyper-* marque l'excès dans *hypersensible* comme le préfixe *sur-* (du latin *super)* dans *surexposer;* le préfixe *in-* est dans *inflammation* la forme savante du préfixe *en-* d'*enflammer.*

D'autres préfixes, on l'a vu, sont **antonymes** (§ 75).

Mais, à la différence des mots, certains préfixes apparaissent, dans certains emplois, **dépourvus de toute signification.** C'est le cas de *re-* dans *regarder, réjouir, recueillir;* c'est le cas des préfixes des verbes *promettre, permettre, commettre, demander, commander, recommander* et des noms *accident, incident, expérience.* Cela tient à ce que le sens du préfixe s'est effacé ou modifié dans ces mots très anciennement, souvent dès le latin.

● Le signifié lexical des **suffixes** est également obscurci par la **polysémie:**

– *-ade* marque l'action dans *bravade* et la collection dans *colonnade;*

– *-ain* est collectif dans *douzain* et locatif dans *romain;*

et par la **synonymie:**

– *-euse* dans *tondeuse,* *-ateur* dans *sécateur,* *-oir* dans *arrosoir,* *-oire* dans *écritoire,* *-on* dans *bouchon* marquent l'"instrument";

– *-aille* dans *valetaille,* *-ard* dans *chauffard,* *-asse* dans *vinasse,* *-âtre* dans *marâtre* sont "péjoratifs".

Mais surtout le signifié lexical **cède souvent le pas au signifié grammatical;** le choix d'un suffixe est alors déterminé par des facteurs

— **d'ordre syntaxique;** comparer:

        a. *Faucheux sera certainement élu.*
        b. *L'élection de Faucheux est certaine.*

Ces deux phrases énoncent le même fait avec un partage différent en thème et propos (§ 15). En a, le nom sujet *Faucheux* énonce le thème, et le verbe le propos; l'adverbe *certainement* (non indispensable syntaxiquement) souligne la modalité affirmative; en b, le thème est exprimé par le groupe *l'élection de Faucheux,* et la certitude même fait le propos.

— **d'ordre morphologique;** dans l'exemple précédent, l'expression verbale de l'idée d'action permet la localisation dans le temps *(sera élu)* que le nom seul *(élection)* ne marquerait pas; en revanche, l'expression nominale permet ailleurs l'opposition singulier/pluriel *(les mensonges de Paul)* que le verbe ne marque pas *(Paul a menti).*

Le choix du suffixe, marque de classe grammaticale, joue un rôle important dans la formulation phrastique de la pensée.

Remarque: Comme les mots, les affixes ont une "vie". Mais la mort se manifeste pour eux par la cessation de toute productivité: on ne fait plus de mots en *tres-* comme *tressaillir,* ni de mots en *-ons* comme *(à) tâtons,* mais le préfixe *mini- (minijupe, minibus)* et le suffixe *-iste (passéiste, cibiste* cf. 84) sont très vivants. Comme des radicaux, il y a des affixes de forme populaire *(pend-***aison,** *guér-***ison,** *pâm-***oison)** et des affixes de forme savante *(ador-***ation,** *abol-***ition)**

86. INVENTAIRE DES PRÉFIXES :

Préfixe	Origine	Exemple	Sens
a, ad (1)	lat. *ad*	*amener*	mener **vers**
		accourir	courir **vers**
a, ab, abs	lat. *ab, abs*	*aversion*	sentiment qui **éloigne** de quelqu'un ou quelque chose
		ablution	lavage pour **éloigner** la souillure
		s'abstenir	se tenir **loin de**, éviter
a, an	grec *a, an*	*acéphale*	**sans** tête
		anarchie	**absence de** gouvernement
anté, anti	lat. *ante, anti*	*antédiluvien*	d'**avant** le déluge
		antidater	dater d'**avant**
anti	grec *anti*	*antiseptique*	**contre** l'infection
archi	grec *archi*	*archiduc*	duc **au plus haut degré**
béné, bien	lat. *bene*	*bénédiction*	parole dite pour souhaiter **du bien**
		bienfaisance	action de faire **du bien**
bi, bis	lat. *bis*	*bipède*	qui a **deux** pieds
		bissac	sac à **deux** poches
cata	grec *cata*	*catalogue*	liste énumérant **du haut en bas**
circon, circum	lat. *circum*	*circonstance*	ce qui se tient **autour**
		circumnavigation	navigation **autour** (d'une île)
cis	lat. *cis*	*cisalpin*	**en deçà** des Alpes
co, com, con (2)	lat. *cum*	*coassocié*	associé **avec**
		comporter	porter **à la fois**
		consonne	son qui se prononce **avec** (une voyelle)
contre	lat. *contra*	*contresigner*	signer **contre** (= à côté de) quelqu'un
		contredire	parler **contre** une opinion
dé, dés, dis (3)	lat. *dis*	*déloyal*	qui **s'écarte** de la loyauté
		déshonorer	**priver** d'honneur
		disposer	poser en des points **écartés**
di	grec *di*	*diptère*	qui a **deux** ailes
dia	grec *dia*	*diaphane*	qui laisse voir **à travers**
dys	grec *dys*	*dyspepsie*	digestion **mauvaise**
en	lat. *inde*	*enlever*	lever **en éloignant**
		emporter	porter **en éloignant**
en, in	lat. *in*	*encadrer*	mettre **dans** un cadre
		importer	porter **dans** (un pays)
entre, inter	lat. *inter*	*entreposer*	poser **entre** (l'achat et la vente)
		interposer	poser **entre** deux objets
é, ef, ex	lat. *ex*	*écrémer*	**ôter** la crème
		effeuiller	**ôter** les feuilles
		exporter	porter **hors d'**(un pays)
		ex-ambassadeur	ambassadeur **sorti de** sa charge
épi	grec *épi*	*épitaphe*	(inscription) **sur** un tombeau
eu	grec *eu*	*euphonie*	son **agréable**
extra	lat. *extra*	*extraordinaire*	qui est **en dehors de** l'ordinaire
for, four	lat. *foris*	*forfaire*	agir **en dehors du** droit chemin
		fourvoyé	engagé **en dehors de** la bonne voie
hémi	grec *hémi*	*hémisphère*	**moitié de** sphère
hyper	grec *hyper*	*hypertension*	tension **au-dessus de** la normale
hypo	grec *hypo*	*hypotension*	tension **au-dessous de** la normale
in (4)	lat. *in*	*inégal*	qui **n'**est **pas** égal

(1) Souvent *d* s'assimile à la consonne suivante : a**c**courir, a**ff**aiblir, a**ll**ouer, a**pp**orter, etc.

(2) Souvent le *m* s'assimile à la consonne suivante : co**ll**atéral, co**rr**espondre.

(3) Parfois le *s* s'assimile à la consonne suivante : di**ff**érent.

(4) Ce préfixe se prononce [in] devant voyelle *(inégal)* et en principe [ɛ̃] devant toute consonne *(impossible)*; par exception l'*n* s'assimile à un *r*, un *l*, un *m* initial : i**rr**éalisable, i**ll**isible, i**mm**oral ; mais depuis le XIXᵉ s. le français familier tend à le prononcer [ɛ̃] devant ces consonnes également : inréglable, inlevable ; inlassable est dans les dictionnaires depuis 1907, et immangeable se prononce toujours avec [ɛ̃].

Préfixe	Origine	Exemple	Sens
infra	lat. *infra*	infrarouge	au-dessous des rayons rouges dans le spectre
intra, intro	lat. *intra, intro*	intraveineux	à l'intérieur des veines
		introduire	conduire à l'intérieur
mal, mau, malé	lat. *male*	maladroit	qui n'est pas adroit
		maudire	souhaiter du mal
		malédiction	parole dite pour souhaiter du mal
mé, més	francique *missi	mécontent	qui n'est pas content
		mésaventure	mauvaise aventure
méta	grec *méta*	métaphysique	science qui vient après la physique
		métamorphose	changement de forme
mi	lat. *medius*	mi-carême	fête au milieu du carême
		milieu	lieu placé à la moitié
mono	grec *monos*	monosyllabe	mot d'une seule syllabe
non	lat. *non*	non-payement	le fait de ne pas payer
outre, ultra	lat. *ultra*	outrepasser	passer au-delà de
		ultrasensible	sensible au-delà de la moyenne
par, per	lat. *per*	parsemer	semer à travers (de-ci, de-là)
		parachever	achever tout à fait
		perfection	état de ce qui est entièrement fait
para	grec *para*	paratonnerre	contre le tonnerre
		paratyphoïde	maladie proche de la typhoïde
péri	grec *péri*	périoste	membrane autour des os (et par-dessus)
post	lat. *post*	postdater	dater d'après (= de plus tard)
		posthume	après l'enterrement
pré	lat. *prae*	préavis	avis donné avant
pro, por, pour	lat. *pro*	prolonger	allonger en avant
		portrait	figure tracée devant quelqu'un
		pourfendre	fendre en avant
		pourparlers	paroles en vue d'un accord
r, re, ré (5)	lat. *re*	revenir	venir en arrière
		réagir	agir en sens inverse
		rouvrir	ouvrir de nouveau
		remplir	emplir complètement
		recouvrir	couvrir complètement
rétro	lat. *retro*	rétrograde	qui marche en arrière
semi	lat. *semi*	semi-consonne	son à moitié consonne
sou, sous, sub (6)	lat. *sub*	souligner	tirer un trait sous la ligne
		soustraire	ôter en dessous
		subdiviser	diviser sous une première division
sur, super	lat. *super*	surcharge	charge en excédent
		superposer	poser par-dessus
		surfin, superfin	fin au-dessus de la moyenne
supra	lat. *supra*	supraterrestre	au-dessus de la terre
sus	lat. *sursum*	susdit	dit ci-dessus
sy, sym, syn	grec *syn*	système	tout formé de parties se tenant ensemble
		sympathie	sentiment qui rapproche
		syntaxe	agencement des mots ensemble
tra, trans, tré, très	lat. *trans*	traverser	passer à travers
		transmettre	faire passer au-delà
		trépasser	passer dans l'au-delà
		tressaillir	sauter vivement
tri, tris	lat. *tri*	tricycle	véhicule à trois cycles (roues)
		trisaïeul	aïeul à la troisième génération
uni	lat. *unus*	unijambiste	qui a une seule jambe
vi, vice	lat. *vice*	vicomte	à la place du comte
		vice-consul	qui remplace le consul

(5) *Re-* devant consonne : *rebâtir, revenir, ressortir* ; *ré-* devant é *(réélire)*, in *(réimposer)*, o *(réorganiser)*, u *(réunifier)* ; *r-* devant [ã] *(remplir)* ; hésitation entre *r-* et *ré-* devant a *(réagir, rallumer, réanimation, ranimer)* [ã] *(réemployer)* et ou *(réouverture, rouvrir)*.

(6) Souvent le *b* s'assimile à la consonne suivante : *succéder, suffire, suggérer, supposer.*

87. INVENTAIRE DES SUFFIXES DE NOM :

Classement	Suffixe	Exemple	Sens
Action (1)	ade	*bravade*	**action** de braver
	age	*élevage*	**action** d'élever
	aille	*semaille*	**action** de semer
	aison ⎫	*pendaison*	**action** de pendre
	ison ⎬ pop.	*guérison*	**action** de guérir
	oison ⎭	*pâmoison*	**action** de se pâmer
	ation ⎫	*adoration*	**action** d'adorer
	ition ⎬ sav.	*abolition*	**action** d'abolir
	sion ⎭	*exclusion*	**action** d'exclure
	ance	*alliance*	**action** de s'allier
	ence	*adhérence*	**action** d'adhérer
	at	*assassinat*	**action** d'assassiner
	ment ⎫ ement ⎭	*enlèvement*	**action** d'enlever
	erie	*causerie*	**action** de causer
	ure pop.	*morsure*	**action** de mordre
	ature sav.	*filature*	**action** de filer
Résultat de l'action (1)	age	*échafaudage*	**fait en** échafaudant
	aille	*trouvaille*	**ce que** l'on a trouvé
	ance	*créance*	**titre résultant** d'un crédit
	ation ⎫	*bifurcation*	**tracé produit par** une route se divisant en deux
	ition ⎬ sav.	*punition*	**peine infligée par** celui qui punit
	sion ⎭	*cession*	**objet que** l'on a cédé
	ment ⎫ ement ⎭	*ameublement*	**meubles** garnissant une pièce meublée
	is	*éboulis*	**résultat** d'un éboulement
	ure pop.	*blessure*	**plaie résultant** d'une blessure
	ature sav.	*créature*	**ce que** l'on a créé
Agent, profession	ant, ent	*fabricant*	**qui** fabrique
	eur pop.	*chercheur*	**qui** cherche
	ateur sav.	*calomniateur*	**qui** calomnie
	ier pop.	*chapelier*	**qui** fait ou vend des chapeaux
	aire sav.	*statuaire*	**qui** fait des statues
	andier	*lavandière*	**qui** lave
	er	*cocher*	**qui** conduit le coche
	eron	*forgeron*	**qui** forge
	ien	*musicien*	**qui** joue de la musique
	iste	*fleuriste*	**qui** cultive ou vend des fleurs
	isme	*journalisme*	**profession** de celui qui écrit dans les journaux

(1) L'action ou le résultat de l'action sont souvent exprimés par la forme de participe passé féminin du verbe correspondant : *rentrée, croisée ;* c'est un cas de formation par changement d'emploi (§ 82).

Classement	Suffixe	Exemple	Sens
Arbre producteur	ier	*poirier*	**arbre qui produit** des poires
Instrument,	ail	*éventail*	**objet servant** à s'éventer
accessoire	ard	*brassard*	**insigne qu'on porte** au bras
	eur, euse pop.	*tondeuse*	**instrument servant** à tondre
	ateur sav.	*sécateur*	**instrument servant** à couper
	oir	*arrosoir*	**instrument servant** à arroser
	oire	*écritoire*	**accessoire pour** écrire
	on	*bouchon*	**accessoire pour** boucher
Objet de l'action	ande	*offrande*	**objet que** l'on offre
	ende	*dividende*	**nombre que** l'on divise
Lieu où se fait l'action, industrie,	erie	*biscuiterie*	**fabrique** de biscuits, **biscuits** fabriqués à la biscuiterie
produit de l'industrie	anderie	*buanderie*	**lieu où** l'on lessive (*buer* = lessiver)
	oir	*parloir*	**lieu où l'on parle**
État	age	*servage*	**état** du serf
	é	*parenté*	**état** de ceux qui sont parents
	tude	*décrépitude*	**état** de celui qui est décrépit
Qualité, propriété fonction	at	*consulat*	**fonction** de consul
	té	*bonté*	**qualité** de celui qui est bon
	ité	*lucidité*	**qualité** de celui qui est lucide
	erie	*fourberie*	**défaut** de celui qui est fourbe
	ie	*courtoisie*	**qualité** de celui qui est courtois
	esse	*souplesse*	**qualité** de ce qui est souple
	ise	*franchise*	**qualité** de celui qui est franc
		prêtrise	**fonction** du prêtre
	ice	*justice*	**qualité** de ce qui est juste
	eur	*blancheur*	**couleur** de ce qui est blanc
	isme	*égoïsme*	**défaut** de celui qui ne pense qu'à lui (lat. *ego* = moi)
Territoire où s'exerce la fonction	é	*duché*	**région administrée** par le duc
Croyance	isme	*bouddhisme*	**croyance** en Bouddha
Adepte, partisan	iste	*bouddhiste*	**adepte** du bouddhisme
	ien	*kantien*	**disciple** de Kant
Collectifs	ade	*colonnade*	**ensemble** de colonnes
(réunion,		*citronnade*	boisson **composée** de citrons
entassement,	age	*feuillage*	**ensemble** de feuilles
mélange,	aie	*chênaie*	**plantation** de chênes
plantation)	raie	*roseraie*	**plantation** de rosiers
	aille	*pierraille*	**amas** de pierres
	ain	*douzain*	**strophe** de douze vers
		douzaine	**groupe** de douze
	as	*plâtras*	**débris** de plâtre
	asse	*filasse*	**amas** de fils
	ure pop.	*chevelure*	**ensemble** de cheveux
	ature sav.	*ossature*	**ensemble** des os
Péjoratifs	aille	*valetaille*	**l'ensemble (méprisable)** des valets
(= dépréciatifs)	ard	*chauffard*	**mauvais** chauffeur
	asse	*vinasse*	**mauvais** vin
	assier	*écrivassier*	**mauvais** écrivain
	âtre	*marâtre*	**mauvaise** mère

Classement	Suffixe	Exemple	Sens
Diminutifs (à valeur parfois effacée : *cuissot, tombereau,* souvent affectueuse : *Pierrot, menotte...)*	aut	*levraut*	**petit** lièvre
	eau	*chevreau*	**petit** de la chèvre
	elle	*ruelle*	**petite** rue
	ceau	*lionceau*	**petit** lion
	celle	*parcelle*	**petite** part
	ereau	*lapereau*	**petit** lapin
	eteau	*louveteau*	**petit** loup
	et	*archet*	**petit** arc
	ette	*fourchette*	**petite** fourche
	elet	*bracelet*	**petit** anneau qu'on porte au bras
	elette	*côtelette*	**petite** côte
	in	*oursin*	**petit** animal marin hérissé comme un ours
	ine	*bottine*	**petite** botte
	ot	*îlot*	**petite** île
	otte, ote	*menotte*	**petite** main
	otin	*diablotin*	**petit** diable
	on	*ourson*	**petit** ours
	ille	*brindille*	**petit** brin
	illon	*négrillon*	**petit** nègre
	eron	*moucheron*	**petite** mouche
	ole	*bestiole*	**petite** bête
	erole	*banderole*	**petite** bande
	ule	*globule*	**petit** globe
	cule	*animalcule*	**petit** animal
	icule	*principicule*	**petit** prince
	iche	*barbiche*	**petite** barbe
Pays, origine	ie	*Normandie*	**pays** des Normands
	ain	*Romain*	**originaire** de Rome
	an	*Persan*	**originaire** de la Perse
	ais	*Français*	**originaire** de la France
	ois	*Chinois*	**originaire** de la Chine
	ien	*Parisien*	**originaire** de Paris
	in	*Périgourdin*	**originaire** du Périgord
	on	*Frison*	**originaire** de la Frise
	ard	*montagnard*	**habitant** de la montagne
Endroit où l'on garde, réceptacle	il	*chenil*	**lieu où l'on garde** les chiens
	ier	*bénitier*	**récipient** à eau bénite
Contenu, mesure	ée	*cuillerée*	**contenu** d'une cuillère
		matinée	**durée** d'un matin
Age, anniversaire	aire	*sexagénaire*	**personne âgée de** 60 ans
		cinquantenaire	**anniversaire** au bout de 50 ans
Suffixes des langues techniques	acé	*rosacées*	**plantes de la famille** des roses
	ate	*carbonate*	**sel de** carbone
	ure	*sulfure*	**composé contenant** du soufre
	ine	*glycérine*	**produit** sucré
	ite	*otite*	**maladie** de l'oreille
		lignite	**minéral issu** du bois
	ose	*névrose*	**maladie** des nerfs
		glucose	**produit** sucré

88. INVENTAIRE DES SUFFIXES D'ADJECTIF :

Classement	Suffixe	Exemple	Sens
Qualité, caractère, relation	ain	*hautain*	qui regarde de haut
	aire	*alimentaire*	qui concerne les aliments
	é	*imagé*	qui comporte ou **évoque** des images
	el pop.	*naturel*	qui **est selon** la nature
	al sav.	*original*	qui **montre** son origine
	er	*mensonger*	qui contient un mensonge
	ier	*princier*	qui convient à un prince
	esque	*simiesque*	qui **évoque** les singes
	eur	*menteur*	qui ment
	eux	*courageux*	qui a du courage
	ueux	*torrentueux*	qui a l'allure d'un torrent
	if	*tardif*	qui vient tard
	atif	*affirmatif*	qui affirme
	itif	*auditif*	qui concerne l'ouïe
	in	*enfantin*	qui concerne les enfants
	ique	*cubique*	qui a la **forme** d'un cube
	atique	*problématique*	qui contient des problèmes
	atoire	*blasphématoire*	qui contient un blasphème
	u	*chevelu*	qui a des cheveux
Superlatif (cf. § 123)	issime	*richissime*	**très** riche
Possibilité, capacité	able	*potable*	qui peut être bu
		charitable	**accessible** à la charité
	ible	*lisible*	qui peut être lu
		risible	**capable** de faire rire
	uble	*soluble*	qui peut se dissoudre
Profession	eur, ateur, ier, ien, cf. les suffixes des noms § 87		
Croyance	ien, iste, cf. les suffixes de noms		
Origine	ain, an, ais, ois, ien, in, on, ard, cf. les suffixes de noms		
Péjoratifs (= *dépréciatifs)*	ard	*richard*	riche (avec idée **hostile)**
	asse	*fadasse*	fade (avec idée de **dégoût)**
	aud	*lourdaud*	lourd (avec idée de **raillerie)**
	âtre	*rougeâtre*	rouge (**pas franchement)**
Diminutifs (avec nuances souvent affectueuse)	et	*pauvret*	(**petit**) malheureux
	elet	*aigrelet*	**un peu** aigre
	ouillet	*grassouillet*	**un peu** gras
	ot	*pâlot*	**un peu** pâle
Suffixes techniques	acé, ique, cf. les suffixes de noms		

89. INVENTAIRE DES SUFFIXES DE VERBE :

Beaucoup de verbes se forment en ajoutant simplement au radical les terminaisons de la première et de la deuxième conjugaison.

Les verbes en **-er** sont de beaucoup les plus nombreux :

— Les noms *balance, mât, groupe, téléphone* ont donné les verbes *balancer, mâter, grouper, téléphoner.*

— Les adjectifs *bavard, violent, calme* ont donné les verbes *bavarder, violenter, calmer.*

Le rapport entre le signifié du nom et celui du verbe qu'on en tire est très variable ; pour chaque verbe, il doit être appris ou deviné : *balancer* évoque le mouvement de la *balance, mâter* signifie "pourvoir d'un *mât*", grouper, "mettre en *groupe*", et *téléphoner,* "se servir du *téléphone*". Le verbe tiré d'un adjectif exprime un comportement du sujet *(bavarder, violenter)* ou un état imposé au patient *(calmer).*

Ce groupe est très vivant et prolifère tous les jours *(Moquettez-vous !).*

Les verbes en **-ir** ont été surtout dérivés d'adjectifs, indiquant alors un changement d'état subi ou imposé :

> – *blanchir :* devenir ou rendre *blanc*
> – *durcir :* devenir ou rendre *dur.*

De création récente, on ne cite que *vrombir,* dérivé d'une onomatopée, et les parasynthétiques *atterrir, amerrir* (qui tient ses deux *r* du précédent), *alunir* (employé surtout dans les bandes dessinées).

Ce groupe ne s'enrichit plus.

Les autres suffixes de verbe, tous terminés en *-er.* sont peu nombreux :

Classement	Suffixe	Exemple	Sens
Etat	oyer pop.	*verdoyer*	**être** vert
Action	oyer pop.	*charroyer*	**transporter** dans un char
	iser sav.	*tyranniser*	**traiter** comme fait un tyran
Factitifs	iser sav.	*égaliser*	**rendre** égal
	ifier sav.	*fructifier*	**produire** des fruits
Fréquentatifs ou	ailler	*criailler*	crier **souvent** d'une façon **désagréable**
diminutifs ou	asser	*rêvasser*	rêver **souvent** (avec idée de **réprobation**)
péjoratifs	eler	*craqueler*	faire de **nombreuses petites** fentes
	eter	*tacheter*	faire de **nombreuses petites** taches
	iller	*mordiller*	mordre **un peu plusieurs fois**
	iner	*trottiner*	faire de **nombreux petits** pas
	ouiller	*bredouiller*	proférer des sons inintelligibles (comme *bre*) et **ridicules**
	nicher	*pleurnicher*	pleurer **un peu** (avec idée de **répétition** et de **réprobation**)
	ocher	*flânocher*	flâner (avec idée de **répétition** et de **réprobation**)
	onner	*chantonner*	chanter **tout bas** (avec **répétition**)
	oter, otter § 53	*tapoter*	donner **plusieurs petites** tapes
	oyer	*coudoyer*	donner de **fréquents** coups de coude

90. SUFFIXES D'ADVERBE :

Le français ne connaît que deux suffixes d'adverbe :

— le suffixe **ons (on),** qui est mort :

> à recul**ons**   à tât**ons**   à califourch**on**

— le suffixe **ment** qui est vivant ; en règle générale, il s'ajoute à la forme du féminin des adjectifs :

> *grand* donne *grande**ment**,*   *vif* donne *vive**ment**.*

Particularités :

a) Les adjectifs terminés par une voyelle perdent devant le suffixe l'*e* du féminin : *hardi*ment, *joli*ment, *poli*ment, *vrai*ment, etc.

Certains adverbes en *ument* rappellent cet *e* par l'**accent circonflexe ;** ce sont : *assidûment, congrûment, continûment, crûment, dûment, goulûment, incongrûment, indûment ;* au contraire, on écrit : *absolument, éperdument,* etc.

Seul *gaiement* s'est conservé (éliminant *gaîment* en 1935).

b) Sur le modèle de certains adverbes comme *aisé***ment,** *séparé***ment,** formés correctement sur les féminins *aisée, séparée,* ont été créés quelques adverbes en **ément** où l'accent aigu n'est pas justifié : ainsi *aveuglément,* formé sur *aveugle,* et qui se distingue du nom *aveuglement.*

Ces adverbes sont peu nombreux ; en voici la liste à peu près complète :

aveuglément	*confusément*	*impunément*	*précisément*
commodément	*énormément*	*intensément*	*profondément*
communément	*expressément*	*obscurément*	*profusément*
conformément	*immensément*	*opportunément*	*uniformément*

c) Les adjectifs en *ant* et *ent,* dont le féminin était jadis semblable au masculin, forment des adverbes en **amment** et **emment** :

abondamment	*apparemment*
arrogamment	*concurremment*
brillamment	*décemment*
bruyamment	*éminemment*
etc.	*etc.*

Par exception à cette dernière règle, les adjectifs *lent, présent, véhément,* ont donné les adverbes *lentement, présentement, véhémentement,* selon la règle générale.

d) Quelques adverbes ont, pour diverses raisons, une formation irrégulière : *brièvement, gentiment, impunément, nuitamment, sciemment, traîtreusement.*

91. DÉRIVÉS PARASYNTHÉTIQUES :

La formation parasynthétique, définie au § 83, donne des verbes à partir de noms :

encapuchonner : (mettre) en capuchon
dépoussiérer : (débarrasser) de (la) poussière
alunir : (se poser) à (la surface de la) lune.

et d'adjectifs :

affaiblir : (porter) à (l'état) faible
enhardir : (transformer) en hardi
amenuiser : (faire arriver) à (l'état) menu.

Elle donne aussi des adjectifs :

antialcoolique : (qui est) contre l'alcool
précolombien : (qui existait) avant Colomb
interstellaire : (qui est) entre les étoiles.

92. DÉRIVÉS RÉGRESSIFS :

La dérivation régressive consiste à tirer d'un verbe un radical pur ; le résultat est un nom masculin :

galoper ⟶ galop   élancer ⟶ élan
oublier ⟶ oubli   troubler ⟶ trouble
appeler ⟶ appel   choisir ⟶ choix

ou un nom féminin (toujours terminé par *e*) :

marcher ⟶ marche   greffer ⟶ greffe
gêner ⟶ gêne   transir ⟶ transe

Pour un même radical, on peut avoir masculin et féminin : *train, traîne.*

Ces mots expriment l'action *(marche, appel),* le résultat *(accroc, paie),* l'instrument *(sonde, limite).* C'est un procédé vivant qui donne des mots techniques *(taille, chasse, plonge, embauche, déblai, report)* et même des mots populaires *(faire sa gratte, un casse, de la casse, c'est de la triche, faire de l'épate, être en cavale).* Les dérivés régressifs sont courts et de terminaisons variées.

Remarque : Dans les dérivés anciens, des différences de radical importantes peuvent exister entre le nom et le verbe :

espérer ⟶ espoir   acheter ⟶ achat
grever ⟶ grief   avouer ⟶ aveu.

93. COMPOSITION GRÉCO-LATINE :

Les mots composés de radicaux grecs ou latins sont entrés en français à toute époque par la voie de la langue savante : le latin *philosophia* (emprunté au grec) est devenu le français *philosophie* au XII⁰ s., le latin *agricola (ager,* "terrain", et *colere,* "cultiver") est devenu au XIV⁰ s. *agricole,* "agriculteur". Mais à partir de tels mots fut pratiquée abondamment la "recomposition" consistant à puiser dans le vocabulaire latin et grec des éléments radicaux procurant par leur combinaisons tous les mots dont le progrès des sciences et des techniques faisait sentir le besoin. Ainsi purent être dénommés le *stylographe,* le *cinématographe,* le *bathyscaphe,* le *téléphone,* la *philatélie,* concepts étrangers à l'Antiquité. Les radicaux anciens ont souvent acquis un sens très éloigné du signifié ancien : le concept d'"électricité" qu'exprime *électro-* est bien loin du signifié des mots latin *(electrum)* et grec *(elektron)* désignant l'"ambre jaune" (substance attirant les corps légers quand on la frotte).

La composition gréco-latine a doté la science d'un vocabulaire international, sorte d'espéranto indispensable à l'échange des connaissances. L'usager moyen est souvent incapable d'analyser les produits de cette formation et conçoit globalement et pragmatiquement le sens de mots comme *trichloréthylène* ou *paradichlorobenzène.* Les plus usités sont abrégés : *trichlore, micro* (microphone), *otorhino (oto-rhino-laryngo-logiste);* d'autres reçoivent un nom vulgaire ou un nom de marque plus ou moins arbitraire, comme le *Palerol,* médicament dont le nom chimique est *bromure d'hydroxydiphénilacétoxy-3 méthoxy-7 N méthyltropanium.*

L'élément conservé après abréviation d'un mot savant prend le sens du mot entier; ainsi *auto-*, signifiant "de lui-même" dans *(véhicule) automobile*, désigne une voiture dans le nom *une auto*; *télé-*, signifiant "de loin" dans *télévision*, désigne un appareil téléviseur dans *ma télé*.

La logique voudrait qu'on évite d'accoupler un radical grec à un radical latin, mais cette logique historique n'est pas pertinente dans le fonctionnement de ce *meccano* lexicologique qu'est la composition gréco-latine, et les croisements sont très nombreux: *mon-ocle* (grec + latin), *socio-logie* (latin + grec) *hyper-tension* (grec + latin), *télé-vision* (grec + latin); personne ne souffre d'appeler *automobile* un véhicule que la cohérence historique aurait dû faire nommer **ipsimobile* ou **autocinète*.

Voici un tableau des éléments anciens les plus courants:

Élément	Sens	Exemple
Éléments numéraux		
De *un* à *trois,* voir le tableau des préfixes § 90		
quadri (latin)	quatre	*quadrilatère*
tétra	quatre	*tétragone*
quint (latin)	cinq	*quintuple*
penta	cinq	*pentagone*
hexa	six	*hexagone*
hepta	sept	*heptagone*
octo (latin et grec)	huit	*octogone*
déci (latin)	dix (par division)	*décimètre*
déca	dix (par multiplication)	*décamètre*
centi (latin)	cent (par division)	*centilitre*
hecto	cent (par multiplication)	*hectolitre*
milli (latin)	mille (par division)	*milligramme*
kilo	mille (par multiplication)	*kilogramme*
myria	dix mille	*myriamètre*
multi (latin)	nombreux	*multimillionnaire*
poly	plusieurs	*polygone*
Éléments scientifiques et techniques		
aéro	air	*aéroplane*
algie	douleur	*névralgie*
anthropo, anthrope, anthropie	homme	*anthropologie*
archéo	ancien	*archéologie*
archie	commandement	*monarchie*
arque	qui commande	*monarque*
auto	de soi-même	*autographe*
baro	pesanteur	*baromètre*
biblio	livre	*bibliothèque*
bio, bie	vie	*biographie*
bole	qui jette	*discobole*
caco	mauvais	*cacophonie*
céphalo, céphale, céphalie	tête	*céphalalgie*
chiro	main	*chiromancie*
chromo, chrome, chromie	couleur	*monochrome*
chrono, chrone, chronie	temps	*chronomètre*
cosmo, cosme, cosmie	monde	*cosmopolite*
crate, cratie	pouvoir	*démocratie*
crypto	caché	*cryptogame*
cyclo, cycle	cercle	*bicyclette*
dactylo, dactyle	doigt	*dactylographie*
démo	peuple	*démocratie*
drome	course	*hippodrome*

Élément	Sens	Exemple
dynamo	force	*dynamomètre*
fère (latin)	qui porte ou apporte	*conifère*
game, gamie	mariage	*polygame*
gast(e)ro	estomac	*gastéropode*
gène	qui engendre	*hydrogène*
géo	terre	*géographie*
gone	angle	*polygone*
grammo, gramme	écriture	*grammaire, télégramme*
grapho, graphe, graphie	écriture	*géographie*
hélio	soleil	*héliotrope*
hémo, hémat	sang	*hémorragie, hématie*
hétéro	autre	*hétérogène*
hippo	cheval	*hippodrome*
homo	semblable	*homonyme*
hydro, hydre	eau	*hydrogène, anhydre*
ïde	en forme de	*métalloïde*
iso	égal	*isotherme*
litho, lithe	pierre	*lithographie, aérolithe*
logue, logie	science	*biologue, biologie*
mancie	divination	*chiromancie*
mane, manie	folie	*opiomane*
méga, mégalo	grand	*mégalithique*
méso	milieu	*mésocarpe*
métro, mètre, métrie	mesure	*métronome, kilomètre*
micro	petit	*microscope*
miso	qui hait	*misanthrope*
morpho, morphe, morphie	forme	*morphologie, amorphe*
mytho, mythe	légende	*mythologie*
nécro	mort	*nécropole*
néo	nouveau	*néophyte*
neuro, névro	nerf	*neurologie, névropathe*
nome, nomie	règle	*autonomie*
onyme	nom	*homonyme*
ophtalmo, ophtalmie	œil	*ophtalmologie*
ortho, orthie	droit, juste	*orthographe*
palé(ont)o	ancien	*paléontologie, paléographie*
pan(to)	tout	*pangermanisme*
patho, pathe, pathie	mal, douleur	*pathologie*
phago, phage, phagie	manger	*aérophagie*
philo, phile, philie	qui aime	*philanthrope*
phobe, phobie	horreur	*hydrophobie*
phono, phone, phonie	son, voix	*phonographe, aphone*
phore	qui porte	*sémaphore*
photo	lumière	*photographie*
physio	nature	*physiologie*
pneum(at)o	souffle	*pneumonie, pneumatologie*
pode	pied	*gastéropode*
pseudo	faux	*pseudo-savant*
psycho, psychie	âme	*psychologie*
pyro	feu	*pyrogravure*
radio (latin)	rayon	*radioscopie*
scope, scopie	regarder	*périscope*
taphe	tombeau	*épitaphe*
techno	science	*pyrotechnie*
télé	loin	*téléphone*
théo, thée	dieu	*théologie, athée*
thérapo, thérapie	soin, guérison	*hydrothérapie*
thermo, therme, thermie	chaleur	*thermomètre*
thèse	proposition	*antithèse*
tome, tomie	couper	*atome, anatomie*
topo, topie	lieu	*toponymie*
typo, type, typie	caractère	*typographie*

94. NOMS COMPOSÉS
DE FORMATION FRANÇAISE :

	Nature et fonction des éléments	Exemple	Groupe discursif équivalent
A	**Nom base + nom base coordonnés**	*whisky-soda* *peintre-tapissier*	whisky et soda peintre et tapissier
B	**Nom base + nom apposition**	*chien-loup* *chou-fleur*	chien qui est loup chou qui est fleur
C	**Nom base + nom complément de relation sans ou avec préposition**	*timbre poste* *thé citron* *pause café* *Hôtel-Dieu* *Ville-l'Évêque* *boîte aux lettres* *pomme de terre* *Bar-sur-Aube*	timbre de la poste thé au citron pause pour le café hôtel de Dieu ville de l'évêque boîte aux lettres pomme de terre Bar sur l'Aube
D	**Nom base + adjectif ou ordre inverse**	*coffre-fort* *vinaigre* *Châteauneuf* *basse-cour* *bonheur* *Neufchâteau*	coffre fort vin aigre château neuf cour basse heur (sort) bon château neuf
E	**Adverbe complément + nom base complété**	*avant-garde* *contresens*	garde en avant sens contraire
F	**(Nom base sous-entendu) + préposition + complément (nom ou infinitif)**	*hors-texte* *après-ski* *contrepoison* *surhomme* *contre-offensive* *pourboire*	(illustration) hors du texte (chaussures) après le ski (remède) contre le poison (homme) au-dessus de l'homme (offensive) contre une offensive (argent donné) pour boire
G	**(Nom base sous-entendu) + nom sans préposition + complément (adjectif ou autre)**	*casque bleu* *chiendent* *trois-mâts* *rouge-gorge* *mot à mot* *coq-à-l'âne* *pot-au-feu*	(soldat à) casque bleu (herbe pointue comme une) dent de chien (bateau à) trois mâts (oiseau à) gorge rouge (traduction faite de) mot à mot (propos passant du) coq à l'âne (mets cuit dans un) pot au feu
H	**(Nom base sous-entendu) + énoncé rapporté**	*le qu'en-dira-t-on* *un sauve-qui-peut*	(la question) : "Qu'en dira-t-on ?" un (mouvement de panique où l'on crie :) "Sauve qui peut !"
I	**Infinitif substantivé base + complément ou ordre inverse**	*savoir-faire* *laisser-aller* *bien-être*	savoir faire laisser aller (se relâcher) être bien
J	**(Nom base agent sous-entendu) + verbe + complément d'objet ou de circonstance** (1)	*portefeuille* *porte-plume* *réveille-matin* *vaurien* *lieutenant*	(objet qui) porte des feuilles (objet qui) porte une plume (objet qui) réveille au matin (personnage qui) ne vaut rien (officier qui) tient lieu (de capitaine)
K	**(Nom base agent ou patient) + verbe + verbe accordé**	*va-et-vient* *pousse-pousse*	(mouvement qui) va et vient (véhicule que l'on) pousse, pousse

(1) Quand le radical verbal se confond avec un dérivé régressif (§ 92), deux interprétations sont possibles : un *garde-malade* peut être

— "(celui qui) garde un malade"
— "un garde pour malade".

Il en résulte des hésitations orthographiques : un *appuie-tête* ou un *appui-tête*, un *réveille-matin* ou un *réveil-matin* ; pour *garde* et *aide,* la première interprétation prévaut s'il s'agit de choses *(des garde-manger)* et la seconde s'il s'agit de personnes (des *gardes-malades).*

95. ADJECTIFS COMPOSÉS DE FORMATION FRANÇAISE :

	Nature et fonction des éléments	Exemple	Groupe discursif équivalent
A	**Adjectif base + adjectif base coordonné**	*sourd-muet*	sourd et muet
B	**Adverbe complément + adjectif base**	*avant-coureur*	qui court avant
C	**(Adjectif base sous-entendu) + préposition + nom**	*sans-gêne* *à la page* *avant-dernier*	(qui est) sans gêne (qui est) à la page (qui est) avant le dernier
D	**Adverbe complément + participe base**	*clairsemé* *clairvoyant* *court-vêtu* *frais éclos* *nouveau-né* *dernier-né*	semé clair voyant clair vêtu court éclos fraîchement nouvellement né né en dernier

On peut rapprocher du type C une locution à valeur qualificative telle que : *comme il faut.*

96. VERBES COMPOSÉS :

	Nature et fonction des éléments	Exemple	Groupe discursif équivalent
A	**Verbe base + nom sans article complément**	*avoir raison* *faire peur* *prendre feu*	avoir la raison avec soi provoquer la peur commencer à brûler
B	**Nom complément + verbe base** (en un mot)	*colporter* *maintenir* *saupoudrer*	porter au cou tenir en main poudrer comme de sel
C	**Verbe base + nom complément avec article**	*prendre la fuite* *donner la chasse* *tirer au clair*	commencer la fuite donner la chasse amener quelque chose d'obscur à la clarté
D	**Verbe base + adjectif**	*avoir froid*	éprouver une sensation de froid
E	***en* complément + verbe base**	*en venir à* *s'en aller*	venir d'ailleurs à aller en s'éloignant

Remarque : Les verbes composés non liés dans l'écriture sont appelés **locutions verbales.**

97. ADVERBES, PRÉPOSITIONS ET CONJONCTIONS COMPOSÉS :

1° Liés :

Beaucoup d'adverbes, de prépositions et de conjonctions simples en apparence sont d'anciennes locutions : *après* vient du latin *ad pressum, devant* vient du latin *de ab ante, dorénavant* était autrefois *d'ores en avant, pourtant* et *cependant* s'écrivaient en deux mots.

2° Locutions :

Les locutions adverbiales, prépositives et conjonctives sont nombreuses et de composition très variée :

Locutions adverbiales : *tout à coup, tout à fait, sur-le-champ, en vain, à tort, de bonne heure, goutte à goutte, à la dérobée, à brûle-pourpoint, de bric et de broc, cahin-caha, par-dessus, au-dessous, en dessous, au-delà, par-devant,* etc.

Locutions prépositives : *près de, afin de, autour de, à cause de, au bord de, jusqu'à, à la faveur de, grâce à,* etc.

Locutions conjonctives de coordination : *d'ailleurs, au contraire, du moins, en outre, par conséquent ;* de subordination : *pour que, de façon que, parce que, à mesure que, jusqu'à ce que, à supposer que, en attendant que,* etc.

98. LES EMPRUNTS :

Mise à part la source gréco-latine, primordiale, le français, au cours des siècles, a emprunté des mots à tous les peuples qui ont eu avec la France des rapports commerciaux, culturels ou belliqueux.

Peu nombreux sont les mots scandinaves, turcs, slaves, malais, grecs, hébreux, hindous, japonais, chinois, africains, persans.

Dans l'inventaire que constituent les dictionnaires étymologiques de Dauzat et de Bloch-Wartburg (§ 100), les mots empruntés au **portugais** dépassent la cinquantaine, pour la plupart mots exotiques, recueillis par les Portugais dans leurs colonies et adaptés à leur langue, puis à la nôtre : *bambou, banane, bétel, cobaye, lascar, mangue, mousson, pagode, palanquin, tapioca.*

L'**espagnol** aussi a été la voie de transit d'un grand nombre de mots pris surtout au Mexique, au Pérou, aux langues des Caraïbes, comme *alpaga, avocat, cacahuète, cacao, chocolat, condor, lama, maïs, ouragan, pampa, patate, pirogue, savane, tabac, tomate.* Envahie au VIIIe s. par les Arabes qui s'y maintinrent jusqu'au XVe, l'Espagne nous a transmis de nombreux mots arabes sous des formes plus ou moins assimilées : le français *laquais* (XVe) est ainsi l'aboutissement de l'arabe *al caïd,* "le chef", et *alguazil* (XVIe), avec sa variante *argousin* (XVIe), remonte à l'arabe *al wazir,* "le conseiller", emprunté lui-même au persan *vizir,* qui par le turc était devenu français dès le XVe s. Mais le fonds proprement espagnol nous a donné du XVe au XVIIe s. des termes d'hippologie *(caparaçon),* des mots militaires comme *bandoulière, morion* et *camarade* (compagnon de chambrée), et des mots surtout relatifs aux us et coutumes : *caramel, castagnettes, cédille, fanfaron, hâbleur, hidalgo, infant, mantille, matamore, moustique, quadrille, toréador, vertugadin.* Dans les siècles suivants, l'influence déclinante de l'Espagne n'a laissé pénétrer qu'une trentaine de mots comme *adjudant, banderille, boléro, brasero, cigare* (dont le français a dérivé *cigarette,* adopté par la moitié du monde), *fandango, gitane, mandarine, matador, picador, saynète.*

La civilisation **arabe,** en essor depuis le calife Haroun al Rashid (VIIIe s.), a recueilli l'héritage scientifique des Grecs, et donné à la France, par les voies diverses de l'Espagne, de la Sicile, des échanges commerciaux et des contacts guerriers (croisades), des termes

— de science : *alambic, alchimie, élixir* (ces deux mots empruntés par l'arabe au grec), *alcali, alcool, ambre, camphre, goudron, soude, algèbre, algorithme, chiffre, zéro* (ces deux mots remontant à l'arabe *sifr,* "vide").

— de commerce : *artichaut, bazar, café, coton, douane, épinard, magasin, orange, safran, sucre, tarif.*

La conquête de l'Algérie au XIXe s. n'a guère introduit en France que des mots nuancés d'exotisme *(casbah, chéchia, médersa, méhari, oued)* ou marqués de la vulgarité des argots militaires *(barda, bled, flouss, maboul, moukère, nouba, smala, toubib).*

Parmi les emprunts, bien moins nombreux, du français à l'**allemand,** on retiendra quelques mots très courants comme les adjectifs *sale, blafard,* les noms *brèche, bretelle, bride, bourgmestre, brouet, hutte, mark, rosse, sarrau,* quelques termes culinaires alsaciens *(bretzel, choucroute, nouille, quenelle)* et beaucoup de termes militaires *(arquebuse, bivouac, cible, cravache, dolman, flingue, halte, havresac, hussard, képi, obus, reître, sabre, uhlan, vaguemestre),* mais aussi la *valse* et l'*accordéon.*

De la culture et de la richesse économique des Pays-Bas et des Flandres, le français est largement bénéficiaire ; il doit au **néerlandais :**

— des termes de marine : *affaler, amarrer, beaupré, cambuse, chaloupe, coq* (cuisinier), *corvette, démarrer, dock, foc, haler, havre, hisser, hublot, loch, lof, matelot, pompe, quille, tanguer ;*

— des termes de pêche : *bar, cabillaud, caque, colin, crabe, éperlan, saur, stockfish, vrac ;*

— des noms de remparts : *digue, boulevard* (remblai, devenu promenade) ;

— des noms de produits alimentaires : *bière, gaufre.*

Notre plus grande dette, incomparablement, est à l'italien (824 mots dans les dictionnaires indiqués plus haut) et à l'anglais (694).

Le prestige de l'**Italie,** manifesté dès le XIVe s. par l'emprunt du mot *canon,* eut son apogée au XVIe s. et notre art militaire puisa en trois siècles à cette même source une foule de termes comme *alarme, attaquer, bataillon, brigade, caporal, cartouche, casemate, cavalier, colonel, escadron, escorte, escrime, infanterie, poste, sentinelle, soldat, solde, vedette.*

Du XVIe s. surtout, époque où les Italiens s'implantèrent à la cour de France, datent les emprunts relatifs à l'architecture *(balcon, belvédère, façade, rotonde, tribune),* aux arts *(ballet, bémol, bronze, cadence, concert, madrigal, médaille, mosaïque, pavane, sérénade, sonnet, tercet, trombone, violon),* aux vêtements *(brocart, escarpin, masque, ombrelle, panache, veste),* à la cuisine *(artichaut, sorbet, vermicelle),* à la douceur de vivre *(s'amouracher, ballon, caprice, carafe, caresser, carrosse, escapade, festin, fougue, frasque, major-dome).*

L'engouement faiblit au XVIIe s., et l'apport se limita aux termes d'art *(aquarelle, calquer, caricature, coloris, dégrader, dessiner, fresque, gouache, miniature, profil),* surtout musicaux *(adagio, allegro, cantate, crescendo, do, mandoline, opéra, piano, solfège, solo, sonate, soprano, violoncelle).*

La vogue des institutions, des sports, du "way of life" **anglais** date du XVIIIe s. et c'est en 1754 qu'apparaît le terme d'*anglomanie :* on parla des *meetings* de l'Angleterre, de son *budget,* on voyagea sur ses *bricks,* dans des *cabines,* la France *importa* son *coke ;* les anglomanes se réunissaient dans des *clubs,* vêtus de *redingotes,* mangeaient des *biftecks* et du *pudding,* buvaient du *punch,* des *grogs* et du *whisky,* et pratiquaient l'*humour* quand ils échappaient au *spleen.*

Au XIXᵉ s., le *dandysme* sévit dans l'aristocratie et chez les *snobs,* et les emprunts se multiplièrent à la langue des sports *(football, handicap, polo, poney, rugby, sport, tennis, turf)* et des transports *(bogie, express, sleeping, tender, terminus, tunnel, viaduc, wagon);* déjà, dans les romans, des *détectives* jouaient du *revolver.*

Au prestige de l'Angleterre s'est ajouté au XXᵉ s. celui de l'Amérique depuis la première guerre mondiale, et les emprunts ont déferlé : *black-out, bluff, boy-scout, cocktail, gangster, speaker, week-end;* dans cette marée se remarquent la vague des termes de sport *(basket-ball, court, footing, jogging, k.o. (knock-out), manager, smash, skate-board, sprint, surfing, wind-surf)* et celle des noms de danses *(fox-trot, black-bottom, slow, rock and roll, twist, jerk).*

L'abus des emprunts anglo-saxons, qui envahissent la presse, la publicité, les spectacles, alarme un grand nombre de grammairiens et d'amateurs de langue qui voient le français menacé d'asphyxie à brève échéance. Pourtant, dans les 1.000 mots les plus fréquemment employés de la langue française, on ne relève qu'un mot anglais, *speaker.* Des mots anglais des plus courants ne sont d'ailleurs que d'anciens mots français émigrés : *budget* (de l'ancien français *bougette,* dérivé de *bouge,* "sac"), *sport* (de l'ancien français *desport, deport,* "jeu"), *tennis* (de *tenez,* appel des joueurs de paume), *tunnel* (de *tonnelle).* Les gallicismes de l'anglais sont plus nombreux, à cinq contre trois, que les anglicismes du français. De saines mesures de résistance ont été prises (§ 80), mais pour que le "dernier mot", en France, reste au français, il faudrait principalement que cesse ou diminue la domination économique, technique et culturelle à laquelle les Français, pour ne rien dire des autres peuples, se sont habitués.

C. Les dictionnaires

99. LEXIQUE, DICTIONNAIRE ; VOCABULAIRES, LEXIQUES :

Le mot *lexique* a deux sens très différents dont l'un, abstrait, prête peu à la variation en nombre : c'est le sens défini au § 9, "somme des mots d'une langue" ; dans cette acception, le mot s'oppose à *grammaire :* la connaissance du lexique et de la grammaire constitue la *compétence linguistique* indispensable pour pratiquer une langue.

L'inventaire écrit du lexique est le **dictionnaire,** livre donnant la liste des mots (en latin médiéval *dictiones)* d'une langue. Les auteurs de dictionnaires sont appelés **lexicographes.**

On emploie le mot **vocabulaire** de préférence à **lexique** pour désigner un sous-ensemble du lexique, par exemple :

— l'ensemble des mots employés par Mallarmé,
— l'ensemble des mots employés par les cinéastes,
— l'ensemble des mots employés par les politiciens de telle époque (exemple : *Le vocabulaire politique et social en France de 1869 à 1872 à travers les écrivains, les revues, les journaux,* titre d'une thèse).

La liste des mots composant un vocabulaire est appelée proprement **lexique** (c'est le second sens de ce mot) : lexique de Mallarmé, lexique du cinéma, lexique du vocabulaire politique et social, etc.

Souvent un "lexique" est annexé à l'édition d'un texte écrit dans une langue différant de l'usage commun, par exemple une chanson de geste en français du XIIᵉ s., ou un roman d'Albert Simonin en argot. Dans cet emploi, *lexique* a pour synonyme **glossaire**.

Un lexique de quelque étendue, publié pour lui-même et non en annexe, est souvent appelé dictionnaire, comme le *Dictionnaire des Précieuses* de Somaize (1660).

		CHAMP	
		ILLIMITÉ	LIMITÉ
FORME	MÉMORIELLE	lexique	vocabulaire
	LEXICOGRAPHIQUE	dictionnaire	lexique

100. DICTIONNAIRES DU SIGNIFIANT :

Le mot associe un signifiant à un signifié (§ 8) ; sa nature est double, grammaticale et lexicale (§ 68). Les dictionnaires peuvent enregistrer chacun de ces aspects du mot, ou plusieurs, ou tous.

C'est seulement comme signifiants que les mots sont répertoriés par ordre alphabétique dans des **dictionnaires de la prononciation,** par exemple :

Léon Warnant, *Dictionnaire de la prononciation française,* 2 volumes (le second consacré aux noms propres), éd. Duculot (Gembloux).

A. Martinet et H. Walter, *Dictionnaire de la prononciation française dans son usage réel,* éd. France-Expansion.

A. Lerond, *Dictionnaire de la prononciation,* éd. Larousse.

Les livres cités donnent la graphie phonétique (§ 31) des mots, en notant éventuellement les usages concurrents.

Beaucoup d'apprentis versificateurs, quand la rime se dérobe, cherchent le secours d'un **dictionnaire des rimes** où les mots sont classés par le timbre de la dernière syllabe accentuée ; celui de Ph. Martinon (Larousse) a inspiré les rimeurs de tout le XXᵉ s. ; un des derniers parus est dû à Léon Warnant (Larousse). Ces ouvrages contiennent souvent une introduction qui rappelle (utilement) les règles du vers.

Un *Dictionnaire inverse de la langue française,* par A. Juilland (Mouton), répertorie les mots en commençant par le dernier phonème prononcé (par exemple, *maréchale* est classé à [l] comme *égal ;* il précède *mobile* où [l] est précédé de [i]). Cet ouvrage facilite les recherches sur la fréquence et l'emploi des suffixes et des catégories grammaticales (puisque les marques s'en trouvent réunies en fin de mot).

L'aspect écrit du signifiant prévaut dans les **dictionnaires orthographiques,** dont un grand nombre existent sur le marché, allant de la simple liste de mots (utile aux joueurs de diamino et aux cruciverbistes) au manuel associant à l'orthographe lexicale (§ 49) les règles de l'orthographe grammaticale (§ 48) comme il est fait de façon très complète dans *ORTHO* d'André Sève et Jean Perrot (EDSCO).

Il existe des **dictionnaires de fréquence** comme celui de Vander Beke *(French Word Book,* New York 1931), classant les mots de la prose contemporaine française (XIXᵉ-XXᵉ s.) par ordre de fréquence d'emploi (1.200.000 emplois recensés). Une équipe française chargée d'établir un "vocabulaire fondamental" a soumis à une enquête analogue 312.135 emplois de mots en français parlé vers 1950 ; les résultats statistiques de cette enquête (listes de fréquence des mots et des catégories grammaticales) ont été publiés dans *L'élaboration du français fondamental* (par Gougenheim, Michéa, Rivenc et Sauvageot, Didier 1956).

Un **dictionnaire grammatical,** mettant l'accent sur les constructions syntaxiques propres à chaque mot, est utile aux étrangers peu sûrs de la correction de leur français; il en existe un, rédigé en français à l'usage des Allemands, le *Grammatisches Wörterbuch Französisch* (Ed. Lensing).

Les progrès de l'étude historique de la langue ont multiplié les **dictionnaires étymologiques** dont l'objet est de rattacher chaque mot à son **étymon,** mot plus ancien (français ou latin, grec, germanique, etc.) révélant le "sens vrai" (grec *étumon)* du mot moderne. Il est banal de remarquer que "sens vrai", en l'occurrence, est impropre: qu'y a-t-il aujourd'hui dans *chignon* et dans *cadenas* qui rappelle le sens de l'étymon latin *catena,* "chaîne"? Cette "vérité" historique a pourtant son intérêt gratuit (éventuellement poétique). L'intérêt apparaît encore mieux quand la filiation sémantique est récente, comme celle qui a conduit de l'adjectif *pneumatique,* "relatif à l'air", aux deux sens du nom *pneu:* "bandage de roue gonflé d'air", "message expédié par tube à air comprimé".

Il existe des dictionnaires étymologiques d'usage courant comme celui de Bloch et Wartburg (P.U.F.), celui de Dauzat (revu par Dubois et Mitterand) qui ajoute au précédent des mots régionaux (Larousse), celui de J. Picoche qui élargit la famille à l'échelle indo-européenne (Hachette-Tchou). Mais il faut savoir l'existence d'un monument sans précédent et sans rival de la lexicographie, le *Französisches Etymologisches Wörterbuch* (24 volumes parus) du Suisse Walther von Wartburg, donnant l'étymologie et toutes les formes non seulement des mots français, mais des mots de tous les dialectes gallo-romans.

Tous les dictionnaires mentionnés jusqu'ici font par principe abstraction du signifié lexical des mots, censé connu de leurs usagers, ou ne le mentionnent qu'en fonction du signifiant, qui est leur objet; pour l'étymologie même, l'essentiel est la filiation formelle, dont le rapport de sens n'est qu'un garant supplémentaire. Mais les dictionnaires les plus fréquemment consultés du grand public sont les dictionnaires de sens, dont traitent les prochains paragraphes.

101. DICTIONNAIRES BILINGUES :

Les dictionnaires **bilingues** ont pour fonction d'établir la correspondance entre tous les signifiés d'une langue, par exemple le français, et les signifiants d'une autre langue, par exemple l'anglais. Mission souvent impossible, toujours difficile, puisque le signe mot n'existe que par l'association d'un signifiant à un signifié (§ 2) et qu'un signe ne peut appartenir à deux codes (§ 3). Ainsi le mot français *bœuf* a un signifié que se partagent en anglais les signifiants *ox* (bœuf vivant) et *beef* (viande de bœuf). Le premier recensement important des mots français fut pourtant entrepris en vue d'un dictionnaire bilingue : c'est le *Dictionnaire françois-latin* de Robert Estienne (1539). Bilingue était encore, en 1606, le *Trésor de la langue françoise* de Jean Nicot, où le français recevait toutefois la part du lion. Aujourd'hui, le dictionnaire franco-anglais (et inversement) *Harrap's new standard* (4 vol.) achevé en 1980 contient plus de mots français que n'importe lequel de nos dictionnaires unilingues.

102. DICTIONNAIRES MONOLINGUES DE TYPE *SA ⟶ SÉ :*

Les dictionnaires **monolingues** ont pour fonction de définir le rapport entre les signifiants *(Sa)* et les signifiés *(Sé)* d'une même langue. On peut les ranger en deux classes selon qu'ils vont:

— du signifiant au signifié *(Sa ⟶ Sé)* à l'intention des usagers qui cherchent le sens d'un mot,

— du signifié au signifiant *(Sé ⟶ Sa)* pour ceux qui cherchent un mot propre à dénoter l'objet qu'ils voient ou à formuler la pensée qu'ils ont.

● Une catégorie d'ouvrages appelés **dictionnaires de langue** donne priorité aux indications concernant les signifiants et leur histoire, au classement et à la définition essentielle des signifiés, aux affinités contextuelles; ils ne contiennent pas les noms propres, dont le signifié est unique et de définition purement référentielle (§ 69).

Le premier dictionnaire de langue fut celui de Richelet, *Dictionnaire françois contenant les mots et les choses...* (deux volumes, Genève 1680), devançant de 14 ans le *Dictionnaire de l'Académie françoise* (2 vol.) projeté dès 1639.

Le plus notable progrès fut réalisé avec le *Dictionnaire de la langue française* d'Emile Littré (4 vol. de 1863 à 1873 et un *Supplément* en 1877). On y apprécie particulièrement l'introduction de nombreux termes des sciences et des techniques, le choix heureux et généreux des citations qui en rend la lecture captivante, les indications et discussions d'ordre grammatical et étymologique; il contient ce que n'offre aucun des dictionnaires de langue qui l'ont précédé ou suivi: des citations siècle par siècle des emplois préclassiques de chaque mot. On ne lui reproche que la confusion du classement des sens (d'ailleurs minutieusement distingués) et le caractère déjà ancien du corps de textes utilisé (surtout XVIIe et XVIIIe).

Tel quel, le Littré éclipsait le *Dictionnaire de l'Académie* dont la 6e édition 1835) avait été cependant donnée pour canon de l'orthographe, en application d'une ordonnance royale, aux compositeurs des imprimeries. Ce privilège sera traditionnellement maintenu d'édition en édition, mais en 1980, comme la dernière édition du dictionnaire académique (1935) est introuvable, les imprimeurs se réfèrent à l'autorité d'ouvrages plus récents.

Les deux volumes du *Dictionnaire général de la langue française du commencement du XVIIe s. jusqu'à nos jours,* par Hatzfeld, Darmesteter et Thomas (1890-1900) apportèrent une documentation historique mise à jour, des étymologies sûres et un classement logique des sens, mais réduisirent à peu de chose les exemples authentiques.

Au XXe s., le rajeunissement des citations du Littré restait à faire, et ce fut la tâche qu'assuma, aidé d'une remarquable équipe, Paul Robert dont le *Dictionnaire alphabétique et analogique de la langue française* (6 vol. de 1953 à 1964 et un *Supplément* en 1971) eut pour éditeur la "Société du nouveau Littré", fondée par l'auteur.

Un exemple montrera l'évolution des "dictionnaires de langue" de Richelet à Robert; le mot *faquin,* dans Richelet, avait trois "entrées" (on appelle ainsi, ou encore "adresse", le mot, généralement en gras et souvent décalé, qui fait l'objet de chaque article):

FAQUIN, *faquine, adj.,* bas, vil,... (4 lignes)

Faquin, s.m. Homme de néant. Un misérable, sans mérite, sans honneur, et sans cœur... (5 lignes)

Faquin. Figure de bois en forme d'homme, plantée sur un pivot, contre laquelle un cavalier va à toute bride rompre une lance... (7 lignes).

Dans Littré, le mot n'a qu'une entrée, marquée *s.m.* (substantif masculin), mais l'article a 49 lignes, et distingue trois sens: "1° Portefaix", "2° Mannequin", "3° Un homme de néant...", illustrés d'exemples de Scarron, Dangeau, Balzac, Molière, Boileau, J.-B. Rousseau, Voltaire, D'Alembert. Un "historique" cite six lignes de Rabelais et un proverbe du XVIe s. Pour finir, une rubrique "étymologie" rapproche du mot français l'espagnol *faquin* et l'italien *facchino,* "portefaix", que le français aurait emprunté, mais dont l'origine est inconnue (trois étymons sont écartés sur la foi du comparatiste allemand Frédéric Diez).

L'article du Robert, également unique, n'a que 18 lignes, et place en tête, après la classe grammaticale *(n.m.,* "nom masculin"), le contenu résumé des 18 dernières lignes de l'article du Littré:

(1534, Rab., au sens de "portefaix"; emprunt probable de l'ital. *facchino,* porteur).

Deux sens principaux sont distingués, avec mention du caractère plus ou moins archaïque de l'emploi :

1° *Vx.* Portefaix
(exemple de Scarron repris à Littré)
— *Par anal.* Mannequin de bois ou de paille, qui servait dans les joutes à l'exercice de la lance.

2° *Fig.* et *vieilli,* Individu sans valeur, plat et impertinent. V. **Coquin, maraud, racaille, sacripant.** *Un vil faquin. On l'a traité, on l'a chassé comme un faquin.*

(un exemple de Molière et un de Voltaire repris à Littré, un exemple nouveau d'Alphonse Daudet).

DER. — **Faquinerie,** n. f. *Vx.* Caractère, acte de faquin.

La collection d'exemples est donc rajeunie (encore qu'il s'agisse d'un vieux mot) et la liste de synonymes est bienvenue ; l'indication d'archaïsme est un utile avertissement ; une filiation (supposée) des sens vise la simplification ; enfin le mot est tenu pour chef d'une famille dont le seul autre élément lui est rattaché sous la rubrique *Dérivés.*

L'année même où paraissait le *Supplément* du Robert commençait la publication du *Grand Larousse de la Langue Française* (74.000 mots) dont les 7 volumes s'échelonnèrent jusqu'en 1978. Œuvre d'une nombreuse équipe dirigée par Louis Guilbert, ce dictionnaire présente les qualités reconnues à son prédécesseur : modernisme des exemples, caractérisation des mots et des sens sous le chef de l'histoire ("vieux", "classique", "néologisme") et du registre d'expression ("littéraire", "poétique", "familier", "populaire", "trivial"), liste de synonymes et d'antonymes. Il note la prononciation en graphie phonétique, et présente surtout deux avantages :

— L'étymologie est mise à jour et une **date de première apparition** est donnée pour **chacun des sens** distingués dans l'article (les trois sens de *faquin,* les mêmes que donnait Littré, sont datés respectivement de 1534, 1606 et 1564).

— S'adressant à des étudiants, à des enseignants, à un grand public d'amateurs éclairés de langue française et de tout langage, ce dictionnaire leur offre, en ordre alphabétique, 170 articles spéciaux faisant le point des connaissances et théories en **grammaire et linguistique.**

La même année 1971 paraissait le premier des 14 tomes d'abord prévus du *Trésor de la Langue Française* (Klincksieck), entrepris sous la direction de Paul Imbs et sous les auspices du Centre National de la Recherche Scientifique par une équipe travaillant à Nancy et disposant de moyens gigantesques. Un millier de textes du XIXe et du XXe s. ont été mécanographiquement mis en fiches de la première à la dernière ligne ; 70 millions d'emplois pour ces deux siècles seulement et autant pour les siècles précédents sont maintenant emmagasinés et prêts à tous les regroupements possibles par ordinateur. Ce "trésor" linguistique fabuleux, à la disposition de tous les chercheurs dans un édifice spécial de Nancy, alimente les 80.000 articles prévus du *T.L.F.* d'exemples dont le nombre et la variété ne sont limités que par les dimensions de l'ouvrage annoncées à la souscription (à la publication du 7e, on en prévoyait déjà 15).

Si joliment et clairement présentés que soient les volumes de ce *Trésor,* leur somme dépasse les normes de maniabilité et les besoins d'information de l'usager moyen. Celui-ci trouve, à l'autre extrémité de l'échelle, des ouvrages en un seul volume, par exemple le *Petit Robert* (50.000 mots) et le *Dictionnaire du Français Contemporain* (25.000), Larousse.

● D'autres ouvrages de type *Sa* ⎯ *Sé,* tout en classant alphabétiquement les mots, donnent priorité aux signifiés, et font une large place aux définitions référentielles. Ils n'écartent donc pas les noms propres, soit qu'ils les mêlent aux autres mots, soit qu'ils les réunissent dans une seconde partie. L'illustration y vient le plus souvent possible éclairer la définition. Ce sont les **dictionnaires de choses.**

Le plus ancien en France est le *Dictionnaire universel* de Furetière (1690), transformé à partir de 1704, sous le nom de *Dictionnaire de Trévoux,* en une sorte d'encyclopédie en trois volumes, puis en 5, en 6, en 7, en 8 (1771), où les termes "des arts et des sciences", ainsi que de l'histoire et de la philosophie, se multipliaient d'édition en édition.

Mais depuis 1751 paraissait l'*Encyclopédie* de Diderot et ses collaborateurs (entre autres d'Alembert, Rousseau, Turgot, les grammairiens Du Marsais puis Beauzée). Les 28 volumes (dont 11 de planches) parus jusqu'en 1772 furent suivis de sept autres (5 de suppléments et 2 de tables). Ce monument des connaissances techniques, scientifiques et philosophiques souffre toutefois du morcellement des notions qu'impose l'ordre alphabétique.

Un siècle plus tard, Pierre Larousse publiait son *Grand dictionnaire universel du XIX* s. en 17 volumes (1866-76). Beaucoup plus riche que le Littré, nourri d'exemples d'auteurs contemporains comme Hugo, Balzac, Gautier, Vigny, ce dictionnaire se signalait par une quantité de développements logiques, clairs, méthodiques dont la lecture reste agréable et fructueuse. De transformation en transformation, l'ouvrage est devenu le *Larousse du XX*s. en 6 volumes (1927-33) et aujourd'hui le *Grand Larousse encyclopédique* en 12 volumes de grand format, comptant plus de 12.000 pages, 189.612 articles, 410 hors-texte en couleurs, 36.355 illustrations et cartes en noir.

Il existe des modèles réduits de cet imposant édifice, comme le Larousse *L3* (en 3 volumes); il existe des ouvrages concurrents, comme le *Dictionnaire encyclopédique Quillet* (1950, 5 volumes et un *Supplément).* Mais le dictionnaire de choses le plus répandu dans l'usage est le *Petit Larousse* en un volume composé de deux parties (la seconde consacrée aux noms propres) séparées par des "feuilles roses" donnant un certain nombre de locutions des langues anciennes et étrangères. L'ouvrage, qui remonte au *Nouveau dictionnaire de la langue française* en un volume de Pierre Larousse (1856), enrichi d'illustrations depuis 1879, renseigne sur 70.000 mots et est mis à jour à chaque réédition annuelle et plus profondément tous les 10 ans (6.000 mots nouveaux en 1981). Il a pour principaux concurrents le *Petit Robert* qui s'est doublé d'un volume de noms propres, le *Dictionnaire Hachette en un volume* de 75.000 mots (1980), le *Dictionnaire du français vivant* (Bordas), le *Dictionnaire usuel illustré* (Flammarion).

103. PROBLÈME DE LA DÉFINITION :

Tous les auteurs de dictionnaires de type *Sa* — *Sé* ont à se poser le problème de la définition (§ 69).

Il est simple pour les noms propres (ex. : *Platon),* dont la définition est référentielle : leur signifié n'est autre que le "référent" (le personnage nommé Platon qu'on connaît par l'histoire).

Les autres mots relèvent en principe de la définition essentielle dont on distingue habituellement deux types :

1° La définition nominale :

Un signifiant *a* est remplacé par un signifiant *b* supposé connu, donné pour synonyme ; exemple :

> *affront :* outrage
> *partie :* portion d'un tout.

Le défaut évident de cette méthode est qu'elle suppose connu le sens de *b.* On tombe dans le "cercle vicieux" si, cherchant *b* dans le même dictionnaire, on trouve (comme il arrive) :

> *outrage :* affront
> *portion :* partie d'un tout.

Une variété de la définition nominale est la définition antonymique, également sujette à circularité :

> *compliqué :* qui n'est pas simple *(Dictionnaire de l'Académie* 1835)
> *simple :* qui n'est pas compliqué.

La définition est encore nominale quand on remplace un mot courant par un mot savant ; ex. :

> *bleuet :* nom vulgaire de la centaurée.

La circularité se glisse souvent dans des définitions assez longues où elle n'est pas remarquée ; à toutes les pages des dictionnaires abondent des exemples tels que :

> *affectif :* qui relève du sentiment.
> *sentiment :* état affectif qui est la manifestation d'une tendance.

On admettra pourtant qu'un mot dérivé soit défini par référence au sens du mot dont il dérive :

> *saisie :* action de saisir
> *saisissable :* qui peut être saisi
> *saisissement :* émotion dont on est saisi.

Naturellement, le mot base *(saisir* dans l'exemple) reste à définir, et autrement que par un synonyme.

De nos jours, les lexicographes évitent systématiquement les définitions circulaires du type $a=b$ et $b=a$, mais tombent dans une impasse du même ordre quand ils utilisent un terme b dans la définition d'un terme a, un terme c dans la définition de b, et le terme a dans la définition de c ; exemple :

> *(a) élément :* une des choses qui entrent dans la composition *(b)* d'un corps, d'un ensemble
> *(b) composition :* action ou manière de composer *(c)* une chose
> *(c) composer :* former un tout en assemblant divers éléments *(a).*

2° La définition "logique" :

Beaucoup de théoriciens, condamnant la définition nominale, ont prôné un type de définition remontant à la logique antique, qui consiste à noter deux ordres de "sèmes" (§ 69) :

— celui du **genre** dont le signifié à définir est une espèce immédiate (§ 70) ;

— ceux des **traits spécifiques** distinguant cette espèce parmi les autres du même genre.

La définition de l'*homme* par Platon (un animal à deux pieds, sans plumes) est de ce type, et l'on sait comment Diogène en démontra l'insuffisance. La définition classique, "un animal raisonnable" est infirmée par bien des faits témoignant que l'homme n'est pas toujours raisonnable, et que les animaux le sont souvent *(Discours à Madame de la Sablière).* Le *Larousse du XXᵉ s.* serre de plus près le signifié en ces termes : "mammifère bimane à station verticale, doué de langage et de raison" ; *mammifère* dénote un genre plus proche qu'*animal* de l'espèce "homme", et les quatre traits spécifiques mentionnés ne sont pas de trop.

● La raison humaine est-elle satisfaite par les définitions "logiques" ? On ne peut se dissimuler que le nom du genre (par exemple *mammifère)* reste à définir, aussi bien que ceux des traits spécifiques invoqués, et il ne faut pas réfléchir longtemps pour comprendre que, la définition d'un mot étant composée exclusivement de mots, la "circularité" est inévitable : la définition logique "essentielle" reste une définition nominale.

Les seules définitions efficaces sont en fin de compte les définitions **référentielles.** On ne définit pas le *rouge* en l'opposant au *vert,* au *bleu,* au *jaune,* etc., mais en mettant sous les yeux du lecteur une planche en couleur. On distingue mieux le *lis* de l'*iris* par un dessin que par une description. D'où l'appel aux **dessins** dans les dictionnaires de choses depuis l'*Encyclopédie* de Diderot, et, au XXᵉ s., la prolifération des **photographies** qui font voir le référent.

Mais l'illustration a deux faiblesses :

1° Elle ne présente que l'aspect visuel des choses : le dessin d'un *iris* ou d'un *lis* n'a pas le parfum de ces fleurs ; le dessin d'un *roi* ne montrerait qu'un homme semblable aux autres. Statique par nature, l'illustration ne peut évoquer que le signifié statique des noms (§ 108); pour représenter l'"action" que signifie un verbe, il faudrait un dessin animé.

2° Elle montre obligatoirement un spécimen particulier de l'objet défini, sans distinguer les traits **variables** des traits **constants** : le dessin d'un chien ne pourra convenir à la fois au teckel et au briare, et, à supposer qu'une planche d'illustration représente dix ou vingt chiens très divers, peut-on dire qu'elle aura dégagé les traits permanents et analysé le signifié du nom *chien?* L'illustration est d'autant plus impuissante que le signifié à définir est plus abstrait : utile pour définir le *teckel,* trompeuse quand il s'agit du *chien,* elle est exclue pour un nom comme *mammifère* ou *animal.*

La seconde critique est valable pour toute évocation d'un référent, fît-elle appel aux sensations auditives, olfactives, gustatives, tactiles, à la perception du mouvement (film). Il n'en reste pas moins que toute définition efficace remonte de proche en proche, sous peine de circularité, à l'évocation de quelque référent. Un dictionnaire peut définir le *rouge* comme "la couleur du sang et des tomates mûres", parce que tout lecteur a vu du sang et des tomates. Définir *bleuet* par *centaurée* est une tautologie, mais non le définir "petite fleur bleue très commune en France dans les champs de blé", parce que les lecteurs connaissent la France et les champs de blé.

● Une autre qualité pratique de la définition doit être de poser un "sens propre" auquel se rattachent clairement les "sens dérivés" (§ 71).

Comparons de ce point de vue les définitions mises en tête de l'article *lapin* dans deux grands dictionnaires de langue :

A. "Petit mammifère rongeur *(Léporidés)* scientifiquement appelé *oryctolagus cuniculus,* répandu sur tout le globe".

B. "Petit mammifère rongeur très prolifique, aux oreilles très longues, aux pattes de derrière plus développées que celles de devant, dont la race sauvage, le *lapin de garenne,* creuse des terriers dans les terrains sablonneux et boisés, et est à l'origine du *lapin domestique*".

La définition A ne décrit pratiquement pas le *lapin.* Elle paraît conçue pour instruire les lecteurs qui connaîtraient déjà le signifié du mot : ils y apprendraient la place de cet animal dans la classification scientifique, ainsi que son nom savant. Elle conviendrait à un dictionnaire encyclopédique.

La définition B ne conserve de la classification savante que les termes *mammifère* et *rongeur,* familiers et clairs. On peut la tenir pour l'analyse du signifié total Sé en sept sèmes juxtaposés :

$Sé = s1$ (petit) $+ s2$ (mammifère) $+ s3$ (rongeur) $+ s4$ (très prolifique) $+ s5$ (aux oreilles très longues) $+ s6$ (aux pattes de derrière plus développées) $+ s7$ (de vie sauvage ou domestique).

L'ordre des sèmes, à part $s2 + s3$, est indifférent. Les sèmes $s5$ et $s7$ conviendraient aussi bien à l'âne, mais celui-ci est écarté par $s1, s3, s4, s6$. Les six premiers sèmes conviendraient au lièvre, qui est écarté par $s7$.

On peut juger cette définition redondante, car l'absence de certains sèmes comme $s4, s6$ n'empêcherait pas de reconnaître le lapin ; mais $s4$ et $s6$ ont une utilité d'ordre linguistique, ils font comprendre certains emplois du mot qu'on appelle des sens dérivés :

– $s4$, signalant la prolificité de cette espèce animale, explique qu'une femme puisse être appelée *mère lapine,* et un homme *chaud lapin;*

– *s6,* signalant le développement des membres postérieurs, explique les locutions *courir, sauter comme un lapin,* et pourquoi un cheval rapide a pu être appelé *lapin, lapin ferré.*

Un sème *s8* évoquant la peau du lapin, qui imite des fourrures plus rares, éclairerait encore le sens péjoratif d'expressions comme *des révolutionnaires en peau de lapin* (Edouard Herriot).

Un sème *s9* "comestible" pourrait enfin justifier l'appellation du chat par la locution *lapin de gouttière.*

Si l'auteur de cette définition (tirée du *Grand Larousse de la langue française)* a négligé ces deux derniers traits, c'est qu'ils vont de soi dès que le lecteur a identifié le lapin. Il pouvait les ajouter, ainsi que d'autres comme "craintif", à condition de s'en tenir à des traits communs à tous les lapins.

Un sème justifiant la locution *poser un lapin* (ne pas venir à un rendez-vous) serait plus utile que *s8* et *s9,* mais on n'en connaît pas d'explication sûre.

La définition B n'apprend rien de nouveau au lecteur sur le lapin, mais, en rappelant certains de ses traits bien connus, elle justifie dans la mesure du possible tous les emplois du mot, toutes les associations qu'il noue avec d'autres. Par là, elle joue pertinemment son rôle dans un dictionnaire de langue.

104. DICTIONNAIRES MONOLINGUES DE TYPE *SÉ→SA :*

C'est une situation désagréable que d'avoir en tête une idée bien claire (un signifié) et "sur le bout de la langue" un mot (son signifiant) qu'on n'arrive pas à trouver. Il faut alors le secours d'un **dictionnaire analogique,** qui est de type *Sé — Sa.*

L'usager d'un tel ouvrage n'a rien à apprendre, il ne désire que retrouver le signifiant que sa mémoire ne déclenche plus. A cet effet, le dictionnaire lui présente des listes de mots dont une au moins recouvre tout le champ sémantique où le signifié qu'il veut exprimer a des chances de trouver place. Comme les chefs le classement ne peuvent être exprimés que par des mots, les entrées du dictionnaire analogique seront des "mots-centres", à chacun desquels se rattacheront par association d'idées tous les mots d'une liste mêlant noms, verbes et adjectifs. Si le mot rebelle à la mémoire est, par exemple, *garamond* (nom d'une famille de caractères typographiques), on cherchera aux entrées *caractère* et *imprimerie :* le mot sera trouvé sous ce dernier chef, avec tous ses homologues typographiques.

Un tel dictionnaire est aussi un des meilleurs auxiliaires de la traduction (il ouvre au choix un éventail de mots) et de l'enrichissement du vocabulaire. Avec les mots, il apporte souvent des idées (voisines de l'idée source).

Une illustration y est opportune, comme dans le *Nouveau dictionnaire analogique* de Georges Niobey (Larousse), où, par exemple, la planche *escrime* montre le sens de *coup fourré, croisé au flanc, garde de tierce,* etc.

105. DICTIONNAIRES DU SIGNIFIÉ (ENCYCLOPÉDIES) :

Les dictionnaires de choses citées au §102, dans la mesure où ils enregistrent tous les mots de la langue à leur ordre alphabétique, font alterner toutes les disciplines, toutes les techniques, passent du *coq* à la *coque* et dispensent chaotiquement des miettes de savoir. Chaque définition souffre d'être coupée d'une théorie d'ensemble, et le lecteur désireux de reconstituer une telle théorie pour élargir ses vues ou mieux comprendre un détail ne peut manquer d'être rebuté par les perpétuels renvois et répétitions.

A une clientèle en quête d'information générale sur tous les champs possibles de connaissances conviennent les purs dictionnaires du signifié appelés **Encyclopédies** où "les sciences et les arts" sont exposés tour à tour dans une rédaction cohérente accessible aux profanes, amenant les termes spéciaux à leur place logique. Ces ouvrages restent "dictionnaires" dans la mesure où les termes spéciaux y sont récapitulés alphabétiquement dans un Index.

Telle est la conception de la *Grande Encyclopédie* Larousse, en 20 volumes plus un volume d'*Index,* traitant 8.000 "sujets-clés" qui couvrent "tous les centres d'intérêt, toutes les époques et tous les pays"; l'index de 170.000 mots renvoie à 400.000 points du texte.

Une collection concurrente très différemment présentée est l'*Encyclopédie de la Pléiade* publiée sous la direction de Raymond Queneau : nombreux volumes de petit format explorant chacun en quelque 1.500 pages tout un domaine de connaissances (par exemple, un volume dirigé par André Martinet et consacré au *Langage).* Les différentes parties de chaque volume sont rédigées par les plus notoires spécialistes à un niveau très haut d'initiation — et non de vulgarisation —, malheureusement sans le secours des planches, de la photographie et des couleurs.

106. DICTIONNAIRES SPÉCIALISÉS :

A côté des dictionnaires "généraux" dont il a été question existent des **dictionnaires spécialisés,** n'embrassant pas la totalité du lexique : encyclopédies à champ restreint (la Mer, les Chevaux, etc.), dictionnaires des communes, des noms de famille (Dauzat), des noms de lieux (Dauzat, Rostaing), dictionnaires de médecine, d'argot (Esnault 1965, Caradec 1977)...

Une mention particulière est due aux **dictionnaires des synonymes** (§ 78). Ces répertoires groupent en principe les synonymes à l'entrée alphabétique d'un mot dont la composition sémique compte un sème de moins : ainsi les adjectifs *guilleret* et *jovial* sont à trouver à l'entrée *gai,* et les noms *chiromancien, cartomancien, prophète, augure, pythonisse, sibylle, astrologue* à l'entrée *devin ;* le mot entrée fait d'ailleurs partie des synonymes puisque, dans un texte où *cartomancien* vient d'être employé, *devin* peut très bien désigner ensuite le même référent. Une règle de ces dictionnaires est aussi de définir les nuances qu'apporte le choix d'un mot ou de l'autre, et de mentionner leurs affinités contextuelles.

Il existe également des **dictionnaires d'antonymes** (H. Yvon, H. Dupuis).

Les **néologismes** ont été recueillis dans des ouvrages comme le *Dictionnaire des mots sauvages* de Maurice Rheims (1969), *Les mots dans le vent* de Jean Giraud, Pierre Pamart et Jean Riverain (1971, 1974), le *Dictionnaire des mots contemporains* de Pierre Gilbert (1980). Un *Dictionnaire du français en liberté,* polycopié, est publié en permanence par son auteur, Albert Doillon, président des "Amis du lexique français".

Les **locutions** et **proverbes** — qu'on peut tenir pour des groupes lexicaux figés — sont recensés dans des ouvrages comme le *Dictionnaire du gai parler* de Michel Lis et Michel Barbier, le *Dictionnaire des expressions et locutions figurées* d'Alain Rey et Sophie Chantreau.

Un *Dictionnaire des structures du vocabulaire savant,* par Henri Cottez (1980), est un auxiliaire très sûr et très pratique pour la compréhension comme pour la création des termes scientifiques.

Chapitre II

**Étude
grammaticale**

107. SENS DES TRAITS GRAMMATICAUX :

Il est dit au § 68 que tous les mots relèvent de la grammaire par leur **classe grammaticale** (nom, verbe, etc.) et certains par leurs **variations catégorielles** (genre, nombre, personne, temps, etc.). Les signifiants et les signifiés des traits grammaticaux feront l'objet de ce chapitre.

Tous les linguistes s'accordent sur l'inventaire de leurs signifiants, auxquels certains réservent le nom de **morphèmes,** mais non sur l'interprétation de leurs signifiés.

Il faut écarter au départ une conception sommaire du sens des formes grammaticales consistant à penser que leurs différences reflètent exactement des différences entre les éléments du monde réel. Il y aurait, dans la nature, des "hommes", des "animaux" et des "choses" dotés de "qualités" et qui feraient ou subiraient des "actions"; le nom aurait pour fonction de désigner les hommes, les animaux et les choses, l'adjectif exprimerait les qualités et le verbe les actions.

Cette vue simpliste a été réfutée dès le Moyen Age. Le philosophe Abélard, au XIIe s., enseignait déjà (en se fondant sur le grammairien latin Boèce, consul en 510) que le nom et le verbe peuvent **signifier la même chose** (avoir le même référent), comme en latin le nom *dolor* (la douleur) et le verbe *dolere* (souffrir); mais **ils signifient d'une manière différente ;** les classes grammaticales sont des **manières de signifier** *(modi significandi).*

Est-ce à dire que les formes imposées par chaque langue à la description du monde n'ont aucun fondement dans la structure de ce monde même ? S'il en était ainsi, on ne retrouverait pas, dans la plupart des langues, des formes analogues au nom et au verbe. En fait, les "manières de signifier" reposent plus ou moins sur des manières de sentir et de percevoir, qui reposent sur des manières de vivre attachées à la condition humaine. Ainsi, dans tous les pays du monde, la différence des sexes a une importance vitale ; beaucoup de langues en ont tiré une opposition morphologique masculin/féminin dont le sens est conforme à l'origine pour des mots comme *lion/lionne, marchand/marchande,* mais qui est appliquée secondairement à des substances auxquelles elle n'est pas congruente (c'est-à-dire ne convient pas), comme *le fauteuil/la chaise;* dans ces mots, la marque arbitraire de genre crée un sexe fictif facilitant le repérage des antécédents (§ 135). De même, toute forme grammaticale a des emplois congruents à sa signification originelle, et des emplois non congruents dont la raison d'être est généralement à chercher dans le fonctionnement de la langue.

A. Le nom

108. NOM, ADJECTIF QUALIFICATIF, DÉTERMINANTS DU NOM :

Le rectangle de la figure qui suit représente, en termes de mathématique, un "référentiel", ou "univers de référence", contenant huit figures géométriques.

Si l'on dit *les ronds,* on désigne dans le cadre de ce référentiel trois de ces figures ; elles ne sont pas superposables, leur point commun est une "qualité"

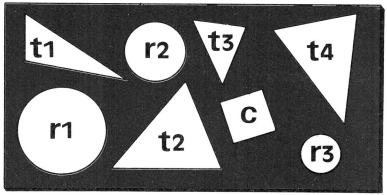

qu'elles présentent toutes les trois : elles sont "rondes".

Si l'on appelle R l'ensemble de ces figures, on peut écrire :

$$R = \{r1,\ r2,\ r3\}$$

On définit ainsi l'ensemble R dans son **extension référentielle** (§ 70) en énumérant les éléments qui le composent.

Mais on peut le définir **en compréhension** (§ 69) si l'on se contente d'énoncer la propriété p que présentent en commun tous ses éléments :

$$R = \{x : p\} \qquad (p = \text{"rond"}).$$

Cette formule, bien connue en mathématique des ensembles, signifie : "(Dans l'univers donné), l'ensemble R se compose de tout élément x présentant la propriété p".

Si l'on dit :

Les figures r1, r2, r3 sont **rondes**

on emploie le mot *rondes* pour exprimer seulement p, qui est leur propriété commune : le mot *rondes* y est un **adjectif qualificatif.**

Si l'on dit :

Dessinez **trois ronds**

on emploie le mot *ronds* pour exprimer à la fois x et p, les figures et leur propriété : *ronds* y est un **nom.**

Le mot *rond* a la particularité de pouvoir être employé comme adjectif ou comme nom : dans le second cas, il est précédé d'un mot, comme *trois,* qui implique sa valeur de nom ; d'autres mots marquent la valeur nominale dans les énoncés suivants :

Mon ami s'amuse à faire **des ronds** *en fumant.*

Colle **ce rond** *en caoutchouc au bout de ta canne.*

Le bouchon de ma ligne a fait **quelques ronds** *dans l'eau.*

L'usage est d'appeler ces mots accessoires les **déterminants du nom ;** nous nous y conformerons quoique le terme soit impropre (§ 111).

Il est fréquent qu'un ensemble soit réduit à un élément *(singleton)* c'est le cas, dans le rectangle de référence, pour l'ensemble C des carrés, réduit à l'élément c ; on peut écrire :

$$C = \{c\} \qquad \text{ou } C = \{x : p'\} \qquad (p' = \text{"carré"}).$$

Comparons maintenant les deux énoncés suivants :

Les figures t1, t2, t3, t4 sont triangulaires.

L'ensemble T se compose de quatre triangles.

Le mot *triangulaires* n'est pas échangeable avec *triangles :* le premier est toujours adjectif (sens : p''), le second toujours nom (sens : $x : p''$).

La plupart des noms ont obligatoirement, comme *triangle,* la valeur de nom; s'il n'en était pas ainsi, les noms et les adjectifs seraient une seule classe de mots.

La propriété exprimée par un adjectif comme *rond, carré, triangulaire* est **une constante,** c'est-à-dire ne change pas d'un emploi à l'autre. Si je dis qu'une pièce de monnaie, ou une table, ou une place, est *ronde,* la qualité ''ronde'' que j'y reconnais est la même, quel que soit l'objet considéré, et qu'elle y soit plus ou moins bien réalisée. De même, la propriété ou la somme de propriétés symbolisée par *p, p', p''* dans le signifié du nom est une constante: c'est la **compréhension** du nom, le **signifié lexical que définissent de façon stable les dictionnaires.** Ce point n'est pas infirmé par la polysémie (§ 71), concurrence de plusieurs sens possibles dont le dictionnaire donne une définition générale indépendante des éléments particuliers qui en présentent les traits.

Au contraire, l'élément *x* du signifié nominal est variable, pouvant aller de zéro à l'infini et assumer n'importe quelle identité *(ce triangle, un autre triangle).* **L'extension d'un nom,** comme *triangle,* **est variable.**

Les ''déterminants du nom'' jouant le rôle d'actualisateur (§ 12) précèdent toujours le nom; ils sont de trois sortes:

1° des **articles** (§ 137): **les** *ronds,* **des** *triangles;*

2° des **adjectifs non qualificatifs** (§ 121): **trois** *ronds,* **quelques** *ronds,* **ces** *triangles ;*

3° des **mots de quantité** recteurs, adverbes (§ 127) ou noms: **beaucoup** de *ronds,* **pas** de *triangles, une* **foule** de *triangles* (en français familier: *des* **tas,** *des* **masses** *de triangles).*

Il est inexact de dire que le nom *amis* est ''virtuel'' (§ 12) dans:

Il n'a pas d'amis

puisque *pas* y est un déterminant comme *beaucoup;* la préposition *de* rapporte *amis* à *pas.*

Remarque: L'élément *x* du signifié nominal est ce que les anciens grammairiens appelaient la **substance** (en latin *substantia,* ''ce qu'il y a au-dessous''); le nom, classe de mots vouée à exprimer la substance, a été longtemps appelé *substantif.*

Depuis le IIe s., au moins, avant notre ère, on a défini le nom comme la partie du discours apte à signifier ''des personnes, des animaux et des choses''. La notion de substance, qui est le genre dont ces trois notions sont les espèces (§ 70), donne une définition du nom plus unitaire.

Dans l'usage courant, le nom *substance* évoque une matière concrète; il est clair que les signifiés des noms *marchand, lion, maison,* ont une substance qui est la matière dont sont faits la personne, l'animal et la chose qu'ils désignent; mais pour des mots comme *mouvement* et *bonté,* la forme nominale impose une vue semblable à celle des cas précédents: on compte des mouvements comme on compte des maisons, comme on juxtapose des objets quelconques. La notion d'''ensemble'' mathématique n'exprime rien autre que cette ''substance'' détachée du concret.

109. NOMS PROPRES, NOMS COMMUNS:

Corneille est né à Rouen.

Dans cette phrase, *Corneille* désigne un homme, *Rouen* une ville: les signifiés sont des ensembles à un élément, comme celui du nom *carré* dans l'exemple du paragraphe précédent; mais à la différence du nom *carré* qui peut être défini en compréhension par la qualité *p'* (qu'on retrouverait dans une infinité d'autres éléments en élargissant le référentiel), *Corneille* et *Rouen* n'expriment aucune qualité: ils sont définissables en extension, de façon purement référentielle (§ 70):

Corneille: poète dramatique français (1606-1684), auteur du *Cid.*

Rouen: chef-lieu de la Seine-Maritime.

Ces noms sont propres aux ensembles à élément unique qu'ils désignent : on les appelle **noms propres,** par opposition aux noms comme *écrivain* et *ville* qui sont des **noms communs** (communs à une série illimitée d'éléments). Il existe des noms propres à une série limitée d'éléments également définis en extension : *les Baléares.*

Le signifié des noms propres n'est pas à distinguer de leur référent (§ 12) : **ils ont un sens toujours actuel** dont la définition peut être illustrée dans le dictionnaire (§ 103) d'un portrait ou d'une photographie. Aussi une partie d'entre eux, comme *Corneille* et *Rouen,* se passent-ils d'actualisateurs.

Certaines catégories, pour des raisons diverses plus ou moins bien élucidées, ont cependant pris l'article au cours des siècles ; ce sont les noms

— de pays (sauf *Israël*) : *la France, le Japon ;* mais on dit (par une survivance de l'ancienne langue) : *Je viens de France, Je vais en France ;*

— de régions : *le Berry, la Bretagne ;*

— de cours d'eau : *le Rhône, la Gartempe ;*

Les noms d'astres sont sans article *(Mars, Sirius),* sauf les plus connus : *le Soleil, la Terre, la Lune.*

Des noms de ville comme *Le Havre, La Châtre* ont l'article parce qu'ils remontent à des noms communs *(havre,* "port", *châtre,* "château fort"). Le caractère "figé" de ces mots composés (§ 81) entraîne l'impossibilité de remplacer l'article défini par un autre actualisateur : des suites de mots comme *ce Havre, notre Châtre* ne peuvent être que des "écarts" à valeur de style.

Des noms de personne ont l'article pour la même raison : *Lesourd, Le Moal* (en breton, "chauve") ; mais le figement y est tel que cet article est invariable : *J'ai parlé de Lesourd* à *Le Moal* et non **du Sourd au Moal).*

Il n'en est pas de même si l'article devant un nom de personne relève d'un usage étranger *(Nous avons entendu la Castafiore ; ces vers sont du Tasse),* ou rural *(la Fernande a eu un garçon),* ou s'il fait l'économie d'un titre nobiliaire en gardant l'indication de sexe féminin *(la Sévigné).*

L'absence d'article, ou son "figement", sont les seules marques orales du nom propre. Mais il reçoit une marque dans l'écriture, la **majuscule** (§ 110).

Remarques : a) Il arrive qu'un nom propre soit employé pour exprimer les propriétés notoires de l'élément qu'il désigne ; prenant ainsi un signifié défini par $\{x: p\}$, il devient nom commun et perd sa majuscule : *un harpagon, un mécène, un renard* (le goupil appelé *Renart* dans le roman du Moyen Age).

b) Par nature, le nom propre est incompatible avec un complément **lié** (en principe déterminatif, § 111) ; il ne peut en recevoir que précédé des "déterminants" du nom commun : *le grand Paris, le Paris de 1900, le vieux Paris* (= la partie vieille de Paris), *cette brave Marie ; On découvre dans "Le rêve" un Zola idéaliste.*

c) On classe dans les noms propres les noms d'habitants d'un pays, d'une région, d'une ville, comme *les Parisiens.* Il s'agit de noms qui sont communs à un nombre limité d'individus ayant une même propriété référentielle *(p* = "habitants de Paris"), mais cette propriété, au lieu d'être indiquée par un complément comme dans le groupe *les habitants de Paris,* est indiquée dans le radical même du nom. Les noms de ce type prennent les mêmes déterminants qu'un nom commun : *ce Parisien, quelques Parisiens.*

110. LA MAJUSCULE DES NOMS PROPRES :

L'emploi de la majuscule au début des noms a varié au cours des siècles ; aujourd'hui encore, un astronome écrit *la Terre, le Soleil, la Lune* avec majuscule comme le nom des autres astres, mais cette marque disparaît dans les textes non scientifiques : *Elles se font brunir au soleil ; C'est demain la pleine lune.*

Les typographes ont coutume d'écrire avec majuscule :

1° Les noms de **famille, prénoms** et **surnoms** : *Alfred de Musset, La Fontaine, le Petit Poucet, Louis le Pieux, saint Jean, Saint-Saëns, Jean sans Terre, d'Alembert* (mais *Du Bellay), Mickey.*

2° Les noms de **lieux** : *Paris, la France, Le Havre, Saint-Malo, l'Occident, la mer Noire, la rue du Pas-de-la-Mule, la place de l'Etoile, le Grand Palais ;* cette majuscule s'étend aux noms d'habitants (§ 109, Rem. c) : *les Parisiens, un Français,* mais elle disparaît si ces mots sont adjectifs : *un couturier parisien, la culture française.*

3° Les noms **astronomiques** : *Mercure, la Lune, Orion, le Scorpion.*

4° Les noms désignant un être ou une chose **d'une manière qui l'identifie** : *Dieu, le Tout-Puissant, le Seigneur, Notre-Dame, l'Etre Suprême, l'Empereur, Sa Majesté, la Renaissance, le Salon.*

5° Les noms de **corps constitués,** de **compagnies,** d'**institutions,** de **groupes humains** notoires : *le Sénat, l'Académie française, l'Eglise, l'Ecole normale supérieure, la Sécurité sociale, la Croix-Rouge.*

6° Les noms de choses ou d'animaux **personnifiés** : *la Liberté, la Vertu,*

> *Le Singe avec le Léopard*
> *Gagnaient de l'argent à la foire.* (La Fontaine).

7° Les noms donnés à des **monuments,** des **vaisseaux,** des types d'**avion** : *le Panthéon, le Redoutable, un Mirage IV*

8° Les noms d'**œuvres artistiques** : *les Plaideurs, la Marche funèbre, le Penseur de Rodin.*

9° Les noms de **classes** zoologiques, botaniques, etc. : *les Léporidés, les Rosacées, le Quaternaire.*

Remarques : a) Les noms des jours, des mois, des saisons s'écrivent en principe sans majuscule : *ce mercredi 19 novembre 1980 ; l'été prochain ;* à moins qu'ils ne soient personnifiés : *Te voilà, chère Automne, encore de retour.* (Charles Guérin)

b) Les noms des points cardinaux et leurs synonymes prennent la majuscule quand ils désignent une région déterminée : *C'est un homme du Nord, L'Occident est-il menacé ?* Mais : *Nancy est à l'est de Paris* (simple direction).

111. ACTUALISATION, DÉTERMINATION, CARACTÉRISATION :

Les logiciens distinguent trois sortes d'énoncé :

1. *Le verre du milieu contient du vin blanc.*
2. *Un verre contient du jus d'orange.*
3. *Chaque verre contient une boisson.*

La phrase 1 énonce une information concernant un élément précis de l'ensemble des verres présentés sur le plateau (référentiel); cet élément est identifié : c'est le verre du milieu. Le signifié du nom *verre* est ici actuel et **déterminé**. (Les logiciens appellent cette phrase une "proposition particulière".)

La phrase 2 énonce une information concernant un des éléments de l'ensemble présenté dont l'**identité** n'est pas précisée. Le signifié du nom *verre* y est actuel, mais **indéterminé**. (C'est pour les logiciens une "proposition existentielle").

La phrase 3 énonce une information concernant un élément quelconque de l'ensemble présenté. Etant valable pour chaque élément **indéterminé** de l'ensemble, l'affirmation vaut pour **tout l'ensemble**, qui est **déterminé** par la situation. L'indéterminé rejoint ici le déterminé. (C'est une "proposition généralisée").

Dans les trois phrases le nom est **actualisé,** ce que marque le petit mot précédant le nom, qu'on devrait appeler **actualisateur**. La langue française, à la différence du latin par exemple, fait une obligation de marquer l'actualisation du nom (si son signifié est actuel); on ne dirait pas : **Verre contient *jus d'orange.*

Le mot *déterminant,* habituellement employé pour tous les actualisateurs (§ 108), ne convient ici parfaitement qu'à l'article *le* précédant le nom *verre* de sens déterminé dans la phrase 1.

L'**actualisation** a été définie au § 12 comme **la référence** — explicite ou implicite — **aux "coordonnées du réel"** MOI-ICI-MAINTENANT. L'emploi du mot *un* ou *chaque* suffit pour indiquer que le nom *verre* désigne un élément réel, contenu dans le référentiel de la situation : ces mots **actualisent** aussi bien que *le.*

Dans la première phrase, l'identité du verre désigné est indiquée par le complément *du milieu,* qu'on appelle de ce fait **complément déterminatif.** Cette mention de la place du verre désigné le définit par référence à la situation : c'est une **propriété référentielle,** que le verre perdrait si on le déplaçait.

Si l'on dit :

4. *Le verre à pied contient du vin blanc.*

le complément *à pied* est également déterminatif, puisqu'il identifie le verre parmi les autres; mais il énonce une **propriété essentielle** (§ 69), qui appartient au verre lui-même et qui permettrait de le reconnaître quelle que soit sa place. On dit que le complément *à pied* **caractérise** le nom *verre.* **La caractérisation est l'indication d'une propriété essentielle d'un objet.**

Dans la phrase 4, la caractérisation détermine le nom *verre* parce que le plateau ne porte qu'un seul verre à pied. Caractériser ne suffit pas pour déterminer. Des groupes comme *verre à pied, verre à moutarde, verre épais* désignent des espèces de verres d'extension illimitée. Au contraire, un groupe comme *les verres de ce plateau,* de définition référentielle, a une extension strictement limitée.

On appelle pratiquement détermination toute réduction de l'extension du signifié d'un nom. On distingue donc :

— une **détermination essentielle ;** *verre à pied* et *vin blanc* ont une extension essentielle plus réduite que *verre* et *vin ;*

— une **détermination référentielle :** *mon verre* a une extension référentielle plus réduite que *un verre.*

La détermination est **achevée** quand les informations données suffisent pour **identifier** l'élément ou l'ensemble signifié au **référent** qui fait l'objet de la communication; dans ce cas, le groupe du nom répond à la question *quel(s)?:*

Quel(s) verre(s)? Le verre à pied/Le verre du milieu/(Tous) les verres.

112. LE NOM COMMUN SANS DÉTERMINANT :

Le nom commun apparaît sans déterminant dans un certain nombre de cas :

● Quand il est employé *materialiter,* c'est-à-dire avec son signifiant même pour signifié :

Tableau *a deux syllabes.*   **Légiste** *est de la famille de* **loi.**

● Quand il a une valeur de nom propre :

Grand-mère *n'est pas rentrée.*   **Madame** *est servie.*

C'est le cas des noms de jours dans leur emploi absolu (rapporté au MAIN-TENANT de l'énonciation), des noms de mois, et de *midi, minuit :*

Venez **jeudi**   (mais : *Il vient* **le jeudi**)

Attendons **janvier.**   **Midi** *sonne.*

On tiendra pour noms propres les noms de personnes et de choses employés sans déterminant dans la fonction apostrophe (§ 27) :

Lieutenant, *où sommes-nous ?*

O **lacs ! rochers** *muets !* **grottes ! forêt** *obscure !* (Lamartine)

● Quand le nom applique l'élément lexical *(p)* de son signifié à l'élément substantiel *(x)* du signifié d'un nom auquel il se rapporte syntaxiquement :

Paul est **médecin** *(médecin* est attribut de *Paul)*

une femme **médecin** *(médecin* est apposition de *femme)*

Jean de France, **fils** *du roi Philippe de Valois* (l'apposition note ici une pro-priété référentielle de la personne *Jean de France).*

Le cas est analogue quand un écriteau *Terrain à vendre* ou une étiquette *Melon de Cavaillon* sont affichés sur leur référent.

C'est aussi le cas dans l'apostrophe appréciative :

Qu'en penses-tu, petit **génie ?**   *Taisez-vous,* **ivrogne !**

● Quand le signifié du nom est virtuel :

— soit que le contexte nie ou mette en doute l'existence d'un référent :

Il skiait sans **bonnet,** *sans* **bâtons.**

A-t-on jamais vu **skieur** *plus maladroit ?* (littéraire)

— soit que le nom fasse partie d'un mot composé (§ 81) :

chien de **berger,** *fer à* **cheval,** *avoir* **peur,** *donner* **raison**

— soit que le nom indique une propriété relationnelle, mais non référen-tielle :

Ce vin a un goût de **violette.**   *un bocal à* **cornichons**

condamner à **mort**   *mourir de* **maladie**

Comparer : *accuser quelqu'un de* **vol** / *d'***un vol.**

● Quand on vise une économie de signifiants :

Départ *différé.*   **Rires** *à droite.*

On peut expliquer ainsi la construction du nom sujet dans le tour littéraire et régional appelé *proposition infinitive* (§ 266) :

Grenouilles *aussitôt de sauter dans les ondes.* (La Fontaine)

et dans la coordination de plusieurs noms (où le même article ne conviendrait pas à tous) :

Femmes, moine, vieillard, *tout était descendu.* (La Fontaine) sans doute aussi dans les groupes compléments sans préposition (où joue aussi une valeur adverbiale, cf. § 236):

Il ramait **manches** *retroussées,* **cigarette** *à la bouche.*

● Pour plusieurs raisons historiques:

— L'emploi latin du nom sans déterminant s'est conservé en français jusqu'au XVIᵉ s. pour certains noms, particulièrement les noms abstraits du singulier tels que *beauté, vertu, nature,* dont le signifié n'a pas de référent variable; de vieux proverbes conservent cet état de langue:

Pauvreté *n'est pas vice.*

— Un accident phonétique ayant entraîné la disparition des vieux articles contractés *ou* et *es* issus de *en le* et *en les,* les autres formes de l'article défini ont été évitées après *en,* et l'on dit *en hiver, en Sicile* (mais *au printemps, dans la Sicile).*

113. QUANTITÉ, NOMBRE DU NOM, ASPECT NOMBRABLE ET ASPECT CONTINU:

Quand on dit (§ 108):

T se compose de quatre figures triangulaires.

l'adjectif qualificatif *triangulaires* indique une propriété que possède chaque élément x de l'ensemble T; au contraire, l'adjectif *quatre* indique une propriété de l'ensemble, que ne possède aucun des éléments, le **nombre.**

Cette propriété est spécifique des substances **discontinues,** c'est-à-dire dont les éléments ont une structure unitaire, comme une figure, un triangle, un rond, une pomme, un pavé.

Les noms désignant de telles substances opposent morphologiquement deux **nombres:**

— le **pluriel,** marquant un nombre d'éléments supérieur à un:

Dessinez des **triangles.**   *Détache les* **chiens.**

— le **singulier,** désignant en principe un seul élément:

Dessinez un **triangle.**   *Détache le* **chien.**

Mais le singulier peut aussi présenter le **sens général;** en ce cas, s'il y a plusieurs éléments dans l'univers de référence, il désigne tous ces éléments (''proposition généralisée'', § 111). Le référentiel est la terre entière si l'on dit:

Le **chien** *est carnivore* (= tous les chiens du monde).

Il est beaucoup plus réduit si un commerçant affiche sur son étal:

Deux francs le **chou-fleur** (= tous les choux-fleurs de l'étal).

La valeur générale ou particulière du singulier ne tient pas à l'emploi de l'article défini: l'ambiguïté se retrouve avec l'article *un (Un* **chien** *est carnivore; Deux francs un* **chou-fleur**); mais certains déterminants sont affectés spécialement à l'expression de cette valeur: **tout** *citoyen,* **chaque** *citoyen,* **n'importe quel** *citoyen.*

La différence sémantique entre le singulier et le pluriel ne concerne jusqu'ici que l'élément x du sens du nom et n'a donc pas à intervenir dans les définitions du dictionnaire, qui concernent p.

Mais il existe des substances **continues,** ne donnant aucune prise au dénombrement: *du sable, de l'eau.* Ce sont des matières, particulièrement liquides ou gazeuses *(eau, air),* ou des abstractions comme *bonté, vérité, blancheur.*

une pomme   *quatre pommes*   *un peu d'eau*   *beaucoup d'eau*

La différence entre les substances **discontinues** (ou **nombrables)** et les substances **continues** affecte le comportement morphologique des noms qui les désignent :

— Les premiers **varient en nombre** et admettent pour déterminants l'**article indéfini nombrable** *un, une, des* ainsi que les adjectifs **cardinaux** *deux, trois,* etc.

— Les seconds **n'apparaissent qu'au singulier** et admettent pour déterminant l'**article indéfini continu** dit "partitif" (§137) *du, de la.*

Cette différence grammaticale congruente à la différence de nature des substances concernées a été appliquée par la langue à des substances auxquelles elle ne convient pas a priori, de sorte que la grammaire en est venue à marquer deux manières de saisir le référent du nom ; soit, pour le nom *fer :*

— l'**aspect continu :**

Notre région produit **du fer.**

— l'**aspect nombrable :**

Ce cheval a perdu **un fer / deux fers / des fers.**

Le caractère nombrable ou continu concerne le signifié lexical des noms, et ressort des définitions du dictionnaire *(pomme :* "fruit" ; *eau :* "liquide").* Pour un mot comme *fer,* le lexique fait état de la différence sémantique associée à la différence d'aspect : le *Dictionnaire du français contemporain,* par exemple, traite comme deux homonymes :

fer : métal blanc grisâtre de densité 7,8.
fer : objet, instrument en fer ou en un autre métal...

et les types d'objet sont énumérés : *fer à friser, fer à cheval, fer de lance, fers de prisonniers.*

Des noms comme *vin, huile,* prennent avec l'aspect nombrable le sens d'"espèce" de vin ou d'huile :

Cette région produit **des vins** *de faible degré.*

Appliqué à un nom abstrait, l'aspect nombrable exprime les manifestations diverses ou répétées de la notion nommée :

dire à quelqu'un **ses quatre vérités**
avoir **des bontés** *pour quelqu'un*
apercevoir **des blancheurs** *dans la pénombre.*

Inversement, un nom de notion nombrable peut être présenté sous l'aspect continu ; il exprime alors une substance homogène, dont on ne se demande même pas si elle est en deçà ou au-delà des limites de l'unité :

Prenez **du poulet.**   *Donnez-leur* **du grain.**
Ma femme met **de la pomme** *dans la salade.*

Remarques : a) Il ne faut pas confondre avec le "singulier général" l'emploi au singulier d'un **nom collectif** comme *famille, colonnade, chênaie* (ensemble de personnes parentes, de colonnes, de chênes) ; l'adjectif qualificatif s'y rapportant applique son sens à l'ensemble, et non à chaque élément (parent, colonne ou chêne) ; exemples :

une famille nombreuse, une colonnade irrégulière, une vaste chênaie.

Certains noms de sens collectif sont toujours employés au pluriel : *tenailles, archives, décombres, fiançailles, frais, mœurs, ténèbres, vivres.*

b) Un nom au pluriel désignant des objets normalement associés peut recevoir dans le discours un sens général :

des enfants au nez droit, aux yeux bleus (deux yeux par enfant)
L'artère pulmonaire irrigue les poumons (deux poumons par personne)

114. AMBIGUITÉ DU NOMBRE DANS LE DISCOURS :

Comparer :

1. *Les régiments défilent, drapeaux en tête.*
2. *Les régiments défilent, drapeau en tête.*

Si l'on part du principe que chaque régiment a un drapeau, la phrase 1 est ambiguë : les *n* drapeaux des *n* régiments sont-ils portés en groupe devant l'ensemble des régiments, ou chacun en tête de son régiment ? La phrase 2 dissipe l'ambiguïté : l'univers de référence est restreint en cours de phrase à chaque élément de l'ensemble désigné par *les régiments,* et il est dit qu'un drapeau est en tête de chacun.

Aucune règle grammaticale ne préside aux changements de référentiel, mais des problèmes tels que le précédent se présentent souvent dans le discours. Des deux énoncés suivants, le second s'impose pour la précision :

Si deux triangles ont des angles égaux entre des côtés égaux, ils sont égaux (référentiel non modifié).

Si deux triangles ont un angle égal entre deux côtés égaux, ils sont égaux (référentiel réduit à un après *triangles*).

Il est donc légitime (mais non obligatoire) d'écrire sans *s* les noms *complément* et *sujet* dans des énoncés tels que :

Les propositions relatives sont **complément** *de nom.*

Propositions **sujet** *d'un verbe impersonnel.*

Des problèmes de nombre se posent encore à propos des noms complément(s) de nom(s) :

● **Quand le nom support est au singulier,** on écrit :

un char à **bancs**   *des bêtes à* **cornes**

parce qu'il y a plusieurs bancs dans le référentiel d'un char, plusieurs cornes par tête ;

une roue de **char**   *une corne de* **vache**   *un jour de* **marché**

parce qu'il n'y a qu'un char par roue, qu'une vache par corne, et qu'un marché par jour ;

un chapeau de **feutre**   *un peigne de* **corne**

parce que le feutre et la corne sont des substances continues ;

indifféremment   { *un mur de* **briques**, *une compote* **de pommes**
{ *un mur de* **brique**, *une compote* **de pomme**

parce que *brique* et *pomme* peuvent être conçus sous l'aspect nombrable *(des briques, des pommes)* ou continu *(de la brique, de la pomme).*

● **Quand le nom support est au pluriel,** le complément qui, dans le premier cas, serait au singulier **reste en principe au singulier** :

> *des roues de* **char**   *des chapeaux de* **feutre**.

Pourtant le pluriel n'est pas exclu avec les noms de notions nombrables et il peut être préféré, par exemple pour donner une vision concrète du nombre :

> *Quelques têtes de* **vaches** *nous regardaient par-dessus la haie.*

115. MARQUES ÉCRITES ET ORALES DU PLURIEL DES NOMS :

La marque graphique du pluriel est un *-s* qui s'ajoute au singulier (à moins que le nom ne soit terminé au singulier par *s, z* ou *x : dais, nez, flux)* sauf dans *gens* (sing. *gent)*. Il se prononce seulement en liaison (§ 37).

Cet *-s* est remplacé par *-x* (remontant à une ancienne abréviation de *-us)* selon la règle suivante :

Les mots en *-au, -eau* prennent *-x,* sauf :

> **landau, sarrau** (plur. : *landaus, sarraus).*

Les mots en *-eu* et en *-eux* prennent *-x,* sauf :

> **pneu** *(plur. : pneus)* et l'adjectif **bleu** substantivé.

Les mots en *-ou* prennent *-s,* sauf :

> **bijou, caillou, chou, genou, hibou, joujou, pou**
> (plur. : *bijoux,* etc.)

L'addition d'*-s* a entraîné des modifications phonétiques qui dotent certains pluriels d'une marque orale :

Opposition [œf]/[ø] dans **œuf/œufs** et **bœuf/bœufs**

Opposition [al]/[o] dans les mots en **-al** : *cheval-chevaux*

> Exceptions : **bal, cal, carnaval, chacal, choral, festival, narval, pal, récital, régal** (ex. : *les bals populaires,* etc.)

Opposition [aj]/[o] pour sept noms :

> **bail, corail, émail, soupirail, travail, vantail, vitrail**
> (ex. : *de vieux vitraux ;* mais : *de vieux chandails).*

PARTICULARITÉS :

Bétail, nom collectif, n'a pas de pluriel *(bestiaux* est le pluriel d'un ancien nom *bestial).*

Aïeul fait *aïeuls* s'il désigne le grand-père et la grand-mère, *aïeux* s'il désigne les ancêtres.

Ciel fait *cieux,* sauf en parlant d'un sujet de tableau *(les ciels de Corot)* et dans le nom composé *des ciels de lit).*

Œil fait *yeux,* sauf dans les noms composés : *des œils-de-bœuf,* des *œils-de-perdrix.*

---

116. PLURIEL DES NOMS COMPOSÉS :

Les noms composés de formation gréco-latine ou française écrits en un seul mot suivent la règle des mots simples : *un électrocardiogramme / des électrocardiogrammes, un gendarme / des gendarmes, un bonheur / des bonheurs, un portemanteau / des portemanteaux.*

Exceptions : *monsieur / messieurs, madame / mesdames, mademoiselle / mesdemoiselles, bonhomme / bonshommes, gentilhomme / gentilshommes.*

Les noms composés écrits en plusieurs mots posent, selon la nature de leurs éléments, des problèmes différents dont la solution est à chercher dans le raisonnement. Les exemples suivants sont disposés dans l'ordre du tableau du §94 :

A   **des whisky-soda** (mélanges de substances continues)
des peintres-tapissiers (ils sont les deux)

B   **des choux-fleurs** (ils ressemblent à des fleurs)

C   **des timbres poste** (des timbres de la poste)
des boîtes aux lettres (prononcé sans liaison, §81)

D   **des coffres-forts, des basses-cours** (plusieurs coffres, plusieurs cours)

Remarque : Dans *grand-mère, grand-route,* l'adjectif, invariable en genre, est variable en nombre : *des grands-mères, des grands-routes.*

E   **des avant-gardes** (des gardes placées en avant)

F   **des hors-texte** (des illustrations hors du texte)
des contre-offensives (des offensives contre une offensive)

G   **des casques bleus** (autant de casques que de soldats)
des rouges-gorges (autant de gorges que d'oiseaux)
des mot-à-mot (des traductions faites mot à mot)
des pot-au-feu (des mets cuits dans un pot au feu)

H   **des sauve-qui-peut** (la phrase ne change pas de nombre)

I   **des savoir-faire** (l'Infinitif est invariable en nombre)

J   **des porte-plume** (chacun porte une seule plume)
des réveille-matin (ils réveillent le matin)
(Voir la note 1 du paragraphe 94)

K   **des va-et-vient** (le pluriel des verbes ne convient pas aux noms).

117. PLURIEL DES NOMS ÉTRANGERS :

La langue courante (écrite ou parlée) affecte tous les mots étrangers d'une marque française : *des agendas, des quiproquos, des avés, des vétos,* etc.

La langue administrative a observé longtemps l'usage de distinguer le pluriel en *-a* du singulier en *-um* dans les mots *minimum, maximum,* remontant à des neutres latins ; mais en 1959, l'Académie des Sciences de Paris a recommandé d'écrire *des minimums, des maximums.* Il en est autrement pour *duplicata, errata, addenda,* pluriels latins dont on ne modifie pas la forme quand on les emploie au singulier. Quant à *media* (canaux de diffusion), l'usage hésite entre *medium/media* et *média/médias.*

Les gens "cultivés", lorsqu'ils s'adressent à leurs pairs, aussi bien qu'ils affectent de prononcer les mots étrangers avec le timbre et l'accent de la langue d'origine, s'efforcent d'observer les règles morphologiques de ces langues, jusque dans l'écriture ; ils écrivent donc :

– *lieder* le pluriel de l'allemand *lied ;*

– *barmen, policemen, babies, ladies, matches, sandwiches* le pluriel des mots anglais *barman, policeman, baby, lady, match, sandwich ;*

– *soli* le pluriel de l'italien *solo* (et ils se gardent de mettre un *-s* aux noms *confetti, graffiti, lazzi,* dont l'*i* final est en italien la marque de pluriel des mots en *-o*).

Les mélomanes écrivent sans *s des crescendo, des forte,* sachant qu'il s'agit d'adverbes, et avec *s des allégros, des andantes,* noms de pièces musicales composées dans le mouvement indiqué par l'adverbe.

Remarque : L'arrêté du 28-12-1976 autorise dans tous les cas la formation du pluriel selon la règle générale du français.

118. PLURIEL DES NOMS PROPRES :

Le nom propre est présenté au § 113 comme un nom défini en extension, et les exemples donnés y sont du singulier, désignant seulement des ensembles à un élément.

● Mais il existe des noms propres au pluriel, désignant :

— soit un ensemble à plusieurs éléments nombrables, par exemple *les Baléares,* qu'on peut définir par

$$B = \{b1, \ b2, \ b3, \ b4, \ b5, \ b6\}$$

(ou : *Minorque + Majorque + Conejera + Cabrera + Ibiza + Formentera*).

Chacune de ces îles ayant son nom particulier, *Baléares* n'est employé qu'au pluriel ; il n'en est pas de même pour l'ensemble appelé *les Amériques* qui se compose de : *l'Amérique du Nord + l'Amérique Centrale + l'Amérique du Sud.*

— soit un ensemble plus ou moins discontinu sans éléments strictement nombrables : *les Pyrénées, les Cévennes, les Indes.*

● Un nom propre peut désigner plusieurs membres d'une famille ; en règle générale, il reste alors invariable : *nos amis les Duval, nos voisins les Rousseau.*

● Une marque (purement graphique) du pluriel apparaît quand s'attache au signifié du nom une propriété notoire, qui n'est pas l'apanage d'un individu ; ainsi s'expliquerait l'*-s* final :

— dans les noms de familles royales ou illustres :

les Bourbons, les Gracques, les Horaces;

— dans la désignation d'œuvres d'art représentant une personne ou une divinité :

des Apollons, des Saintes Vierges;

— dans les noms propres devenus noms communs (§ 113, Rem. a) :

des harpagons, des mécènes;

● Dans d'autres cas, l'usage est très flottant :

Ce musée a deux Picasso (ou *Picassos*).

Remarque : L'arrêté du 28-12-1976 autorise la marque du pluriel dans tous les cas : *les Duponts, les Maréchals.*

119. GENRE DU NOM :

On dit :

le fils	*le lion*	*le vin*
la fille	*la lionne*	*la bière*

On ne pourrait pas dire :

*La fils	**la lion*	**la vin*
*le fille	**le lionne*	**le bière*

Le choix de l'article *le* ou *la* est imposé par la nature du nom : on dit que celui-ci est porteur d'un trait **masculin** ou **féminin** appelé trait de **genre,** qu'il impose à l'article, comme d'ailleurs aux adjectifs, qui s'y rapportent.

Le genre des noms, qui est constant, est indiqué au dictionnaire. Pour les noms d'**êtres vivants,** le genre coïncide en principe avec une différence lexicale des signifiés. Aucune marque grammaticale n'apparaît dans les signifiants *père* et *mère, coq* et *poule, veau* et *génisse,* autorisant à faire du genre une "variation morphologique" du nom, mais le fait que ces mots ne diffèrent sémantiquement, dans chaque couple, que par l'indication de sexe permet de les assimiler aux couples du type *marchand/marchande* où une différence formelle plus ou moins constante affectant seulement ou principalement la terminaison marque une différence de sexe entraînant dans le discours la même alternance d'article (**le** *marchand/***la** *marchande).*

L'emploi de l'article *le* ou *la* est en définitive la marque la plus stable du genre masculin ou féminin des noms. Or le choix de l'un ou de l'autre article est obligatoire devant des noms dont le signifié, par nature, **n'est pas sexué :** *le fauteuil/la chaise, le tonneau/la cuve;* la différence lexicale dans ces mots n'a plus rien de constant et n'a aucun rapport avec le sexe.

Les noms de "choses" (concrets ou abstraits) sont ainsi rangés, comme les noms d'êtres vivants, en **deux classes** numériquement **à peu près égales,** et ce partage (dont les facteurs sont surtout héréditaires et phonétiques) n'a d'autre raison d'être que les commodités fonctionnelles qu'il présente : il facilite le repérage

— du nom auquel se rapporte l'adjectif :

les importations de vins **françaises**

— de l'antécédent des pronoms (§ 139) :

La gravure ne va pas avec le cadre : { **il** *est trop large* / **elle** *est trop large.*

Remarques : a) Pour quelques noms de personne, le genre est en contradiction avec le sexe : *une sentinelle* est un homme, *un laideron* est une femme.

b) Beaucoup de noms désignant des catégories de personnes n'ont qu'un genre pour les deux sexes : *une femme* **assassin,** *mon* **conjoint,** *l'*écrivain *Françoise Sagan, Madame le* **professeur** *Duval, Madame le* **maire** *ou le* **ministre,** *la* **vedette** *Guy Béart, cette* **canaille** *de Jean.*

c) La majorité des noms d'oiseaux n'ont qu'un genre pour les deux sexes : *un canari, une fauvette ;* on précise en disant : *un canari mâle, un canari femelle,* etc.

d) Pour les noms de personnes et d'animaux, le masculin prévaut quand on désigne les deux sexes à la fois : *L'homme est omnivore, le chien carnivore.*

e) Certains noms prennent sans changer de forme l'article masculin ou féminin selon qu'ils désignent un homme ou une femme : *un secrétaire, une secrétaire ; un élève, une élève.*

f) Certains noms peuvent être masculins ou féminins dans des emplois différents ; ainsi :

— **Amour, délice** et **orgue** sont masculins au singulier et féminins au pluriel : *un amour malheureux, des amours malheureuses.*

— **Gent** est :

féminin au singulier (sens collectif vieilli) : *la gent marécageuse* (La Fontaine) ;

masculin au pluriel (où il s'écrit *gens) : des gens méchants ;* mais si l'adjectif précède immédiatement, on dit : *de méchantes gens, de bonnes gens ; les vieilles gens sont soupçonneux.*

g) On se trompe ou l'on hésite souvent sur le genre de certains noms, dont la plupart commencent par une voyelle (devant laquelle s'élide l'*e* ou l'*a* de l'article défini).

Sont masculins : *abîme, antre, argent, armistice, astérisque, autel, éclair, effluve, été, haltère, hémisphère, hiver, insigne, ivoire, obélisque, rail, solde* (= reste), *tentacule.*

Sont féminins : *alluvions, amnistie, atmosphère, enzyme, équerre, espèce, estafette, mousson, oasis, oriflamme, réglisse, ténèbres.*

Après-midi se rencontre aux deux genres : *un bel* ou *une belle après-midi.*

Automne est plus souvent masculin que féminin : *un bel automne.*

Interview est plus souvent féminin que masculin : *une courte interview.*

h) Pour une raison évidente, les **noms de famille** n'ont pas de genre propre, mais les **prénoms** en ont un, parfois marqué *(Jean/Jeanne),* parfois non *(Cyrille/Alix)* La plupart des prénoms féminins se terminent par *-e ;* quelques prénoms, surtout en *-e,* ont les deux genres *(Claude, Dominique).*

Les **noms de pays et de fleuves** ont un genre que marque leur article : *La France, le Portugal, la Loire.* La majorité des **noms de villes** qui n'ont pas d'article sont tenus pour féminins, surtout s'ils se terminent par *-e (Venise)* ou *-es (Nantes) ;* sans doute le nom féminin *ville* est-il un facteur inconscient de ce choix. Mais on pense sans doute à *quartier* quand on dit *le vieux Nice,* et à *club* quand on écrit : *Nantes est battu par Saint-Etienne.*

120. MARQUES ÉCRITES ET ORALES DU GENRE DES NOMS :

Féminins formés sur le masculin par addition d'un **e** muet	A. **Sans changement dans la prononciation** : *ami, amie.* B. **Avec changement dans la prononciation** : *a)* La consonne finale muette se prononce au féminin ⎰ 1. Sans modification : *marchand, marchande ; rat, rate ; manchot, manchote.* 2. Avec modification d'orthographe : *époux, épouse ; loup, louve.* Parfois la consonne est doublée : *chat, chatte* noms en *et* (sauf *préfet*) : *poulet, poulette.* *b)* La consonne finale change de timbre : *veuf, veuve ; chanteur, chanteuse ; pêcheur, pêcheuse.* *c)* Modification de la voyelle précédente ⎰ 1. *e* fermé devient *e* ouvert : *berger, bergère* (accent grave). 2. *o* fermé devient *o* ouvert : *manchot, manchote.* 3. *eu* ouvert devient *eu* fermé : *chanteur, chanteuse.* *d)* Noms terminés par une voyelle nasalisée ⎰ 1. Noms en *ain, an, in* : *châtelain, châtelaine ; sultan, sultane ; voisin, voisine.* **Remarque** : *paysan* fait *paysanne ; Jean* fait *Jeanne.* 2. Noms en *ien, on* : *chien, chienne ; lion, lionne.* *e)* Quelques noms en *eau* font *elle* : *chameau, chamelle.*
Féminins formés sur le masculin par addition d'un suffixe	A. **Type en** *esse* : *Prince, princesse ; docteur, doctoresse ; vengeur, vengeresse ; pécheur, pécheresse ; chasseur, chasseresse* (poétique) ; et quelques termes de la langue du droit, comme *demandeur, demanderesse.* B. **Type en** *ine* (noms savants et étrangers) : *héros, héroïne ; tsar, tsarine ; speaker, speakerine.*
Le masculin comporte un suffixe propre	A. **Le suffixe disparaît au féminin** : *canard, cane ; dindon, dinde ; mulet, mule ; compagnon, compagne.* B. **Le suffixe est remplacé par un autre au féminin** : *serviteur, servante ; chevreau, chevrette ;* *gouverneur, gouvernante ; lévrier, levrette ;* *ambassadeur, ambassadrice ; poulain, pouliche ;* *acteur, actrice ;* et beaucoup de noms en *teur.*
Le masculin et le féminin sont formés sur un radical différent	A. **Les radicaux remontent à un même radical latin** : *dieu, déesse ; roi, reine ; empereur, impératrice ; chanteur, cantatrice ; neveu, nièce.* B. **Les radicaux sont d'origine différente** : *coq, poule ; frère, sœur ; gendre, bru.* **Remarque** : *grenouille* n'est pas le féminin de *crapaud*, ni *souris* de *rat*, ni *perruche* de *perroquet ;* les *guenons* sont une espèce particulière de *singes.*

B. L'adjectif

121. ADJECTIFS QUALIFICATIFS ET NON QUALIFICATIFS :

On appelle **adjectifs** une classe de mots qui s'''**ajoutent**'' (lat. *adjicere)* **au nom,** pouvant le précéder ou le suivre immédiatement, et n'ayant en principe de fonction que par rapport à lui.

● La fonction de l'**adjectif qualificatif** définie au § 112 est d'exprimer une **propriété essentielle de la substance désignée par le nom** (ou le pronom) auquel il se rapporte.

● Les **adjectifs non qualificatifs** donnent des indications concernant seulement l'**extension référentielle** (§ 70) du nom ; ils sont de plusieurs sortes :

— **mon** *verre :*

L'adjectif ''possessif'' *mon* identifie un élément *x1* de l'ensemble des verres présents dans la situation par l'indication (référentielle) d'une relation avec le MOI du locuteur (§ 12).

— **ce** *verre :*

L'adjectif ''démonstratif'' *ce* identifie un élément *x1* par l'indication (référentielle) d'une relation avec ICI *(deixis).*

– *le* **même** *verre, l'***autre** *verre :*

Les adjectifs ''indéfinis'' *même* et *autre* identifient des éléments *x1* et *x2* par leurs relations au sein de l'ensemble des verres dont on parle.

— **quelques** *verres,* **certains** *verres :*

Les adjectifs ''indéfinis'' *quelques* et *certains* désignent un nombre indéterminé *n* (>1) d'éléments indéterminés.

— **quels** *verres ?*

L'adjectif ''interrogatif'' *quel* questionne sur l'identité de l'élément *x1* désigné.

— **trois** *verres :*

L'adjectif numéral cardinal *trois* indique un nombre déterminé (3) d'éléments indéterminés.

Les sens des adjectifs non qualificatifs concerne donc exclusivement la partie non lexicale du signifié du nom, qu'il donne pour déterminé ou indéterminé par rapport aux repères du réel MOI-ICI et dont ils indiquent plus ou moins précisément le nombre.

Certains de ces adjectifs suffisent pour actualiser le nom :

    plusieurs verres   certains verres   chaque verre

D'autres ne le font qu'associés à l'article :

    les mêmes verres   un autre verre   tous les verres.

● L'adjectif qualificatif peut toujours suivre le nom : *un verre épais ;* certains peuvent aussi le précéder : *un grand verre ;* tous peuvent s'en détacher sans cesser de s'y rapporter, selon des facteurs qui seront définis dans l'étude de la phrase (IVe Partie, § 243).

Les adjectifs non qualificatifs, sauf *quelconque* (§ 154)et *même* (§ 153), précèdent toujours le nom (éventuellement l'adjectif qualificatif antéposé) : *ce verre, ce grand verre.*

● L'adjectif peut **ne pas se rapporter à un nom.**

En ce cas, l'adjectif qualificatif peut prendre la valeur d'un **nom,** comme *les ronds* dans l'exemple du § 108. L'emploi "substantivé" de l'adjectif qualificatif est enregistré au lexique, car c'est une valeur constante, que le mot peut présenter dans une phrase isolée : *les riches, les sots, les grands* (= les grands personnages), *les merveilleuses* (du Directoire), *les bleus* (nouvelles recrues), *un bleu* (vêtement de travail), etc.

Une partie seulement des adjectifs non qualificatifs peuvent être employés sans nom, avec ou sans l'article ; ils deviennent alors **pronoms** (§ 135) :

Certains *n'ont pas ri, mais* **tous** *ont écouté.*
Les uns *ont applaudi,* **d'autres** *ont sifflé.*

Remarque : Dans la phrase suivante :

Voici deux verres : prenez le grand *ou* le petit.

les adjectifs *grand* et *petit* sont employés avec l'article sans nom, mais les groupes *le grand* et *le petit* "représentent" le nom *verres* exactement comme les pronoms représentent un antécédent (§ 135). Ce type d'emploi n'a pas reçu de nom en grammaire : on ne peut pas le confondre avec la substantivation enregistrable au lexique *(les grands, les bleus),* car il est attaché au contexte, et non permanent. Ces groupes relèvent de l'ellipse de discours, les autres de l'ellipse de langue (§ 26).

122. CLASSES DE SENS DES ADJECTIFS QUALIFICATIFS :

Le nom *fauteuil* reçoit dans les phrases suivantes des compléments de plusieurs types :

1. le fauteuil **bas**
2. le fauteuil **de M. Dumont**
3. le fauteuil **du malade**
4. le fauteuil **de malade.**

En 1, l'adjectif qualificatif énonce une **propriété essentielle inhérente** au fauteuil désigné : il a la qualité "bas", il est fabriqué ainsi et le restera pour tous ceux qui s'en serviront.

En 2, le complément du nom *fauteuil* exprime une **relation référentielle** : il appartient à M. Dumont, on ne sait rien des qualités du fauteuil, a priori indépendantes de l'identité du possesseur actuel.

En 3, le complément du nom *fauteuil* exprime encore une **propriété relationnelle référentielle ;** le possesseur est nommé *le malade* et non plus *M. Dumont.*

En 4, le complément indique une **propriété relationnelle** qui n'est plus référentielle : *malade* est virtuel ; l'indication de la relation n'est donnée que pour suggérer les propriétés **essentielles** du fauteuil, ses qualités.

Le signifié du complément en 4 rejoint ainsi celui de l'adjectif en 1, et il n'est pas étonnant que de tels compléments alternent souvent avec des adjectifs ; comparer :

la viande de bœuf	*la viande bovine*
le chauffage par électricité	*le chauffage électrique*
un ennemi à mort	*un ennemi mortel*
la navigation par fleuve	*la navigation fluviale*
la nageoire de queue	*la nageoire caudale*

Il n'y a aucune raison pour écarter l'emploi de ces **adjectifs de relation,** à moins qu'ils ne soient ambigus en raison d'un sens consacré de l'adjectif : ainsi, on n'appellera pas *verre pédestre* un *verre à pied,* ni *facture électrique* une *facture d'électricité,* ni *cuisinière gazeuse* une *cuisinière à gaz.*

Le sens n'est guère différent entre un complément virtuel et un complément précédé de l'article au sens général (§ 113) : le *muscle du cœur* est le *muscle cardiaque ;* l'*artère des poumons,* l'*artère pulmonaire ;* une *carie de la dent,* une *carie dentaire.* Très commode quand un complément doit être souvent employé, l'adjectivation est vite admise dans les milieux concernés : des médecins parlent couramment entre eux de *malades pulmonaires* ou *dentaires.* L'homme de la rue ne dira pas *Je suis dentaire,* ou *pulmonaire,* mais très bien *Je suis cardiaque* (on a dit longtemps : *il est poitrinaire) ;* une phrase comme *Ce blessé est cranien* pourra le choquer parce qu'il connaît surtout *boîte cranienne,* mais il existe un journal *Le blessé cranien* dont le titre ne choque pas ses lecteurs.

Pour la même raison de commodité, les **propriétés référentielles** sont elles-mêmes souvent exprimées par des adjectifs : le *problème d'Israël* est le *problème israélien,* la *faune d'Afrique* est la *faune africaine,* les *études sur Corneille* sont les *études cornéliennes,* etc. La prudence s'impose dans l'emploi de tels adjectifs parce qu'ils prêtent au maximum à l'ambiguïté déjà signalée ; tout adjectif tend à suggérer des qualités : une température peut être *polaire* loin des pôles, une situation peut être *cornélienne* dans un western, etc. Toute épithète de sens relationnel tend à prendre une valeur secondaire qualitative, au point qu'on en vient à l'écarter de crainte de malentendu (penser aux adjectifs référant aux pays, aux régions, aux races humaines).

123. LES VARIATIONS DE L'ADJECTIF QUALIFICATIF : NOMBRE, GENRE, DEGRÉ :

Les variations en **genre** et en **nombre** de l'adjectif qualificatif (§§ 124-126) sont le reflet du genre et du nombre du nom (ou pronom) auquel il se rapporte : le choix de ces marques dans le discours est déterminé par les règles d'**accord** (§§ 220 et 233).

La seule variation affectant le signifié de l'adjectif même est celle qui indique le **degré,** bien que les marques grammaticales du degré se réduisent en français à quelques survivances d'un système latin semblable à celui —très vivant— de l'anglais et de l'allemand.

Ces formes se comprennent dans le cadre de la comparaison quantitative exprimée habituellement par des adverbes de quantité. Les exemples suivants classent les types d'énoncé où peut apparaître une indication de degré :

	VERBE	ADJECTIF	ADVERBE
1 DEGRÉ ABSOLU	*Jean travaille* *Jean travaille assez* *Jean travaille beaucoup*	*Jean est adroit* *J. est assez adroit* *J. est très adroit*	*Jean court vite* *J. court assez vite* *J. court très vite*
2 DEGRÉ COMPARATIF RELATIF	*Jean travaille* { *plus* / *autant* / *moins* } *que Guy,* etc.	*J. est* { *plus* / *aussi* / *moins* } *adroit que Guy,* etc.	*J. court* { *plus* / *aussi* / *moins* } *vite que Guy,* etc.
3 DEGRÉ SUPERLATIF RELATIF	*Jean travaille* { *le plus* / *le moins* } *des deux, des trois,* etc.	*J. est* { *le plus* / *le moins* } *adroit des deux, des trois,* etc.	*J. court* { *le plus* / *le moins* } *vite des deux, des trois,* etc.

Les figures ci-dessous illustrent la différence
entre les cases de rang 1, 2 et 3 :

  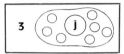

— En 1, le degré de travail, d'adresse ou de rapidité de Jean est évalué de façon absolue, sans référentiel ;

— En 2, Jean est comparé à Guy, à Paul, etc. sous le chef du travail, de l'adresse ou de la rapidité ; il n'en ressort aucun jugement absolu ;

— En 3, Jean est distingué en tant que le premier ou le dernier dans l'échelle du travail, de l'adresse ou de la rapidité, parmi tous les éléments d'un ensemble donné pour référentiel ; il n'en ressort aucun jugement absolu.

Dans la colonne du verbe, les trois degrés sont exprimés par des adverbes dans les quatre langues citées plus haut. Ils intéressent seulement le lexique (choix des adverbes) et la syntaxe (compléments introduits par *que* ou par *de*).

Les colonnes de l'adjectif et de l'adverbe ne sont guère différentes de la première en français : tout au plus remarque-t-on que *beaucoup* et *autant* sont remplacés par *très* et *aussi*. La différence est bien plus profonde en latin, en anglais et en allemand, car les adjectifs et les adverbes y reçoivent les marques grammaticales de degré. Pour ne parler que du latin, en 1, si *adroit* était exprimé par *callidus, assez adroit* l'était par *callidior* et *très adroit* par *callidissimus,* trois degrés appelés respectivement **positif, comparatif** et **superlatif ;** en 2, *plus adroit* se disait au comparatif *(callidior) ;* en 3, *le plus adroit* se disait au superlatif *(callidissimus).* Les adverbes étaient parallèlement *callide, callidius* et *callisissime.*

En français, l'absolu est radicalement distingué du relatif ; dans le domaine du relatif (degré 2 et 3), le superlatif n'est plus distingué du comparatif par une marque propre (l'adverbe est *plus* ou *moins* dans les deux cas), mais seulement par l'entourage contextuel :

Comparatif : *Je veux* **une** *plus grande voiture*
(que la mienne/que la vôtre/que celle-ci) ;

Superlatif : *Je veux* **la** *plus grande voiture*
(de toutes celles-ci/de toutes celles qui se font).

Dans ces deux phrases, l'adjectif est précédé de *plus* et l'article indéfini ou défini joue son rôle d'actualisateur du nom. Dans la seconde phrase, il peut être remplacé par l'adjectif possessif si l'univers de référence est rapporté à un possesseur :

Je veux **votre** *plus grande voiture.*

Mais l'article défini devient la marque propre du superlatif si l'adjectif passe après le nom :

Je veux la voiture **la plus grande.**

Sous cette forme, le superlatif se "substantive" :

La plus grande *est la mienne.* *Je veux* **la plus grande.**

Comparer : **Le grand** *est le mien ; je veux* **le grand,** (§ 121, Remarque).

● Le français conserve trois formes latines de comparatif adjectif : *meilleur* (lat. *meliorem*), *pire (pejorem), moindre (minorem).*

Meilleur, comparatif de *bon,* exclut **plus bon,* sauf si l'expression de *plus* ou de *bon* s'impose :

Ces feuilletons sont **plus ou moins bons.**

Il est plus **bon** *que juste.*

Pire, habituellement remplacé par *plus mauvais,* est encore préféré si l'on veut renforcer le jugement :

Ce feuilleton est **pire** *que l'autre* (déjà très mauvais).

Moindre, remplacé par *plus petit,* est conservé dans quelques expressions ''figées'' comme *moindre mal, zone de moindre population.* Il sert surtout au superlatif, avec le sens de ''le plus petit imaginable'' :

Téléphonez-moi si vous avez **le moindre** *problème.*

Remarques : a) Il arrive, même en français parlé, que le ''relatif'' en vienne à exprimer l'''absolu''; il suffit pour cela que le monde entier soit pris pour référentiel implicite :

Il avait le jugement assez droit, avec l'esprit **le plus simple.** (Voltaire)

Ce référentiel sans bornes peut d'ailleurs être exprimé : *le plus simple* **du monde,** *le plus simple* **possible ;** *possible,* dans cet emploi, peut rester invariable : *les mots les plus simples* **possible(s).**

Un autre procédé d'expression du superlatif absolu par le relatif consiste à remplacer l'article défini par l'article contracté *des ;* l'adjectif est alors accordé (au choix) soit avec le nom, soit avec l'article :

Ce raisonnement est **des plus simple(s).**

b) Certains adjectifs expriment une propriété non sujette aux variations en degré ; on ne dira guère : **plus perpendiculaire, *plus égal, *plus éternel.*

D'autres, ayant au positif un signifié comparatif ou superlatif, admettent difficilement les marques de degré : **plus inférieur, *très excellent, *moins suprême.*

c) Les superlatifs absolus *rarissime* et *richissime* ont été empruntés à l'italien.

124. MARQUES DU PLURIEL DES ADJECTIFS QUALIFICATIFS :

Type en **s**	*Bon, bons ; bonne, bonnes.*
	A. Tous les adjectifs en *eau : beau, beaux.*
	B. La plupart des adjectifs en *al : brutal, brutaux.* Exceptions : *bancal, fatal, final, natal, naval* (pluriel : *bancals,* etc.) ; *banal* (= commun) fait *banals* ou *banaux.*
	C. *Hébreu* fait *hébreux* (mais *bleu* fait *bleus*).

125. MARQUES DU FÉMININ DES ADJECTIFS QUALIFICATIFS :

	A. **Sans changement dans la pronociation :**
	Joli, jolie ; flou, floue ; cru, crue ; aigu, aiguë (tréma, cf. § 263).
	Dur, dure ; meilleur, meilleure.
	Banal, banale ; vil, vile ; nul, nulle ; vermeil, vermeille.
Type en **e**	*Mat, mate ; brut, brute.*
	Public, publique ; caduc, caduque ; turc, turque.
	Si la dernière syllabe au masculin contient un *e,* prononcé *è,* on maintient cette prononciation au féminin :
	— Soit en marquant cet *e* d'un accent grave : *cher, chère.*
	— Soit en doublant la consonne finale : *cruel, cruelle ; net, nette ; grec, grecque.*

Type en **e** (suite)	B. **Avec changement dans la prononciation :**
	    1. Sans modification : *petit, petite ; idiot, idiote.*
	    2. Avec modification d'orthographe : *blanc, blanche ; long, longue ; frais, fraîche ; faux, fausse ; doux, douce ; roux, rousse.*
	       Parfois la consonne est doublée :
	
	a) La consonne finale muette se prononce au féminin *Gras, grasse ; gros, grosse ; épais, épaisse.*
	      Adjectif en *et : muet, muette.* (Exceptions : *complet, concret, désuet, discret, inquiet, replet, secret.*)
	      Boulot, maigriot, pâlot, sot, vieillot : boulotte, etc.
	      Gentil, gentille.
	    Remarque : *Andalou, favori, rigolo,* qui n'ont pas de consonne finale, présentent une consonne au féminin : *andalouse, favorite, rigolote.*
	
	b) La consonne finale change de timbre : *sec, sèche ; bref, brève ; vif, vive ; menteur, menteuse.*
	
	c) Modification de la voyelle précédente
	    1. *e* fermé devient *e* ouvert : *léger, légère* (accent grave).
	    2. *o* fermé devient *o* ouvert : *idiot, idiote.*
	    3. *eu* ouvert devient *eu* fermé : *menteur, menteuse.*
	
	d) Adjectifs terminés par une voyelle nasalisée
	    1. Adjectifs en *ain, an, in, un : vain, vaine ; persan, persane ; fin, fine ; brun, brune.* (Exceptions : *paysan* fait *paysanne ; bénin, malin* font *bénigne, maligne.*)
	    2. Adjectifs en *ien, on ; ancien, ancienne ; bon, bonne.*
	
	e) Quelques adjectifs en *eau, ou* font *elle, olle :* beau (anciennement *bel,* conservé devant voyelle) fait *belle ; fou* (anciennement *fol,* conservé devant voyelle) fait *folle.* De même *vieux* (anciennement *vieil,* conservé devant voyelle) fait *vieille.*

Type en **esse**	*Traître, traîtresse ; vengeur, vengeresse.*
Type en **trice**	*Indicateur, indicatrice.*

PARTICULARITÉS PROPRES AU GENRE

1. Certains adjectifs, terminés par un *e* muet, ont la même formes aux deux genres :
   Un ciel splendide, une mer splendide.

2. *Grand* est invariable en genre, par héritage du latin, dans les noms composés tels que :
   Grand-mère, grand-chose, grand-peine.

3. Certains adjectifs n'existent qu'au masculin : *benêt, dispos, fat, vainqueur, vantard.*
   D'autres n'existent qu'au féminin : (bouche) *bée,* (faim) *canine,* (ignorance) *crasse,* (soie) *grège,* (œuvre) *pie.*

4. *Hébreu* n'a pas de féminin ; s'il s'agit de personnes, on dit *juive ;* s'il s'agit de choses, on se sert d'*hébraïque,* qui est des deux genres : *l'histoire hébraïque.*

155

126. PARTICULARITÉS COMMUNES AU GENRE ET AU NOMBRE DES ADJECTIFS :

Adjectifs de couleur	**Les adjectifs de couleur suivent la règle générale :** *une robe blanche, grise, noire ; des robes roses, écarlates, mauves, pourpres.* **Les noms employés comme adjectifs de couleur restent invariables :** *des rideaux cyclamen, une robe et un chapeau aubergine, une robe marron, des souliers marron.* Quand l'adjectif de couleur est **précisé par un nom ou un adjectif,** il reste invariable : *une robe gris-perle, des yeux bleu sombre.*
Adjectifs invariables	1° Quelques adjectifs ne présentent aucune particularité de sens ni de construction sont invariables en genre et souvent en nombre : **Chic** (mot familier), **impromptu, kaki, snob** : *la femme chic, une visite impromptu, des chemises kaki, une fille snob.* 2° Quelques adjectifs sont comparables à des préfixes : ils précèdent un nom ou un adjectif dont ils sont séparés par un trait d'union, et sont invariables : **Mi** : *la mi-carême, les yeux mi-clos.* **Demi** : *une demi-heure ; demi-morte et demi-boiteuse* (La Fontaine). Mais on accorde *demi* s'il suit le nom : *une heure et demie.* **Nu** : *il était nu-pieds, nu-tête.* Mais on écrit : *il était pieds nus, tête nue.* L'arrêté du 28-12-76 autorise la variabilité de *nu* et *demi* dans tous les cas. 3° Quelques adjectifs sont invariables dans des constructions particulières : **Fort** est invariable dans l'expression *se faire fort de : Elle se fait fort de réussir.* L'arrêté du 28-12-76 autorise l'accord. **Possible** est invariable après *le plus, le moins, le meilleur : Prenez le plus de photos possible* (mais : *Prenez toutes les photos possibles*) ; si le superlatif est au pluriel, l'accord est facultatif (§ 123, rem. a). 4° La littérature et l'administration conservent l'usage d'un adjectif **feu,** signifiant "défunt", qui s'accorde avec le nom s'il le précède immédiatement, mais reste invariable s'il précède l'actualisateur : *feu la reine, feu mes oncles* (mais : *la feue reine, les feus rois de Suède et de Danemark).*
Adjectifs composés (Ordre du tableau du § 95)	A. *une fillette* **sourde-muette,** *des enfants* **sourds-muets** (ils sont sourds et muets) B. *Des bruits* **avant-coureurs** (ils courent avant) C. *Des personnes* **sans-gêne** (elles n'ont pas de gêne) *Paul est dernier, Jeanne* **avant-dernière** (mot globalement accordé comme un dérivé préfixé). D. *Des cheveux* **clairsemés** ("semés" clair). *Légère et* **court-vêtue** (vêtue court). Dans ces deux exemples, *clair* et *court* sont de ces adjectifs adverbialisés mentionnés à la fin du § 127, en principe invariables ; on écrit donc : *des enfants nouveau-nés, dernier-nés ;* mais la confusion avec le type A a répandu l'orthographe *nouveaux-nés, derniers-nés ;* le féminin est même marqué oralement par maintien de l'usage ancien) dans des *portes* **grandes** *ouvertes, des fleurs* **fraîches** *écloses* (proches du type A).

C. L'adverbe

127. FONCTIONS DE L'ADVERBE:

Les adjectifs "ajoutent" des qualités et des déterminations au signifié des noms et pronoms, qui leur imposent leur genre et leur nombre. Or **des qualifications et des déterminations peuvent être "ajoutées" à des mots qui,** à la différence du nom et du pronom, **n'ont pas de genre ni de nombre à imposer,** par exemple aux verbes et aux adjectifs eux-mêmes. La langue dispose, pour cette fonction, de mots nécessairement **invariables en genre et en nombre,** appelés **adverbes.** Comparez:

un jongleur **adroit**	*Il jongle* **adroitement** (se rapporte au verbe)
une **longue** *course*	*Il a couru* **longtemps** (se rapporte au verbe)
un **grand** *courage*	*Il est* **très** *courageux* (se rapporte à l'adjectif)
cette *maison*	*Il habite* **là** (se rapporte au verbe)

Bien entendu, l'adverbe peut se rapporter à un autre adverbe (catégorie invariable):

très *longtemps*   **presque** *là.*

● Il peut aussi se rapporter à des **groupes de mots** globalement invariables, comme:

préposition+nom: **juste** *devant l'église*

conjonction+proposition: **longtemps** *avant que tu arrives;* **seulement** *pour que tu le saches.*

● Un cas notable est celui des adverbes de quantité se rapportant à un groupe de sens partitif composé de la préposition *de* et d'un nom:

(aspect continu): *beaucoup d'eau*

(aspect nombrable): *beaucoup de moutons.*

On a vu au § 108 que, dans cette construction, les mots comme *beaucoup* sont à interpréter non plus comme des adverbes (comparer, en latin: *multum ovium),* mais comme des **déterminants du nom** (latin: *multae oves).*

Ainsi se comportent en français courant des adverbes de sens absolu comme *assez, peu,* l'interrogatif *combien,* l'exclamatif *tant,* et de sens relatif comme *plus, moins, autant, trop,* en français familier *plein, pas mal;* on peut en rapprocher le mot *nombre* sans article en français littéraire *(nombre de gens...).*

L'adverbe *pas* (ou sa variante régionale *point)* est construit de la même façon, mais n'apparaît régulièrement qu'en corrélation avec *ne* (§ 129); comparer:

Il a **beaucoup** *d'amis.*   *Il n'a* **pas** (point) *d'amis.*

● Un groupe composé **d'une préposition et d'un nom** a la même nature **invariable** que l'adverbe, aussi lui fait-il souvent concurrence après le verbe:

Il jongle **adroitement** / **avec adresse**

Il habite **près** / **à proximité**

Il a répondu **inconsidérément** / **sans réflexion.**

Beaucoup de locutions adverbiales n'ont pas d'autre origine: *à côté, en tête, d'aplomb, à tâtons, de prime abord, de guerre lasse,* etc.

Un adverbe peut jouer le rôle du nom dans ce groupement:

Il vient **de là.**   *Il n'a pas répondu* **jusqu'ici.**

Depuis quand *n'est-il pas venu ?*

Un groupe préposition+nom se rapportant très normalement à un nom *(la porte de la rue, les voitures de l'avenir),* un groupe préposition+adverbe le peut aussi :

la porte **de derrière**   *les voitures* **de demain.**

● Certains adverbes ne sont autre chose qu'une préposition suivie d'un nom sous-entendu ou plus exactement **représenté** (§ 26). Normalement, le nom représenté est de sens inanimé, ce qui semble lié à la nature invariable (donc "neutre", § 136) de l'adverbe ; comparer :

Voici le magasin, arrêtez-vous **devant.**
Voici Paul, arrêtez-vous **devant lui.**

Il a pris un fusil et s'est promené **avec.**
Il a invité Jeanne et s'est promené **avec elle.**

Seuls, les adverbes *en* et *y* représentent des personnes aussi bien que des choses quand le sens du verbe s'y prête, mais on les appelle alors "pronoms adverbiaux" (§ 142).

● L'adjectif ne diffère essentiellement de l'adverbe que par sa variabilité en genre et en nombre. Aussi quelques adjectifs **invariabilisés** sont-ils employés comme adverbes : *parler* **haut/bas/net,** *chanter* **juste/faux,** *boire* **ferme,** *sentir* **bon/mauvais,** *crier* **fort,** etc.

Remarques : a) En vertu de la définition donnée, l'adverbe n'est pas destiné à se rapporter directement au nom ; un petit nombre fait exception (par ellipse) : *des gens* **bien,** *les banquettes* **arrière.** *Non* (§ 129), *presque* et *quasi,* employés devant le nom, sont des préfixes : *la quasi-certitude.*

b) Une variation en genre et en nombre existe pour certains adjectifs employés adverbialement (§ 229), particulièrement pour *tout* (§ 157).

c) Le sens d'un adverbe se rapportant au verbe concerne souvent toute la phrase (§ 24, 3°) : *Ce roman est peut-être* (ou *certainement) le meilleur ; Bientôt, la neige fondra.* Mais la présence du verbe est nécessaire à son emploi.

d) On classe parmi les adverbes trois mots invariables, *oui, si, non,* qui expriment la modalité déclarative positive ou négative en représentant à eux seuls toute une proposition (§ 211)

Viendra-t-il ? – Oui.   *Il ne viendra pas. – Si.*

Je crois que oui (ou *si,* ou *non).*

Si et *non* sont effectivement nés d'adverbes portant sur un verbe supprimé par ellipse (autrefois : *si fait, non ferai).*

Ces trois mots peuvent ne remplacer que le verbe :

Ma femme n'aime pas les huîtres, et moi **si.**

128. SENS DES ADVERBES :

Du point de vue du signifié lexical

● Aux adjectifs qualificatifs correspondent des **adverbes de manière,** exprimant des traits essentiels ajoutés au sens lexical du mot auquel ils se rapportent ; comparer :

un **bon** *jongleur*   *Il jongle* **bien.**
une élégance **subtile**   *Il est* **subtilement** *élégant.*

Aux adjectifs de sens plutôt quantitatif correspondent des **adverbes de quantité** (§§ 123, 130) ; comparer :

un **gros** *travail*   *Il a* **beaucoup travaillé.**

un **petit** *repos*   *Il se repose* **peu.**

une **grande** *adresse*   **très** *adroit*

Comme la qualité, la manière se confond souvent avec la quantité :

Nous avons un retard **terrible**   *Nous retardons* **terriblement.**

● Parmi les adverbes n'indiquant pas la manière ou la quantité, nombreux sont ceux qui servent au **repérage dans l'espace et dans le temps** (§ 12) :

— une vingtaine d'adverbes de **lieu** comme *ailleurs, arrière, autour, avant, çà, ci* ou *ici, contre, dedans,* etc. et autant de locutions dont beaucoup sont composées sur la base des adverbes : *au-dedans, en dehors, ci-après, de-ci de-là, là-dedans, ci-contre, là-bas, par-ci, par-là,* etc.

— une trentaine d'adverbes de **temps** comme *alors, après, aujourd'hui, aussitôt, autrefois, bientôt, déjà,* etc. et un grand nombre de locutions comme *avant-hier, après-demain, à l'instant, à présent, entre-temps, sur-le-champ, tout à coup,* etc. Parallèlement au système de référence absolue :

avant-hier - hier - maintenant - demain - après-demain

existe un système de référence relative (§ 12) :

l'avant-veille - la veille - alors - le lendemain - le surlendemain.

D'autres adverbes marquent différentes **relations logiques** :

But : **Pourquoi** *venez-vous me voir ?*

Cause : **Pourquoi** *marche-t-il de travers ?*

Concession : *Je crains les Grecs,* **même** *offrant des présents.*

Hypothèse : **Eventuellement,** *j'accepterais un travail manuel.*

D'autres (ou les mêmes, comme *pourquoi*) soulignent la **modalité** de la phrase :

Affirmation : *certes, assurément ;*

Doute : *peut-être, probablement ;*

Quantification exclamative : *que, comme* (français courant), *ce que, qu'est-ce que* (français familier).

D'autres marquent la **négation** d'un mot ou d'un groupe de mots (§ 129).

129. ADVERBES DE NÉGATION :

Il est montré au § 25 qu'en bonne logique le caractère ''faux'' d'un seul terme d'une proposition entraîne le caractère ''faux'' de toute la proposition, ce qu'exprime grammaticalement un adverbe négatif portant sur le verbe.

EMPLOI DE *NE* SANS CORRÉLATIF

L'adverbe négatif peut se réduire à *ne :*

1° **Au sens négatif,** il survit dans certains entourages lexicaux :

— devant un petit nombre de verbes en langue recherchée :

je n'ose, je ne puis, je ne sais

— dans certaines locutions d'un ton recherché *(N'ayez crainte, A Dieu ne plaise ! on ne peut mieux, Que ne viens-tu ? Je n'ai que faire de vos dons, Je n'ai d'autre ami que Paul)* ou même du langage courant *(n'importe qui, je ne sais qui, n'empêche que..., si ce n'est).*

2° **Au sens dit ''explétif''** (ou mieux **abusif**), en langue écrite, *ne* est employé facultativement par redondance dans une proposition régie par un verbe ou une conjonction dont le signifié lexical contient une idée négative :

Je crains qu'il **ne** *vienne.*

Prends garde / Empêche qu'il **ne** *te voie.*

(Une véritable négation frapperait *vienne* ou *voie* si l'on employait *ne...
pas* : *Je crains qu'il* **ne** *vienne* **pas**).

On le rencontre aussi dans les propositions comparatives (§ 273).

Le français parlé familier, qui exprime toute négation sans *ne*, ignore cet
usage : *J'ai peur qu'il vienne.*

Les conjonctions favorisant cet emploi sont *de peur que, à moins que,
avant que :*

Allez le voir avant qu'il ne soit parti.

Ce *ne* redondant n'a pas de raison d'apparaître dans les propositions
objets si le verbe principal est négatif :

Je ne crains pas qu'il vienne.

Remarque : L'emploi abusif de *ne* résultant d'une mauvaise logique de la construction, il
n'est pas étonnant de le rencontrer par analogie dans d'autres cas où le sens s'y prête, par exemple après *sans que* ou après un verbe de négation *(nier)* ou de doute *(douter)* construit lui-même
négativement ou interrogativement. Il devient une fausse marque de culture. C'est à juste titre que
l'arrêté du 28-12-76 le déclare facultatif dans tous les cas.

EMPLOI DE *NE* AVEC UN CORRÉLATIF

En français écrit, le signifié ''négation'' a normalement un signifiant double, composé de *ne,* qui précède obligatoirement le verbe, et d'un **élément corrélatif** adverbial *(pas, guère, jamais, nulle part, plus),* adjectif *(aucun),* pronominal *(personne, rien)* ou conjonctionnel *(ni).*

Les corrélatifs *jamais, nulle part, aucun, personne, rien, ni* peuvent être
placés avant *ne :*

Jamais il ne vient.   Rien n'y fait.

Ni son père ni sa mère n'étaient là.

Aux formes simples du verbe, tous les corrélatifs peuvent être placés
après :

Il ne vient pas.   Il ne vient jamais.   Il ne fait rien.

Il n'a ni ami ni ennemi.   Il n'a pas d'ami, ni d'ennemi.

Aux formes composées du verbe, les corrélatifs *pas, guère, jamais, plus
rien* sont placés avant le participe :

Il n'est pas venu.   Il n'a rien fait.

A l'exception de *pas,* les corrélatifs adverbes, adjectifs et pronoms sont
des mots de sens indéfini auxquels *ne* **seul confère la valeur négative** :

Je n'ai parlé à personne.
(= Je n'ai pas parlé à qui que ce soit)

Il n'a jamais mordu.
(= Il n'a pas mordu à quelque moment que ce soit).

N'étant pas négatifs à eux seuls, ils sont compatibles entre eux :

Je n'ai jamais vu ça nulle part.   Personne ne veut rien ?

mais non avec **pas** :

*Il n'a pas jamais mordu.   *Il n'a pas ni d'ami, ni d'ennemi.

sauf dans quelques expressions où *pas* détruit la valeur négative du second
corrélatif :

Ce n'est pas rien (= C'est quelque chose) !

L'adverbe *jamais,* les pronoms *personne* et *rien* et l'adjectif *aucun* se rencontrent sans *ne* au sens positif dans des contextes interrogatifs ou impliquant
une restriction de réalité (doute, comparaison) :

As-tu jamais vu ça ?   Il est plus malin que personne.

Je désespère de trouver **aucun** *ami.*

Il est trop sot pour se douter de **rien.**

Il en est de même après *sans* pour *personne, rien, aucun :*

Il est venu sans **aucun** *bagage.*

Mais tous les corrélatifs s'emploient sans *ne* au sens négatif :

1° **en l'absence de verbe :**

Qu'as-tu dit ? – **Rien.**

Aucun *bruit dans la rue,* **pas** *un chat.*

2° **en français parlé familier** (facultativement) :

J'ai **rien** *dit. J'ai vu* **personne.** *Y a* **pas** *un chat.*

Remarques : a) L'emploi de *point* au lieu de *pas* est régional.

b) *Nul* se rencontre pour *aucun* en français littéraire :

Vous n'aurez nulle autre occasion.

c) *Rien* est négatif sans *ne* après certaines prépositions *(pour, avec...) : Je l'ai eu pour* **rien.**

La locution *ne... que* exclut le membre qui la suit de la portée de la négation :

Je **n'ai** **que** *vingt francs sur moi.*
(= Je n'ai rien sauf 20 F, J'ai seulement 20 F).

L'adverbe *pas* inverse le sens de la locution :

Je **n'ai** **pas que** *vingt francs* (J'ai plus).

Le français parlé supprime (facultativement) *ne*

J'ai **que** *20 F   Je travaille* **que** *pour les impôts.*

L'ADVERBE *NON*

On dispose de l'adverbe *non* pour faire porter sans ambiguïté la négation sur un terme autre que le verbe (§ 29, § 79) :

Je voudrais des oranges **non traitées.**

Mon frère habite **non loin** *d'ici.*

Je l'ai convaincu **non sans mal.**

Il habite **non** (ou **non pas**) **en ville,** *mais en banlieue.*

La langue parlée familière remplace *non* par *pas : pas traitées, pas loin d'ici, pas sans mal.*

Devant un nom, *non* est un préfixe soudé au mot (d'où le trait d'union) et ne peut être remplacé par *pas : la non-violence* (§ 75).

130. VARIATION DE L'ADVERBE EN DEGRÉ :

Le tableau du § 123 comprend à droite une colonne ADVERBE où les exemples sont en tout point analogues à ceux de la colonne ADJECTIF. Une différence n'apparaît pas dans ces exemples : alors que **l'article** du superlatif relatif est variable pour l'adjectif (**le** *plus adroit,* **la** *plus adroite,* **les** *plus adroits),* il est bien entendu **invariable** pour l'adverbe :

C'est Jean qui court **le** *plus vite.*
C'est Jeanne qui court **le** *plus vite.*
C'est Jean et Paul qui courent **le** *plus vite.*

Les superlatifs adverbiaux *le plus, le moins* sont nés de *plus, moins* par analogie :

Rose travaille **plus** $\Longrightarrow$ *Rose est* **plus** *travailleuse*
Rose travaille **le plus** *Rose est* **la plus** *travailleuse*

Ils sont appliqués à des adjectifs dans des phrases comme :

C'est quand il pleut qu'elle est **le plus** *gaie.*

(Cette phrase contient le superlatif de l'adverbe *plus,* et non celui de l'adverbe *gaie).*

Le français conserve deux formes latines de comparatif adverbial : *mieux* (lat. *melius)* et *pis* (lat. *pejus).*

Mieux (superlatif : *le mieux)* est le comparatif usuel de *bien ;* il exclut **plus bien.*

Pis, comparatif de *mal,* n'est conservé que dans des locutions : *de mal en pis, au pis aller, tant pis.* La langue littéraire en use, conformément au latin, comme attribut d'un pronom neutre : *Cela est pis.* Le français courant use en ce sens de *pire : C'est pire.*

Remarque : L'arrêté du 28-12-76 rend facultatifs l'accord ou l'invariabilité de l'article devant *plus, moins, mieux* suivi d'un adjectif ou d'un participe.

D. Mots de relation invariables

131. PRÉPOSITION ET CONJONCTION :

Il est difficile de séparer dans l'étude les prépositions et les conjonctions, qui ont deux points communs : elles expriment lexicalement une **relation** (de lieu, de temps, de but, de cause, etc.) et, à la différence du pronom relatif, elles sont **invariables ;** elles diffèrent entre elles surtout par la fonction syntaxique, comme le montre le tableau suivant :

		DÉPENDANCE UNILATÉRALE (Complémentation)	INDÉPENDANCE RÉCIPROQUE (Coordination)
Le mot de relation	**introduit un mot**	1 *Il fait la sieste* **après** *le déjeuner*	3 *le déjeuner* **puis** *la sieste*
	introduit une proposition	2 *Il fait la sieste* **après que** *il a déjeuné*	4 *Il déjeune* **puis** *il fait la sieste*

Dans chacune des cases 1, 2, 3 et 4, une relation temporelle est exprimée par le mot en gras entre un terme *d* (le "déjeuner") et un terme *s* (la "sieste").

Dans les cases 1 et 2, cette relation logique se double d'une relation syntaxique ; les deux termes sont en rapport de complémentation (§ 21) : *d* dépend de *s* qui ne dépend pas de *d*. La figure du bas de la colonne ne représente pas un ordre des mots obligatoire ; on peut très bien dire :

Après le déjeuner, il a fait la sieste.

Après qu'il a déjeuné, il fait la sieste.

Que le complément *d* soit placé avant ou après *s*, l'ordre des faits est le même, le sens de la relation n'est pas affecté : le procès "*s*" fait suite au procès "*d*".

Dans les cases 3 et 4, les deux termes sont en rapport de coordination (§ 21), dépendant éventuellement chacun d'un tiers terme qu'on peut imaginer *(Le déjeuner puis la sieste réparent les forces du planteur)*. L'ordre des faits n'a plus de marque grammaticale, il résulte essentiellement de la place respective de *d* et *s* dans la chaîne de l'énoncé, et est exprimé lexicalement (et facultativement) par *puis*. On ne pourrait pas placer *s* avant *d* sans changer l'ordre des faits (**puis la sieste, le déjeuner ; la sieste, puis le déjeuner*).

Le mot *puis* employé dans les cases 3 et 4 est appelé **conjonction** (§ 134).

Il serait logique qu'on ait un terme commun pour désigner les mots *après* et *après que* des cases 1 et 2. Malheureusement, *après* est appelé **préposition** et *après que* **conjonction**. Le trait de couleur circonscrivant dans le tableau le domaine de la "conjonction" souligne ce déséquilibre terminologique, auquel on remédie imparfaitement en distinguant :

— les **conjonctions de subordination** (case 2)
— les **conjonctions de coordination** (cases 3 et 4).

132. PRÉPOSITIONS :

L'emploi d'une **préposition** implique la mise en rapport de deux termes, *a* et *b,* constituant un syntagme dont la formule peut être écrite *a R b ;* exemple : *agir avec prudence.*

La préposition *avec* est la marque du lien qui unit *prudence* à *agir ;* il ne faut pas tenir l'ensemble *a R b* pour la réunion de *a + Rb,* car cette formule est réalisée dans la langue sous la forme *agir prudemment :* la formule *Rb* a en français son expression propre qui est l'**adverbe**. En latin, en allemand, c'est l'adverbe **et le cas ;** le français est une langue plus **analytique.**

Un linguiste a suggéré de remplacer *préposition* par *interposition.*

Pourtant, la syntaxe "prépose" la préposition au mot qu'elle introduit et ne l'en écarte jamais beaucoup, alors qu'elle l'écarte sans dommage du mot complété :

En *vacances, je couche* **sous** *la tente* **avec** *mes parents.*

La clarté impose évidemment qu'on rapproche chaque préposition du terme dont elle marque la relation, et qu'on ne dise pas, par exemple :

Vacances, je couche* **en sous avec *la tente mes parents.*

En somme, la préposition est un indice de fonction du mot qu'elle introduit, lequel est le véritable terme de la relation ; il n'est nullement illogique de dire : "*Tente* est le complément de lieu du verbe *couche*".

Ce complément est construit **indirectement.** Au contraire, un complément sans préposition (comme *l'été* remplaçant *en vacances)* est un complément **direct.**

Il existe de même des sujets, des attributs, des appositions, des épithètes directs et indirects (IVe Partie).

● L'identité de signifié entre l'adverbe *(Rb)* et le complément direct *(R+b)* entraîne des possibilités de substitution comme *prudemment/avec prudence.*

Elle permet aussi que certaines prépositions s'emploient sans régime en fonction d'adverbe représentant (§ 127); ce sont *avant, après, avec, contre, devant, derrière, depuis, selon,* et en français familier *entre, pour* et *sans :*

Arrêtez-vous **devant** *le magasin.*

Voici le magasin, arrêtez-vous **devant.**

D'autres prépositions sont remplacées par des adverbes qui en dérivent au moyen du préfixe *de :*

Va **dans** *la maison.*	*Mets-toi* **sous** *l'auvent.*
Va **dedans.**	*Mets-toi* **dessous.**

Des locutions prépositives terminées par *de* deviennent adverbes sans *de :*

A défaut de *lait, mettez de l'eau.*	*Signe* **au bas du** *tableau.*
A défaut, *mettez de l'eau.*	*Signe* **au bas.**

● Certains mots sont employés soit comme prépositions invariables, soit comme adjectifs ou participes variables, selon leur place avant ou après un nom ; comparer :

N'appelez plus **passé** *vingt heures /* à *vingt heures* **passées.**

Tout le monde part, **excepté** *(ou* **y compris)** *Jeanne / Jeanne* **exceptée** (ou **comprise).**

L'arrêté du 28-12-1976 autorise l'invariabilité ou l'accord dans toutes les positions.

L'adjectif *sauf* au sens d'''excepté'' et le participe *vu* au sens causal ne s'emploient qu'avant le nom, donc invariables : *vu l'heure tardive ;* le participe *étant donné* est accordé facultativement quelle que soit sa place :

Etant donné (ou *donnée) l'heure tardive.*

La locution *il y a,* au sens d'une préposition temporelle, peut se mettre à l'imparfait :

Il était venu **il y avait** *deux jours* (= deux jours avant).

● Le **régime** de la préposition — c'est-à-dire le mot qu'elle introduit, le terme de la relation qu'elle marque — peut être un **nom** *(prudence),* un **pro-nom** *(elle, moi),* un **verbe à l'infinitif** *(Frapper avant d'*entrer**), un **adjectif** *(quelque chose de* **bon),** un **adverbe** *(la porte de* **derrière).**

Il arrive qu'elle introduise une proposition subordonnée, substantivée par sa propre conjonction :

Souviens-toi de quand tu m'as rencontré.

Le support de la préposition — c'est-à-dire le terme sans lequel le complé-ment prépositionnel ne pourrait être employé — est généralement un mot, mais peut être toute une proposition (§ 24, 3º); certaines prépositions sont spécialisées dans cet emploi :

Quant à *Paul, sa télé est en panne.*

● Bien que certains linguistes appellent les prépositions des ''mots gram-maticaux'' par opposition aux ''mots lexicaux'' que sont les noms, les adjectifs, les adverbes et les verbes, il ne faut pas oublier qu'en principe ''tout mot relève à la fois du lexique et de la grammaire'' (§ 68). Une différence **lexicale** oppose *venir* **à** *Paris* et *venir* **de** *Paris.*

Les prépositions, comme les adverbes, ont des sens variés : relation de lieu, de temps, de but, de cause, de moyen, de conséquence, de concession, de condition, de manière, d'addition, d'exception, etc.

Les plus employés d'entre elles sont hautement **polysémiques** (§ 71). Certains de leurs emplois, explicables par un glissement de sens si l'on remonte l'histoire de la langue, n'ont plus qu'une fonction grammaticale et sont donnés pour sémantiquement "vides". C'est le cas surtout pour *de,* rencontré 50 fois en moyenne sur 100 prépositions dans le discours, et pour *à* (14 fois). *De* n'est plus qu'une marque de fonction (sujet) dans une phrase comme :

Il est fatigant **de** *ramer.*

Quelle nuance sémantique relèverait-on entre *à* et *de* dans :

J'essaie **de** *skier.*   *J'apprends* **à** *skier.*

alors qu'on ne peut choisir dans ces phrases entre *à* et *de,* et qu'on dit sans préposition :

J'essaie le ski.   *J'apprends le ski ?*

133. CONJONCTIONS DE SUBORDINATION :

Les conjonctions de subordination sont :

quand, comme, si, que et les composés de **que** : *lorsque, puisque, quoique, avant que, pendant que, pour que,* etc.

● Chacune des quatre conjonctions simples se trouve être homonyme d'un mot d'une autre classe *(quand* adverbe interrogatif, *comme* et *si* adverbes exclamatifs, *que* pronom relatif ou interrogatif) dont on peut la distinguer par le trait suivant : **La conjonction marque le début d'une proposition subordonnée** (§ 23, 2°) **à l'intérieur de laquelle elle n'assume aucune fonction.** Comparer :

Quand *partira-t-il ?*

Je ne sais pas **quand** *il partira (quand* est adverbe interrogatif, remplaçable par *à quelle date,* complément de temps de *partira).*

Je le verrai passer **quand** *il partira (quand* est conjonction, remplaçable par *lorsque,* introduisant une subordonnée temporelle où il ne remplit aucune fonction).

Comme *tu as grandi !* (proposition indépendante où *comme* est adverbe, remplaçable par *que,* complément de quantité de *as grandi ;* on peut le retrancher)

J'ai fermé la porte **comme** *tu me l'as dit (comme* est conjonction, remplaçable par *ainsi que,* introduisant une subordonnée de comparaison où il ne remplit aucune fonction).

Je ne te savais pas **si** *fort* (proposition indépendante où *si* est adverbe, remplaçable par *tellement,* complément de quantité de *fort ;* on peut le retrancher).

Je ne savais pas **si** *tu viendrais (si* est conjonction, introduisant la subordonnée interrogative *tu viendrais* où il ne remplit aucune fonction).

J'attends le livre **que** *tu m'as promis (que* est pronom relatif, complément d'objet de *as promis).*

J'attends **que** *tu m'envoies ce livre (que* est conjonction, sans fonction dans la proposition subordonnée).

• La conjonction *que* n'est souvent qu'une **marque de substantivation** de la proposition qu'elle introduit, et qu'on peut considérer comme l'équivalent d'un nom de construction directe (complément d'objet, attribut, apposition, sujet logique) ; ce n'est pas le rôle d'une préposition, et la preuve en est que le plus souvent aucune préposition ne remplace *que* si l'on substitue un nom à la proposition subordonnée ; comparer :

> *Je me rappelle* **qu'***il est venu.*
> *Je me rappelle sa visite.*

Si une préposition apparaissait, ce serait une préposition "vide", ne résultant pas d'un choix (§ 132) ; comparer :

> *Je me souviens* **qu'***il est venu.*
> *Je me souviens* **de** *sa visite.*

• Les autres conjonctions, sauf *si* interrogatif, joignent l'expression d'une relation à la fonction substantivante ; elles équivalent à une préposition suivie de *que ;* comparer :

> *Il court* **pour** *son pays.*
> *Il court* **pour que** *son pays gagne.*

Ainsi sont composées *avant que, depuis que, dès que, sans que.* Mais avec les prépositions *de, à, en, par,* le rattachement direct à *que* n'est pas permis ; le pronom neutre *ce* sert de relais ; comparer :

> *La vieille bonne s'excusa* **de** *son retard.*
> *La vieille bonne s'excusa* **de ce que** *le repas n'était pas prêt.*

Cette dernière phrase n'est pas à confondre avec celles où *que* est pronom relatif (complément d'objet ou attribut) :

> *La bonne s'excusa* **de ce qu'***elle avait dit.*

Ainsi sont composées *à ce que, de ce que, en ce que, parce que* (ce dernier écrit en deux mots).

La conjonction simple *que* unit, dans certains emplois familiers, l'expression d'une relation à la marque de substantivation :

> *Courons plus vite,* **qu'**(= pour qu') *il ne nous rattrape pas.*
> *Elle s'en aperçut* **qu'**(= alors qu') *il était déjà trop tard.* (Florian)

• *Si* interrogatif unit la fonction substantive à l'expression de l'interrogation indirecte (§ 265) ; comparer :

> *Ce baromètre me dit* **qu'***il fera beau* (affirmation)
> *Ce baromètre me dit* **s'***il fera beau* (interrogation).

Dans ces deux phrases, la subordonnée, étant complément d'objet, ne peut être placée avant la principale. Au contraire, l'ordre est réversible là où *si* est conjonction de condition :

> *Nous sortirons* **s'***il fait beau.*   **S'***il fait beau, nous sortirons.*

• Quand deux propositions subordonnées sont coordonnées entre elles, *que* peut remplacer en tête de la seconde toute autre conjonction commençant la première, sauf *si* interrogatif (représentation, § 26) :

> **Quand** *il fera jour et* **que** *le brouillard se sera levé...*
> **S'***il fait beau et* **qu'***on puisse sortir...*

Remarques : a) Le support d'une proposition introduite par une conjonction de subordination est le plus souvent un verbe *(savoir, attendre, courir* dans les exemples donnés) ; il peut être un nom *(l'idée que, le fait que),* un adjectif *(certain que),* un adverbe *(certainement que),* un présentatif *(voilà que,* § 223, 1°).

b) On observe une contradiction dans la manière traditionnelle de dénommer le signifié relationnel des conjonctions de subordination ; on dit qu'*avant que* exprime l'antériorité, *après que* la postériorité en pensant au fait principal antérieur, ou postérieur par rapport au fait subordonné ; au contraire, on dit que *parce que* exprime la cause, *afin que* le but en pensant au fait subordonné.

134. CONJONCTIONS DE COORDINATION :

A la différence des prépositions et des conjonctions de subordination qui impliquent la dépendance du terme qu'elles introduisent par rapport à leur support, donc une inégalité fonctionnelle, les conjonctions de coordination impliquent l'**égalité fonctionnelle** des termes qu'elles associent (§ 21, 3°, § 23).

C'est évident quand chacun de ces termes a la même fonction que l'autre par rapport à un mot de la phrase *(Invite Paul et Jean)*. Quand les termes sont des propositions indépendantes, la conjonction de coordination les associe comme des unités saisies dans leur entier. Comparer les phrases suivantes :

1. *Ils ont joué dans le pré ; ils sont rentrés* **tard** *à la maison.*

2. *Ils ont joué dans le pré ; ils sont rentrés* **après une heure** *à la maison.*

3. *Ils ont joué dans le pré ;* **après cela,** *ils sont rentrés à la maison.*

4. *Ils ont joué dans le pré ;* **puis** *ils sont rentrés à la maison.*

En 1, l'adverbe *tard* est complément de temps de *sont rentrés ;* il n'implique aucune relation entre les deux propositions. En 2, le même rôle est joué par un nom complément prépositionnel. En 3, le complément prépositionnel *après cela* représente toute la proposition précédente, qu'il met en relation temporelle avec toute la proposition où il figure ; il reste complément du verbe, auquel il pourrait être postposé en fonction de propos (§§ 14, 15) : *ils sont rentrés à la maison après cela.* En 4, l'adverbe *puis* indique la même relation temporelle entre les deux propositions, mais il figure obligatoirement au début de la seconde, et est inapte à la fonction de propos (**ils sont rentrés puis*). La place en tête n'est pas un trait indispensable des conjonctions de coordination : des mots comme *donc, pourtant,* sont à ranger dans cette classe bien qu'ils puissent figurer en fin de proposition comme en tête, mais **ils n'ont jamais la fonction de propos.**

Aptes à commencer la proposition, les conjonctions de coordination sont **inaptes à commencer un texte,** puisqu'elles impliquent un rapport avec une partie précédente du texte.

Cet ensemble de critères permet d'appeler conjonctions de coordination :

1° les sept "conjonctions" de la grammaire traditionnelle :

> **et   ou   ni   mais   car   or   donc**

2° un certain nombre de mots souvent classés dans les adverbes, mais inaptes à la fonction de complément, comme :

puis, enfin, bref, même, pourtant, cependant, toutefois, néanmoins, du moins, du reste, en outre, en somme, par conséquent, etc.

3° un certain nombre de mots pouvant fonctionner soit comme conjonction, soit autrement, éventuellement avec un sens très différent ; comparer :

Achète ce que tu veux ; **seulement,** *ne compte pas sur moi* (conjonction).
Ils sont arrivés **seulement** *à deux heures* (adverbe).

La langue se transforme ; **ainsi,** *on ne dit plus "j'ai chu"* (conjonction).
N'agitez pas **ainsi** *vos mains* (adverbe).

Voici quelques particularités à connaître sur l'emploi de certaines conjonctions :

● **Et,** s'il coordonne des noms, exprime l'addition des ensembles signifiés :

> *Je veux des œufs* **et** *du beurre*

S'il coordonne des verbes, il peut exprimer la succession temporelle des procès :

> *Paul a frappé* **et** *est entré.*

Si les termes associés sont plus de deux, *et* n'est exprimé qu'entre les deux derniers :

Coupe des roses, des tulipes **et** *des lis.*

Sa répétition, dans la langue littéraire, vise un effet d'accumulation ; il peut alors précéder même le premier terme :

Que cent peuples unis, des bouts de l'univers,
Passent pour la [Rome] détruire **et** *les monts* **et** *les mers.* (Corneille)

● **Ou** marque l'alternative ; s'il y a plus de deux termes associés, il n'est généralement exprimé, comme *et,* qu'entre les deux derniers :

Voulez-vous une rose, une tulipe **ou** *un lis ?*

● Au contraire, **soit** doit être répété :

Coupe **soit** *une rose,* **soit** *une tulipe,* **soit** *un lis.*

ainsi que **tantôt** :

Il achète **tantôt** *des roses,* **tantôt** *des tulipes,* **tantôt** *des lis.*

● **Ni** a le même sens que *ou,* mais dans un contexte négatif :

Je ne veux **ni** *rose,* **ni** *tulipe,* **ni** *lis.*
Je ne veux pas de rose, **ni** *de tulipe,* **ni** *de lis.*

● **Mais** oppose deux termes seulement :

J'aime les roses, **mais** *je préfère les lis.*

Il est donc illogique de le répéter :

*J'aime les roses, **mais** *je préfère les lis,* **mais** *je déteste les tulipes.*

● **Car** introduit une explication logique (nuance de la cause) :

Je lui pardonne, **car** *il est mon frère.*

● **Or** exprime le contraste ou introduit le second terme d'un raisonnement ; il fait alors attendre une conclusion :

Les hommes sont mortels, **or** *Socrate est un homme, (donc...)*

● **Donc** introduit une conclusion, c'est-à-dire une conséquence :

Il est mon frère, **donc** *je lui pardonne.*

*... **donc** Socrate est mortel.*

Remarques : a) Les conjonctions de coordination ne dispensent pas d'employer un signe de pause, sauf *et, ou* et *ni* répété ; voir § 58.

b) Certaines relations logiques peuvent être exprimées soit par des conjonctions de coordination, soit par des conjonctions de subordination ; ainsi *car* et *parce que* expriment également la cause ; la différence qui les sépare est montrée au § 131.

E. Le pronom

135. SENS DU PRONOM :

Le terme de **pronom** désigne une classe de mots employés ''à la place du nom'', c'est-à-dire **avec les mêmes fonctions dans la proposition ;** exemples :

Fonction sujet		Fonction complément d'objet	
Le gazier	*est venu*	*Appelle*	*ton père.*
Quelqu'un			**quelqu'un.**

Fonction complément circonstanciel

J'irai au cinéma avec $\Big\}$ *Paul.*
quelqu'un

Cette similitude d'emploi résulte bien entendu d'une similitude de sens : comme le nom, le pronom **désigne un ensemble** d'éléments, parfois réduits à un, qui peuvent être des personnes, des choses, des actions, des qualités (tout ce qui peut être substantivé en "ensemble").

Mais alors que le signifié du nom contient un élément lexical *(p)* différent, par exemple, pour les noms *éléphant, canari, hareng,* **le pronom n'a pas de contenu lexical propre** : un mot comme *ça* ou comme *il* peut désigner aussi bien un éléphant, un canari ou un hareng. Les seuls traits lexicaux suggérés par certains pronoms sont ceux que la grammaire assume sous le chef du **genre** (§ 136).

On distingue habituellement sept espèces de pronoms :

— Les pronoms **personnels** : *moi, vous, se...*

— Les pronoms **possessifs** : *le mien, les leurs...*

— les pronoms **démonstratifs** : *celui-ci, cela, ceux...*

— les pronoms **indéfinis** : *quelqu'un, certains, tous, chacun...*

— Les pronoms **interrogatifs** : *qui ? lequel ?...*

— Les pronoms **relatifs** : *qui, lequel...*

— Les pronoms **numéraux** : *les deux, la première...*

On peut les répartir grosso-modo en deux classes :

1° LES PRONOMS ABSOLUS.

A eux seuls, ils désignent un référent, d'une manière

— **déterminée** s'il est rapporté aux repères du réel (§ 12) : c'est le cas des pronoms personnels *moi* et *toi,* du démonstratif *ça (cela);*

— **indéterminée** s'il est seulement donné pour actuel : c'est le cas de certains indéfinis *(quelqu'un, quelque chose)* et de certains interrogatifs *(qui ? quoi ?).*

2° LES PRONOMS REPRÉSENTANTS (§ 26)

Ce monsieur *a perdu* **sa canne ;** *prête*-**lui celle-ci.**

Le pronom *lui* désigne par anaphore (§ 12) la personne présentée par le nom *ce monsieur;* on dit qu'il **représente** *ce monsieur,* lequel est son **antécédent.** *Celle-ci* a pour antécédent *sa canne.*

Quelquefois, l'antécédent est placé après le pronom :

un autre *de vos* **fils   quelques-unes** *de vos* **amies.**

Ce que le pronom dispense de redire, ce qu'il "représente" exactement, ce sont les marques du contenu lexical *(p)* ; il y ajoute sa substance, qui peut :

— être identique à celle de l'antédédent, comme *lui* et *ce monsieur;*

— être incluse dans celle de l'antécédent, comme *un autre* contenu dans *vos fils;*

— contenir celle de l'antécédent :

Voici encore deux **invités** : **tous** *seront là à midi.*

— n'avoir aucun élément commun avec celle de l'antécédent, comme les deux cannes de l'exemple donné plus haut.

Les mêmes latitudes n'existent pas pour tous les pronoms. Ainsi, le pro-

nom personnel et le pronom relatif ont obligatoirement la même extension que
leur antécédent ; ils ne peuvent reprendre au sens particulier un nom de sens
général ou inversement ; on ne dit pas :

> *Le chien* est un animal carnivore ; il a mangé notre bifteck.

> *Ma moto faisait du bruit, qui* est interdit devant l'hôpital.

Mais ces deux types de pronom peuvent représenter un adjectif, dont le
signifié n'a pas de substance :

> Elle n'était pas **menteuse**, mais elle **le** devient.

> Il n'a pas pu, **malade** qu'il était, achever la course.

Une règle applicable à tous les représentants **interdit qu'un pronom de
sens actuel représente un nom de sens virtuel** ; on ne dit pas :

> *J'ai planté le noyau de* **pêche que** tu as mangée hier.

mais on peut dire :

> J'ai planté le noyau d'**une pêche que** tu as mangée hier.

La représentation d'un virtuel par *qui (que)* est possible si le pronom garde
un signifié virtuel :

> Paul avait une mine apeurée de **chat qui** a volé la viande.

Remarques : a) Commme il est montré au § 26, un verbe comme *faire,* une conjonction
comme *que* peuvent être représentants. Parallèlement aux pronoms, certains adverbes peuvent
représenter, avec la fonction de complément circonstanciel (§ 127).

b) Dans les exemples qui ont été donnés, l'antécédent du pronom est un nom, sauf *menteuse*
et *malade,* qui sont adjectifs. Il peut être bien entendu un autre pronom :

> **Quelqu'un** vous demande. – Dites-**lui** d'attendre.

Il peut être un verbe :

> Venez donc **skier**. – J'ai horreur de **ça.**

ou toute une proposition, par là résumée et substantivée :

> **L'essence a augmenté.** – Je **le** craignais.

c) Certains pronoms sont employés soit comme représentants, soit au sens absolu ; exemple :

> Au milieu de tous ces **manteaux,** il faut retrouver **le mien** (= mon manteau).

> Cet homme est très attaché **aux siens** (= à sa famille).

Dans une phrase comme :

> Ma mère et moi, **nous** irons au magasin.

le pronom *nous* est à la fois :

— absolu puisqu'il désigne le locuteur *(moi)*

— représentant puisqu'il représente le nom *ma mère.*

136. GENRE DES PRONOMS ; LE NEUTRE :

Les pronoms **qui ont un nom pour antécédent** prennent le genre (masculin ou féminin) de ce nom ; cet "accord" facilite le repérage de l'antécédent
(§ 119).

Les **pronoms absolus** (§ 135) désignant des **personnes** sont de genre
indifférencié *(moi, toi),* mais sont tenus pour masculins ou féminins selon que
la situation donne pour référent évident un homme ou une femme.

Les pronoms absolus qui désignent des **choses** ne sont ni masculins ni
féminins ; ainsi, pour désigner un siège qui n'a pas encore été appelé *chaise*
ou *fauteuil,* on peut dire *ça,* qui convient à l'un comme à l'autre, et conviendrait à n'importe quelle chose dont on ne sait pas le nom, arbre, plante, bibelot,
machine ; on dit que *ça* est **neutre** (latin *neutrum,* ni l'un ni l'autre). *Quelque
chose* et *rien* sont aussi des absolus neutres.

On classe les formes du pronom interrogatif *qui/que/quoi* en deux genres :

— le genre **animé** s'il désigne des personnes :

Qui *vois-tu ?*   *Avec* **qui** *irez-vous ?*

— le genre **inanimé** s'il désigne des choses :

Que *vois-tu ?*   *Avec* **quoi** *pêchez-vous ?*

Le genre inanimé est identifié au "neutre", et non le genre animé, qui est pourtant indifférencié (le sexe dépendant de la réponse qui sera donnée à la question *qui ?*).

C'est par des formes de pronoms neutres *(le, que, ça)* que peuvent être représentés des mots ou groupes de mots sans genre ni nombre, adjectifs, verbes, propositions, comme il est montré § 135, Rem. b.

Mais le neutre, sous la forme du pronom *ce* ou *cela (ça),* du fait qu'il écarte toute considération de genre et de nombre (toute structuration de substance), sert à représenter, à propos d'un nom, son seul contenu lexical *(p) :*

Une grenouille, c'*est vert.*   **Les grenouilles, c'***est vert.*

F. L'article

137. SENS DES FORMES DE L'ARTICLE :

L'article est de beaucoup le plus employé des déterminants (c'est-à-dire des actualisateurs) du nom : sur les 312.135 mots composant les textes dépouillés par l'équipe de chercheurs du "français fondamental" (§ 100), l'article figure 29.692 fois, alors que les plus employés des autres actualisateurs, l'adjectif possessif et l'adjectif démonstratif, n'ont été relevés que respectivement 3.049 et 1.565 fois. Cette fréquence considérable, résultant de son sens très abstrait, et le fait qu'il est employé en association avec plusieurs des autres déterminants *(un autre homme, l'autre homme, le même homme, tous les hommes)* justifie le terme particulier d'**article** par lequel on le désigne, alors que tous les autres actualisateurs sont appelés "adjectifs".

● La fonction commune de tous les articles, innovation du bas latin apparaissant en français dès les plus vieux textes, est de **marquer le sens actuel** (c'est-à-dire la fonction *x,* § 108) **du nom.** S'accordant en genre et en nombre avec le nom, l'article a acquis au cours des siècles la fonction secondaire de **marquer le genre et le nombre.** Il y joint deux autres fonctions qui permettent de classer ses formes selon le tableau suivant :

	NOMBRABLE	CONTINU
INDÉFINI	*un, une, des*	*du, de la*
DÉFINI	*le, la, les*	

Les articles *le* et *la* s'élident dans les conditions indiquées aux §§ 35 et 36.

La distinction des sens **défini** et **indéfini** est expliquée sous le chef de la "détermination", au § 111. Celle des aspects **nombrable** et **continu** l'est sous le chef de la "quantité" au § 113.

Dans une phrase comme

1. *Cette oie a un goût de* **poisson.**

le signifié du nom *poisson* se réduit à son contenu lexical *p :* aucun élément *x* de l'ensemble des "poissons" n'est désigné (comparer : *un goût* **amer),** même si l'oie en question a été nourrie avec des déchets de poisson — ce qui n'est pas obligatoire.

Le cas est différent si un pêcheur, voyant trembler son bouchon, s'écrie, à l'adresse de son fils qui l'assiste :

2. **"Un** *poisson a mordu !"*

Le sens est actuel, un élément "poisson" *x1* est désigné, qui ne s'était pas encore présenté : il est "indéterminé". *Un* est l'article **indéfini nombrable.**

Si l'homme dit ensuite à son fils :

3. *"Décroche* **le** *poisson"*

le garçon sait de quel poisson il parle. *Le* est l'article **défini nombrable.**

Si la chance continue, en rentrant à la maison, le pêcheur pourra déclarer, à l'adresse de sa femme :

4. *"On t'apporte* **des** *poissons".*

Des n'est autre chose ici que le pluriel de *un,* article indéfini nombrable.

Si la femme dit :

5. *"On mangera* **les** *poissons demain"*

l'article *les* fonctionne comme le pluriel de *le,* article défini nombrable.

Le pêcheur pourrait aussi bien dire en rentrant :

6. *"On t'apporte* **du** *poisson".*

Il désignerait alors les poissons sous l'aspect continu, qui exclut le dénombrement, donc le pluriel. *Du* est l'article **indéfini continu.**

Et sa femme, en disant :

7. *"On mangera* **le** *poisson demain"*

emploierait au sens continu (puisqu'il est au singulier) le même article qui figurait au sens nombrable dans la phrase 3. La distinction des deux aspects n'a donc plus de marque avec l'article défini (si ce n'est le nombre singulier pour plusieurs poissons).

● Les prépositions *de* et *à* se contractent avec l'article défini quand il n'est pas élidé :

de le → *du*		*Je viens* **du** *bois.*
à le → *au*		*Je vais* **au** *bois.*
de les → *des*		*Je viens* **des** *champs.*
à les → *aux*		*Je vais* **aux** *champs.*

Il faut se garder de confondre *du* et *des,* **articles définis** contractés, avec *du* et *des* **articles indéfinis continu et nombrable.** Seuls ces derniers peuvent être remplacés par l'article défini sans *de : On t'apporte* **le** *poisson/***les** *poissons* (et non : **Je viens* **le** *bois/***les** *champs).*

● Impliquant la "fonction *x"*, l'article **donne la classe nom** à un mot ou groupe de mots quelconque : *un brave, un riche ; un arrêté, un revenant ; une basse, une fondue ; le bien, le mal ; le manger, le dormir ; du solide, du beau, de l'ancien ; le qu'en dira-t-on.*

L'article suivi d'un nom d'artiste désigne une œuvre de cet artiste : *un Delacroix, les Buffet, du Chopin.*

Le genre choisi en pareil cas est éventuellement déterminé par le nom sous-entendu : *un (homme) brave, une (voix) basse.* Lorsque, l'article étant au singulier, aucun nom ne peut être sous-entendu, le nom créé est neutre ; comparer :

De ces deux meubles, **l'ancien** *est* **celui** *que je préfère.*
En matière de meubles, **l'ancien** *est* **ce** *que je préfère.*
Il a gardé **un Matisse, celui** *qu'il préférait.*
Le Chopin *est* **ce** *qu'elle préfère.*

Remarques : a) La tradition est d'appeler **partitif** l'article indéfini continu, par confusion de son emploi avec celui de la préposition *de* au sens partitif suivie d'un nom déterminé :

Prenez de ce gâteau.   *Prenez de la tarte que j'ai faite.*

Dans ces deux phrases, le complément d'objet de *prenez* est effectivement "partitif" : le locuteur ne désigne qu'une partie du gâteau ou de la tarte en question. Mais quand le pêcheur dit : *"On apporte* **du poisson"**, il désigne toute la quantité de poisson qu'il a pêchée. On dit : *Prenez un peu de ce gâteau,* mais non : **Prenez un peu du poisson.* On dit : *Du poisson restait dans la cale,* mais non : **De ce gâteau reste dans le plat.* L'indéfini continu n'est pas plus partitif que l'indéfini nombrable pluriel *des,* pareillement confondu avec l'article défini contracté partitif *(Prenez un peu des gâteaux que j'ai faits").*

b) L'article dit partitif apparaît exceptionnellement au pluriel devant les noms de substances continues qui ne s'emploient qu'au pluriel :

Mangez des épinards, des rillettes.

138. DEUX RÈGLES D'OMISSION DE L'ARTICLE :

Il n'y a pas à reparler des causes d'omission communes à tous les actualisateurs du nom (§ 112). Deux règles sont propres à l'article :

1° L'article indéfini pluriel prend la forme *de* **devant un adjectif précédant le nom :**

de *beaux fruits* (et non : ***des** *beaux fruits).*

Cette règle est souvent enfreinte en français parlé relâché.

Elle ne s'applique pas lorsque l'adjectif constitue avec le nom un mot composé :

J'ai acheté **des petits fours.**

La même règle a existé pour l'article indéfini continu : *de bon pain, de bonne bière ;* mais la langue écrite courante comme la langue parlée ont cessé de l'appliquer, et emploient *du, de la* qui ont l'avantage de marquer pour l'oreille le nombre singulier : *du bon pain, de la bonne bière.*

2° Les articles *des, du, de la* **sont omis après la préposition** *de ;* une phrase comme

Le champ était bordé **d'une haie**

devient, s'il y a plusieurs haies :

Le champ était bordé **de haies** (= **de* **des** *haies).*

Le nom *haies* n'est pas ici virtuel, il peut être représenté par *que* malgré la règle donnée à la fin du § 135 :

J'ai entouré mon champ **de** *haies* **que** *les moutons ne peuvent franchir.*

De même, on dit :

Ce repas fut arrosé **de** *vin* **que** *l'on coupa pour les enfants.*
(c'est-à-dire : **de* **du** *vin que l'on coupa...).*

G. Pronoms personnels

139. TABLEAU DES FORMES :

PERSONNE		FORMES CONJOINTES			FORMES DISJOINTES
		Cas sujet	Cas régime	Cas datif	
1re sing.		je	me (moi)		moi
2e sing.		tu	te (toi)		toi
3e sing.	masc.	il	le	lui	lui
	fém.	elle	la		elle
Indéfini		on			
1re plur.			nous		
2e plur.			vous		
3e plur.	masc.	il	les	leur	eux
	fém.	elles			elles
Réfléchi			se		soi

Tu est élidé en français familier : *T'as raison.*

Il et *ils* sont prononcés couramment [i] devant consonne : *il(s) monte(nt)* [imɔ̃t], et respectivement [il] et [iz] **devant voyelle** : *il arrive* [ilariv] , *ils arrivent* [izariv].

140. DÉSIGNATION DES PERSONNES ET DES CHOSES :

La notion de "personne" a son fondement dans l'intuition du MOI qui est une des coordonnées du réel (§ 12). Le TOI (destinataire) se définit par référence au MOI dans le cadre de l'**énonciation**. Quant à la "3e personne", c'est encore "l'expérience que le MOI a du MOI, transportée plus ou moins libéralement au hors-moi" (Gustave Guillaume).

Quelques linguistes appellent la 3e personne une "non-personne" ; thèse défendable pour les langues qui ne marquent que la 1re et la 2e personne, non pour les langues indo-européennes, qui marquent les trois personnes dans les paradigmes du verbe et du pronom (l'anglais marque seulement la 3e personne du singulier : *I look, you look, he looks).*

C'est même l'existence d'une "3ᵉ personne" morphologique — applicable aux animaux et aux choses comme aux "personnes" humaines — qui explique le nom de "personnels" donné à ces pronoms dont le seul point commun est de désigner des "ensembles".

● Les pronoms **de la 1ʳᵉ et de la 2ᵉ personne du singulier** sont des "pronoms absolus" (§ 135), qui désignent exclusivement, par la force des choses, des êtres doués de parole.

Ils ont pour signifié normal un **ensemble à un élément**.

Je, me, moi identifient directement le locuteur ; *tu, te, toi,* le destinataire. Leur sens, "virtuel" dans le dictionnaire, est "actuel" dès qu'on les emploie dans un énoncé : ce sont des "noms propres du discours" (Ch. Bally).

Ils peuvent prendre un sens général dans un discours didactique (démonstrations, proverbes) :

> *Si de trois* j'*enlève un, il reste deux.*
> *Aide-***toi**, *le ciel* t'*aidera.*

● Les **formes de la 3ᵉ personne** *il, elle, le, la, lui* représentent normalement un nom ou pronom antécédent dont le repérage est facilité par la variation en genre ; comparez :

Paul a rencontré Jeanne ; 〈 **il** *ne lui a pas parlé.*
elle *ne lui a pas parlé.*

Le hasard du discours laisse bien des possibilités de confusion :

> *Paul annonce à Pierre qu'***il** *a réussi* (lequel des deux ?)
> *Paul arrive, Pierre aussi,* **il** *le salue* (qui salue qui ?)

On lève l'ambiguïté à la faveur du contexte par les moyens les plus divers, au besoin par le recours aux démonstratifs composés (§§ 147-148), voire aux adjectifs de sens "ordinal" comme *premier, second, dernier.*

La 3ᵉ personne, évitant l'interpellation directe (apostrophe, § 27), peut se substituer à la 2ᵉ en marque de déférence :

> *Madame prendra-t-***elle** *son café ?*
> *Votre Altesse désire-t-***elle** *s'asseoir ?*

— La forme *il* est employée sans antécédent et appelée "neutre" dans la **tournure impersonnelle** (§ 209). On estimera que, dans ce cas, *il* est une marque morphologique indissociable du verbe, et n'est donc plus pronom.

La langue littéraire conserve un emploi neutre de *il* représentant un pronom neutre :

> **Cela** *ne va pas comme* **il** *devrait*

ou le contenu global d'une phrase précédente :

> **il** *est vrai,* **il** *se peut,* **il** *suffit,* **il** *n'importe.*

— La forme *le* est appelée "neutre" quand elle a un antécédent sans genre ni nombre, soit qu'elle désigne une propriété exprimée par un adjectif, ou par un substantif dans sa fonction *p* (§ 108) :

> *Il n'était pas* **avare**, *ses fils* **le** *sont.*
> *C'était* **ma charcutière**, *elle ne* **le** *sera plus.*

soit qu'elle représente le sens de toute une phrase dont elle fait un ensemble :

> *Vous avez soif, je* **le** *devine.*

— Les formes de la 3ᵉ personne prennent le sens général si elles représentent un nom ou un pronom de sens général :

> *Le chien est carnivore, quand* **il** *peut.*

● Les formes **du pluriel** désignent normalement **un ensemble à plusieurs éléments**.

	1	2	3
1	1	1	1
2	1	2	2
3	1	2	3

La personne (1, 2 ou 3) est choisie selon la table ci-contre :

– *Nous* désigne le locuteur + une ou plusieurs autres personnes, pouvant comprendre ou non le (ou les) destinataire(s) :

Nous *avons le même âge,* **toi** (ou **Paul**) *et* **moi**. *(2 ou 3 +1)*

Exceptionnellement, il désigne plusieurs locuteurs (1+1...) signant une même pétition, ou chantant en chœur.

Il peut aussi désigner le locuteur seul, parlant ou écrivant au nom d'une collectivité :

Nous, *maire de Freneuse,* **arrêtons :** *1°...*

ou donnant du volume à sa personne *(nous* de majesté), ou s'effaçant au contraire dans une pluralité fictive *(nous* de modestie, conforme au principe de Pascal : "Le moi est haïssable").

– *Vous* désigne le (ou les) destinataire(s), à qui s'ajoutent, éventuellement, une ou plusieurs autres personnes :

Vous *avez le même âge,* **ta cousine** *et* **toi**. (3+2)

Il désigne couramment un destinataire unique à l'égard de qui le tutoiement serait trop familier :

Vous *êtes mon invité.*   **Vous** *devenez radical.*

Nous et *vous,* comme *je* et *tu,* peuvent être employés à la faveur du contexte dans un sens général :

Le cinéma, ça **nous** (ou **vous**) *change les idées.*

– *Ils, elles, les, leur, eux* représentent des noms, ou des pronoms de la 3e personne.

Quelquefois, *ils* sans antécédent désigne les responsables anonymes, le plus souvent administratifs, d'une mesure intéressant la collectivité :

Ils *annoncent du beau temps.*   **Ils** *font des travaux dans ma rue.*

● Le **pronom indéfini** on a pris place dans le système des pronoms personnels pour plusieurs raisons dont une est qu'il désigne toujours des personnes, étant issu du nom *homme* (au cas sujet de l'ancien français); cette origine explique qu'il soit quelquefois précédé de l'article élidé *(l'on)* dans la langue littéraire, en début de phrase ou par euphonie après certains mots principalement terminés par une voyelle *(et, ou, où, qui, que, quoi, si, lorsque):*

si **l'on** *veut*   *ce que* **l'on** *veut.*

L'emploi de *l'on* pour on, étranger à l'usage oral, n'est jamais obligatoire en langue écrite; dès le XVIIe s., l'Académie le déclarait "affecté".

Mais la raison déterminante du rattachement de on au système des pronoms personnels est de nature grammaticale : il fonctionne dans le discours de la même manière que *il* (§141).

Il a le sens **actuel indéfini** et compte normalement pour un singulier, que son sens soit particulier :

On *a téléphoné chez moi par erreur*

ou général :

On *est* **tenu** *de connaître la loi.*
Quand **on** *est* **grande, on** *évite les talons hauts.*

Pratiquement, il est employé dans bien des cas avec un signifié parfaitement défini :

— Dans l'usage oral, il remplace *nous :*

On *finit la partie ?*   **On** *est égaux.*

Cet emploi a pour avantage de simplifier la conjugaison en remplaçant la 1re personne du pluriel de terminaison *-ons* (comme dans *aimons)* et de radical souvent modifié (comme dans *finissons, mourons, prenons)* par la forme oralement commune aux trois premières personnes du singulier : [ɛm], [fini], [mœr], [prã]. En effet, le verbe de sujet *on* est toujours mis à la 3e personne du singulier, alors que les participes ou les adjectifs se rapportant à *on* sont mis au féminin et au pluriel en considération du référent *(grande, égaux* dans les exemples donnés).

— Dans tous les types de texte, il peut remplacer n'importe quelle personne quand le locuteur, par délicatesse ou par dignité, veut éviter la désignation directe :

*Et vous, à m'obéir, Prince, qu'***on** *se prépare.* (Racine)
On *vous épousera, toute fière que l'***on** *est.* (Marivaux)

● Le pronom **se** est appelé **réfléchi** parce qu'il représente **le sujet de la proposition** (sur lequel l'action se ''réfléchit'') :

Jeanne **se** *coiffe.*   *Les arbres* **se** *reflètent.*

Il est invariable en genre et en nombre (la fonction sujet suffisant au repérage de l'antécédent).

La forme *soi* ne peut représenter qu'un sujet de sens général ; comparer :

Chacun des voyageurs garde son argent sur **soi.**
Paul a gardé son argent sur **lui.**

Rester chez **soi** *est monotone.*
Elle reste toujours chez **elle.**

La satisfaction de **soi** *doit rester secrète.*
Il émane de Paul une grande satisfaction de **lui-même.**

Soi ne représente que des personnes, sauf dans les locutions *en soi* et *soi-disant :*

Le vol **en soi** *est condamnable.*
Une monnaie **soi-disant** *française.* (De Gaulle)

141. TRAITS SYNTAXIQUES DES PRONOMS PERSONNELS :

Le tableau du §139 distingue deux classes de formes du pronom personnel :

LES FORMES CONJOINTES.

Elles tiennent leur nom de ce qu'elles précèdent ou suivent obligatoirement le verbe, sans pouvoir en être séparées si ce n'est par *ne* et par les autres formes conjointes, au nombre desquelles il faut ranger les pronoms adverbiaux *en* et *y* (§142). L'ordre de la chaîne propositionnelle est en principe conforme aux diagrammes du tableau de la page 178.

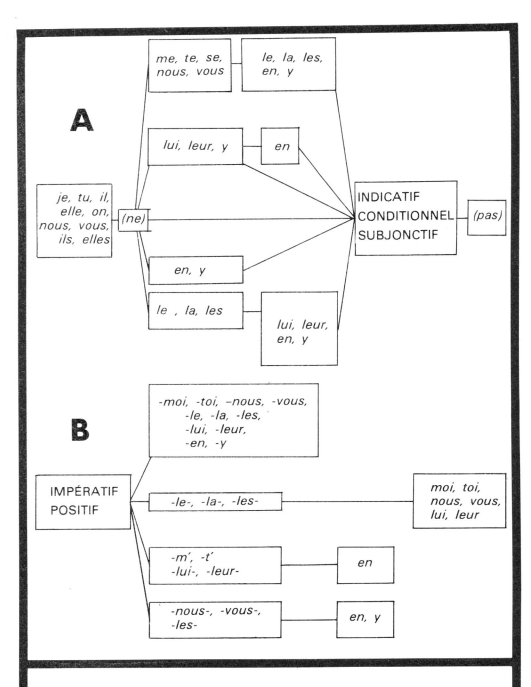

Les formes conjointes du pronom personnel sont, avec les formes du pronom relatif-interrogatif (§ 158), les seuls restes en français de la **déclinaison** latine. *Je, tu, il(s)* sont des **cas sujets** comme le nominatif latin. A la différence du latin, le français marque par une même forme appelée **cas régime** les fonctions complément d'objet direct et attribut :

> *Ton sauveur, je* **le** *connais.*   *Ton sauveur, je* **le** *serai.*

Une forme de **datif** —vestige unique en français — est représentée par *lui* et *leur* conjoints, dans des fonctions que définira l'étude syntaxique (IVe Partie, § 218).

Les formes conjointes sont souvent appelées *atones* (§ 39), et elles le sont quand elles précèdent le verbe, mais elles cessent de l'être quand elles le suivent, à moins d'être suivies d'une autre forme conjointe :

> *Dis*-**le**. (*''e* muet'' tonique)   *Dis-le*-**nous**.

Les formes *me* et *te* ont des variantes toniques *moi* et *toi* que leur place dans l'énoncé oblige à classer dans les pronoms conjoints : *Regarde*-**moi**, *Dis-le*-**moi**.

Remarque : La langue administrative conserve un emploi datant de l'époque où les pronoms sujets n'étaient pas encore obligatoirement conjoints : **Je** *soussigné Paul Martin* **déclare** *sur l'honneur...*

FORMES DISJOINTES.

Les formes ''disjointes'' du pronom personnel peuvent occuper, par rapport au verbe, les mêmes places qu'un nom propre ; comme le nom, elles sont toujours toniques.

Elles apparaissent normalement après une préposition (où toute forme atone est impossible) :

> *Venez avec* **moi**.   *Partez après* **lui**.

Elles se substituent aux formes conjointes **chaque fois qu'on veut insister sur l'identité de la personne ou de la chose désignée,** que cette identité constitue le thème (exemples 1 et 2) ou qu'elle devienne le propos (ex. 3, 4 et 5) :

1. { *Il se trompe, Paul.*
   { *Il se trompe,* **lui**.

2. { *Jeanne, elle a 17 ans.*
   { **Elle,** *elle a 17 ans.*

3. { *Je la plains.*
   { *Je plains plus Jeanne que Paul.*
   { *Je plains plus* **elle** *que* **lui**.

4. { *Il viendra.*
   { *Jeanne ne viendra pas, mais Paul viendra.*
   { *Elle ne viendra pas, mais* **lui** *viendra.*

5. { *Grand-père m'a donné cette bague. – Non, il l'a donnée à* **moi**.

Remarque : La langue tenue tend à réserver les formes disjointes du pronom à la représentation des noms de personne ; pour les choses, on recourt aux adverbes chaque fois qu'il est possible, comme il est montré aux paragraphes 127 et 142.

142. LES PRONOMS ADVERBIAUX *EN* ET *Y* :

On range commodément avec les pronoms personnels les pronoms adverbiaux *en* et *y* pour trois raisons :

1° Ils peuvent représenter des personnes (§ 127) ;

2° Ils fonctionnent comme les pronoms personnels conjoints (tableau du § 141) ;

3° Ils complètent la "déclinaison" des pronoms conjoints.

Le plus souvent, *en* et *y* signifient respectivement *de cela* et *à cela,* ayant pour antécédent un nom de chose ou un mot ou un groupe de mots sans genre ni nombre (verbe, proposition) :

> *Le téléphone, je m'**en** sers peu, je ne m'**y** habitue pas.*
> *Etre ridicule, je m'**en** moque, je m'**y** suis résigné.*
> *C'est Paul qui appelle. – Je m'**en** doutais, je m'**y** attendais.*

Certains verbes se construisent normalement avec *en* et *y* qu'ils représentent un nom de chose ou de personne :

> *Cette proposition est louche, je m'**en** méfie, je me m'**y** fie pas.*

*Jean n'est pas franc, je m'**en** méfie, je ne m'**y** fie pas.* (Dans le second cas, on peut dire aussi : *de lui, à lui).*

D'autres n'admettent que le pronom personnel, qu'il représente un nom de chose ou de personne :

> *Le plombier a fini, donne-**lui** du vin.*
> *Le moteur peine, donne-**lui** des gaz* (et non : **donnes-y des gaz).*

Au sens partitif, *en* n'a pas de concurrent :

> *Des amis, j'**en** ai trois* (et non : **j'ai trois d'eux).*

L'emploi de *en* et *y* dispense en général de recourir aux formes du pronom personnel pour représenter des choses. Mais on y recourt si le pronom a la valeur de propos :

> *Je doute qu'il ait lu nos articles. Du moins n'est-ce pas* **à eux** *qu'il répond.* (Gide)

C'est le cas avec la construction exceptive *ne... que :*

> *Les lacets de cuir vous lâchent juste le jour où vous* **n'avez besoin que d'eux.** (Giraudoux).

Remarque : La tradition est d'appeler *en* et *y* adverbes quand ils sont compléments de lieu ; ils signifient alors respectivement *de là* et *là : J'**en** viens, J'**y** vais.*

H. Adjectifs et pronoms possessifs

143. LA RELATION DE "POSSESSION" :

La préposition *de* suivie d'un nom exprime diverses relations :

1. *la maison de Paul*
2. *la maison de Nogent*
3. *les habitants de la maison*
4. *la sœur de Paul*
5. *un cousin de Paris*
6. *le jardin des voisins*
7. *le départ de mercredi*
8. *une robe de soie.*

Dans certains de ces groupes, la relation peut être facilement dénommée d'un terme logique : en 2, c'est le lieu ; en 7, la date ; en 8, la matière.

La logique courante n'est pas toujours applicable en grammaire. Ainsi, en 4, on pense d'abord à un rapport de parenté, mais l'idée de parenté est dans le sens lexical de *sœur,* et non dans la préposition. Du point de vue grammatical, les phrases 1, 3, 4 et 6 ont un point commun : le nom introduit par *de* peut être représenté dans un déterminant pris à la liste du tableau donné au §144, et qu'on appelle **adjectif possessif** :

1. **sa** *maison*   3. **ses** *habitants*   4. **sa** *sœur*   6. **leur** *jardin.*

On dit que *de* dans les groupes correspondants exprime un rapport de **possession.**

On comprend bien que Paul puisse être "possesseur" de sa maison, et les voisins possesseurs de leur jardin. Il faut de plus admettre qu'en logique linguistique, la maison est conçue comme "possesseur" de ses habitants, Paul comme "possesseur" d'une sœur, et Ravaillac "possesseur" de son crime dans un groupe comme *le crime de Ravaillac* (cf. **son** *crime), etc.*

Inutile de recourir à la psychanalyse pour justifier l'idée de "possession" des ces groupes. Ici comme ailleurs, une forme justifiée dans certains cas a été étendue à d'autres pour sa commodité fonctionnelle (§107). On usera donc des termes de *possession, possesseur, possessif* sans s'attacher à les justifier par une unité sémantique : *de* est polysémique.

Quand un véritable rapport de "possession" est exprimé, *de* peut impliquer une détermination achevée *(la maison de Paul).* Si la détermination n'est pas achevée, *de* peut être remplacé par *à :*

une *maison* **à Paul.**

La langue populaire étend cette construction au premier cas : **la** *maison* **à Paul.**

144. FORMES FAIBLES DE L'ADJECTIF POSSESSIF :

		LE NOM DÉTERMINÉ EST		
		AU SINGULIER		AU PLURIEL
		MASCULIN	FÉMININ	
POSSESSEUR	**moi** / **toi** / **lui** ou **elle**	*mon* / *ton* / *son*	*ma* / *ta* / *sa*	*mes* / *tes* / *ses*
	nous / **vous** / **eux** ou **elles**	*notre* / *votre* / *leur*		*nos* / *vos* / *leurs*

Ce tableau donne les formes dites **faibles** de l'adjectif possessif, pratiquement les seules usitées en français courant dans la fonction de déterminant du nom.

Ma, ta, sa deviennent *mon, ton, son* devant une voyelle ou un *h muet : mon avis, son intention.*

Ces formes de l'adjectif possessif précèdent toujours le nom, ou un adjectif préposé au nom : *mon fils, mon grand fils, sa première grande course.* Elles n'ont pas d'accent propre.

● Comme les pronoms personnels (§ 140), les adjectifs possessifs de la 3ᵉ personne sont souvent ambigus :

Paul annonce à Pierre **son** *succès* (le succès duquel ?).

La langue y remédie de façons diverses selon les cas.

A la différence du latin, le français n'a pas, à la 3ᵉ personne, de forme particulière pour le sens **réfléchi** (possesseur sujet de la proposition) ; mais il exprime la même idée en ajoutant l'adjectif *propre :*

Paul annonce à Pierre **son propre** *succès.*

L'anglais a des formes différentes selon que le possesseur est un homme *(his)* ou une femme *(her) ;* le français ne peut exprimer cette différence qu'au moyen d'un complément introduit par *à :*

En quittant sa femme, il a emporté ses meubles **à elle.**

Ce type de complément permet aussi d'énumérer les possesseurs :

Nos occupations, à mon mari et à moi

ou d'en souligner le nombre :

Nos occupations à tous les deux.

Le français remplace le possessif par le pronom *en* pour marquer le caractère inanimé d'un possesseur non sujet dans certaines conditions de constructions :

Il prend la lampe et **en** *dévisse le pied.*
J'aime les catalpas, l'ombrage **en** *est épais.*

● Dans la coordination, on répète l'adjectif possessif devant chaque nom d'élément possédé, sauf si les noms désignent différemment le même élément ; comparer :

Il a invité **son** *voisin et* **son** *médecin* (2 invités)
Il a invité **son** *voisin et médecin* (1 invité).

Exceptionnellement, on ne le répète pas dans le premier cas si la coordination a la forme d'un groupe figé :

Il a invité ses père et mère / ses amis et connaissances.

● L'adjectif possessif implique en principe un sens déterminé : *mon* signifie *le... de moi ; ton, le... de toi ; son, le... de lui* ou *d'elle.* Mais il tient souvent lieu d'un possessif non déterminatif, qui n'existe pas en français courant, si bien qu'on dit *Cet homme est mon ami* ou *mon cousin* même si l'on a plusieurs amis, plusieurs cousins : le sujet du verbe étant déterminé, l'attribut n'apporte que l'indication d'une propriété référentielle (ami ou cousin de moi).

S'il se rapporte à un nom de sens déterminé par ailleurs, l'adjectif possessif peut apporter, au lieu d'une détermination, la mention marginale d'un rapport personnel

— d'affection : *Ecris-lui, à* **ton** *Bernard.*

— de déférence : *La soupe est bonne,* **mon** *général.*

— d'admiration (non partagée) : *Avec* **son** *Wagner !*

— d'intérêt : *Ainsi raisonnait* **notre** *lièvre.* (La Fontaine)

● L'adjectif possessif peut faire place à l'article défini si la possession va de soi, c'est-à-dire quand elle est **normale et inaliénable** :

Il a ouvert **la** *bouche* (mais : *Il a ouvert* **sa** *porte*).

Ella a retrouvé **la** *mémoire* (mais : *Elle a retrouvé* **son** *porte-monnaie*).

Le possessif redevient obligatoire si le nom est caractérisé :

Il a ouvert **sa** *grande bouche.*

Il souffre de **sa** *jambe malade* (ou simplement : *de* **sa** *jambe*)

La possession d'une grande bouche ou d'une jambe malade ne va pas de soi.

De là :

Elle fait **son** *importante* (= Elle fait l'importante, propriété qui n'appartient pas à tout le monde).

145. PRONOM POSSESSIF ET FORMES FORTES DE L'ADJECTIF :

Le tableau suivant donne les formes du pronom possessif, variable en genre, en nombre et en personne :

<table>
<tr><td rowspan="2"></td><td rowspan="2"></td><td colspan="4">NOMBRE D'ÉLÉMENTS DÉSIGNÉS</td></tr>
<tr><td colspan="2">1</td><td colspan="2">> 1</td></tr>
<tr><td></td><td></td><td>MASCULIN</td><td>FÉMININ</td><td>MASCULIN</td><td>FÉMININ</td></tr>
<tr><td rowspan="6">POSSESSEUR</td><td>**moi**</td><td>*le mien*</td><td>*la mienne*</td><td>*les miens*</td><td>*les miennes*</td></tr>
<tr><td>**toi**</td><td>*le tien*</td><td>*la tienne*</td><td>*les tiens*</td><td>*les tiennes*</td></tr>
<tr><td>**lui** ou **elle**</td><td>*le sien*</td><td>*la sienne*</td><td>*les siens*</td><td>*les siennes*</td></tr>
<tr><td>**nous**</td><td colspan="2">*le, la nôtre*</td><td colspan="2">*les nôtres*</td></tr>
<tr><td>**vous**</td><td colspan="2">*le, la vôtre*</td><td colspan="2">*les vôtres*</td></tr>
<tr><td>**eux** ou **elles**</td><td colspan="2">*le, la leur*</td><td colspan="2">*les leurs*</td></tr>
</table>

On remarque sur les formes *nôtre(s)* et *vôtre(s)* l'accent circonflexe notant une prononciation fermée du *o.*

● Le pronom possessif a presque toujours un **antécédent** dont il représente seulement le signifié lexical (p) : le genre du pronom est celui de l'antécédent, mais son nombre est déterminé par son propre référent :

Depuis que le **chat** *de Paul a été écrasé, je ne laisse plus sortir* **les miens.**

En français familier, pour éviter toute ambiguïté sur le signifié représenté, on peut le reprendre par un complément introduit par *de : les miens,* **de chats.**

Un complément introduit par *à* précise, comme avec l'adjectif possessif, le possesseur :

Le sien, de chat, **à Paul,** *était toujours dehors.*

● Le pronom possessif est employé sans antécédent avec diverses valeurs substantives constantes :

1° au pluriel :

Paul est triste d'avoir quitté **les siens** (ses parents).

S'il fait beau, **les nôtres** *seront vainqueurs* (nos soldats ou notre club).

Paul a encore fait **des siennes** (locution : de ses extravagances).

2° au singulier (neutre) :

Ce brave garçon ne distingue pas **le tien** *et* **le mien** (le bien des autres et son propre bien).

Nous réussirons si chacun y met **du sien** (paie de sa personne).

● La langue littéraire emploie comme **adjectifs** les formes *mien, tien,* etc. qui entrent dans la composition des pronoms possessifs ; ces formes dites **fortes** de l'adjectif possessif ont deux constructions semblables à celles de l'adjectif qualificatif :

a) Elles peuvent être **attribut** :

Le bateau était **sien**, *des paratonnerres à la quille.* (Claude Farrère)

b) Elles peuvent être **épithètes**, entre un actualisateur indéfini et le nom :

Un **mien** *cousin, César.* (V. Hugo)

Le français courant dit : *Le bateau était à lui ; un cousin à lui.*

I. Adjectifs et pronoms démonstratifs

146. TABLEAU DES FORMES :

Formes simples

	ADJECTIFS		PRONOMS		
	MASCULIN	FEMININ	MASCULIN	FEMININ	NEUTRE
SINGULIER	*ce (cet)*	*cette*	*celui*	*celle*	*ce*
PLURIEL	*ces*		*ceux*	*celles*	

Cet s'emploie pour *ce* devant une voyelle ou un *h* muet : *cet enfant, cet homme.*

Formes composées

Associées aux éléments adverbiaux *ci* et *là,* les formes simples donnent naissance aux **formes composées,** écrites

— en deux mots avec trait d'union (§ 43) pour les formes masculines et féminines :

ce livre-ci / ce livre-là, celui-ci / celui-là ;

— en un seul mot pour les formes neutres :

ceci, cela (sans accent grave), *ça* (dans l'usage oral).

147. L'ADJECTIF DÉMONSTRATIF :

L'adjectif démonstratif **actualise** le nom et le **détermine** en le rapportant au repère ICI, soit dans l'espace ambiant *(deixis,* § 12) :

Apporte-moi **cette** *chaise.*

soit dans l'univers constitué par le contexte *(anaphore) :*

Sur mon bureau, il y a "Candide" ; apporte-moi **ce** *livre.*

Alors que les Latins avaient deux adjectifs différents pour désigner un objet proche *(haec arbor)* et un objet lointain *(illa arbor)*, l'adjectif *ce* convient en français aux deux : *cet arbre.*

L'addition des indices *-ci* ou *-là* peut exprimer la nuance de proximité ou d'éloignement local ou temporel : *cet arbre-***ci**, *cet arbre-***là**, *ces jours-***ci**, *en ce temps-***là.**

Cet usage, né vers le XVe s., n'est plus guère observé que dans la langue écrite, où il s'étend commodément au cas de l'anaphore :

> *Il m'a prêté "Candide" et "Graziella" ; je préfère ce roman-***ci** *à ce conte-***là.**

Le français courant dit en pareil cas :

> ...je préfère **ce dernier** *livre (ou* **le second** *livre)* **au premier.**

Pratiquement, le français courant use très peu des formes en *-ci.* Il oppose les formes en *-là* aux formes simples avec une valeur d'éloignement :

> **ce** *soir* (aujourd'hui)   **ce** *soir-***là** (un autre jour) ;

ou simplement d'insistance :

> *Apporte-moi* **ce livre** *; non, pas celui-là,* **ce livre-là,** *que je te montre.*

L'adjectif démonstratif est parfois employé avec un nom déterminé par ailleurs, auquel il ajoute alors une idée de notoriété : *Voilà* **ce** *brave Etienne.*

La notoriété est associée à une ou plusieurs qualités que *ce* évoque avec une nuance exclamative :

> *Ah,* **ce** *Léon !*   *J'ai une de* **ces** *faims !*

148. LE PRONOM DÉMONSTRATIF :

● Dans la série des pronoms, seules les **formes composées** sont véritablement "démonstratives", soit par deixis :

> *Comparez ces livres : regardez* **celui-ci,** *regardez* **celui-là.**

soit par anaphore :

> *Dans une ménagerie*
> *De volatiles remplie*
> *Vivaient le Cygne et l'Oison :*
> **Celui-là** *destiné pour les regards du maître ;*
> **Celui-ci** *pour son goût.* (La Fontaine)

Comme pour l'adjectif, les formes en *-là* sont presque les seules employées oralement. L'inventaire du "français fondamental" (§ 100) ne relève pour les formes masculines et féminines que *celui-là* (37 emplois) et *celle-là* (31). Au neutre, *ceci* apparaît pourtant (51 emplois) à côté de *cela* (65), mais tous deux sont très loin derrière *ça* (3.972).

L'auteur d'une étude sur le langage populaire, Henri Bauche, estime que *ceci* ne se maintient que dans les boniments des camelots, à titre de forme distinguée. A un niveau un peu plus élevé de l'usage oral, il est cependant employé pour annoncer ce qu'on va montrer ou dire *(Regardez* **ceci,** *Ecoutez* **ceci)** et par opposition à *cela,* parallèlement à *comme-ci, comme-ça.*

La langue écrite contemporaine remplace *celui-ci* anaphorique par *ce* (ou *le) dernier,* et *celui-là* par *le premier.*

Les formes masculines et féminines sont employées le plus souvent comme représentants (exemple de La Fontaine). On en relève des emplois absolus, où l'opposition des indices *-ci* et *là* prend une valeur indéfinie :

> **Ceux-ci** *partent,* **ceux-là** *demeurent.* (Hugo)

A noter l'emploi exclamatif de *celui-là :*

>*Connais-tu Léon ? – Ah,* **celui-là !**

Les formes neutres sont très usitées au sens absolu pour désigner ce qu'on ne sait pas (ou ne veut pas) nommer :

>**Ça** *me brûle dans la poitrine.* (Richepin)
>*Il y a trente ans que j'ai épousé* **ça !** (Gyp)

Mais elles servent aussi à représenter :

— soit des antécédents **sans genre ni nombre :**

>*Mangeons d'abord ; après* **ça,** *on discutera.*
>*Viens avec nous si* **ça** *te plaît.*

>*Il a gagné dix parties simultanées, et* **cela** *les yeux bandés.*
>*Je t'ai aperçu hier. –* **Où** *ça ?*
>*Il est revenu. – Qui* **ça ?**

Ainsi en arrivent-elles à la fonction de "sujet grammatical" dans les constructions impersonnelles (§ 224) du français familier :

>**Ça** *fait du bien d'être bon.* (Cl. Vautel)

>**Ça** *ne nous gêne pas que tu viennes.*

— soit même **des noms ou des groupes nominaux,** dont elles ne représentent que le contenu lexical (§ 136) :

>*Les grenouilles,* **ça** *saute.*   *Un bon médecin,* **ça** *se paie.*

● Le pronom neutre *ce* avait dans l'ancienne langue tous les emplois de *cela ;* quelques locutions telles que *sur ce, pour ce faire, ce faisant, ce disant* et l'emploi de *ce* comme relais conjonctionnel (§ 133) en conservent le souvenir en français littéraire. Mais le français courant substitue normalement *ce* à *cela (ça)* comme représentant devant le verbe *être :*

>**Ce** *serait agréable d'être bon.*
>**Ce** *n'est pas une gêne que tu viennes.*

En français familier, *ça* prévaut dans ces emplois *(Ça serait agréable, Ça n'est pas une gêne).*

En français littéraire, *ce* remplace *cela* même si le verbe *être* dépend d'un auxiliaire :

>**Ce** *doit être vrai.*   **Ce** *pourrait être gênant.*

● Les **formes simples** masculines et féminines ne sont pas "démonstratives" ; elles représentent le contenu lexical de l'antécédent et reçoivent leur détermination d'un complément qui peut être :

1° Une **proposition relative :**

>*Prends un gâteau,* **celui** *que tu voudras.*

Dans cet emploi, *celui* peut être un pronom absolu :

>**Ceux qui vivent,** *ce sont* **ceux qui luttent.** (Hugo)

2° Un **complément indirect** (nom, pronom, adverbe, verbe à l'infinitif) introduit surtout par *de :*

>*Change de place, prends* **celle de ta mère / celle de devant.**
>*Il a un défaut, c'est* **celui de peindre.**

D'autres prépositions se rencontrent, surtout dans l'usage familier :

>*celui pour moi   celui à pied   celles à deux francs.*

3° Un **participe :**

>**Celles** *(des fenêtres)* **donnant** *sur la rue sont fleuries.*

La détermination par un adjectif est beaucoup plus rare, puisque l'article est employé dans ce cas *(Prenez le grand, §121)*; mais le pronom remplace l'article quand l'adjectif reçoit lui-même un complément:

> *Garde les livres rares et* **ceux utiles à tes études.**

Le pronom neutre *ce,* quand il n'est pas représentant (au sens de *cela),* ne peut recevoir d'autre détermination qu'une proposition relative:

> *Prends* **ce que tu veux.**

J. Adjectifs, pronoms et adverbes indéfinis

149. DÉFINITION DES "INDÉFINIS":

L'unité que recouvre le terme d'**indéfinis** appliqué à diverses catégories d'adjectifs et de pronoms a été souvent contestée, mais aucune des refontes proposées n'a fait l'accord des grammairiens.

Elle n'est pas à chercher, en tout cas, dans le comportement syntaxique, qui rapproche les uns ou les autres de l'article, de l'adjectif qualificatif, du nom propre, des mots numéraux. Ce classement par l'entourage formel conduit au chaos.

Du point de vue sémantique, les uns actualisent, les autres non, les uns ont un sens déterminé, les autres non, les uns qualifient, les autres non.

C'est pourtant du point de vue du sens qu'on aperçoit un trait commun, qu'illustrent la figure et l'exemple suivants:

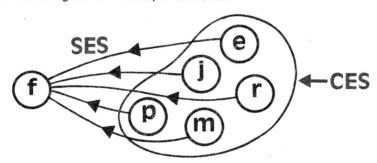

Paul, Jean, Marc, Eric et *Romain (p, j, m, e, r)* composent un ensemble défini par la propriété "fils de Mme Fabre".

L'adjectif possessif peut désigner l'ensemble par référence à l'élément externe *f (Mme Fabre):* **ses** *fils.* L'adjectif démonstratif peut le désigner par référence au repère ICI du réel: **ces** *garçons.* Un adjectif numéral n'en dirait que le nombre, propriété de l'ensemble et non des éléments: **cinq** *garçons.* Un adjectif qualificatif peut distinguer chaque élément des autres par une qualité, définition en compréhension qui fait abstraction de l'élément *x* du signifié (§108): *le blond, le frisé...*

Les adjectifs et pronoms indéfinis ont pour fonction de désigner un ou plusieurs éléments **en extension par les rapports existant entre eux au sein de l'ensemble.** Par exemple, si j'ai désigné Jean, et si je dis *le même,* je désigne encore Jean; si je dis *les autres,* je désigne Paul, Marc, Eric et Romain; si je dis *tous,* je désigne les cinq; *aucun,* j'en désigne zéro; *plusieurs, certains,* j'en désigne deux, ou trois, ou quatre, indéterminés; *l'un,* un seul indéterminé... Aucune de ces indications ne réfère à l'extérieur de l'ensemble.

150. *CERTAIN, TEL, DIFFÉRENTS, DIVERS:*

indéf.

Comparer :

Nous en sommes **certains.**	*Paul a demandé* **certains** *livres.*
Jean est **tel** *que son père.*	*Paul a demandé* **tels** *livres.*
Ces clés sont **différentes.**	*Paul a demandé* **différents** *livres.*
Les menus sont **divers**	*Paul a demandé* **divers** *livres.*

Dans les phrases de gauche, les mots en gras sont adjectifs qualificatifs par la construction (attributs) et par le sens. Dans les phrases de droite, ils fonctionnent comme des déterminants du nom, auquel ils sont antéposés et qu'ils actualisent avec différentes nuances d'indétermination :

– *certains* impliquent que le nom *livres* désigne un ensemble d'éléments réels d'identité définie, qu'on serait en mesure de préciser s'il en était besoin ;

– *tels* postule que l'identité, spécifiée par Paul, joue, quelle qu'elle soit, un rôle essentiel dans la suite logique de l'énoncé ;

– *différents* suggère que ces livres ne sont pas plusieurs exemplaires du même ouvrage ;

– *divers* donne la même indication, en soulignant une variété qualitative.

● **Certains,** en français courant, s'emploie :

— comme adjectif sans article au pluriel seulement (exemple donné) ;

— comme adjectif avec l'article *un* au singulier ; *un certain tableau ;* devant un nom abstrait, l'indétermination peut devenir quantitative : *un certain courage, un certain âge ;* ou qualitative : *Un certain sourire* (Fr. Sagan).

— comme pronom au pluriel seulement : *Certains aiment le jazz hot.*

La langue littéraire l'emploie comme adjectif au singulier sans article : *Certain renard gascon* (La Fontaine).

● **Tel** s'emploie aux deux nombres :

— comme adjectif sans article : *Passez tel jour chez telle personne ; Tous les jours, tel ou tel vendeur est absent ;*

— comme adjectif avec article, au sens intensif ("si grand") : *une telle joie, de tels soucis ;*

— comme pronom sans article en français littéraire et dans les proverbes : *Tel est pris qui croyait prendre.*

Le français courant emploie *Un tel, Une telle* en position de nom propre : *monsieur Un tel, l'élève Une telle ;* on dit au même sens : *monsieur X (Y, Z) ;* le français populaire dit *Chose* ou *Machin.*

● **Différents** et **divers** s'emploient toujours comme adjectifs et seulement au pluriel (puisqu'une différence ne peut exister qu'entre deux éléments).

151. *UN,* PRONOM NUMÉRAL ET PRONOM INDÉFINI :

	A	B
1	*la robe rouge et* **la** *bleue*	*une robe rouge et* **une** *bleue*
2	*la robe à raies et* **celle** *à fleurs*	*une robe à raies et* **une** *à fleurs*

Dans les phrases de la ligne 1, les mots en gras sont tenus pour des articles, transformant *bleue* en nom ou pronom (§ 121 Rem. et § 137). A la ligne 2, *la* est remplacé par le pronom *celle* devant la suite *à fleurs* qui ne peut être donnée pour un nom ou un pronom (sa lexicalisation est improbable); on dira de même que *une* est un pronom en 2 B. Le remplacement de *une* par *des* est sans problème en 1 B, il n'appartient en 2 B qu'à l'usage le plus familier. Mais un adjectif numéral cardinal quelconque (§ 165) admet cette construction *(et deux à fleurs)*.

Les mêmes latitudes existent pour la construction de *un, une* avec une proposition relative :

> *Elle soupirait comme une qui a du chagrin.* (E. Pérochon)

L'emploi pronominal de *un, une* (à l'exclusion de *des)* est très courant avec un complément partitif :

> **Une de mes robes** *était blanche.*
> **De mes trois robes, une** *était blanche.*

Dans ces deux phrases, *blanche* est attribut du pronom *une.*

(Pour la construction *J'en ai une blanche,* voir § 235, R. b).

La construction est encore commune à tous les adjectifs numéraux cardinaux : *deux de mes robes,* etc.

Le français courant n'emploie pas *un, une* sans complément (**Je te prête* **une,** cf. **Je te prête* **deux,** etc.), sinon en position de sujet :

> *J'ai trois robes :* **une** *est blanche (et* **deux** *sont beiges).*

ou de répartiteur de portée d'une épithète (§ 239) :

> *J'ai trois robes,* **une** *blanche et* **deux** *beiges.*

Il est pourtant une construction où *un, une* se distingue des autres cardinaux et devient un véritable pronom indéfini ayant singulier et pluriel, c'est en association avec l'article défini : **l'un, l'une, les uns, les unes.**

Sous cette forme, il s'emploie comme représentant ou comme pronom absolu (évoquant des personnes)

— soit au singulier avec un complément partitif :

> **L'une de mes robes** *était blanche.*

— soit en corrélation avec *autre :*

> **L'une** *est blanche,* **les autres** *sont beiges.*
> *Je ne tiens pas à* **l'une** *plutôt qu'à* **une autre.**
> **Les uns** *courent aux urnes,* **les autres** *s'abstiennent.*

Des phrases comme :

> **L'un** *jalouse* **l'autre.**   **L'un** *a écrit* **à l'autre.**

peuvent paraître ambiguës (la relation est-elle unilatérale ou réciproque?). Le couple corrélatif *l'un l'autre* exprime forcément la réciprocité quand le verbe, pronominal ou non, est au pluriel :

> *Ils se jalousent* **l'un l'autre.**   *Ils se sont écrit* **l'un à l'autre.**
>
> *Ils disent du mal* **l'un de l'autre.**

Remarque : L'emploi de l'article défini devant un pronom indéfini (dont le sens n'est pas général comme celui de *on)* n'est pas explicable dans le système de l'article moderne. Son origine est en bas latin où *ille unus* a remplacé *unus illorum (illorum* étant complément partitif). Ainsi s'explique l'emploi de l'article devant d'autres noms de nombre jusqu'à l'époque classique : *Des trois* **les deux** *sont morts.* (Corneille).

152. AUTRE, AUTRUI :

● **Autre** peut être adjectif ou pronom. Il n'est pas actualisateur.

Comme **adjectif**, il se place normalement en position d'épithète avant le nom, et est précédé d'un actualisateur (article, adjectif possessif, démonstratif, indéfini, numéral) ; il contribue à déterminer le nom en marquant que son identité est disjointe de celle des éléments du même ensemble présents dans la situation ou désignés dans le contexte :

Si tu n'aimes pas l'orange, prends **l'autre verre.**
Je boirais bien **un autre verre.** *Prends* **ton autre appareil.**
Toute autre monnaie *sera refusée.*

Il peut être placé après le nom s'il reçoit lui-même un complément :

Pourrais-tu prendre un verre **autre que le mien ?**

Précédé de *tout* adverbe (impliquant degré, donc qualité), il exprime l'altérité qualitative :

Un climat **tout autre** *lui conviendrait.*

Il peut alors être attribut, sans déterminant :

Mes intentions sont **tout autres.**

(Le français littéraire se passe de *tout* dans cet emploi.)

Autres s'ajoute aux pronoms *nous* et *vous* pour distinguer un groupe de personnes dans un référentiel plus vaste : **Nous autres** *les Stéphanois.*

Comme **pronom,** *autre* est associé à un déterminant, mais le nom manque : *un autre, l'autre, d'autres, tout autre, nul autre, deux autres.* Il représente le plus souvent un antécédent, mais peut, au sens absolu, désigner des personnes :

Les accidents n'arrivent qu'aux **autres.**

Il est employé en corrélation avec *l'un* comme il est dit au §150 :

L'un *parlait,* **les autres** *écoutaient.*
L'un *parlait,* **un autre** *lisait,* **un autre** *dormait.*

Le pronom *autre* a une forme neutre : *autre chose :*

Si tu n'aimes pas ça, prends **autre chose.**

● Le pronom absolu **autrui,** ancienne forme de "cas régime" de *autre,* est rarement sujet, mais peut remplir toute autre fonction nominale, sans déterminant ; il désigne collectivement l'ensemble des "autres (personnes)" dans des textes écrits de sujet moral (proverbes) :

Ne fais pas à **autrui** *ce que tu ne veux pas qu'on te fasse.*

153. MÊME :

Comme *autre, même* peut être adjectif ou pronom, et n'est pas actualisateur ; de plus, il peut être adverbe.

● *Même* **adjectif** a deux constructions, marquant deux sens :

1° Placé entre le déterminant et le nom, il exprime la **communauté de référent** (latin *idem,* anglais *same,* allemand *derselbe) :*

Paul et moi, nous avons **le même médecin.**
Ces deux peuples parlent **une même langue.**

La communauté n'est quelquefois que celle des propriétés :

Jeanne a **la même robe** *que moi.*

2° Placé après le nom, il **souligne par redondance l'identité de l'élément désigné** (lat. *ipse,* angl. *himself,* all. *selbst) :*

Le médecin même *n'a pas vu que je mentais.*

Je vous répète **ses paroles mêmes.**

Même s'ajoute aux formes fortes du pronom personnel pour souligner l'indication de personne : *moi-même, eux-mêmes ;*

J'ai remis le paquet à **elle-même.**

Il marque souvent, mais non exclusivement, que l'action se réfléchit sur le sujet :

Il est toujours satisfait de **lui-même** *(cf. soi,* § 140).

● *Même* est **pronom** avec l'article défini quand le nom manque :

En fait de médecin, nous avons **le même.**

Le masculin singulier prend le sens neutre dans une phrase comme :

Cela revient **au même.**

● *Même* est **adverbe** et invariable quand il se rapporte à un mot ou groupe de mots sans genre ni nombre :

Même *guéries, ces blessures sont douloureuses.*

Ils ont **même** *appelé les pompiers.*

J'achèterai ce tableau **même** *si le prix en est exagéré.*

Il marque alors qu'un procès a lieu ou qu'un jugement est valable malgré une condition défavorable (la guérison devrait supprimer la douleur, l'appel aux pompiers ne s'imposait pas, le prix du tableau est prohibitif).

Il arrive que la condition défavorable réside dans le signifié d'un nom placé devant *même.* Dans ce cas, le sens rejoint la valeur d'insistance de *même* adjectif, et *même* peut s'accorder avec le nom :

Les pompiers **même(s)** *ont été appelés.*

Le sens adverbial n'est plus douteux si *même* précède le nom :

Même *les pompiers ont été appelés.*

154. FAMILLE *QUI, QUEL, QUELQUE :*

La polysémie des pronoms et adjectifs de la famille de *qui,* dont le sens est tour à tour relatif ou interrogatif (§ 158), s'explique par une valeur indéfinie de la base indo-européenne originelle. Les emplois de sens indéfini, parfaitement conservés en latin, apparaissent encore en français :

● *Qui* répété a le sens de *les uns, les autres* en français littéraire :

Ils s'armèrent **qui** *d'un gourdin,* **qui** *d'un maillet,* **qui** *d'une serpe.*

● *Qui, quoi, quel, lequel* précédés de verbes à la forme négative (ou d'équivalents), constituent des **locutions pronominales et adjectives indéfinies :**

je ne sais	*qui*
on ne sait	*quoi*
Dieu sait	*quel*
n'importe	*lequel*

Exemples :
Tu es l'égal de n'importe qui. (Gyp)
On marchait vers on ne sait (ou savait) quel but.

Remarque : Des locutions adverbiales indéfinies sont composées de la même façon avec les adverbes *où, quand, comment, combien,* de même origine : *Il avait* **on ne sait combien** *d'amis.*

● *Qui, quoi, quel* suivis d'une proposition relative au subjonctif introduite par *que* expriment **l'interdétermination concessive :**

qui que tu aperçoives   quoi que tu fasses
quels que nous soyons

Ainsi ont été formés les pronoms composés *qui que ce soit, quoi que ce soit.*

Le pronom *quoi que* doit être distingué dans l'écriture de la conjonction concessive *quoique ;* il est toujours complément d'objet ou attribut relativement au verbe qui suit :

Quoi que tu dises, il te critique.

Quoi que devienne ce projet, vos droits sont garantis.

Remarque : L'adverbe *où* prend la valeur concessive dans les mêmes conditions : **Où que** *nous allions, nous le retrouvons, Allons* **où que ce soit,** *nous le retrouvons.*

● *Quiconque,* signifiant "qui que ce soit", est employé normalement comme pronom singulier de genre animé (indifférencié, § 136) sujet d'une proposition relative à l'indicatif sans antécédent, de sens indéfini :

Tirez sur quiconque franchira le mur.

Le français courant l'emploie aussi comme pronom indéfini au sens de "qui que ce soit", sans proposition relative, le plus souvent en construction indirecte :

Pas un mot de cela à quiconque.
Je le sais aussi bien que quiconque.

Quelconque est l'adjectif correspondant, placé après le nom plutôt qu'avant :

Il cherchait un prétexte quelconque pour filer.

Dans cette position, et surtout en position d'attribut, l'indétermination peut porter sur la qualité :

Ce roman est (très) quelconque (= banal).

● *Quelque* est, comme *certains* (§ 149) un actualisateur, employé normalement au pluriel et exprimant l'idée d'une **détermination sans importance,** portant

— soit sur l'identité, sans impliquer l'existence d'un référent déterminé :

Pour essayer la plume, écrivez **quelques** *mots* (n'importe lesquels).

— soit sur la quantité (petit nombre) :

Ça vaut deux cents et **quelques** *francs/deux cents francs et* **quelques.**

Il n'a pu prononcer que quelques mots.

Dans ce sens, *quelques* peut être précédé d'un actualisateur :

Ces quelques mots, les quelques mots prononcés...

Il est devenu **adverbe,** invariable :

Elle a quelque (= à peu près) trente ans.
Tu exagères quelque peu.

L'emploi de *quelque* au singulier n'est courant que dans la locution *quelque temps.* Il est usuel en français littéraire, l'indétermination portant

— soit sur l'identité :

> *Si j'avais* **quelque** *objet de valeur, je pourrais le vendre.*

— soit sur la quantité (sous l'aspect continu) :

> *Il a témoigné* **quelque** *impatience de vous voir.*

La langue littéraire présente aussi un emploi **concessif** de *quelque* suivi d'une relative au subjonctif,

— soit comme adjectif :

> **Quelque** *effort* **que** *l'on fasse...*
>
> **Quelques** *efforts* **que** *vous fassiez...*

— soit comme adverbe (invariable) :

> **Quelque** *rares* **que** *soient ses visites...*

Cet emploi est à distinguer dans l'écriture de celui de *quel* mentionné plus haut ; *quel* suivi de *que* est toujours attribut et le verbe de la relative attributif (§ 170) :

> **Quels que** *soient ses efforts...*

● A la différence de *certains, quelques* ne peut être employé comme pronom. Mais il lui correspond **les pronoms** *quelqu'un* et *quelque chose* (neutre).

Au sens absolu, *quelqu'un* est du genre animé (indifférencié) ; il est apte à toutes les fonctions du nom :

> **Quelqu'un** (= une personne quelconque) *est venu en ton absence.*

Dans la fonction sujet, il est concurrencé par *on,* que sa construction fait rapprocher des pronoms personnels (§ 140). Au pluriel, *quelques-uns, quelques-unes* sont employés comme pronoms représentants, le plus souvent avec un complément partitif.

> *Voulez-vous un livre/une revue ? – Il m'***en faut** **quelques-uns/quelques-unes.**

Il est aussi employé absolument au sens de "quelques personnes" :

> **Quelques-uns** *trouvent ses toiles trop sombres.*

La langue littéraire emploie le singulier en fonction de représentant (masculin ou féminin) :

> *Ses toiles prendront de la valeur ; si vous en dénichez* **quelqu'une,** *achetez-la.*

Quelque chose, pronom absolu, est toujours neutre pour l'accord :

> *S'il y a* **quelque chose** *à* **quoi** *vous tenez, gardez-***le.** (Mais *chose* est nom dans : *S'il y a quelque* **chose** *à* **laquelle** *vous tenez, gardez-***la).**

155. PRONOMS ET ADJECTIFS DITS NÉGATIFS :

Les pronoms indéfinis absolus *personne* (de genre animé, § 140) et *rien* (de genre inanimé), ainsi que l'adjectif indéfini *aucun* sont normalement employés comme "corrélatifs" de l'adverbe négatif *ne,* ou sans *ne* au sens négatif ou positif, dans les conditions exposées au § 133.

Aucun n'est mis au pluriel que devant des noms sans singulier *(Je n'ai eu* **aucuns** *frais)* et dans le pronom *d'aucuns* de sens positif (= quelques personnes) conservé en français littéraire.

Employé comme pronom sans *de,* il est toujours représentant et au singulier :

> *Connaissez-vous les hommes photographiés là ? – Je n'en reconnais* **aucun.**

Le français courant dit aussi *pas un :*

Pas un *ne m'est connu.*

Nul a dans la langue littéraire les emplois d'*aucun* adjectif. Comme pronom, il est animé (indifférencié), et peut remplacer *personne* en fonction de sujet :

Nul *ne peut se vanter de se passer des hommes.* (Sully Prudhomme)

156. *PLUS D'UN, PLUSIEURS, MAINT(S) :*

On peut grouper trois mots indéfinis qui ont en commun d'exprimer la **pluralité d'une substance nombrable :**

● *Plus d'un* et *plusieurs* ont le même sens ; pourtant le premier est suivi d'un nom au singulier ; comparer :

Plus d'un spectateur est parti *avant la fin.*
Plusieurs spectateurs sont partis *avant la fin.*

Tous les deux peuvent être pronoms (absolus ou représentants).

● *Maint,* qui indique un grand nombre en français littéraire, peut se rapporter — sans différence de sens — à un singulier ou à un pluriel (cf., en latin *multus miles* et *multi milites) :*

Maint *spectateur* **est parti** *avant la fin.*
Maints *spectateurs* **sont partis** *avant la fin.*

Remarque : On peut aussi tenir pour adjectifs indéfinis quantitatifs le cardinal *trente-six* et les symboles mathématiques *x* et *n :*

Tu me l'as dit **trente-six** *fois* / **x** *fois* / **n** *fois.*

157. *TOUT, CHAQUE, CHACUN :*

Tout exprime la totalité d'un ensemble ; il peut être :

● **Adjectif :**

Tout suivi d'un actualisateur et d'un nom exprime la **totalité dans le nombre** s'il est au pluriel (substances nombrables), et **dans l'unité** s'il est au singulier (substances nombrables ou continues). Il cumule donc les sens des mots latins *omnis* et *totus.*

Toutes les/ces/mes pages *sont numérotées*
Toute la/cette/ma page *est blanche.*

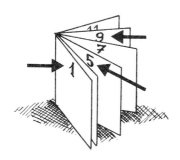

Toutes les pages *sont numérotées.*
Ou : **Toute page** *est numérotée.*

Toute la page *est blanche.*

La totalité dans le nombre est exprimée aussi par *tout* au singulier sans actualisateur devant un nom de substance nombrable :

Toute page *est numérotée.*

C'est le "singulier général" (§ 113). Un autre adjectif, *chaque,* a pour valeur unique de l'exprimer :

Chaque page *est numérotée.*

● **Pronom :**

Au singulier, *tout* sans nom est neutre ; il désigne dans sa totalité un ensemble dont le référentiel est aussi étendu que le permet la situation :

Tout *est prêt.*   *Prenez* **tout.**

Pour représenter un nom de substance nombrable avec l'extension un au sens général, on emploie *chacun, chacune :*

Je lis plusieurs journaux/revues : **chacun/chacune** *présente les faits différemment.*

Au pluriel, *chacun* s'efface et *tout* reprend ses droits pour la représentation d'un antécédent :

Je lis plusieurs revues : **toutes** *présentent les faits différemment.*

Au sens absolu, le masculin *tous* signifie "tous les gens" :

Cet homme était aimé de **tous.**

Il peut être remplacé en ce sens par l'animé indifférencié *tout le monde :*

Il faut écrire avec les mots de **tout le monde,** *mais comme personne.* (Colette)

● **Adverbe :**

Tout est adverbe, au sens de "tout à fait", "entièrement", quand il a pour support un mot ou groupe de mots sans genre ni nombre propre, adverbe :

tout *simplement*

adjectif, participe :

un pull-over **tout** *sale,* **tout** *taché de peinture*

groupe nominal :

un appartement **tout** *en désordre.*

Invariable devant un adjectif ou participe au masculin pluriel :

des pull-overs **tout** *sales,* **tout** *tachés*

il s'accorde en genre et en nombre devant un adjectif ou participe au féminin :

une robe **toute** *tachée   une peau* **toute** *halée*
des robes **toutes** *tachées*

L'arrêté du 28-12-1976 autorise cet accord même si le mot qui suit *tout* commence par une voyelle :

une robe **toute** *abîmée,* **toute** *humide.*

Remarques : a) Une phrase comme :

Les pages sont toutes blanches

est ambiguë : *toutes* peut y indiquer la totalité dans le nombre, ou avoir le sens adverbial (qui revient à la totalité dans l'unité de chaque page).

L'ambiguïté graphique n'existe plus pour un nom masculin :

Les pull-overs sont **tous** *blancs* (ou **tous** *vendus).*
Les pull-overs sont **tout** *blancs* (ou **tout** *tachés).*

b) L'arrêté du 28-12-1976 autorise l'invariabilité ou l'accord dans l'expression *être tout à... :*

Elle est tout (ou *toute) à sa lecture.*

- **Nom** (précédé de l'article):

   J'achète **le tout.**   *Ces couplets ne font pas* **un tout.**

K. Pronoms, adjectifs et adverbes interrogatifs et relatifs

158. *QUI, QUE, QUOI:*

Les pronoms *qui, que, quoi* n'ont aucune variation indiquant le nombre ou le sexe. Ils sont employés dans la latitude que leur laisse ce trait, en proposition interrogative ou relative. Leurs signifiés s'organisent en deux systèmes selon qu'ils sont employés sans ou avec antécédent.

QUI, QUE, QUOI PRONOMS ABSOLUS:

		INANIMÉ	ANIMÉ
SUJET			
RÉGIME	forme conjointe	*que*	*qui*
	forme disjointe	*quoi*	

L'indifférenciation du nombre et du sexe convient à l'interrogation. La distinction animé/inanimé ne recouvre même pas l'opposition des personnes et des choses; les formes d'inanimé questionnent sur le **contenu lexical** *(p):*

Que *vois-tu? – Des voitures/ une route/ un enfant/ une femme/* etc.

et les formes d'animé sur l'**identité des personnes** *(qui?* = quelle personne?):

Qui *vois-tu? - Paul/ Jean/ le facteur/* etc.

La distinction de ces deux types de questions a priorité sur celle des fonctions syntaxiques, qui, du côté de l'animé *qui,* sont toutes confondues (d'où l'ambiguïté d'une phrase comme: *Qui a vu Paul?* où *qui* peut être sujet ou objet).

Du côté de l'inanimé manque une forme de sujet, qu'on supplée par le recours à *qu'est-ce qui?* (§ 159).

Le même système est appliqué dans l'emploi comme relatif sans antécédent, où l'opposition animé/inanimé retrouve son signifié Personne/Chose, avec la nuance indéfinie que donne l'indistinction des nombres et des sexes:

Qui *vivra verra (qui* sujet).
Prends dans ton groupe **qui** *tu préfères (qui* objet).
C'est à **quoi** *je pensais (quoi* objet indirect)

Le cas régime *que* apparaît seulement devant l'Infinitif: *n'avoir* **que** *faire.*

La forme absente de sujet inanimé est suppléée par la forme d'animé dans le tour *voilà qui:*

Voilà **qui** *me fait plaisir.*

SUJET		*qui*	
RÉGIME	direct	*que*	
	indirect	*quoi*	*qui*
		CHOSES	PERSONNES

L'indication du nombre et du genre est inutile si le pronom a pour antécédent le nom qui le précède immédiatement et s'il le représente sans modifier son extension *(x)*, conditions réalisées dans l'emploi comme relatif :

le train qui approche   le garçon qui approche
la voiture qui approche   la fille qui approche

La distinction des fonctions prévaut maintenant sur celle des personnes et des choses, confondues sans dommage à la fonction sujet sous la forme *qui,* à la fonction régime direct sous la forme *que.*

A la fonction régime indirect, *quoi,* en français courant, ne représente pas un nom de chose, mais seulement un pronom neutre ou un terme sans genre ni nombre :

*Il n'y a rien à **quoi** je tienne plus.*
*Il faut composter le ticket, sans **quoi** vous risquez une amende.*

L'ancien français usait normalement de *quoi* pour représenter un nom de chose, possibilité maintenue en français littéraire :

*... une vieille bicyclette achetée d'occasion et sur **quoi** Jasmin nous faisait quelquefois monter.* (Alain-Fournier).

Le français courant remplace *quoi* par les formes de *lequel* (dans l'exemple : *sur laquelle*).

Le français populaire tend à généraliser *que* aux dépens des fonctions indirectes (§ 254).

Dans la fonction interrogative, le système *qui que quoi* est inapte à rendre les services dont on a besoin. Le problème n'est plus de représenter l'antécédent avec sa propre extension, mais dans une autre que le relatif doit pouvoir spécifier ; les formes composées sont donc indispensables :

*De ces revues, **laquelle** me recommandes-tu ?*

159. FORMES RENFORCÉES DU PRONOM INTERROGATIF :

		CHOSES	PERSONNES
SUJET		*qu'est-ce qui*	*qui est-ce qui*
RÉGIME	direct	*qu'est-ce que*	*qui est-ce que*
	indirect	*(à, de...) quoi est-ce que*	

Au tableau du pronom interrogatif absolu (§ 158), celui-ci ajoute une forme de sujet inanimé, et une opposition fonctionnelle dans la colonne de l'animé ; exemples :

Qu'est-ce qui *est tombé ?*
Qui est-ce qui *a vu Paul ?*
Qui est-ce que *Paul a vu ?*

160. *QUEL* ET *LEQUEL :*

Quel, variable en genre et en nombre, interroge sur l'identité ; il peut être attribut ou déterminant :

Quel *est cet acteur ?*
Quelle *actrice interprète ce rôle ?*
Dans **quels** *films a-t-elle joué ?*

Il exprime aussi la modalité exclamative (§ 14), mais en portant sur la qualité ou la quantité :

Quel *chapeau elle a mis !*   **Quel** *courage elle a montré !*

Il constitue avec l'article défini le pronom interrogatif *lequel,* variable en genre même au pluriel, dont l'utilité a été vue au paragraphe précédent.

Lequel sert de pronom relatif, obligatoirement pour les noms de chose au régime direct (§ 158), facultativement pour les noms de personne :

C'est une femme sur **laquelle** (ou *sur* **qui**) *on peut compter.*

Il peut être sujet dans une relative détachée (§ 243), surtout quand la forme *qui* risquerait d'être ambiguë ;

On a mis au grenier la chaise de Bob, **laquelle** *avait un pied cassé.*

La fonction objet, qui se confondrait avec la précédente, est inutilisée.

La langue littéraire emploie *lequel* comme adjectif relatif, pour reprendre l'antécédent même dans une relative détachée, comme dans cette phrase où le pronom *laquelle* resterait ambigu :

On a mis au grenier la chaise de Jeanne, **laquelle chaise** *avait un pied cassé.*

161. *OÙ,* ADVERBE INTERROGATIF ET RELATIF :

L'adverbe de lieu *où* s'emploie au sens interrogatif sans antécédent :

Où *vas-tu ?*   *Dis-moi* **où** *tu habites.*

Il s'emploie au sens relatif avec ou sans antécédent :

Voici la maison **où** *j'habite, la rue par* **où** *je passe.*
Où *nous habitons, il n'y a pas de vide-ordures.*

Où relatif peut avoir le sens temporel et est alors concurrencé par *que :*

Le jour **où** (ou **que**) *tu te marieras, je te donnerai cette bague.*

162. *DONT,* PRONOM RELATIF :

Au lieu du relatif précédé de la préposition *de,* on emploie le plus souvent *dont,* qui signifie *de qui, de quoi, duquel,* etc. :

l'homme **dont** *je parle*   *ce* **dont** *je parle*
le village **dont** *je vois les maisons.*

Donne-moi la montre **dont** *tu m'as dit que le ressort s'est cassé.* (Dans cette phrase, *dont* se rapporte au sujet *ressort* de la proposition conjonctive complément d'objet de *as dit).*

Il arrive que *dont* soit complément de plusieurs noms :

Pasteur, **dont** *les découvertes ont rendu le nom immortel (dont* est le complément de *découvertes* et de *nom).*

On évite la redondance de *dont* et d'un adjectif possessif : **un homme* **dont** *je connais* **son** *frère* (il faut : *un homme* **dont** *je connais* **le** *frère).*

Remarques : a) On recourt, en règle générale, à *de qui* ou aux formes composées *duquel,* etc., quand le relatif est complément d'un nom précédé lui-même d'une préposition :

l'homme dans la maison **de qui** (ou **duquel**) *j'habite* (et non : **l'homme* **dont** *j'habite dans la maison).*

b) *Dont,* qui vient du latin *de unde,* avait normalement autrefois la fonction "complément de lieu" ; il a été supplanté dans cette fonction par *d'où,* sauf pour indiquer l'extraction :

le pays **d'où** *je viens*
la famille distinguée **dont** *il sortait* (Proust).
Les infractions à cet usage sont si nombreuses qu'on ne peut en faire une règle.

L. Mots numéraux

163. LES SYSTÈMES DE NUMÉRATION ; CHIFFRES ET MOTS :

Comme dans le cas des indéfinis (§ 149), il serait vain de vouloir définir les mots numéraux par leurs constructions dans la phrase : ils ont les fonctions les plus diverses (§ 165 et sv.). L'unité de la classe appelée **noms de nombre** est sémantique : ce sont les mots destinés à exprimer non pas le nombre grammatical défini au § 113 (catégorie opposant le pluriel au singulier), mais le **nombre arithmétique.** Dans un groupe nominal comme *mes trois grands enfants, trois* est la seule indication numérique précise, impliquant un système numéral de base supérieure à deux, en fait décimal. Il appartient à la série des **mots cardinaux,** employés comme des noms propres dans les opérations les plus élémentaires de calcul : **trois** *et* **deux** *font* **cinq.** Ce système numéral a deux notations, les **chiffres** et les **mots.**

Que le système des mots puisse ne pas être calqué sur celui des chiffres, l'usage latin en est une démonstration ; comparer :

I	*unus, a, um*	VI	*sex*
II	*duo, ae, o*	VII	*septem*
III	*tres, tria*	VIII	*octo*
IV	*quattuor*	IX	*novem*
V	*quinque*	X	*decem.*

Le système des chiffres est **à base 5** : de 1 à 10, V est un jalon (nombre des doigts d'une main) : on additionne jusqu'à trois chiffres semblables (I, II, III), puis on retranche (IV) jusqu'à V, et ainsi de V en X. Le système des dizaines a la même structure : X, XX, XXX, puis XL et L (50) et ainsi de suite jusqu'à C (100). Les jalons suivants sont D (500) et M (1.000). Mais le système des mots est nettement **décimal :** *quinque* y est suivi de *sex,* et non de *quinque unus.* C'est à partir des dizaines que se pratique la soustraction : alors que 17 se dit par addition *septemdecim,* 18 et 19 se disent par soustraction *duodeviginti, undeviginti* (deux ôté de vingt, un ôté de vingt), 28, *duodetriginta* (deux ôté de trente), etc.

En France, ce n'est qu'au XVe s. que le système des sept chiffres latins fut remplacé par le système à 10 chiffres (dont le "zéro") dit "arabe", connu depuis le Xe s. en Espagne où les Arabes l'avaient effectivement importé, l'ayant eux-mêmes emprunté aux sages de l'Inde qui dès le IVe s. écrivaient les nombres par "position" et non par "juxtaposition".

Il ne faut donc pas s'étonner si le système français des mots cardinaux a une organisation assez différente de celle du système des chiffres. Sa structure est héritée du système **décimal** des noms de nombre latins, et perturbé sur quelques points par l'influence d'un système **vicésimal** (à base 20) dont l'origine est incertaine (substrat gaulois ? superstrat normand ?).

Les noms de nombre sont simples et différents de *zéro* à *seize ;* 17, 18 et 19 sont formés sur 10 par addition : *dix-sept, dix-huit, dix-neuf.* Les noms des dizaines sont simples jusqu'à *soixante,* et les intermédiaires sont formés **par addition, le nom le plus faible placé en second** (comme en latin) et juxtaposé au nom de dizaines, sauf *un* qui est coordonné par *et : vingt et un, vingt-deux, vingt-trois,* etc.

A partir de *soixante* est appliqué le système vicésimal : on passe de 60 à 79 par addition des nombres de *un* à *dix-neuf ;* 71 prend la conjonction : *soixante et onze ;* 80 est le premier nombre formé **par multiplication, le nombre le plus faible** (multiplicateur) **placé en premier :** *quatre-vingts ;* on passe encore de 80 à 99 par addition des nombres de *un à dix-neuf,* avec une particularité : l'absence de la conjonction *et* dans *quatre-vingt-un* et dans *quatre-vingt-onze.*

La conjonction *et* n'apparaît pas après *cent : cent un, cent deux, cent onze.*

Les centaines suivantes sont formées par multiplication jusqu'à 1.000, le multiplicateur étant un nom de nombre simple de *deux* à *neuf : deux cents* (100×2), *trois cents* (100×3).

Au-dessus de 1.000, les milliers comme les centaines se forment par multiplication, avec un multiplicateur éventuellement composé : *trente mille* (1.000×30), *trente et un mille* (1.000×31), *deux cent trente-trois mille* (1.000×233), etc.

Un nombre comme celui du dernier exemple serait ambigu, pouvant être compris comme (133.000×2) ou (33.000×200) ou (3.000×230) si la langue n'avait pour règle que le **multiplicande est un nom de nombre simple :** c'est donc *mille* dans l'exemple, et *deux cent trente-trois* est le multiplicateur.

De 1.000 à 1.900, le choix est donné entre deux usages, dont le premier prévaut en français familier :

1.100 se dit *onze cents* ou *mille cent*

1.200 se dit *douze cents* ou *mille deux cents.*

La liberté ne va pas au-delà ; on dit obligatoirement *deux mille, deux mille cent,* etc.

Le système ainsi appliqué conduit jusqu'à 1.000.000 qui se dit *un million ;* à partir de ce niveau, les noms des cardinaux simples supérieurs sont précédés de *un* lorsqu'ils ne sont pas multipliés :

1.000.000.000 : *un milliard* ou *un billion ;*

1.000.000.000.000 : *un trillion...*

Il existe, au-dessus, *le quatrillion, le quintillion, le sextillion,* etc., mais ces nombres ne pourraient servir qu'aux mathématiciens, qui disent plus simplement *dix puissance quinze,* etc. (10^{15}, 10^{18}, 10^{21}...).

Remarque : Le système numéral exposé a varié à travers les siècles :

— Un emploi plus étendu de la numération vicésimale a laissé des traces dans les œuvres classiques : *six-vingts* (Molière, Racine, Fénelon, La Bruyère) et dans le nom des *Quinze-Vingts,* hospice fondé par saint Louis pour 300 aveugles.

— Certaines régions francophones comme le Sud-Est de la France, la Belgique, la Suisse romande, n'ont pas adopté le système vicésimal et disent *septante, huitante* (ou *octante)* et *nonante* pour 70, 80, 90.

164. PRONONCIATION ET ÉCRITURE DES MOTS CARDINAUX :

Six et *dix* ont trois prononciations selon le contexte :

1° [si] et [di] devant une consonne : *six filles;*

2° [siz] et [diz] devant une voyelle ou devant *h : six enfants, dix-huit;* et dans *dix-neuf;*

3° [sis] et [dis] devant une pause : *J'en ai six.*

Sept et *neuf* gardent leur consonne finale devant une consonne ; *huit* la perd :

> *sept garçons* [sɛt garsɔ̃]   *huit garçons* [ɥi garsɔ̃].

Cinq la conserve facultativement :

> *cinq garçons* [sɛ̃garsɔ̃] ou [sɛ̃kgarsɔ̃].

Vingt garde son *t* final devant un cardinal additionné :

> *vingt-deux* [vɛ̃t dø] etc. (analogique de *trente-deux,* etc.).

Cent perd sa consonne finale devant *un* et *onze : cent un, cent onze.*

Les mots cardinaux ne varient pas **en genre,** *sauf* un (féminin *une) : cent une réponses.*

Ils ne prennent pas le nombre du nom auquel ils se rapportent, puisqu'ils indiquent le nombre de l'ensemble et non des éléments : *mes* **quatre** *enfants; elles sont* **douze.**

Cependant *vingt, cent, milliard, billion,* etc. prennent l'-s du pluriel quand ils sont multipliés : *trois millions, quinze cents francs, quatre-vingts ans.*

Par exception, *vingt* et *cent* multipliés restent invariables quand ils sont suivis d'un autre nom de nombre : *quatre-vingt-treize, deux cent soixante* (exception rendue facultative par l'arrêté ministériel du 28-12-1976).

Mille est à part : quoique multiplié dans *deux mille, trois mille,* etc., il ne prend pas d'-s parce qu'il est en fait une forme de pluriel, dont le singulier était autrefois *mil* (conservé facultativement dans les numéraux composés des dates : *L'an de grâce* **mil** *trois cent cinquante).* L'invariabilité de *mille* le distingue du nom *mille* désignant une mesure romaine ou anglaise ou une mesure marine : *Le camp fut installé à trois* **milles** *de là.*

Comme il est dit au §43, le trait d'union est facultativement employé dans les numéraux composés entre deux noms inférieurs à 100 : *soixante-dix-huit, un million deux cent cinquante mille sept cent trente.* La conjonction *et* dispense du trait d'union : *vingt et un.*

L'usage des chiffres est réservé aux écrits scientifiques. Dans le discours écrit courant, les nombres sont écrits en lettres, sauf :

— les dates : *28 décembre 1980;*

— les numéros des siècles et des chefs d'Etat : *XVIIIᵉsiècle, Louis XV :*

— les prix, poids, mesures : *la pièce de 10 F, une fièvre de 40 degrés, un jardin de 3.0000 mètres carrés.*

165. EMPLOI DES MOTS CARDINAUX :

Comme il est dit au §163, les noms de nombre cardinaux peuvent être employés comme des noms, à la manière des noms propres ; ils expriment alors le nombre en soi :

Cinq *et* **quatre** *font* **neuf,** *ôtez* **deux,** *reste* **sept.** (Boileau).

Comme adjectifs, ils peuvent être actualisateurs (en même temps qu'ils quantifient) : **deux** *enfants,* **dix mille** *hommes.*

Ils peuvent être attributs :

Nous étions **cinq cents** *au départ.*

Sans article, ils ont le sens indéfini, mais ils peuvent être associés aux déterminants de sens défini : *les/ mes/ ces deux enfants.*

Sans nom antécédent, ils peuvent être pronoms :

Sur mes quatre enfants, **deux** *sont mariés et* **un** *divorcé.*

L'article défini peut encore marquer un sens déterminé : **Les quatre** *sont mariés.* En ce cas, l'article peut être précédé de *tous :* **Tous** *les quatre ;* et *tous* peut remplacer l'article : **Tous** *quatre* (mais pas au-dessus de *quatre : Tous les cinq,* etc.).

Remarque : *Zéro,* dans le discours ordinaire, n'est employé que comme nom ; au lieu de *zéro personne, on dit *aucune personne* (ou simplement : *personne).* Mais il est employé comme les autres cardinaux devant les noms d'unités de compte : **zéro** *centimes,* à **zéro** *heure trente-deux.*

166. FORMES ET EMPLOI DES MOTS ORDINAUX :

Les mots ordinaux sont formés sur les mots cardinaux en ajoutant le suffixe *-ième : trente-six :* **trente-sixième ;** *million :* **millionième.**

Exceptions :

— *Unième* ne s'emploie que dans les noms composés : *trente et* **unième.** Mais on dit : *Je suis* **premier.**

— On peut dire *deuxième* ou *second.*

— *Troisième* se disait autrefois *tiers ; quatrième, quart ; cinquième, quint ;* ces mots ne se sont conservés que dans des emplois particuliers : *le* **tiers** *état, une* **tierce** *personne, la fièvre* **quarte,** *Charles-***Quint.**

Les ordinaux indiquent le **rang,** propriété de chacun des éléments (souvent réduits à un) désignés par le nom :

Le **troisième** *jour de la semaine (mercredi).*

Paul, Jacques et Jean sont **troisièmes** (chacun l'est).

Comme adjectifs, ils ont les emplois de l'adjectif qualificatif : épithète ou attribut comme dans les exemples précédents.

Avec un déterminant et sans nom, ils sont pronoms :

Puis en autant de parts le cerf il dépeça,
Prit pour lui **la première** *en qualité de sire.* (La Fontaine)

Du sens ordinal proprement dit dérive le sens **fractionnaire :**

la **centième** *partie de mon salaire.*

De cet emploi sont nés les **noms** masculins de fraction :

le **centième,** *les trois* **dixièmes,** *le* **tiers,** *le* **quart.**

*Le deuxième est remplacé par *la moitié,* ou l'adjectif *demi.*

167. SOMMES ET PRODUITS :

Il existe des séries moins complètes de mots numéraux exprimant :

— la **somme :** *couple, paire, demi-douzaine, dizaine, douzaine,* etc. ; la langue de la musique connaît aussi *duo, trio, quatuor,* que la langue courante emploie dans un sens plus général : *Les Dalton constituaient un dangereux* **quatuor** ; le nom *tandem* a évolué dans le même sens, mettant l'accent sur l'esprit d'équipe plutôt que sur l'harmonie.

— le **produit** : *double, triple, quadruple, quintuple, sextuple, octuple, décuple, centuple* (noms ou adjectifs).

168. EMPLOI DES NOMS DE NOMBRE DANS UN SENS IMPRÉCIS :

Les noms de nombre, en principe, indiquent le nombre avec précision et exactitude. Mais ce n'est pas toujours vrai :

Les noms en *-aine* indiquent souvent un nombre **approximatif** :

> *Revenez dans une* **huitaine,** *une* **quinzaine** *de jours.*

Les adjectifs cardinaux et ordinaux eux-mêmes ont dans certaines expressions toutes faites un sens **approximatif** :

> *Il m'a fait voir* **trente-six** *chandelles.*
> *Faut-il attendre* **cent sept** *ans ?*
> *Il m'a joué* **mille et un** *tours.*
> *Vous êtes le* **centième** *à me poser cette question !*

Le contexte indique ordinairement s'il s'agit d'un nombre exact ou d'un nombre approximatif.

Si l'on veut spécifier que le nombre est approximatif, on recourt aux adverbes *quelque, environ* :

> *Elle a* **quelque** *trente ans* (§ 154), **environ** *trente ans.*

M. Sens Grammatical du Verbe

Le sens de la classe "verbe" se définit à la fois sur le plan de la morphologie et sur celui de la syntaxe.

169. FONCTION MORPHOLOGIQUE DU VERBE :

Aristote définissait déjà le verbe comme la partie du discours "qui indique en plus le temps". Ainsi le verbe *tomber* et le nom *chute* ont les mêmes référents, mais le verbe seul exprime la chute en la situant par rapport au MAINTENANT du locuteur (§ 12) :

> *L'arbre* **tombe.**   *L'arbre* **est tombé.**   *L'arbre* **tombera.**

Il **actualise l'action dans le temps,** ce que le nom *chute* ne peut pas faire.

Cette propriété a pour corrélatif l'aptitude à exprimer non plus l'immuable et le permanent comme font les noms et les adjectifs, mais tout ce qui surgit et disparaît dans le temps, s'y déroule, s'y répète, s'y transforme, c'est-à-dire les actions *(venir, sauter)*, les sensations *(entendre, apercevoir)*, les sentiments *(s'émouvoir, désirer)*, les changements d'état *(devenir)*, les opérations mentales *(comprendre, se rappeler)*, signifiés divers que les grammairiens modernes ont convenu de réunir sous le terme unique de **procès** (du latin *processus,* "progression").

Soit un procès d'une durée instantanée, comme "naître". Si l'on inscrit ce procès dans un segment de l'échelle du temps présentant une durée plus longue (année, mois, jour, heure), on le **date** :

Paul est né le 4 juillet 1960.

Mais s'il s'agit d'un procès dont la durée normale dépasse celle de l'unité temporelle choisie, l'indication de date n'a plus de sens :

*Paul a vécu le 4 juillet 1960.

Dater ne suffit plus, il faut indiquer **à quel point de son déroulement en est le procès** à la date donnée ; c'est ce qu'on appelle en grammaire donner une indication **d'aspect** :

Le 4 juillet 1960, { *Paul a commencé à vivre*
{ *Paul a fini de vivre*
{ *Paul vivait, était vivant.*

Les variations temporelles du verbe français marquent des différences de date et des différences d'aspect, mais la notation de l'aspect est demandée souvent à des verbes auxiliaires tels que *commencer, finir* dans les exemples.

Les marques temporelles ne sont pas les seuls éléments de variation morphologique du verbe. Les différents temps se groupent en "modes", qui sont des systèmes temporels différents, adéquats à tels ou tels usages.

Il existe aussi à certains modes une variation en personne et en nombre *(je vais, tu vas, vous allez)* qui n'a de signifié morphologique, en français moderne, qu'à l'Impératif, servant seulement, aux autres modes, à marquer le rapport du verbe à son sujet (accord, §214).

170. FONCTION PROPOSITIONNELLE DU VERBE :

Le verbe a une autre propriété, indépendante de l'actualisation, c'est sa **fonction cohésive**, qui en fait la **base** de l'unité syntaxique appelée **proposition** (§22) :

L'eau arrache la terre aux berges desséchées.

Plus que tout autre mot, il est apte à "organiser en une structure complète les éléments de l'énoncé" (E. Benveniste).

Un verbe étant donné, telle ou telle fonction (sujet, complément d'objet, attribut, complément de lieu) doit ou peut apparaître, ou est refusée, dans son entourage. Ces traits "syntaxiques", liés au sens lexical de chaque verbe, sont indiqués dans le dictionnaire (tout comme le genre masculin ou féminin du nom) par des termes qu'on va tenter ici de définir.

A part certains verbes essentiellement "impersonnels" (§209) comme *pleuvoir, neiger,* tout verbe exprime un procès *p* rapporté à un ensemble *x* qui exerce la fonction **sujet** (§22) quand le verbe est à un **mode personnel** (c'est-à-dire variable en personne). Deux sens sont à distinguer :

1° Un verbe est **transitif** s'il accepte un complément (§21, 2°), appelé **objet**, désignant un ensemble *(y)* mis en **relation** avec le sujet **par le seul sens du verbe** :

Paul **quitte** *la maison.*   *Le soleil* **éclaire** *le ciel.*

Ces deux propositions répondent à la formule : *p (x, y).*

2° Un verbe est **intransitif** s'il refuse un complément d'objet :

Paul **part.**   *Le soleil* **apparaît.**

(On ne dirait pas : **Paul part la maison, *Le soleil apparaît le ciel.)*

Les verbes *partir* et *apparaître* donnent une indication qui concerne seulement le sujet *(Paul* ou *le soleil).* Les propositions des deux exemples répondent à la formule *p (x).*

Dans des phrases comme :

Paul part **pour l'Italie.**   *Le soleil apparaît* **entre les nuages.**

des compléments désignent bien des ensembles en relation avec le procès, mais la relation est exprimée par les prépositions *pour* et *entre*, et non par le verbe. Ces compléments sont du type **circonstanciel** (§ 225).

Le procès est le plus souvent une action momentanée, que le locuteur peut situer en un point du temps. Il peut aussi être permanent, soit qu'il se répète :

La bière **pique** *la langue.*

soit qu'il se prolonge :

Paul **vit.**

Un procès permanent est comme une qualité du sujet, et l'on peut souvent l'exprimer aussi par un adjectif qualificatif précédé du verbe *être :*

La bière **est piquante.**   *Paul* **est vivant.**

Dans ces deux dernières phrases, le procès proprement dit est réduit au signifié du verbe *être*, lequel est intransitif puisqu'il ne concerne que le sujet. Les adjectifs exprimant après le verbe *être* la différence lexicale qu'exprimerait l'opposition de *piquer* et *vivre* ont la fonction appelée **attribut** (§ 219). Un verbe comme *être* exigeant ou acceptant un adjectif attribut est appelé **attributif.**

Un verbe comme *piquer* n'acceptant pas un adjectif attribut *(*La bière pique acide)* est **non attributif.**

Un verbe attributif peut être intransitif comme *être, paraître, devenir, rester,* ou transitif comme *trouver* dans la phrase suivante :

Je **trouve** *ce vin piquant.*

(La qualité ''piquant'' est cette fois attribuée au liquide dont le signifiant *vin* est l'objet du verbe transitif *trouver*).

En résumé, si la partie morphologique du signifié des verbes (l'actualisation temporelle du procès) est commune à tous les verbes, le signifié syntaxique qui en fait la base de la proposition permet de répartir les verbes en plusieurs classes sous les chefs que distinguent les termes **transitif (ou non)** et **attributif (ou non).**

Remarques : a) Par polysémie un même verbe peut appartenir, selon son contenu lexical, à plusieurs des classes distinguées. Ainsi, *brûler* est

— intransitif s'il signifie ''se consumer'' :

La maison a brûlé ;

— transitif s'il signifie ''détruire par le feu'' :

Paul brûle ses vieilles lettres.

Le verbe *paraître* est

— attributif s'il signifie ''avoir l'air'' :

La maison paraît vide.

— non attributif s'il signifie ''devenir visible'' :

Le maire paraît à la fenêtre.

b) Un verbe peut avoir le sens transitif même s'il n'exige pas la présence d'un complément d'objet ; c'est le cas du verbe *éclairer* dans l'exemple donné plus haut, c'est celui des verbes *manger* et *boire* dans cette phrase :

Paul mange et Jacques boit.

L'expression d'un objet est ici possible *(mange du pain, boit du café)* sans changer le sens du verbe ; on dit qu'il est construit **absolument.**

c) L'étude de la syntaxe montrera que la transitivité verbale peut s'exercer à travers une préposition, soit vide de sens (§ 217), soit significative (§ 225).

N. Conjugaison

171. LES CADRES DE LA CONJUGAISON :

Du point de vue formel, la classe "verbe" est définie par la **conjugaison**, c'est-à-dire la variation en un système d'environ 92 formes dont chacune suppose l'existence des 91 autres. La seule chose sûre est, d'ailleurs, que toutes ces formes existent (sauf pour quelques verbes "défectifs"), mais il n'est pas toujours possible de retrouver, à partir d'une forme, les 91 autres. La conjugaison présente des disparates qu'il faut connaître sans en chercher toujours les raisons ; les grammaires en donnent les règles, illustrées par des tableaux.

Une forme verbale se compose d'un élément lexical, qu'on appelle son **radical**, et d'une ou plusieurs marques grammaticales, dont l'ensemble constitue la **terminaison**. La variation de la terminaison est appelée la **flexion** du verbe, comme si chaque verbe ajoutait à un radical solide une terminaison flexible ; mais le radical même est affecté, dans beaucoup de verbes, par la flexion : on dit *vous buv-ez,* mais *boi-re, je boi-rai, il bu-t.*

La grammaire traditionnelle dispose les tableaux selon des cadres fonctionnels justifiés par le critère de substitution (§ 20). On groupe les formes qui ne diffèrent entre elles que par la personne en séries (de six) appelées **temps**. On groupe ensuite les temps en **modes selon leurs latitudes de substitution dans un même contexte : modes personnels** variant en personne : Indicatif, Impératif, Subjonctif (et "Conditionnel", § 197) ; **modes impersonnels** invariables en personne : Infinitif, Gérondif (§ 200) et Participe.

Nous écrirons avec la majuscule des noms propres les noms des temps et des modes : *le Présent de l'Indicatif, l'Indicatif présent.*

Les prochains paragraphes donneront d'abord les formes des deux verbes les plus employés de la langue française et qui servent d'"'auxiliaires de temps" (§ 183) à tous les autres verbes, *avoir* et *être*. Ensuite viendront les verbes servant de modèles à tous les verbes nouvellement créés : verbes à Infinitif en -**er** comme *aim-***er** et verbes à Infinitif en -**ir** et Participe présent en -**issant** comme *fin-***ir,** *fin-***issant.** Enfin, les autres verbes, dont le modèle est improductif et qui diffèrent les uns des autres autant que des premiers, seront répartis par ressemblance en groupes au sein desquels un verbe d'emploi fréquent aidera quelquefois à retenir la conjugaison des autres.

172. VERBE *AVOIR :*

INDICATIF

Présent	Passé composé
J'ai	
Tu as	Mêmes
Il a	formes
Ns avons	suivies
Vs avez	de : *eu*
Ils ont	

Imparfait	Plus-que-parfait
J'avais	
Tu avais	Mêmes
il avait	formes
Ns avions	suivies
Vs aviez	de : *eu*
Ils avaient	

Passé simple	Passé antérieur
J'eus	
Tu eus	Mêmes
Il eut	formes
Ns eûmes	suivies
Vs eûtes	de : *eu*
Ils eurent	

Futur	Futur antérieur
J'aurais	
Tu auras	Mêmes
Il aura	formes
Ns aurons	suivies
Vs aurez	de : *eu*
Ils auront	

Futur du passé	Futur antérieur du passé
J'aurais	
Tu aurais	Mêmes
Il aurait	formes
Ns aurions	suivies
Vs auriez	de : *eu*
Ils auraient	

SUBJONCTIF

Présent	Passé
Que	*Que*
j'aie	
tu aies	Mêmes
il ait	formes
ns ayons	suivies
vs ayez	de : *eu*
ils aient	

Imparfait	Plus-que-parfait
Que	*Que*
j'eusse	
tu eusses	Mêmes
il eût	formes
ns eussions	suivies
vs eussiez	de : *eu*
ils eussent	

IMPÉRATIF

Aie	
Ayons	
Ayez	

INFINITIF

Présent	Passé
Avoir	Avoir eu

PARTICIPE

Présent	Passé
Ayant	Ayant eu

Forme simple du Participe passé $\boxed{eu}$

173. VERBE *ÊTRE* :

INDICATIF

Présent	Passé composé
Je suis	
Tu es	aux. *avoir*
Il est	à la f. simple
Ns sommes	+ *été*
Vs êtes	
Ils sont	

Imparfait	Plus-que-parfait
J'étais	
Tu étais	aux. *avoir*
Il était	à la f. simple
Ns étions	+ *été*
Vs étiez	
Ils étaient	

Passé simple	Passé antérieur
Je fus	
Tu fus	aux. *avoir*
Il fut	à la f. simple
Ns fûmes	+ *été*
Vs fûtes	
Ils furent	

Futur	Futur antérieur
Je serai	
Tu seras	aux. *avoir*
Il sera	à la f. simple
Ns serons	+ *été*
Vs serez	
Ils seront	

Futur du passé	Futur antérieur du passé
Je serais	
Tu serais	aux. *avoir*
Il serait	à la f. simple
Ns serions	+ *été*
Vs seriez	
Ils seraient	

SUBJONCTIF

Présent	Passé
Que	Que
je sois	
tu sois	aux. *avoir*
il soit	à la f. simple
ns soyons	+ *été*
vs soyez	
ils soient	

Imparfait	Plus-que-parfait
Que	Que
je fusse	
tu fusses	aux. *avoir*
il fût	à la f. simple
ns fussions	+ *été*
vs fussiez	
ils fussent	

IMPÉRATIF

Sois	
Soyons	
Soyez	

INFINITIF

Présent	Passé
Être	*Avoir été*

PARTICIPE

Présent	Passé
Étant	*Ayant été*

Forme simple du Participe passé	*été*

208

174. VERBES EN -ER
(TABLEAUX DES TEMPS SIMPLES) :

AIMER
(un seul radical)

INDICATIF

Présent

J' aim-e
Tu aim-es
Il aim-e
Ns aim-ons
Vs aim-ez
Ils aim-ent

Imparfait

J' aim-ais
Tu aim-ais
Il aim-ait
Ns aim-ions
Vs aim-iez
Ils aim-aient

Passé simple

J' aim-ai
Tu aim-as
Il aim-a
Ns aim-âmes
Vs aim-âtes
Ils aim-èrent

Futur

J' aim-erai
Tu aim-eras
Il aim-era
Ns aim-erons
Vs aim-erez
Ils aim-eront

Futur du passé

J' aim-erais
Tu aim-erais
Il aim-erait
Ns aim-erions
Vs aim-eriez
Ils aim-eraient

SUBJONCTIF

Présent

Que
j' aim-e
tu aim-es
il aim-e
ns aim-ions
vs aim-iez
ils aim-ent

Imparfait

Que
j' aim-asse
tu aim-asses
il aim-ât
ns aim-assions
vs aim-assiez
ils aim-assent

IMPÉRATIF

Aim-e
Aim-ons
Aim-ez

INFINITIF

Présent

Aim-er

PARTICIPE

Présent

Aim-ant

Forme simple
du Ptc. passé :

Aim-é

MENER
(deux radicaux)

INDICATIF

Présent

Je mèn-e
Tu mèn-es
Il mèn-e

Ns men-ons
Vs men-ez

Ils mèn-ent

Imparfait

Je men-ais
Tu men-ais
Il men-ait
Ns men-ions
Vs men-iez
Ils men-aient

Passé simple

Je men-ai
Tu men-as
Il men-a
Ns men-âmes
Vs men-âtes
Ils men-èrent

Futur

Je mèn-erai
Tu mèn-eras
Il mèn-era
Ns mèn-erons
Vs mèn-erez
Ils mèn-eront

Futur du passé

Je mèn-erais
Tu mèn-erais
Il mèn-erait
Ns mèn-erions
Vs mèn-eriez
Ils mèn-eraient

SUBJONCTIF

Présent

Que
je mèn-e
tu mèn-es
il mèn-e
ns men-ions
vs men-iez
ils mèn-ent

Imparfait

Que
je men-asse
tu men-asses
il men-ât
ns men-assions
vs men-assiez
ils men-assent

IMPÉRATIF

Mèn-e

Men-ons
Men-ez

INFINITIF

Présent

Men-er

PARTICIPE

Présent

Men-ant

Forme simple
du Ptc. passé :

Men-é

Tous les verbes ont des **temps composés** correspondant à ces temps simples, formés comme pour *être* et *avoir* d'un auxiliaire au temps simple correspondant suivi du participe passé ; ex. : *j'ai aimé, je suis tombé* (Passé composé). Le choix de l'auxiliaire est étudié au paragraphe 184.

175. PARTICULARITÉS DES VERBES EN -ER :

● La 2e personne du singulier de l'Impératif présent est terminée par un -s (analogique des autres conjugaisons) devant les adverbes en et y (Manges-en, vas-y), sauf si ces adverbes se rapportent à un verbe qui les suit (Ose en dire du mal, Va y mettre ordre).

● Les verbes en -ier et -éer ne modifient en rien leur radical, qui se termine respectivement par i et é ; on écrit donc : nous pli-ions, vous pli-iez (Imparfait), je cré-erai (Futur), cré-ée (Participe passé féminin).

● Dans les verbes en -cer et -ger, on conserve partout, au c et au g, la prononciation qu'ils ont devant e et i ; pour cela, quand ils sont suivis de a ou o on écrit c avec une cédille (§ 49) : je lançais, nous lançons ; et l'on intercale un e entre g et la voyelle (§ 47, Rem. c) : je mangeais, nous mangeons.

● Dans le tableau du verbe mener (radical [mən]), on a entouré d'un trait de couleur les formes présentant le second radical ([mɛn]) : il est facile de retenir quelles sont ces formes si l'on remarque que le radical y est partout suivi d'un "e muet" dont l'amuïssement est la cause de l'altération du radical comme il est dit au § 47.

L'alternance [ə]/[ɛ] observée dans mener se retrouve donc dans tous les verbes ayant un "e muet" à l'avant-dernière syllabe de l'infinitif : peser, je pèse, nous pesons.

Une difficulté graphique se présente pour les verbes en -eler et -eter ; l'e ouvert [ɛ] y est noté è dans acheter, celer, geler, peler : j'achète, nous achetons, j'achetais, j'achèterai ; il est noté par le doublement du l ou du t dans appeler, chanceler, jeter, renouveler, ruisseler : je jette, nous jetons, je jetais, je jetterai. Selon le grammairien Maurice Grevisse, ces quelques verbes sont les seuls, sur une quarantaine, pour lesquels l'usage ait tranché entre les deux graphies possibles. René Thimonnier (§ 45) a proposé de généraliser la graphie è ; l'Académie a adopté ce principe en 1975, mais le Ministère, en 1976, n'a pas suivi.

Remarques : a) Dans les verbes du type de céder, l'usage écrit a conservé le radical de l'Infinitif au Futur et au Conditionnel pendant que l'usage oral remplaçait [e] par [ɛ] ; l'arrêté du 28-12-1976 autorise l'accent grave (§ 47).

b) Interpeller a conservé un radical unique dans l'usage écrit, pendant que l'usage oral le conformait au type mener ; un usage puriste maintient pour ce verbe la même prononciation que pour seller, flageller et quereller.

● Les verbes en -oyer et en -oy changent -oyer en -oi- et -uy- en -ui- à toutes les personnes où mener change [ə] en [ɛ] : je noie, nous noyons, je noyais, je noierai. La modification de -ay- en -ai- dans les mêmes conditions est facultative pour les verbes en -ayer : je paye (paie), nous payons, je payais, je payerai (paierai). Grasseyer, seul verbe en -eyer, garde toujours l'y.

● Envoyer forme le Futur et le Futur du passé comme voir : j'enverrai, j'enverrais.

● Aller a un radical en v à 4 formes de l'Indicatif présent (je vais, tu vas, il va, ils vont) et à la 2e pers. du singulier de l'Impératif (va). Il a le radical i aux deux Futurs : j'irai, j'irais. Partout ailleurs, le radical est all-, qui devient aill- à quatre personnes du Subjonctif présent : que j'aille, que tu ailles, qu'il aille, qu'ils aillent.

Aux temps composés, on peut employer être au sens d'aller : J'ai été à Paris dimanche. La langue littéraire emploie il fut pour il alla.

176. VERBES EN -*IR (-ISSANT)* :

FINIR

INDICATIF	SUBJONCTIF
Présent	**Présent**
Je finis	Que
Tu finis	je finiss-e
Il fini-t	tu finiss-es
Ns finiss-ons	il finiss-e
Vs finiss-ez	ns finiss-ions
Ils finiss-ent	vs finiss-iez
	ils finiss-ent
Imparfait	**Imparfait**
Je finiss-ais	Que
Tu finiss-ais	je fin-isse
Il finiss-ait	tu fin-isses
Ns finiss-ions	il fin-ît
Vs finiss-iez	ns fin-issions
Ils finiss-aient	vs fin-issiez
	ils fin-issent
Passé simple	
Je fin-is	**IMPÉRATIF**
Tu fin-is	
Il fin-it	Finis
Ns fin-îmes	Finiss-ons
Vs fin-îtes	Finiss-ez
Ils fin-irent	
Futur	**INFINITIF**
Je fin-irai	
Tu fin-iras	**Présent**
Ns fin-irons	Fin-ir
Vs fin-irez	
Ils fin-iront	
Futur du passé	**PARTICIPE**
Je fin-irais	**Présent**
Tu fin-irais	Finiss-ant
Il fin-irait	
Ns fin-irions	Forme simple
Vs fin-iriez	du Ptc. passé :
Ils fin-iraient	Fin-i

Ce verbe a, en réalité, deux radicaux :

1° *fin-*, radical de l'Infinitif, du Passé simple, des Futurs, de l'Imparfait du Subjonctif et du Participe passé ;

2° *finis-*, dont l's disparaît devant un -*t* à l'Indicatif présent *(Il fin-it)* et est doublé dans l'écriture devant une voyelle quelconque : *nous finiss-ons, que je finiss-e.*

Quoique formés sur un radical différent, le Présent et l'Imparfait du Subjonctif se rejoignent, **sauf à la 3ᵉ** personne du singulier.

Tous les verbes de ce type font leurs temps composés avec l'auxiliaire avoir : *j'ai fini,* etc.

Remarques : — *Haïr (haïssant)* se conjugue comme *finir* sauf : *je hais, tu hais, il hait* (Indic. présent) et *hais* (Impératif).

— *Bénir,* à coté de son participe passé régulier *béni,* a un autre Participe passé, en *t,* qui s'emploie comme adjectif dans la langue religieuse : *pain bénit, eau bénite.*

— *Maudire,* à part l'Infinitif présent et le Participe passé *maudit,* se conjugue régulièrement sur *finir.*

— *Bruire,* à part l'Infinitif présent, se conjugue sur *finir* aux formes où il se rencontre : *Le torrent bruissait.*

— *Fleurir* au sens de *être en fleur* se conjugue régulièrement sur *finir ;* au sens de *prospérer,* il a le Participe *florissant* et l'Imparfait *florissais.*

177. AUTRES TYPES DE CONJUGAISON :

Pour conjuguer les verbes qui n'appartiennent pas aux types *aimer* et *finir*, il faut, d'une manière générale, connaître non seulement l'Infinitif, mais certains temps sur lesquels on peut former les autres, et qu'on appellera **temps primitifs** : Indicatif présent (que nous désignerons par I.P.), Passé simple (P.S.), Futur (F.), Subjonctif présent (S.P.), Participe présent (P.PR.), Participe passé (P. PS.). Le radical fondamental est en principe celui qu'on obtient en retranchant -*ir*, -*oir* ou -*re* à l'Infinitif.

L'**Indicatif présent** se conjugue ordinairement avec les terminaisons **s, s, t, ons, ez, ent,** sauf quelques exceptions que nous signalerons.

L'**Impératif** se conjugue, sauf quelques exceptions, comme l'Indicatif présent.

Le **Subjonctif présent** se conjugue avec les terminaisons d'*aimer* et *finir.*

L'**Indicatif imparfait** se conjugue en retranchant *-ant* au Participe présent et en ajoutant les terminaisons d'Imparfait d'*aimer* et *finir.*

Le **Passé simple,** en *-is,* en *-us* ou en *-ins* modifie sa terminaison comme le Passé simple de *finir.*

Le **Subjonctif imparfait** se forme sur la 1re personne du Passé simple en retranchant et en ajoutant les terminaisons **sse, sses, t, ssions, ssiez, ssent** (sans oublier un accent circonflexe à la 3e personne du singulier).

Les **deux Futurs** modifient leurs terminaisons comme les deux Futurs d'*aimer* et *finir*.

Le **Participe passé** a des terminaisons très diverses : *ri, venu, né, pris, mis, dit, fait, craint, ouvert, mort.* Pour se rappeler si le masculin singulier est terminé par une consonne ou une voyelle, on met le Participe au féminin : *prise,* donc *pris; cueillie,* donc *cueilli; dite,* donc *dit,* etc.

Verbes du type *couvrir*

Ces verbes *(assaillir, couvrir, cueillir, défaillir, offrir, ouvrir, souffrir, tressaillir,* etc.) conjuguent l'Indicatif présent et imparfait, l'Impératif et le Subjonctif présent sur le modèle d'*aimer :*

I. P. *Je couvre, tu couvres,* etc.
P. S. en *-is : je couvris*
F. en *-irai : je couvrirai,* etc. ; sauf : *je cueillerai*
P. PR. en *-ant : couvrant*
P. PS. *Assailli, couvert, cueilli, défailli, offert, ouvert, souffert, tressailli.*

Courir et *mourir*

Courir ne change pas de radical :

I. P. *je (tu) cours, il court, ns courons*
P. S. en *-us : je courus, ns courûmes*
F. en *-rai : je courrai*
P. PR. en *-ant : courant*
P. PS. *couru*

Mourir change *mour-* en *-meur-* devant *s* ou *t* et devant *e* muet :

I. P. *je (tu) meurs, il meurt, ils meurent*
S. P. *que je meure*
Le P. PS. est **mort.**

Tenir et *venir*

Tenir change *ten-* en *tien-* devant *s* et *t,* en *tienn-* devant *e* muet et en *tiend-* devant *r;* mêmes variations pour *venir :*

I. P. *je (tu) tiens, il tient, ns tenons, vs tenez, ils tiennent*
P. S. *je tins, ns tînmes, vs tîntes, ils tinrent*
F. *je tiendrai*
P. PS. *tenu*

Verbes en *-quérir*

I. P. *Je (tu) acquiers, il acquiert, ns acquérons, vous acquérez, ils acquièrent*
P. S. *j'acquis*
F. *j'acquerrai*
S. P. *que j'acquière, que ns acquérions*
P. PR. *acquérant*
P. PS. *acquis*

Fuir et *s'enfuir*

Ces verbes changent *i* en *y* devant une voyelle autre qu'un *e* muet :

I. P. *je fuis, ns fuyons, ils fuient*
P. S. en *-is : je fuis, ns fuîmes, vs fuîtes, ils fuirent*
F. en *-irai : je fuirai*
S. P. *que je fuie, ns fuyions*
P. PS. *fui*

Verbes du type *dormir*

Ces verbes (*dormir, mentir, partir, se repentir, sentir, servir, sortir,* etc.) perdent la consonne finale du radical au singulier de l'Indicatif présent :

I. P. *je (tu) dors, il dort, ns dormons, vs dormez, ils dorment*
P. S. en *-is : je dormis*
F. en *-irai : je dormirai*
P. PS. *dormi* etc.

Bouillir suit ce modèle, mais la consonne finale du radical est écrite *ill* (donc : *je bous, que je bouille*)

Vêtir (revêtir) suit le modèle de *dormir,* mais garde partout le *t* dans l'écriture :
I. P. *je (tu) vêts, il vêt*
P.PS. *vêtu*

Voir et ses préfixés

Voir et *revoir* changent *i* en *y* devant une voyelle autre qu'un *e* muet :
I. P. *je vois, ns voyons, ils voient*
P. S. en *-is : je vis*
F. *je verrai*
P. PS. *vu*
Prévoir se conjugue de même, sauf au F. *(prévoirai)*
Pourvoir se conjugue de même, sauf au P. S. *(pourvus)* et au F. *(pourvoirai)*

(S')asseoir et surseoir

Comme *voir*, ces verbes changent *i* en *y* devant une voyelle autre qu'un *e* muet :
I. P. *j'asseois, ns assoyons, ils assoient*
P. S. *j'assis*
F. *j'assoirai,* mais : *je surseoirai*
S. P. *que j'assoie, que ns assoyions, qu'ils assoient*
P. PR. *assoyant, sursoyant*
P. PS. *assis, sursis*
Asseoir a une autre conjugaison (mais non *surseoir*) :
I. P. *j'assieds, il assied, ns **asseyons**, vs **asseyez,** ils **asseyent***
F. *j'assiérai*
S. P. *que j'asseye, que ns **asseyions,** que vous **asseyiez,** qu'ils asseyent*
P. PR. **asseyant**
Les formes en gras sont préférées aux formes en *-soy-* en français courant.

Devoir et verbes en -cevoir

Ces verbes changent *ev* en *oi* devant *s* et *t* et en *oiv* devant *e* muet :
I. P. *je (tu) dois, il doit, ns devons, vs devez, ils doivent ; j'aperçois,* etc.
P. S. en *-us : je dus, j'aperçus*
F. en *-rai : je devrai, j'apercevrai*
S. P. *que je doive, que j'aperçoive*
P. PS. *dû* (l'accent circonflexe évite la confusion avec l'article ; il disparaît dans *due, dus* et dans les autres verbes de la série).

Verbes du type fendre

Ces verbes *(défendre, descendre, entendre, fendre, mordre, pendre, perdre, pondre, prétendre, rendre, répandre, répondre, rompre, tendre, tondre, vendre)* conservent partout dans l'orthographe le radical de l'Infinitif, mais perdent dans la prononciation la consonne finale du radical au singulier de l'Indicatif présent :
I. P. *je (tu) fends, il fend, ns fendons,* etc.
P. S. en *-is : je fendis*
F. en *-rai : je fendrai*
P. PS. *fendu, rompu,* etc.
Remarques : a) *Battre* se conjugue sur *fendre,* mais le double *t* se simplifie devant *s (je bats)* et disparaît devant *t (il bat)*
b) *Mettre* ne diffère de *battre* qu'au P. S. *(je mis)* et au P. PS *(mis, mise)*

Savoir

Nombreux changements de radical
I. P. *je sais, ns savons*
P. S. en *-us : je sus*
F. *je saurai*
S. P. *que je sache*
P. PR. *sachant*
P. PS. *su*
Remarque : L'Impératif est irrégulier : *Sache, sachons, sachez*

Pouvoir et mouvoir (émouvoir)

I. P. *je (tu) peux, il peut, ns pouvons ; je (tu) meus, il meut, ns mouvons,* etc.
P. S. *je pus, je mus*
F. *je pourrai, je mouvrai*
S. P. *que je **puisse,** etc. ; que je meuve, que tu meuves, qu'il meuve, que nous mouvions, que vous mouviez, qu'ils meuvent*
P. PR. *pouvant, mouvant*
P. PS. *pu, mû* (mais *mue, mus, promu, ému).*
Remarques : a) On dit *puis-je ?* et non **peux-je ?*
b) *Pouvoir* n'a pas d'Impératif.

Vouloir et valoir

I. P. *je (tu) veux, il veut, ns voulons, ils veulent ; je (tu) vaux, il vaut, ns valons, ils valent*
P. S. en *-us : je voulus, je valus*
F. *je voudrai, je vaudrai*
S. P. *que je veuille, que ns voulions, qu'ils veuillent ; que je vaille,* (mais *prévale), que ns valions, qu'ils vaillent*
P. PR. *voulant, valant*
P. PS. *voulu, valu*
Seul, *vouloir* a un Impératif : *veuille, veuillons, veuillez*

Rire, sourire et verbes en -clure

Ce verbe, ainsi que *sourire, conclure, inclure, exclure,* ne change pas de radical :
I. P. *je ris, ns rions, ils rient*
P. S. *je ris*
F. en *-rai : je rirai*
S. P. *que je rie, que nous riions*
P. PS. *ri, conclu (ue), exclu (ue)* mais *inclus (use)*

Verbes en -aindre, -eindre et -oindre

Ces verbes (tous les verbes en *-aindre, -eindre,* et *-oindre)* ne conservent le radical de l'Infinitif qu'au Futur ; ils terminent ailleurs leur radical par un *n* qui devient *gn* devant une voyelle :
I. P. *je (tu) crains, il craint, ns craignons, vs craignez, ils craignent*
P. S. en *-is : je craignis*
F. en *-rai : je craindrai*
P. PR. *craignant*
P. PS. *craint*

Vaincre et convaincre

Ce verbe suit à peu près le modèle de *fendre*, mais change *c* en *qu devant une voyelle autre que u* :

I. P. *je (tu) vaincs, il* **vainc**, *ns vainquons, vs vainquez, ils vainquent*
P. S. *je vainquis*
F. *je vaincrai*
S. P. *que je vainque*
P. PR. *vainquant*
P. PS. *vaincu*

Prendre, coudre et moudre

Ces verbes ne concervent le radical de l'Infinitif qu'au singulier de l'Indicatif présent et au Futur :

I. P. *je (tu) prends, il prend, ns prenons ; je (tu) couds, il coud, ns cousons ; je (tu) mouds, il moud, ns moulons*
P. S. *je pris, cousis, moulus*
F. *je prendrai, coudrai, moudrai*
S. P. *que je prenne, couse, moule*
P. PR. *prenant, cousant, moulant*
P. PS. *pris, cousu, moulu*

Verbes en -soudre

Ces verbes ne conservent qu'au Futur le radical de l'Infinitif :

I. P. *je (tu) résous, il résout, ns résolvons*
P. S. *je résolus*
F. *je résoudrai*
S. P. *que je résolve*
P. PR. *résolvant*
P. PS *résolu, mais* **absous, absoute ; dissous, dissoute**

Naître et croître

Naître (connaître, paraître) ont un accent circonflexe sur l'*i* du radical quand il est suivi d'un *t :*

I. P. *je (tu) nais, il naît, ns naissons, ils naissent*
P. S. *je* **naquis**, *connus, parus*
F. *je naîtrai*
S. P. *que je naisse*
P. PR. *naissant*
P. PS. **né**, *connu, paru*

Croître suit le modèle de *paraître* (avec *o* au lieu de *a*), mais l'accent y est étendu aux deux premières personnes *(je croîs, tu croîs)*, au P. S. *(je crûs)*, au P. PS. *(crû*, mais fém. *crue*, pluriel *crus* et préfixés *accru, décru)* afin de distinguer les formes homonymes de *croire* et de *croître*.

Croire

Ce verbe, comme *fuir,* change *i* en *y* devant une voyelle autre qu'un *e* muet :

I. P. *je crois, ns croyons, ils croient*
P. S. *je crus*
F. *je croirai*
S. P. *que je croie, que ns croyions*
P. PR. *croyant*
P. PS. *cru*

Boire

Nombreux changement de radical :

I. P. *je bois, ns buvons*
P. S. *je bus*
F. *je boirai*
S. P. *que je boive*
P. PR. *buvant*
P. PS. *bu*

Suivre et vivre

Ces verbes perdent au singulier de l'indicatif présent le *v* du radical :

I. P. *je (tu) suis, il suit, ns suivons, vs suivez, ils suivent*
P. S. *je suivis, je* **vécus**
F. *je suivrai, je vivrai*
P. PR. *suivant, vivant*
P. PS. *suivi,* **vécu**

Remarque : *Écrire, inscrire,* etc., se conjuguent comme *suivre,* mais perdent le *v* également aux deux futurs *(j'écrirai)* et font au P. PS. *écrit, inscrit*

Verbes en -ire et en -aire

Ces verbes, sauf *rire, sourire* et les verbes du type d'*écrire,* ajoutent un *s* au radical à certaines formes :

I. P. *j'élis, il élit, ns élisons, vs élisez, ils élisent*
Mais : *vous* **dites** (et *vous* **redites**). *Je tais, il tait, ns taisons, vs taisez, ils taisent.* Mais *vous* **faites**, *ils* **font** (et v. préfixés)
P. S. *je conduisis, élus, dis, tus, plus, fis*
F. *je conduirai, élirai, dirai, tairai, plairai, ferai*
S. P. *que je conduise, élise, dise, taise, plaise, fasse*
P. PR. *conduisant, élisant, disant, taisant, plaisant, faisant*
P. PS. *conduit* (mais *lui, nui*), *élu, dit, tu, plu, fait*

Remarques : a) *faisant* et *faisais* sont prononcés [fəzã] et [fəzɛ] .
b) Noter l'accent circonflexe dans *il* **plaît**.

178. VERBES DÉFECTIFS :

Une catégorie de verbes appelés **impersonnels** (§ 209) ont une conjugaison réduite, tenant à leur signifié lexical ou à leur condition d'emploi syntaxique, mais on réserve le nom de **défectifs** à des verbes dont certains temps sont plus ou moins sortis d'usage ; en voici la liste par ordre alphabétique :

Accroire : n'est usité qu'à l'Infinitif dans l'expression : *en faire accroire.*

Braire : se conjugue comme *croire :* *il brait, il brayait* (ne pas confondre avec *braillait :* du verbe vulgaire *brailler),* *ils braient ;* mais il ne se rencontre guère, vu son sens, qu'à l'Infinitif et aux 3ᵉˢ personnes des deux nombres, et il n'a ni Passé simple, ni Subjonctif.

Bruire : se conjugue comme *finir : il bruissait ;* mais il n'est employé qu'à l'Infinitif, au Participe présent et aux 3ᵉˢ personnes du Présent et de l'Imparfait de l'Indicatif.

Chaut, du vieux verbe *chaloir* (cf. *nonchalant*) : n'est usité que dans l'expression impersonnelle : *Peu m'en chaut* (=peu m'importe), à l'Indicatif présent.

Choir (=tomber) : ne s'emploie plus que par plaisanterie, mais ses préfixés *déchoir* et *échoir* subsistent à certaines formes.

Clore (=fermer) :
I. P. *Je clos, tu clos, il clôt, ils closent.*
F. *Je clorai,* etc.
S. P. *Que je close,* etc.
P. PS. *Clos*
Le préfixé *éclore* n'est usité qu'aux 3ᵉˢ personnes, à l'Infinitif et au Participe passé.
Le préfixé *enclore* se conjugue comme *clore,* mais il a l'Indicatif présent complet.

Déchoir : I. P. : *Je déchois, tu déchois, il déchoit, nous déchoyons, vous déchoyez, ils déchoient.*
P. S. *Je déchus,* etc.
F. *Je déchoirai* ou *je décherrai* (archaïque).
S. P. *Que je déchoie,* etc.
P. PS. *Déchu.*
Ni Imparfait ni Participe présent.

Echoir : I. P. *Il échoit* ou *il échet* (archaïque), ils échoient.
P. S. *Il échut, ils échurent.*
F. *Il échoira* ou *il écherra* (archaïque).
P. PR. : *Echéant.* P. PS. : *Échu.*
Aux. *être* aux temps composés.

Faillir : n'est usité qu'à l'Indicatif et aux formes suivantes :
P. S. *Je faillis,* etc.
F. *Je faillirai,* etc. (rare).
P. PS. *Failli.*

Férir (= frapper) : n'est usité qu'à l'Infinitif dans l'expression *sans coup férir,* et au Participe passé *féru* qui s'emploie comme adjectif au sens de : *épris de* (ex. **féru** *de romans d'aventures).*

Frire : n'est usité qu'à l'Infinitif et aux formes suivantes :
I. P. *Je fris, tu fris, il frit.*
F. *Je frirai,* etc.
P. PS. *Frit.*

Gésir (infinitif archaïque) : n'est usité qu'aux formes suivantes :
I. P. *Je gis, tu gis, il gît (ci-gît), nous gisons, vous gisez, ils gisent.*
Imp. *Je gisais,* etc. P. PR. *Gisant.*

Oindre (= enduire) : n'existe que dans des proverbes ou des locutions consacrées : **Oignez** *vilain, il vous poindra ; poignez vilain, il vous* **oindra.** *L'*oint *du Seigneur* (=Jésus-Christ).

Ouïr (= entendre) : n'est plus usité que dans l'expression **ouï-dire.**

Paître : se conjugue comme *connaître* (§ 181) mais n'est employé ni au passé simple (et à l'imparfait du subjonctif), ni au Participe passé (et aux temps composés).

Poindre : n'est plus usité qu'à l'Infinitif : *Le jour commence à* **poindre,** et à la 3ᵉ personne du Présent et du Futur de l'Indicatif :
Le jour **point, poindra.**

Promouvoir : ne s'emploie qu'à l'infinitif et au participe passé *promu.*

Quérir (= chercher) : ne s'emploie qu'à l'Infinitif dans les parlers ruraux, après les verbes *aller, envoyer : Va* **quérir** *le médecin.*

Reclure : inusité en dehors du Participe passé : *reclus.*

Renaître : n'a pas de Participe passé ; il n'a donc pas de temps composés.

Seoir : au sens de *convenir,* ce verbe a les formes suivantes :
I. P. *Il sied, ils siéent*
Imp. *Il seyait, ils seyaient* (et Participe présent *seyant).*
F. *Il siéra, ils siéront.*
S. P. *Qu'il siée, qu'ils siéent.* Le préfixé *messeoir* a les mêmes formes.
Au sens de *être assis* ou *situé, seoir* n'a que les Participes *séant* et *sis.*

Traire : se conjugue sur *croire* comme *braire,* mais n'a pas de Passé Simple, donc pas d'Imparfait du Subjonctif ; le Participe passé est : *trait.*
Les préfixés *abstraire, distraire, extraire, soustraire* ont les mêmes formes.

Vêtir : est presque sorti de l'usage, sauf à l'Infinitif et au Participe passé *vêtu.*

179. MODIFICATIONS DUES A L'INVERSION DU SUJET :

L'inversion du sujet (§ 241) entraîne les modifications suivantes :

1° Aux formes de 1re personne terminées par *e* muet, l'*e* final devient *é* (qui se prononce d'ailleurs [ɛ]) : *Aimé-je ? Puissé-je, dussé-je.*

2° Quand la 3e personne est terminée par *e* ou *a*, un *t* "euphonique", analogique des formes comme *finit, voit, aimait,* etc., est intercalé entre le verbe et le sujet *il, elle* ou *on : Aime-t-il? Où ira-t-elle? Ainsi dira-t-on.*

O. Expression du Temps et de l'Aspect

180. LE PROCÈS INSCRIT DANS LE TEMPS ; DURÉE ET DATE :

On figure habituellement le temps par une ligne horizontale orientée conventionnellement à gauche vers le passé, à droite vers l'avenir.

Un procès quel qu'il soit occupe toujours une certaine **durée**, et peut être représenté sur la ligne du temps par un trait sinueux. Le graphique ci-dessous figure, par exemple, le procès exprimé par le verbe *déjeuner* à l'Infinitif.

Ainsi formulé, le procès n'est pas situé par rapport au repère MAINTE-NANT, l'Infinitif présent est une forme **atemporelle**. La situation par rapport à ce repère, qui **actualise** le verbe (§ 12), ne se fait qu'à l'Indicatif, où le Présent *il déjeune* place le procès par rapport à l'instant présent autrement que ne feraient l'Imparfait *il déjeunait* et le Futur *il déjeunera* ; ce repérage est une indication de **date** :

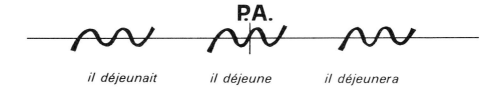

il déjeunait　　*il déjeune*　　*il déjeunera*

Les initiales P.A. désigneront, sur tous les graphiques, le point idéal du "présent absolu" (MAINTENANT).

181. ORDRE DE PROCÈS ; ASPECTS : CONTINUATIF, ITÉRATIF, SEMELFACTIF :

Dans les deux phrases suivantes, le même « temps » verbal est employé (le Passé composé) ; pourtant, une différence de sens existe entre les deux, qu'illustrent des graphiques, et qui est du ressort de l'**aspect** (§ 160) :

1. *Pendant une heure, il* **a dormi**.

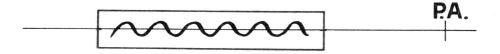

2. *Pendant une heure, il* **a demandé à boire**.

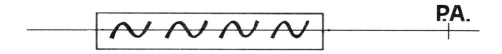

Les rectangles de couleur, dans ces graphiques, représentent la partie du temps qu'embrasse la pensée (durée : une heure). En 1, le procès est vu sous l'aspect **continuatif**, il a duré toute l'heure sans interruption. En 2, sous l'aspect **itératif** : il s'est répété un nombre indéfini de fois, car une seule fois ne pouvait durer une heure.

La différence d'aspect entre ces deux phrases ne répond à aucune différence morphologique (le même temps verbal est employé) ; elle tient au signifié lexical de chacun des verbes, envisagé sous le chef qu'on appelle **ordre de procès** : le verbe *demander* est de sens **limité** (on dit aussi *conclusif*), *dormir* de sens **non limité** ou **continu** (on dit aussi *non conclusif*).

On vérifie cette différence, parallèle à celle des substances *nombrables* et *continues* dans le domaine du nom (§ 117), en essayant d'associer au verbe un complément de durée comme dans l'exemple. L'épreuve, pratiquée avec *longtemps*, permet de ranger dans la classe "limitée" des verbes comme *atteindre, bondir, entrer, mourir, naître, sortir*, et d'en écarter des verbes comme *aimer, attendre, courir, habiter, regarder, vivre*. Dans quelques cas, un préfixe donne à un verbe le sens limité : comparer *courir* et *accourir, dormir* et *s'endormir*.

Il n'est nullement exclu, comme dans le cas des aspects du nom, que pour un verbe polysémique l'ordre de procès diffère d'un sens à l'autre. Ainsi *demander*, de sens limité dans *Il a demandé à boire,* est continu au sens de "nécessiter" dans *Ce hangar demande des réparations.* Un adverbe comme *souvent* implique un sens limité : *Il m'a regardée souvent ; longtemps* implique un sens continu : *Il m'a regardée longtemps.*

En français, toute forme verbale personnelle ou impersonnelle peut exprimer l'aspect continuatif ou l'aspect itératif selon l'ordre de procès du verbe et les limites temporelles marquées dans le contexte.

Un complément de temps indiquant la date et non la durée ne produit évidemment pas l'effet itératif :

3. *A deux heures, il* **a demandé** *à boire.*

L'aspect exprimé dans cette phrase est dit **semelfactif** (du latin *semel*, une fois).

182. AUXILIAIRES D'ASPECT :

D'autres nuances aspectuelles, indépendantes de l'ordre de procès, sont exprimés par des **verbes auxiliaires**. Les exemples suivants font connaître les principales :

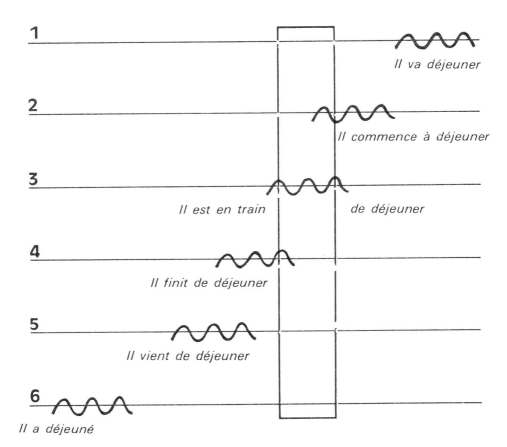

1 *Il va déjeuner*

2 *Il commence à déjeuner*

3 *Il est en train* | *de déjeuner*

4 *Il finit de déjeuner*

5 *Il vient de déjeuner*

6 *Il a déjeuné*

Dans ces exemples, la pensée regarde le présent — temps auquel est mis l'auxiliaire — et le procès occupe toutes les positions possibles relativement à l'époque regardée :

● En 1, l'auxiliaire *aller*, qu'on pourrait remplacer par la locution auxiliaire *être sur le point de*, donne à la fois une indication de date (procès futur) et d'intervalle (proximité) : c'est l'aspect **imminent** (ou **ultérieur proche**).

● En 2, *commencer* (remplaçable par se *mettre à*) marque l'aspect **inchoatif** (ou **ingressif**).

● En 3, le procès est montré à un point de son déroulement, sans qu'on voie le début ni la fin : c'est l'aspect **duratif** (on dit aussi **sécant**, terme moins ambigu).

● En 4, le verbe *finir* (remplaçable par *achever)* marque l'aspect **terminatif.**

● En 5, *venir* marque l'aspect **récent** (ou **antérieur proche**), le contraire du N° 1.

● En 6, *avoir* marque l'aspect **accompli** ou **antérieur indéfini,** sans précision d'intervalle, celui-ci pouvant être aussi court ou aussi long qu'on voudra *(Paul a déjeuné à l'Elysée en 1964).*

Théoriquement, les auxiliaires d'aspect peuvent se rencontrer à tous les temps et à tous les modes ; on dit : *Il* **venait** *de déjeuner,* **venir** *de déjeuner,* **venant** *de déjeuner.* Mais il s'en faut que tous les temps soient attestés : beaucoup de ces combinaisons seraient cacophoniques, ou trop complexes, ou inutiles.

Remarques : a) Certains des verbes ou locutions auxiliaires marquant l'aspect sont employés seulement avec cette valeur ; par exemple, *être sur le point de, être en train de* ; on les appelle auxiliaires purs. D'autres sont polysémiques et ont dans l'emploi auxiliaire un sens différent de leur sens habituel ; par exemple, *aller* et *venir* comme auxiliaires n'indiquent aucun déplacement et l'on dit sans redondance : *Il* **va** *y aller, Il* **vient** *de venir* ; on les appelle semi-auxiliaires. Le verbe *avoir,* qui exige habituellement un complément d'objet, perd cette transitivité quand on dit : *Il* **a** *marché longtemps.*

b) La pensée ne se place pas toujours à l'époque correspondant au temps de l'auxiliaire ; il arrive qu'elle se place (par un glissement naturel) à l'époque de l'action. Telle est la différence qui sépare ces deux phrases :

> *Quand il* **va sortir,** *il regarde le baromètre* (époque présente)
> *Quand il* **va sortir,** *il recevra la pluie* (époque future)

Ainsi les auxiliaires d'aspect peuvent devenir des auxiliaires de temps.

c) Des nuances d'aspect sont indiqués par certains adverbes ; ainsi, *(tout) juste* et *incessamment* marquent la proximité temporelle immédiate : *Il a juste déjeuné, Il partira incessamment.*

183. TEMPS COMPOSÉS OU "ANTÉRIEURS" :

Une seule marque d'aspect est systématiquement appliquée à tous les temps, c'est l'auxiliaire de l'"antérieur indéfini", qui est *avoir* pour le verbe *déjeuner* (voir l'exemple du § 182), mais *être* pour un certain nombre d'autres verbes ; comparer :

> **J'ai** *déjeuné et je* **suis** *parti.*
> **J'avais** *déjeuné et j'***étais** *parti.*
> **J'aurai** *déjeuné et je* **serai** *parti.*
> **Avoir** *déjeuné et* **être** *parti.*
> **Ayant** *déjeuné et* **étant** *parti.*

A chaque **temps simple** de la conjugaison française correspond un **temps composé,** formé de l'auxiliaire *avoir* ou *être* au temps simple et du Participe passé du verbe conjugué :

—*Je déjeune,* Présent de l'Indicatif, situe le procès au moment présent ; *j'ai déjeuné* le situe dans le passé ;

—*Je déjeunais,* Imparfait de l'Indicatif, situe le procès à un moment du passé ; *j'avais déjeuné* le situe à un moment antérieur dans le passé :

Etc.

Certains de ces temps composés ont reçu le nom d'"antérieurs" : *j'aurai déjeuné* est le **Futur antérieur** parce que *j'aurai* est le Futur ; *j'eus déjeuné* est le **Passé antérieur** parce que *je déjeunai* est le Passé simple.

Mais le Présent antérieur est appelé **Passé composé.**

L'Imparfait antérieur est appelé **Plus-que-parfait** à l'Indicatif comme au Subjonctif.

Les autres sont simplement appelés "passés" : **Conditionnel passé, Impératif passé, Subjonctif passé, Infinitif passé, Participe passé.**

Ce qui est dit à la Remarque b du paragraphe précédent à propos des auxiliaires d'aspect s'applique en principe à tous les temps composés ; ils peuvent prendre, en fonction de la situation ou du contexte, des valeurs différentes selon que la pensée regarde

—un moment ultérieur au procès (valeur "d'aspect" proprement dite) :

A dix heures, Paul **était parti** depuis longtemps.

départ de Paul

10h

P.A.

(Le verbe montre alors l'état résultant du procès, l'état "parti" qui concerne Paul).

—ou le moment même du procès (valeur "de temps") :

Paul **était parti** *à 8 heures.*

8h

10h

P.A.

La plupart du temps, ces deux valeurs sont confondues, la pensée embrassant le procès avec ses conséquences.

Remarques : Les temps composés se sont vu doter eux-mêmes de temps composés, de sorte que l'auxiliaire se trouve exprimé deux fois ; ainsi naissent les **temps surcomposés :**

Passé surcomposé : *J'ai eu mangé, Il a été parti.*

Plus-que-parfait surcomposé : *J'avais eu mangé, Il avait été parti.*

Futur antérieur surcomposé : *J'aurai eu mangé, Il aura été parti.*

Conditionnel surcomposé : *J'aurais eu mangé, Il aurait été parti.*

184. CHOIX DE L'AUXILIAIRE *AVOIR* OU *ÊTRE* :

Le tableau suivant résume l'emploi des auxiliaires de temps *avoir* et *être* dans les formes composées :

Verbes **transitifs** (§ 170) :	aux. *avoir* : J'ai vu *Paul*.
Verbes **intransitifs** (id.) :	aux. *avoir* : J'ai **marché**. aux. *être* : Je **suis sorti**.
Verbes **pronominaux** (§ 206) :	aux. *être* : Je **me suis vu**.

Voici la liste à peu près complète des verbes intransitifs conjugués avec *être* :

Accourir, aller, arriver, décéder, demeurer, descendre, devenir, éclore, entrer, monter, mourir, naître, partir, passer, rester, retourner, sortir, tomber, venir, et leurs préfixés.

Tous ces verbes expriment un procès aboutissant à un état du sujet tel qu'il ne peut continuer ni recommencer : on ne peut pas naître ou mourir deux fois, ni entrer deux fois sans être ressorti. Au contraire, celui qui *a marché* peut continuer à marcher, celui qui *a éternué* peut recommencer.

Remarques :   a) Certains verbes prennent l'auxiliaire *avoir* ou *être* selon qu'ils ont le sens transitif ou intransitif (§ 170) :

> J'**ai** *monté le sac au grenier* (transitif).
> Je **suis** *monté au grenier* (intransitif).

b) Certains verbes intransitifs prennent l'auxiliaire *avoir* ou *être* selon que l'on considère plutôt l'action elle-même dans sa durée éventuellement prolongée, ou son terme : comparer :

> *Nous avons monté pendant deux heures.*
> *Nous sommes montés au Sacré-Cœur.*

> *Paul a demeuré* (= a habité) *six ans à Paris.*
> *Paul est demeuré* (= s'est arrêté) *en chemin.*

P. Indicatif

185. L'INDICATIF PRÉSENT :

Le Présent est le temps le moins marqué de l'Indicatif (comparer : *il chant-e, il chant-ait, il chant-era, il chant-erait*). Une loi d'économie régnant sur toutes les langues veut que les formes les plus employées soient les moins marquées — sans qu'on doive pour autant les tenir pour moins significatives.

De même que la forme masculine à marque zéro du nom *chien* peut selon le contexte exprimer le sexe mâle de l'animal (par opposition à *chienne*) ou désigner l'animal sans considération de sexe (§ 123, Rem. d), de même le Présent à deux types de valeurs : il peut donner le procès pour simultané à l'instant présent ou le débordant (emplois A), ou l'exprimer d'une manière atemporelle (emploi B).

La concomitance du procès et du repère MAINTENANT est très nette avec les verbes **de sens continu** ; le Présent en donne forcément une vue sécante :

> *La neige* **tombe**.

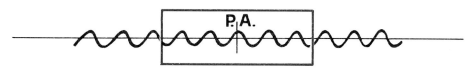

Le Présent convient donc parfaitement à l'expression des vérités **permanentes** ou **générales**, vraies à tout instant :

> *La terre* **tourne**.   *Deux et deux* **font** *quatre*.

Avec un procès de sens **limité**, le Présent convient de la même façon dans l'aspect **itératif** ; un procès répété qui est vrai à la fois dans le passé et dans l'avenir trouve son expression adéquate dans le **Présent d'habitude** :

> *Le facteur* **passe** *tous les deux jours*.

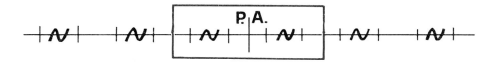

Dans l'aspect semelfactif (procès limité unique, § 181), la coïncidence du procès avec l'instant de l'énonciation n'est parfaite que si le procès consiste à prononcer le verbe (verbes "performatifs", § 14, Rem. c) :

Je vous **remercie**.   Je vous **pardonne**.

Dans la plupart des autres cas, il existe un décalage négligeable entre le procès et son énonciation au Présent, comme lorsqu'on entend, dans le reportage radiophonique d'une course automobile : *Lafitte* **franchit** *la ligne* (L'important est seulement que l'auditeur imagine le procès au présent).

On attribue à une "dilatation" mentale de la représentation du procès certains emplois du Présent à première vue inadéquats ; exemple :

Tu sais la nouvelle ? Paul **se marie** !

Le mariage est futur si on le réduit à la cérémonie officielle. Mais le procès "se marier" est engagé dès le moment où l'on fait publier les bans, où l'on se fiance, où l'on se déclare, où l'on se décide. Cette conception "dilatée" explique que l'on puisse dire aussi :

Tu sais la nouvelle ? Paul ne **se marie** *plus.* (la décision est annulée).

On interprète de façon semblable ce dialogue entendu dans le métro :

"Vous **descendez** ? —*Non, mais je* **descendrai**.*"

(Le premier voyageur, trouvant l'autre sur son chemin vers la sortie du wagon, lui demande s'il a engagé le procès de "descendre" à la prochaine station ; le second voyageur répond qu'il n'a pas engagé ce procès, mais qu'il descendra pour ne pas gêner le passage).

Ainsi explique-t-on une quantité d'emplois du Présent exprimant non seulement le procès imminent *(J'arrive !)* ou le procès lointain décidé *(Je pars dans six mois)*, mais aussi le procès passé très récent (comme s'il était en train de s'achever) :

Excusez le désordre, nous **rentrons** *de vacances.*

L'emploi atemporel (B) s'observe dans un récit historique dont l'époque (passée) est nettement déterminée par les compléments et l'enchaînement contextuel ; le Présent remplace alors souvent les temps du passé, Imparfait et Passé simple :

Le conflit qui **s'installe** *en août 1914 fut préparé selon les conceptions du XIXᵉ siècle. Très vite, il* **se révèle** *différent des guerres du passé (...) Les états-majors ont misé sur une guerre courte. Selon le plan Schlieffen, la France subira le premier choc (...) L'offensive allemande* **est stoppée** *sur la Marne (9/12 septembre 1914). Les armées* **tentent** *de se déborder dans une course à la mer.* (Le Monde du XXᵉ s., éd. Magnard).

Ce texte est centré sur le présent *(s'installe, se révèle, est stoppée, tentent).* Cette économie de marques se répercute sur l'expression des faits antérieurs *(fut préparée, ont mise)* et ultérieurs *(subira).*

L'emploi atemporel est appelé **Présent historique** quand il s'agit d'un texte d'histoire, mais il est tout aussi commun dans le roman, dont l'action fictive n'a nul besoin d'être située par rapport au MAINTENANT de l'écrivain :

Pauline **a** *treize ans. Elle* **écoute** *un 45 tours dans sa petite chambre mansardée, tapissée de papier à fleurs, au deuxième étage du garage paternel. Le papier lui* **paraît** *triste, tout à coup. Elle* **court**, *impulsivement, ouvrir la fenêtre.* (Fr. Mallet-Joris, *Dickie-Roi*).

L'emploi atemporel est à distinguer des emplois **métaphoriques** comme le **Présent de narration**, où le temps Présent apporte l'effet de sa valeur temporelle (A) dans un contexte réclamant un temps du passé ; il transporte ainsi le procès dans le présent en donnant au lecteur ou à l'auditeur l'impression d'y assister, voire d'y prendre part. Cet emploi à visée stylistique succède toujours à des temps du passé :

Le navire touchait et talonnait ; il se fit un silence profond ; tous les visages blêmirent. La houle **arrive** *: au moment où elle nous* **atttaque**, *le matelot* **donne** *un coup de barre ; le vaisseau, près de tomber sur le flanc,* **présente** *l'arrière, et la lame, qui* **paraît** *nous engloutir, nous* **soulève**. (Chateaubriand, *Mémoires d'outre-tombe*).

Un effet comparable est produit quand le Présent remplace inversement un Futur, en supprimant tout ce que le procès peut avoir d'aléatoire (**Présent d'anticipation**) :

> *Si je recule, je* **tombe** *dans le précipice.*

186. L'OPPOSITION IMPARFAIT/PASSÉ (SIMPLE OU COMPOSÉ)

Alors qu'il dispose d'un seul temps pour montrer un procès s'accomplissant dans le présent, le français en a deux (sans parler du Présent historique et du Présent de narration) pour décrire un procès s'accomplissant dans le passé :

—Imparfait et **Passé composé** dans l'usage oral ;

—Imparfait et **Passé simple** dans l'usage écrit.

Ils diffèrent entre eux par l'**aspect** ; comparer :

1. *La neige* **est tombée** /**tomba** *de neuf heures à minuit.*

2. *A dix heures, la neige* **tombait**.

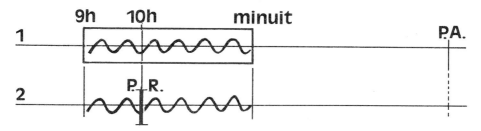

En 1, le procès est repéré à partir du MAINTENANT de l'énonciation (P.A.) : le Passé est un **temps absolu** (§ 12) ; le procès, donné pour passé, est montré du début à la fin de son accomplissement.

En 2, le procès est vu d'un **point de repère passé** (P.R. : présent relatif) déterminé par un complément de temps *(à dix heures)* : l'Imparfait est un **temps relatif** ; le procès est donné comme en train de s'accomplir à ce moment précis. Aussi appelle-t-on souvent l'Imparfait le **"Présent du passé"**.

187. VALEURS DE L'IMPARFAIT :

Avec un verbe de sens **continu**, l'Imparfait, comme le Présent, montre le procès sous l'aspect **sécant** (ou **duratif**). Il convient à l'expression d'un procès prolongé, ce qui en fait le **temps de la description** :

> *Le lierre* **tapissait** *la façade.*

S'il s'agit d'un procès **limité**, l'Imparfait (comme le Présent) convient à l'expression d'un procès habituel :

> *Le facteur* **passait** *tous les deux jours.*

Si le procès limité ne se produit qu'une fois, l'Imparfait le montre en train de se produire ; c'est **l'Imparfait flash** :

> *A trois heures 54, Lafitte* **franchissait** *la ligne.*

Cet emploi exige l'indication du moment choisi comme repère, généralement au moyen d'un complément de temps placé avant le verbe :

Il y a trente-six ans, *l'armée française* **débarquait** *sur les côtes de Pro-
vence.*

Les emplois "dilatés" du Présent ont leur pendant à l'Imparfait :

Grande nouvelle mardi dernier : Paul se **mariait** *; mercredi, il ne se* **mariait** *plus.*

Leur appartement était en désordre parce qu'ils **rentraient** *de vacances.*

Dans la transcription au discours indirect d'un énoncé direct, l'Imparfait
remplace donc le Présent dans toutes ces valeurs. Une hésitation porte seulement sur les vérités **permanentes**, qui sont vraies aussi bien au présent absolu
qu'au présent relatif. On peut donc dire :

Ptolémée a enseigné que le Soleil **tournait** *(ou* **tourne***) autour de la
Terre.*

Copernic a enseigné que la Terre **tournait** *(ou* **tourne***) autour du Soleil.*

On préférera l'Imparfait dans le cas de Ptolémée, pour lui faire assumer
toute la responsabilité de sa doctrine.

Remarques : a) L'Imparfait ne peut prendre la valeur du Présent historique, qui consiste seulement à effacer la marque de passé. Mais il peut prendre la valeur d'anticipation :

A ce moment-là, si je reculais, je **tombais** *dans le précipice.*

b) Les valeurs temporelles de l'Imparfait étudiés ici sont indépendantes de sa valeur dans
l'emploi "irréel" (§ 198).

c) Il existe un emploi inexpliqué de l'Imparfait qu'on peut appeler **mignard**, apparaissant seulement en monologue avec un destinataire incapable de répondre (bébé ou animal) :

*Et ça, qu'est-ce que c'***était** *ça ? Ça c'***était** *la baballe au chienchien.* (R. Pierre et J.-M. Thi-
bault, *Langage pour chien,* disque).

188. VALEURS DES PASSÉS
SIMPLE ET COMPOSÉ :

I. Le **Passé simple** se définit par opposition à l'Imparfait et par opposition
au Passé composé.

● Si le verbe est de sens **limité**, le Passé simple exprime le déroulement complet du procès ; comparer :

1. *Jeanne* **partit** *quand Paul arriva.*
2. *Jeanne* **partait** *quand Paul arriva.*

En 1, Jeanne est bien partie. En 2, il n'est pas dit qu'elle ait achevé.

Plusieurs Passés simples de suite conviennent donc à l'expression de procès successifs, ce qui fait du Passé simple le **temps du récit**, alors que l'Imparfait arrête l'image dans la description d'un état :

Pesamment, ce soir-là, il **sortit** *vers six heures, et* **descendit** *vers Mont-
parnasse. Il faisait chaud déjà, avec à l'horizon un mur brun de poussière. Les
oiseaux criaient dans le soir. Il* **traversa** *le cimetière.* (Ramuz).

Si le verbe est de sens **continu**, le Passé simple indique, selon le contexte :

— Le début du procès (qui se continue) :

1. *A minuit, il* **dormit**.

— le déroulement du procès :

2. *Il* **dormit** *douze heures.*

— la fin du procès :

3. *Il* **dormit** *jusqu'à midi.*

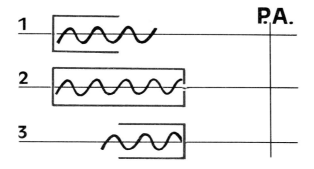

Toutes ces possibilités se retrouvent dans l'aspect **itératif** :

1. *A 15 ans, il* **fuma.**

2. *Il* **fuma** *pendant 10 jours.*

3. *Il* **fuma** *jusqu'à 25 ans.*

L'Imparfait n'est possible que dans les phrases de type 1, et n'implique pas la continuation du procès.

● Depuis plusieurs siècles, le Passé simple est remplacé **dans l'usage oral** par le Passé composé (sauf dans certaines régions du pays d'oc influencées par le dialecte local où il survit). Il se maintient **dans l'usage écrit** (presse, roman), où il est le seul temps capable d'exprimer sans ambiguïté la progression du récit : 2 266 Passés simples contre 1 265 Passés composés dans *la Semaine sainte* d'Aragon ; bien entendu, il se rencontre peu à la 1re personne (3 fois sur les 2 266), jamais à la seconde. Il est au moins aussi fréquent dans la presse ''populaire'' que dans la presse ''bourgeoise'', et n'a pour concurrent sérieux, dans les reportages sportifs, que l'Imparfait flash.

II. Le **Passé composé** a deux valeurs possibles :

● Une valeur dite temporelle (où la pensée regarde le passé, § 183) : dans ce sens, il est substituable au Passé simple :

1. *A minuit, il* **a dormi.**

2. *Il* **a dormi** *douze heures.*

3. *Il* **a dormi** *jusqu'à midi.*

● Une valeur dite aspectuelle ou valeur d'''accompli'' (qui est primitive, § 182, Rem. b) ; la pensée regarde le présent, où le procès n'existe que par l'état résultant de son accomplissement (séquelle du procès).

—*Il est l'heure d'aller se coucher, les gars, dit Bréval en délaçant ses chaussures. Les copains* **ont passé** *la nuit en chemin de fer.* (R. Dorgelès)

Le sens est : ''les copains sont fatigués''.

Dans ce sens, le Passé simple ne peut lui être substitué. Aspect du présent, ce Passé composé apparaît très normalement dans un contexte présent :

Quand on est seul, on **a vite mangé** (et non : **on mangea vite).*

Remarques : a) La préférence accordée au Passé composé sur le Passé simple, qui a abouti à l'élimination de ce dernier dans l'usage oral, tient en partie à ce que le résultat présent importe plus que le procès révolu pour les partenaires de l'énonciation orale. Plusieurs procès au Passé composé peuvent être énoncés dans n'importe quel ordre, puisque seule compte la somme de leurs séquelles présentes :

Je n'en peux plus : j'**ai préparé** *le déjeuner et le dîner,* j'**ai repassé** *le linge, je* l'**ai lavé,** j'**ai balayé** *toute la maison.*

Le Passé simple présenterait obligatoirement les différents procès dans leur succession réelle :

Elle **lava** *le linge,* **balaya** *la maison,* **prépara** *le déjeuner,* **repassa** *le linge et* **prépara** *le dîner.*

b) N'appartenant pas au même "registre de discours" que le Passé simple, le Passé composé ne peut en principe alterner avec ce temps dans un même texte (ex. : **Il frappa et il est entré,* ou **Il a frappé et il entra*). Les infractions ne manquent pas, au nombre desquelles il ne faut pas compter l'emploi, au cours d'un texte au Passé simple, d'un Passé composé à valeur d'aspect :

Il est pourtant vrai que la douce reine **écouta** *l'ermite et qu'elle* **entra** *au monastère. Et l'on en* **a fait** *des complaintes en vers bretons.* (A. France)

(Les complaintes sont la seule séquelle des faits racontés).

189. PLUS-QUE-PARFAIT ET PASSÉ ANTÉRIEUR :

La différence entre le **Plus-que-parfait** et le **Passé antérieur** s'explique par la différence entre l'Imparfait et le Passé simple ; comparez les phrases suivantes :

1. Le 14 juillet, on **avait réparé** *le kiosque.*
2. Le 14 juillet, on **eut réparé** *le kiosque.*

La fin des travaux constitue le début d'un **état**, qu'exprime la forme composée. Le Plus-que-parfait ne montre pas le début de cet état : le 14 juillet, les travaux sont terminés depuis un temps indéfini. Au contraire le Passé antérieur montre le début de cet état : les travaux ont été terminés le 13 juillet.

En proposition indépendante ou principale, le Passé antérieur remplace le Passé simple quand on veut montrer non l'action elle-même, mais son achèvement :

La Cigogne au long bec n'en put attraper miette,
Et le drôle **eut lapé** *le tout en un moment.* (La Fontaine).

En proposition subordonnée, le Passé antérieur ne se rencontre qu'après la conjonction *après que* ou ses équivalents *(quand, lorsque, dès que, une fois que)* et presque toujours avec **un verbe principal au Passé simple** :

Quand Paul **eut travaillé,** *il lut.*

En effet, le Passé antérieur marque la **fin** de l'action de travailler et le Passé simple le **début** de l'action de lire. *Quand* marque ici la coïncidence de la fin d'une action avec le début d'une autre :

Partout ailleurs c'est le Plus-que-parfait qui exprime l'action antérieure à l'époque d'un verbe principal au passé :

Pierre perdit le stylo qu'il **avait acheté.**
Quand il **avait travaillé,** *il lisait.*

C'est le cas dans le **discours indirect** (§ 13), libre ou non : le Plus-que-par-fait transpose dans le passé :

— soit un Passé composé :

Il a dit : "Je **suis venu"** ⟶ *Il a dit qu'il* **était venu.**

— soit un Imparfait :

Il a dit : "Je **me trompais"** ⟶ *Il a dit qu'il* **s'était trompé.**

Remarques : a) Dans le discours oral où le Passé simple est remplacé par le Passé composé, le Passé antérieur est remplacé par le Passé surcomposé :

Quand Paul **a eu travaillé,** *il a lu.*

Le Plus-que-parfait surcomposé est plus rare :

Ah ! l'idiote **avait eu** *vite* **fait** *de se couler !* (Mauriac)

b) La valeur du Plus-que-parfait définie dans ce paragraphe est indépendante de sa valeur dans l'emploi "irréel" (§ 198).

190. LES FUTURS :

La distinction de deux aspects qui existe dans le passé n'existe pas du côté de l'avenir (où l'on situe peu de récits) : un **Futur simple** comme *partira* dit simplement que le procès est ultérieur à l'instant présent ; son temps composé, le **Futur antérieur,** donne le procès pour antérieur à un moment futur ; ex. :

*J'***espère** *qu'il* **partira** *quand il* **aura reçu** *la somme.*

Le même graphique convient à la phrase suivante, où le repère temporel est le moment passé **(P.R.)** défini par le temps du verbe support :

*J'***espérais** *qu'il* **partirait** *quand il* **aurait reçu** *la somme.*

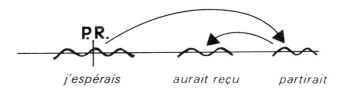

Par là, les formes en *-rais* justifient les noms de **Futur du passé** et de **Futur antérieur du passé** qui leur sont communément donnés.

Remarques : Les valeurs temporelles du Futur du passé et du Futur antérieur du passé étudiées dans ce paragraphe sont indépendantes de leur valeur dans l'affirmation probable (§ 244) et dans l'emploi "irréel" (§ 197).

191. TABLEAU RÉCAPITULATIF DU SYSTÈME DES TEMPS A L'INDICATIF :

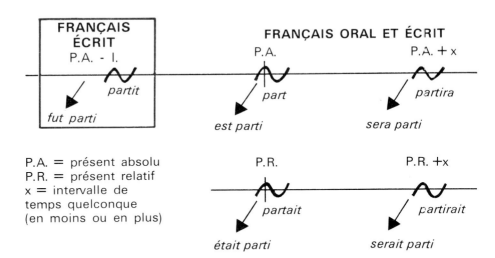

P.A. = présent absolu
P.R. = présent relatif
x = intervalle de
temps quelconque
(en moins ou en plus)

192. VALEUR MODALE DE L'INDICATIF :

Avec ses dix temps, l'Indicatif est le mode le plus apte au repérage chronologique du procès. Il est employé en principe dans tous les cas propices à l'actualisation.

C'est donc le mode normal des phrases déclaratives (§ 14). Il convient aussi aux phrases interrogatives, où l'expression des rapports de temps est généralement possible et utile :

Où avait-il caché la clef?   *Aura-t-il fini à midi?*

Il convient à l'exclamation quand elle porte sur un fait réel :

Comme vous vous êtes trompé!   *Que de mal il nous aura fait!*

En proposition subordonnée, l'Indicatif est employé partout où rien ne s'y oppose, l'obstacle pouvant être une idée de doute exprimée par un verbe recteur *(Je doute qu'il ait compris)*, une idée de volonté ou de but laissant incertaine la réalisation du procès. Dans les contextes qui donnent le choix entre l'Indicatif et le Subjonctif, le premier exprime la réalité du procès

*Elle n'a pas remarqué qu'il **est** gaucher* (il l'est).
*Elle n'a pas remarqué qu'il **soit** gaucher* (il ne l'est pas).

Q. Impératif

193. FORMES ET EMPLOI :

Le système formel de l'Impératif résulte des conditions très limitées de son emploi : il n'apparaît que dans le discours oral, pour commander ou interdire à un ou plusieurs destinataires d'exécuter un procès (modalité impérative, § 14).

Son système personnel se réduit donc à la 2ᵉ personne du singulier *(sors)* et du pluriel *(sortez)* et à la 1ère du pluriel si le locuteur veut exécuter lui-même le procès qu'il commande aux autres *(sortons)*.

Son système temporel est pratiquement réduit à un temps simple appelé Présent, dont la valeur se déduit du contexte comme s'il s'agissait d'un simple nom sans variation temporelle *(Halte! Départ lundi)*. Il s'agit toujours, par la force des choses, d'une époque future (immédiate, durable ou lointaine).

Le temps composé, appelé Passé, montre le procès sous l'aspect accompli dans l'avenir :

Soyez partis à deux heures.

R. Infinitif et Subjonctif

194. SYSTÈME TEMPOREL DE L'INFINITIF ET DU SUBJONCTIF :

Il est montré au § 180 qu'un verbe à **l'Infinitif** présent est incapable à lui seul d'actualiser le procès : d'où le nom d'*infinitivus* (indéfini) qu'il portait dès le IVᵉ siècle. Il ne contribue à situer le procès par rapport à un repère présent, passé ou futur que s'il est associé par la syntaxe à un verbe à l'Indicatif :

Je le vois **déjeuner**. *Je l'ai vu* **déjeuner**. *Je le verrai* **déjeuner**.

Le procès "déjeuner" est donné comme **simultané** au procès "voir", donc il est présent dans la première phrase, passé dans la seconde, futur dans la troisième. Le terme *Présent* de la nomenclature, en ce qui concerne l'Infinitif, doit être compris comme "simultané".

Or, cette valeur simultanée de l'Infinitif dit "présent" est liée, dans ces exemples, à l'emploi du verbe *voir* ; avec d'autres verbes pour support, l'Infinitif peut exprimer un procès **ultérieur** au procès principal :

Je compte **arriver** *mardi.*

La valeur simultanée et la valeur ultérieure sont des valeurs temporelles **relatives** à un repère temporel donné par ailleurs.

Le mode **Subjonctif** a, dans l'usage oral, le même système temporel que l'Infinitif ; son Présent marque un procès **simultané** ou **ultérieur** au procès principal :

Je regrette que nous **déjeunions** *si mal.*
Je souhaite que nous **déjeunions** *bientôt.*

A ne considérer que ces exemples, on peut penser que l'Infinitif et le Subjonctif n'ont pas plus de valeur temporelle qu'un nom d'action comme *repas (j'ai assisté à son* **repas**, *je vous souhaite un bon* **repas**), les différences de valeur n'étant produites que par le sens du verbe. Mais à l'Infinitif et au Subjonctif présents répondent, comme à tous les temps simples, des **formes composées** exprimant soit l'aspect accompli, soit le temps antérieur.

⟨ *Je regrette d'***avoir** *si mal* **déjeuné**.
⟨ *Je regrette que nous* **ayons** *si mal* **déjeuné**.

(Procès antérieur au présent absolu du verbe principal)

⟨ *Je souhaite* **avoir déjeuné** *quand Paul arrivera.*
⟨ *Je souhaite que nous* **ayons déjeuné** *quand Paul arrivera.*

(Procès antérieur au moment futur de l'arrivée de Paul).

Dans le registre le plus tenu de la langue écrite, le Subjonctif offre même un double système de formes dont le choix est indexé sur l'époque du repère temporel :

— Le **Présent** et le **Passé**, employés comme il vient d'être dit, sont repérés sur un moment **présent** ou **futur** ; il est donc interdit d'écrire :

Paul **approuva** *que nous* **ayons déjeuné** *avant lui*

mais on écrira très bien :

Paul **approuvera** *que nous* **ayons déjeuné** *avant lui.*

— L'**Imparfait** et le **Plus-que-parfait**, avec les mêmes valeurs relatives, sont repérés sur un moment **passé** :

*J'***étais** *content qu'il* **déjeunât** *de si bon appétit.*
Paul **approuva** *que l'on* **eût déjeuné** *avant lui.*

Remarques : a) Il y a des cas où des infractions à cette règle de la langue littéraire sont justifiées par le sens ; exemples :

—*Il m'*a **fait** *trop de bien pour que j'en* **dise** *du mal.*

(Le Passé composé a ici sa valeur de "présent accompli" analysée au § 188 : la pensée se place dans le moment présent du locuteur ; le Présent *dise* est donc régulier).

—*Il* **est** *fort étrange que je* **fisse** *ces rêves tout éveillée.*

(Cette phrase est de George Sand racontant son enfance : le jugement présent d'étrangeté porte sur un fait passé).

b) Beaucoup d'écrivains adoptent le système simplifié du français parlé (Subjonctif à deux temps) pour éviter des formes insolites *(oubliasse, connussions,* etc.) ; on ne rencontre pratiquement que les 3es personnes du singulier *(eût, fût, chantât)* dont la consonance est maintenue familière par l'homonymie avec les formes du Passé simple survivant en français écrit.

c) L'arrêté du 28 décembre 1976 autorise l'extension à la langue écrite de l'usage oral (emploi du Subjonctif présent et passé avec un repère passé).

d) L'emploi du Subjonctif imparfait et plus-que-parfait au sens irréel (§ 199) n'est pas concerné par la règle de concordance énoncée plus haut. L'Imparfait du Subjonctif dépendant d'un Conditionnel présent dans une phrase comme :

En pareil cas, je **préférerais** *qu'il s'abstînt*

n'est pas un Imparfait de concordance, c'est un Subjonctif irréel prolongeant dans la subordonnée la nuance irréelle exprimée dans la principale. Le Subjonctif présent peut le remplacer si le Conditionnel de la principale n'exprime qu'une affirmation atténuée (§ 244) :

Je **voudrais** *qu'il* **s'abstienne**.

195. LE PROCÈS VIRTUEL :

Le verbe à l'Infinitif ou au Subjonctif a le même contenu lexical qu'à l'Indicatif, et les mêmes traits syntaxiques (transitif ou non, attributif ou non). Mais son système temporel se réduit, au moins dans l'usage oral, à un temps simple et un temps composé. Infinitif et Subjonctif sont — au contraire de l'Indicatif — les modes de l'action **virtuelle**.

● Ce système réduit convient quand on veut donner le procès comme pensé plutôt que comme réalisé :

— Dans les phrases déclaratives, l'**Infinitif de narration** a la valeur d'un nom d'action base de phrase (§ 244).

— Dans l'interrogation, l'Infinitif **délibératif** (§ 245) laisse planer un doute sur les chances de réalisation du procès.

— Dans l'ordre et la défense, le Subjonctif supplée l'Impératif à la 3e personne, et l'Infinitif s'y substitue quand l'expression d'un sujet est inutile : **Entrer** *sans frapper* (§ 246).

— L'exclamation est la modalité la plus propice à l'emploi de ces modes capables d'exprimer un fait souhaité ou craint, un fait dont l'idée seule procure un sentiment de joie, d'indignation (§ 247).

● Mais la simplicité extrême de leur système temporel destine par prédilection ces deux modes aux positions de dépendance, où ils reçoivent d'un contexte à l'Indicatif l'assise d'un repère temporel. Le nom de *Subjonctif* (du latin *subjungere,* subordonner) rappelle pour l'un des deux cette vocation, dont une marque formelle est la conjonction *que* (appelée sa "béquille") qui le précède même quand il figure en proposition principale. Quant à l'Infinitif, il est voué à remplir les fonctions du nom qui, dans la proposition, est toujours dépendant (§ 196).

Le Subjonctif convient aux propositions subordonnées quand le procès est mis en doute *(Je doute que ce tableau soit authentique)* ou simplement quand sa réalité, non douteuse, n'est pas le propos de l'énoncé :

Que Paul **se soit trompé** (thème) *est un fait certain* (propos).
Je regrette (propos) *que ce tableau* **soit** *faux* (thème).

● L'**Infinitif** est un **Subjonctif non personnel ;** il remplace obligatoirement le Subjonctif si l'expression du sujet devient inutile ; comparer :

{*Je regrette que* **Paul parte**.
{*Je regrette de* **partir** (le sujet du verbe principal est l'agent du procès dépendant).

On ne dit pas :

*Je regrette que **je parte**.

Le remplacement d'un Indicatif par l'Infinitif est possible dans les mêmes conditions pour l'économie du sujet ; comparer :

{*J'espère que Paul* **restera**.   {*Jean croit que Paul* **n'est pas invité.**
{*J'espère* **rester.**   {*Paul croit* **ne pas être invité.**

Mais cette substitution, qui entraîne une perte de ressources temporelles, n'est plus obligatoire ; on dit très bien :

J'espère que je **resterai.**   *Paul croit qu'il* **ne sera pas invité.**

> **Remarque :** Les linguistes adhérant aux principes de la *grammaire transformationnelle* (théorie due à l'Américain Noam Chomsky) formulent la règle d'emploi de l'Infinitif en supposant qu'il résulte de la transformation d'une proposition à un mode personnel : ainsi *Je regrette de partir* serait la forme prise dans la chaîne superficielle de l'énoncé par la phrase (agrammaticale) **Je regrette que je parte,* conforme, à un niveau plus profond de la structure, au type plus général de phrase *Je regrette que Paul parte.*
>
> Nous avons évité d'introduire dans un manuel d'enseignement de la langue cette méthode de formulation qui présente deux risques :
>
> 1° On prend souvent les règles de transformation pour la description d'**opérations mentales** se passant réellement dans la production des phrases, malentendu contre lequel Chomsky est le premier à mettre ses lecteurs en garde. Rien ne prouve que, mentalement, *Je regrette que Paul parte* n'est pas au contraire la transformation de **Je regrette Paul partir.*
>
> 2° L'application des règles transformationnelles consiste, comme il apparaît dans l'exemple donné, à justifier des constructions grammaticales par d'autres qui ne le sont pas, et dont la production systématique, même transitoire, peut créer des automatismes aberrants.

196. L'INFINITIF COMME MODE NON PERSONNEL :

Dans un petit nombre de cas, l'Infinitif voisine dans la phrase avec un nom ou un pronom qui aurait sans lui une fonction propre, mais dont le rapprochement fait son sujet dans une "proposition infinitive".

— soit indépendante : Infinitif de narration (§ 244) et d'exclamation (§ 247) :

— soit subordonnée : propositions infinitives compléments d'objet de certains verbes (§ 265).

● Ces emplois sont beaucoup moins fréquents que ceux de l'Infinitif sans sujet, qui se rapproche fonctionnellement d'un simple nom. L'absence de sujet n'implique pas l'absence de fonction cohésive (§ 170). Un Infinitif peut introduire un complément d'objet ou un attribut :

Arracher de l'herbe *peut être un délassement.*
Etre coquette *n'est pas un défaut.*

Le procès "arracher de l'herbe" a bien un agent, mais indéterminé ; *coquette* est l'attribut d'un sujet inexprimé, de genre féminin.

● Dans une phrase comme la suivante :

Partir **tous les deux** *serait l'idéal.*

la suite *tous les deux* n'est pas un sujet : le pronom numéral y joue le rôle de répartiteur de portée (§ 239), en apposition au sujet inexprimé.

● La non-expression du sujet est une économie appréciable, que ce sujet soit indéterminé comme dans les deux exemples précédents, ou qu'il soit exprimé dans le contexte par un mot exerçant le plus souvent une fonction relative au verbe principal ; exemples :

Je *regrette de* **partir** (l'agent du procès à l'Infinitif est désigné par le sujet du verbe recteur).

Jean charge **Paul** *de* **répondre** (l'agent est désigné par le complément d'objet du verbe recteur).

Jean demande à **Paul** *de* **répondre** (le sujet est désigné par le complément d'attribution du verbe recteur).

L'identification de l'agent n'est pas toujours aussi facile :

Je lui ai proposé de **retourner** (l'agent peut être "moi", "lui", ou "nous").

Presque toujours, le contexte supprime l'ambiguïté.

● Le verbe à l'infinitif assume dans la proposition des fonctions semblables à celles du nom : sujet (§ 213), complément d'objet (§§ 215, 217), attribut (§ 219), complément circonstanciel (§ 226). Il ne reçoit pourtant en français moderne aucun des déterminants du nom. Un Infinitif précédé de l'article *(le dormir, le devenir, le rire)* est un substantif, et non plus un verbe.

Dans un certain nombre d'emplois où le nom serait construit directement (sujet, complément d'objet, attribut, apposition), l'Infinitif est précédé de l'indice *de* (comparable à l'indice *to* de l'anglais) :

Il est prudent **de retenir** *sa place.*
Je lui demande **de venir.**
Son désir était **de bien faire.**
Je lui reproche une chose, **de n'être pas** *là.*

Ailleurs, c'est la préposition *à* qui remplace la construction directe ; comparer :

apprendre la nage   apprendre **à** *nager*

La multiplication des prépositions "vides" devant l'Infinitif permet de différencier les fonctions dans une suite d'Infinitifs comme :

Il va **falloir essayer** *d'***apprendre** *à* **nager.**

S. L'Irréel

197. CONDITIONNEL PRÉSENT ET PASSÉ :

Si l'on considère le tableau du §191, on y voit un temps, le Présent, apte par-dessus tous à exprimer le réel puisqu'il situe le procès au repère MAINTENANT du locuteur, le **présent absolu** (P.A.).

Le Futur, repéré sur un point PA + x plus ou moins écarté de PA, contient une part d'incertitude — d'où son emploi dans l'affirmation probable (§244); l'Imparfait repose sur un point PR (**présent relatif**) écarté en sens inverse. Le Futur du passé, reposant sur un point PR + x doublement écarté du présent absolu, est le temps le plus difficile à rejoindre en pensée : aussi sert-il comme le Futur à atténuer poliment la brutalité d'un ordre (*Je* **voudrais** *que vous fermiez la porte*, § 244); il tempère aussi l'audace d'une question (**Chercherais**-*tu à me vexer ?* § 245 Rem. b); il exprime le rejet dégoûté ou indigné d'un procès pensé (**J'ouvrirais** *pour si peu le bec !* § 247).

Il en est venu à exprimer proprement en français le procès **irréel** :

— soit dans l'emploi dit **préludique** (''préalable au jeu'') du langage enfantin :

Jouons avec le chat. Ça **serait** *notre fils, et moi je* **serais** *la maman...*

— soit dans le **rêve poétique** :

Je rêve un soir de charme grave. Les vallons
Seraient *bleus sous le noir-violet des collines;*
Des ramiers **reviendraient** *vers les sourdes glycines...*
(Emile Despax)

— soit dans les phrases complexes à deux propositions corrélatives appelées **systèmes hypothétiques** (§ 275); en ce cas, le **Futur du passé** situe le procès irréel au moment PA ou PA + x :

(1) *S'il voulait, il* **serait** *riche* (maintenant, plus tard).

Et son temps composé le **Futur antérieur du passé** le situe à un moment antérieur au repère présent ou futur :

(2) *S'il avait voulu, il* **aurait été** *riche.*

(3) *Si vous reveniez dans une heure, j'***aurais terminé** *votre robe.*

Dans tous ces emplois, les formes comme *serait* et *aurait été*, repérées sur les points PA et PA + x, sont tenues en grammaire traditionnelle pour des formes homonymes de celles du Futur simple et antérieur du passé qui sont repérées sur PR. Depuis le grammairien Ramus, on les appelle **Présent** et **Passé** du mode **Conditionnel**, dénomination d'autant plus impropre que ces formes sont exclues des propositions de condition (on ne dit pas : **Si je serais riche...*).

Remarques : Les temps du Conditionnel ont un point commun avec ceux de l'Indicatif : ils ont pour repère les points PA et PA + x **sans le secours d'aucun autre verbe**. Aussi apparaissent-ils **dans tous les contextes où apparaît l'Indicatif** (sauf après *si*).

198. IMPARFAIT ET PLUS-QUE-PARFAIT DE L'INDICATIF IRRÉELS :

Dans un "système hypothétique" donné pour réel et situé dans l'avenir, on observe un décalage temporel entre la proposition conditionnelle et la principale :

Si vous **passez** *nous voir, vous nous* **ferez** *plaisir.*

Le procès "passer" est futur, comme "faire plaisir", mais il est donné comme la condition préalable dont notre "plaisir" découlera : le décalage temporel Présent-Futur exprime ce rapport logique.

Dans l'irréel, le même décalage logique est marqué par l'emploi de l'**Imparfait de l'Indicatif** dans la proposition conditionnelle quand le procès est situé au moment PA ou PA + x :

Si vous **passiez** *nous voir* (plus souvent, ou demain), *vous nous* **feriez** *plaisir.*

Son temps composé, le **Plus-que-parfait,** situe le procès irréel à un moment antérieur au repère présent ou futur :

Si vous **étiez passé** *nous voir hier, vous nous auriez fait plaisir.*
*Si je n'*étais pas **rentré** *demain, prévenez la police.*

Ces emplois, tout à fait parallèles aux emplois irréels du Futur et du Futur antérieur du passé, n'ont pourtant pas reçu en grammaire un nom de mode particulier.

Remarques : a) En disant *Si vous* **passiez** *nous voir demain...* et non *Si vous* **passez**..., le locuteur place l'hypothèse dans l'irréel, aussi bien qu'en disant *Si j'*avais *trois oreilles ;* le fait que le Présent de l'Indicatif soit possible dans le premier cas, non dans le second (*Si j'*ai *trois oreilles...*) est de nature extralinguistique.

b) Dans la phrase suivante :

Si j'avais reculé, je tombais dans le précipice.

l'emploi de l'Imparfait *tombais* au lieu du Conditionnel passé *serais tombé* rend le procès plus saisissant en le présentant comme réel (dans le passé).

199. SUBJONCTIF IRRÉEL :

Le latin exprimait les faits irréels au Subjonctif ; le français n'a hérité qu'en partie de cette possibilité : le **Plus-que-parfait du Subjonctif** est employé, mais seulement **dans la langue littéraire**, à la place du Conditionnel passé et du Plus-que-parfait de l'Indicatif irréel :

S'il **eût voulu,** *il* **eût été** *riche.*

Remarque : Dans quelques locutions, l'Imparfait du Subjonctif a conservé un sens irréel analogue à celui de l'Imparfait de l'Indicatif :

Dussions-*nous y passer la nuit, nous achèverons ce travail.*
Personne, **fût**-*ce le diable, ne me fera revenir sur ma décision.*

En dehors de ces locutions, la langue littéraire maintient un emploi de l'Imparfait du Subjonctif irréel en proposition subordonnée pour suppléer le Conditionnel dans une proposition où le Subjonctif est imposé par le contexte ; comparer :

On craint que la nouvelle ne **fasse** *scandale.*
Si on l'ébruitait, la nouvelle **ferait** *scandale.*
On craint que la nouvelle, si on l'ébruitait, ne **fît** *scandale.*

De là, chez Voltaire par exemple :

Il n'y a pas un Egyptien qui **voulût** *manger dans un plat dont un étranger se serait servi.*

Cette valeur explique l'emploi de l'Imparfait du Subjonctif dans une proposition complément d'un verbe au Conditionnel (§ 194, Rem. d).

T. Gérondif et Participe

200. FORMES ET SENS DU GÉRONDIF :

La nomenclature officielle mentionne un mode, le **Gérondif**, qui ne figure pas dans les tableaux de conjugaison des paragraphes 176 à 180 parce qu'il a pratiquement toujours la forme du Participe présent précédé de *en* :

en ayant, en étant, en aimant, en finissant.

Certains grammairiens le tiennent pour un emploi particulier du Participe présent. A quoi l'on peut objecter son emploi très fréquent dans le français oral, qui ignore le Participe présent. Si sa valeur aspectuelle est effectivement celle du Participe présent, ses conditions d'emploi dans la proposition l'en distinguent catégoriquement. Le Participe, à moins d'être substantivé ou adjectivé, n'est jamais précédé d'une préposition : on ne dit pas **de sortant, *à sortant, *sans sortant, *pour sortant* ; au contraire, l'Infinitif, en français, accepte par nature la construction indirecte, et **tout se passe comme si le Gérondif était la forme qu'il prend après** *en* ; comparer :

Je l'ai prié **de sortir**   *Je l'ai appelé* **pour sortir**
Je l'ai invité **à sortir**   *Je l'ai rencontré* **après être sorti**
Je l'ai appelé **sans sortir** *Je l'ai rencontré* **en sortant**

On en conclura que **le Gérondif est une forme de l'Infinitif.**

Le verbe au Gérondif est toujours complément d'un autre verbe, la préposition *en* exprimant plusieurs des relations appelées "circonstances" (§ 226).

Comme à l'Infinitif, le verbe garde au Gérondif toute sa valeur lexicale et ses traits syntaxiques (transitif, attributif). Il n'a jamais de sujet propre, mais son sujet est ordinairement celui du verbe dont il dépend :

Jean a rencontré Paul **en sortant** *de la mairie.*

C'est Jean qui sortait ; il n'en serait pas de même avec le Participe présent :

Jean a rencontré Paul **sortant** *de la mairie.*

Les infractions à cet usage risquent d'entraîner des ambiguïtés :

En revenant *de l'école, mon chien m'accueille tout joyeux.*

La plupart du temps, le contexte résout si bien l'ambiguïté qu'elle n'est pas remarquée. La seule règle vraiment imposée par la grammaire est de ne pas rapporter un Gérondif à un verbe impersonnel (§ 209) ; on peut dire :

La pluie tombe **en inondant** *la route*

mais non :

*Il pleut **en inondant** *la route.*

Conformément au sens temporel de la préposition *en* (cf. : *en 1981*), le Gérondif est souvent complément de **temps,** exprimant un procès simultané au procès principal :

Vous **croiserez** *Paul* **en sortant** (moment futur).

Selon le rapport des ordres de procès (§ 181), il peut y avoir coïncidence de deux procès instantanés (comme dans l'exemple précédent) ou de deux procès durables :

En ramant, *il* **chantait**

ou inclusion du procès principal dans la durée du procès dépendant :

En me promenant, *j'ai croisé Paul.*

Le Gérondif complément de temps **détermine le moment du procès principal**.

Quand la préposition *en* exprime la **manière**, le rapport temporel est généralement encore la concomitance :

Il répondit en balbutiant.

Mais si *en* exprime la **condition**, le **moyen**, la **cause**, il peut y avoir succession :

En partant *le 12, vous* **arriverez** *le 14.*

Remarque : La forme composée du Gérondif, peu compatible avec le sens propre de *en*, est très rarement employée ; en voici pourtant un exemple acceptable (exprimant la man ère), relevé dans une copie de baccalauréat :

Peu nombreux sont les gens qui se rendent au théâtre **en ayant lu** *la pièce qui va leur être présentée.*

201. FORMES ET FONCTIONS SYNTAXIQUES DU PARTICIPE :

Le Participe a trois formes :
— le **Participe présent** : *chantant, sortant* ;
— le **Participe passé composé** : *ayant chanté, étant sorti* :
— le **Participe passé simple** : *chanté, sorti.*

Dans les propositions dites **participiales** (§ 267), les trois types de Participe peuvent se rencontrer, précédés d'un nom ou pronom n'ayant pas d'autre fonction que d'être leur support ; ce nom est appelé leur sujet et ils sont tenus pour **base** de la proposition :

Paul étant sorti plus tôt, *Jean ne l'a pas rencontré.*

Mais le Participe joint aux propriétés du verbe celles de l'adjectif (il "participe" des deux). Sa fonction normale est **épithète** (§ 232) :

Jean a rencontré Paul **sortant** *de la mairie.*

C'est Paul qui sortait ; le rapport de *Paul* à *sortant* est le même, sur le plan sémantique, que celui de *Paul* à *sortait* dans *Paul sortait,* mais dans l'exemple donné *Paul* est grammaticalement complément d'objet de *ai rencontré.*

Le participe passé simple peut aussi être **attribut** :

Paul était **coiffé** *d'un bicorne.*

Les formes en -*ant* sont invariables, les autres s'accordent avec le nom :

Jeanne, **étant sortie**, *a rencontré Marie* **faisant** *ses courses* **accompagnée** *de Paul.*

202. PARTICIPE PRÉSENT ET ADJECTIF VERBAL :

Le signifié aspectuel du Participe présent, c'est-à-dire la vue qu'il donne du procès, est semblable à celui du Gérondif : il le montre **en train de s'accomplir**. Mais il n'est pas aussi étroitement lié à l'époque du verbe principal :

Imagines-tu un de nos enfants **publiant** *ça plus tard ?* (Mauriac)
Je suis comme Enée **portant** *son père Anchise.* (Musset)

Lorsque le Participe présent exprime un procès indéfiniment prolongé ou répété, son sens rejoint celui de l'adjectif, et il peut s'accorder en genre :

Fabre a observé les araignées **vivantes** (= en vie).

Nous reviendrons dans cette auberge **accueillante** (= où l'accueil est toujours bon).

Les grammairiens estiment que la forme en [ã] **est adjective quand elle est construite comme un adjectif, soit qu'elle varie en degré** *(une auberge très accueillante)*, soit qu'elle ait la fonction attribut *(Cette auberge est accueillante)*, soit qu'elle précède le nom *(de riants ombrages)*.

Au contraire, elle est Participe et invariable quand elle est construite comme un verbe, avec un attribut, un complément d'objet *(une auberge accueillant les chiens)*, avec certains compléments indirects *(une route grimpant dans la montagne)*, avec un adverbe postposé *(des personnes riant beaucoup)*, avec un pronom conjoint *(des numéros se suivant)*.

Pour savoir si une forme en *-ant* est Participe ou adjectif (afin de l'accorder convenablement), on se demandera lesquelles de ces constructions lui conviennent.

L'orthographe distingue parfois par des consonnes ou des voyelles différentes le Participe de l'adjectif verbal :

1° Les verbes *communiquer, convaincre, divaguer, extravaguer, fatiguer, intriguer, naviguer, provoquer, suffoquer, vaquer, zigzaguer* s'écrivent avec *qu* ou *gu* au Participe :

convainquant, fatiguant, etc...

mais avec *c* ou *g* à la forme d'adjectif verbal :

convaincant, fatigant, etc.

2° Les verbes *adhérer, coïncider, converger, déférer, déterger, différer, diverger, émerger, équivaloir, exceller, expédier, influer, négliger* (mais non *affliger, exiger*), *précéder, somnoler,* ont le Participe en *-ant* :

différant, équivalant, etc.

mais l'adjectif verbal en *-ent :*

différent, équivalent, etc.

Remarques : a) L'arrêté du 28-12-1976 sur les tolérances grammaticales ou orthographiques autorise l'accord du Participe en *-ant* dans tous les cas ; ex. :

La fillette, **obéissante** *à sa mère, alla se coucher.*
J'ai recueilli cette chienne **errante** *dans le quartier.*

Cette tolérance est en contradiction avec l'usage courant.

b) La participation du support au procès n'est pas forcément la même pour l'adjectif verbal que pour le Participe présent : une rue *passante* n'est pas une rue "qui passe", mais "où l'on passe" ; une place *payante* ne paie pas, elle est payée.

203. PARTICIPE PASSÉ :

Le signifié du Participe passé est très différent selon sa forme, ses traits syntaxiques et son ordre de procès.

PARTICIPE PASSÉ COMPOSÉ

La forme composée du Participe passé exprime, par rapport à l'époque où se place la pensée, l'état résultant pour le support de l'accomplissement du procès, ou le procès antérieur lui-même :

Ayant bouclé (= quand il eut bouclé) *sa malle, il alla chercher un taxi.*

Le sens est le même quel que soit l'auxiliaire : *étant sorti* est à *sortant* ce que *je suis sorti* est à *je sors*, comme *ayant bouclé* est à *bouclant* ce que *j'ai bouclé* est à *je boucle.*

Le Participe passé sans auxiliaire exprime l'**état résultant du procès** ; il n'a pas la même valeur temporelle selon que le procès est intransitif ou transitif.

● Si le procès est **intransitif**, le Participe passé sans auxiliaire n'est usité en principe que pour les verbes conjugués avec *être* ; on dit :

Les jeunes gens **nés** *en 1960.*   *Les produits nouvellement* **sortis.**

Le procès "naître" ou "sortir" est passé ; l'état qui en résulte concerne le support (participant seul au procès intransitif).

En principe, le Participe passé simple des verbes à auxiliaire *avoir*, comme *marché*, n'est pas employé. Un certain nombre le sont pourtant (verbes de sens limité), avec la même valeur que les précédents : *une rivière* **débordée** *(elle* **a** *débordé), une île* **surgie** *en plein océan (elle* **a** *surgi), un acteur* **vieilli** *(il* **a** *vieilli).* Ces Participes peuvent être attributs :

La rivière **est débordée.**   *Cet acteur* **est vieilli.**

On doit rattacher à ce groupe le Participe de certains verbes pronominaux : *un enfant* **endormi** *(il* **s'est** *endormi), un pêcheur* **repenti** *(il* **s'est** *repenti).*

● Si le procès est **transitif** (donc conjugué avec *avoir*), l'état résultant du procès concerne l'ensemble qui serait complément d'objet direct si le verbe avait un sujet : *une malle bouclée (il a bouclé sa malle), des cheveux coupés (elle a coupé ses cheveux).* On dit que ces Participes ont le sens **passif.** Alors que *sorti* et *débordé* signifient *étant sorti* et *ayant débordé, bouclé* et *coupé* signifient *ayant été bouclé, ayant été coupé.*

Les verbes *boucler* et *couper* sont de sens limité. Si le procès est continu, ou indéfiniment répété, l'état qui en résulte est conçu comme permanent, et le Participe passé a la valeur d'un Participe présent passif :

Un garçon **aimé** *de ses camarades*   *Un nom souvent* **cité.**
Un malfaiteur **poursuivi** *par la police*

U. "Tournures"

La nomenclature officielle groupe sous le nom de "tournures" des agencements de mots impliquant à la fois la **morphologie** (conjugaison propre, vue particulière du procès) et la **syntaxe** (relations entre partenaires de la proposition).

204. CATÉGORIE MORPHOLOGIQUE DE LA VOIX ; ACTIF ET PASSIF :

Comparer ces deux phrases :

1. *Ce mur a été neuf.*   2. *Ce mur a été démoli.*

En 1, l'adjectif attribut énonce un état du mur que l'emploi du verbe attributif *être* à la forme *a été* (Passé composé) donne pour révolu.

En 2, le Participe passé *démoli* associé à l'auxiliaire *être* énonce un procès passé qu'on exprimerait de façon équivalente en disant au Passé composé :

3. *On* **a démoli** *ce mur.*

Tout se passe comme si la relation d'homme à mur exprimée par le verbe transitif *démolir* était inversée en 2 de manière que le complément d'objet, **but** de la relation, devienne le sujet du verbe. On dit qu'en 3 le verbe est à la **voix active** (le sujet est actif), et en 2 à la **voix passive** (du latin *pati*, subir).

Il ressort de la comparaison des exemples 2 et 3 que la voix passive est formée en remplaçant la forme correspondante de l'actif (par exemple le Passé composé *a démoli*) par l'auxiliaire *être* au même temps *(a été)* suivi du Participe passé simple *(démoli)*, ce qui donne, pour la 3e personne du singulier, le tableau suivant :

INDICATIF

Présent	Passé composé
il est démoli	*il a été démoli*
Imparfait	**Plus-que-parfait**
il était démoli	*il avait été démoli*
Passé simple	**Passé antérieur**
il fut démoli	*il eut été démoli*
Futur	**Futur antérieur**
il sera démoli	*il aura été démoli*
Futur du passé	**Futur antérieur du passé**
il serait démoli	*il aurait été démoli*

SUBJONCTIF

Présent	Passé
que	*que*
il soit démoli	*il ait été démoli*
Imparfait	**Plus-que-parfait**
que	*que*
il fût démoli	*il eût été démoli*

INFINITIF

Présent	Passé
être démoli	*avoir été démoli*

PARTICIPE

Présent	Passé
étant démoli	*ayant été démoli*

La différence de **voix** est une différence de **participation du sujet au procès.**

Il ne suffit pas que le sujet subisse une action pour qu'un verbe soit dit "passif" : le sujet d'un verbe intransitif, seul concerné par le procès, subit souvent celui-ci *(Paul souffre, le chien saigne)*. Même un verbe transitif peut exprimer une action qu'on subit, sans être à la voix passive : *Le chien a reçu le fouet*. La voix passive se définit à partir de la relation qui constitue le signifié lexical des verbes transitifs, et n'existe donc que pour ces verbes : **une inversion de la relation fait du terme but le sujet.**

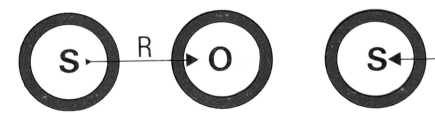

Procès actif   **Procès passif**

(S = sujet ; R = relation ; O = complément d'objet direct)

Remarques : a) Tous les verbes transitifs ne se prêtent pas à la tournure passive : *avoir, pouvoir, valoir* n'ont pas de passif.

b) Par exception, les verbes *obéir* et *pardonner* ont des emplois passifs auxquels ne correspond, à l'actif, qu'une construction indirecte ; comparer :

> *On a obéi à Paul*
> *Paul a été obéi*

> *On a pardonné à Paul*
> *Paul a été pardonné*

c) On appelle **verbes symétriques** des verbes polysémiques dont le sujet, dans l'emploi intransitif, participe au procès de la même manière que le complément d'objet dans l'emploi transitif ; exemple :

> *Je* **casse** *la branche*   *La branche* **casse.**

Il n'y a pourtant pas identité de signifié entre

> *La branche* **a cassé.**   *La branche* **a été cassée.**

Seul le passif implique l'intervention d'un agent (§ 216).

205. FORMES HOMONYMES DU PASSIF :

La suite **verbe** *être* + **Participe passé** peut présenter des valeurs très différentes selon le signifié lexical du verbe et selon le contexte.

● Elle se rencontre dans deux cas avec des verbes **intransitifs** :

1°   *Paul est sorti.*

C'est le verbe *être* auxiliaire de temps suivi du Participe passé du verbe intransitif *sortir* (conjugué avec *être*), rapportant au sujet l'état résultant du procès limité "sortir" (§ 188).

2°   *La Seine est débordée.*

C'est le verbe *être* attributif suivi du Participe passé du verbe intransitif *déborder* (conjugué avec *avoir*), rapportant au sujet l'état résultant du procès limité "déborder" (§ 203).

● Elle se rencontre avec des verbes **transitifs** dans des sens différents selon les contextes :

1°   *Le mur est démoli depuis dix ans.*

C'est le verbe *être* attributif suivi du Participe passé du verbe transitif *démolir*, rapportant au sujet l'état résultant du procès limité "démolir" (§ 203). Le complément *depuis dix ans* indique que le procès est passé : on a *démoli* le mur.

2°   *A la première explosion, le mur est démoli.*

C'est le verbe *être* auxiliaire de voix constituant avec le Participe passé le Présent passif du verbe *démolir* ; le sujet est donné pour but du procès limité "démolir" en train de se produire sous l'effet d'une explosion : on *démolit* le mur.

L'ambiguïté entre ces deux emplois existe pour tous les verbes de sens limité ; principalement aux temps comme le Présent ou l'Imparfait qui favorisent une vue permanente. Elle disparaît au Passé simple et au Futur :

Le mur fut/sera démoli.

3°   *Ce garçon est aimé de ses camarades.*

Il y a ici confusion de forme et de sens entre les deux interprétations précédentes ; le procès étant continu, le Participe passé a le sens passif et présent (§ 203), ce qui donne à l'interprétation par l'attribut la même valeur qu'à l'interprétation par le passif (état permanent).

Comparer :

1. *Paul a vu Jean*	3. *Paul s'est vu dans la glace*
2. *Paul m'a vu*	4. *Je me suis vu dans la glace*

Le verbe transitif *voir* forme normalement son Passé composé avec l'auxiliaire *avoir*, que son complément d'objet soit un nom postposé *(Jean)* ou un pronom placé avant l'auxiliaire *(me)*. Mais si ce pronom représente le sujet (phrases 3 et 4), l'auxiliaire *avoir* est remplacé par *être* ; le verbe a changé de conjugaison ; voici le tableau de la **conjugaison pronominale** (verbe *se voir*) à la 3e personne du singulier :

Présent	Passé composé
il se voit	*il s'est vu*
Imparfait	**Plus-que-parfait**
il se voyait	*il s'était vu*
Passé simple	**Passé antérieur**
il se vit	*il se fut vu*
Futur	**Futur antérieur**
il se verra	*il se sera vu*
Futur du passé	**Futur antérieur du passé**
il se verrait	*il se serait vu*

Présent	Passé
que	*que*
il se voie	*il se soit vu*
Imparfait	**Plus-que-Parfait**
que	*que*
il se vît	*il se fût vu*

INFINITIF

Présent	Passé
se voir	*s'être vu*

PARTICIPE

Présent	Passé
se voyant	*s'étant vu*

Dans la phrase suivante :

5. *Paul s'est évanoui.*

le verbe n'est pas **évanouir*, qui n'existe pas, mais *s'évanouir ;* le pronom réfléchi est inséparable du verbe : *s'évanouir* ne fait qu'un mot, équivalant à un verbe intransitif.

Beaucoup de grammairiens assimilent le cas de *se voir* au cas de *s'évanouir* et disent qu'ils appartiennent tous deux à une classe de **"verbes pronominaux"** où certains veulent voir une "voix" ayant pour signifié une participation du sujet au procès à la fois comme source et comme but. Cette conception est vérifiée différemment selon les contextes.

207. SENS DES VERBES PRONOMINAUX :

On distingue plusieurs catégories de verbes pronominaux :

1° **Pronominaux de sens réfléchi :**

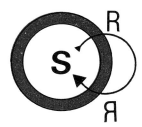

Paul se voit.

Paul, (sujet, marqué par S sur la figure) est à la fois source et but de la relation "voir" (relation *réflexive* des mathématiciens). L'équivalence avec *Paul voit Paul* fait dire que *se* est complément d'objet direct.

Il peut y avoir plusieurs sujets :

Nous nous sommes habillés en vitesse.

Et le pronom réfléchi peut avoir aussi la fonction complément d'attribution (§ 218) ; comparer :

*Paul **se** lave les cheveux.*   *Paul lave les cheveux **à Paul**.*

2° Pronominaux de sens réciproque :

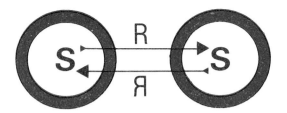

Paul et Jean se voient souvent.

Chacun des sujets est source pour lui-même et but pour l'autre de la même relation (relation *symétrique* des mathématiciens). Dans l'exemple, le pronom réfléchi est complément d'objet direct. Il peut aussi être complément d'attribution :

Paul et Jean s'envoient des cartes.

Les pronominaux de sens réciproque, impliquant plusieurs agents ont en principe toujours un sujet de sens pluriel (comme *nous, ils, on*). Seule la langue familière admet dans cet emploi un sujet de sens singulier :

Paul s'envoie des cartes avec Jean.

3° Pronominaux de sens successif :

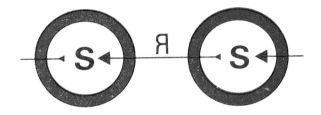

Les jours se suivent.

Chaque jour est à la fois source de la relation "suivre" pour le jour précédent, et but pour le jour suivant (relation *transitive* des mathématiciens). Cette catégorie comprend peu de verbes.

Le pronom réfléchi peut être complément d'attribution : *Les jours se succèdent.*

4° Pronominaux de sens passif :

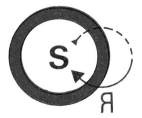

Ce gâteau se coupe facilement.

Le sujet, inanimé, n'est pas capable de faire l'action de "couper" ; il est le but du procès sans pouvoir en être la source. Le verbe *se coupe* équivaut au passif *est coupé*, en supprimant l'ambiguïté du passif des verbes de sens limité (§ 205).

Le pronom réfléchi ne doit pas être analysé.

5° Pronominaux de sens lexicalisé :

La tour s'écroule.   *Paul se tient bien.*

Le verbe **écrouler* n'existant pas, *s'écrouler* ne peut indiquer une relation. Le verbe pronominal rejoint ici le sens intransitif.

On appelle **essentiellement pronominaux** les verbes comme *s'écrouler, s'évanouir, s'abstenir, se souvenir* **n'existant qu'à la forme pronominale.**

Le verbe *tenir* existe, mais le procès "tenir" exercé sur une personne ou une chose n'est pas le même que dans le verbe *se tenir* ; la forme pronominale s'accompagne d'un sens lexical particulier, dont le rapport avec le verbe simple ne peut être défini par aucune constante. Les dictionnaires doivent donner, sous l'entrée *tenir*, le sens de *se tenir.* Il existe ainsi un grand nombre de **verbes pronominaux de sens lexicalisé :** *s'apercevoir, se douter, se promener, s'ennuyer, se rappeler,* etc.

Remarques : a) Dans des phrases comme :

Il s'entendit appeler.   *Je me suis laissé conduire.*

Ce sont les groupes *entendre appeler* et *laisser conduire* qui sont globalement pronominaux : le pronom réfléchi est complément du verbe à l'Infinitif.

b) Les verbes pronominaux perdent souvent le pronom réfléchi aux modes impersonnels :

—à l'Infinitif après les verbes *faire, laisser, envoyer, mener :*

J'ai laissé éteindre le feu.   *J'ai mené coucher les enfants.*

—au Participe passé :

une femme agenouillée.

L'absence de pronom distingue un adjectif verbal comme *méfiant* d'un Participe présent *(se méfiant).*

208. LES AUXILIAIRES *FAIRE, LAISSER, VOIR :*

1. *Paul a fait payer ses dettes par Jean.*
2. *Paul a laissé payer ses dettes par Jean.*
3. *Paul a vu payer ses dettes par Jean.*

Dans ces phrases, les verbes *faire, laisser, voir* jouent le rôle d'auxiliaires ; ils marquent différents types de participation du sujet Paul au procès "payer" accompli par Jean :

En 1, Paul a exercé sa volonté sur Jean. Très peu de mots peuvent être insérés entre *fait* et *payer* (on ne dit pas : **Paul a fait Jean payer*). *Faire*, qui n'a ici aucun de ses sens habituels (*Paul a fait un gâteau, une réussite,* etc.), est auxiliaire de participation **factitive** ou **causative.**

En 2, Paul s'est seulement abstenu d'empêcher le procès, alors qu'il l'aurait pu. Quoique le verbe *laisser* soit plus séparable que *faire* de l'Infinitif qui le suit (on dit très bien : *Paul a laissé Jean payer*), il n'a pas son sens habituel (*laisser Jean* = quitter Jean). Il est auxiliaire de participation **tolérative.**

En 3, Paul est donné comme non en mesure d'influer sur l'exécution du procès dont il bénéficie. Il n'a pas été consulté, et rien ne dit qu'il l'ait **vu** exécuter. Le verbe *voir*, quoique séparable de *payer*, n'a pas son sens habituel. Il est auxiliaire d'un type de participation qui n'a pas de nom grammatical homologué, et qu'on pourrait appeler **non-ingérence.**

Remarques : a) Dans les trois exemples, la préposition *par* peut être remplacée par *à* devant le nom *Jean*, qui prend alors la fonction complément d'attribution (§ 218).

b) Dans les deux premiers exemples, si le verbe à l'infinitif n'a pas de complément d'objet, on peut construire directement le nom de Jean qui fait l'action de payer :

Paul a fait/laissé payer Jean.
Paul l'a fait/laissé payer.

Cette construction est normale si l'infinitif est un verbe intransitif : *Paul a laissé dormir Jean*. On dit que *Jean* est complément d'objet de *faire payer* ou de *laisser payer* (ou *dormir*).

209. LA TOURNURE IMPERSONNELLE :

Le verbe intransitif a été défini au § 170 par la formule propositionnelle *p(x)* : le procès concerne un seul ensemble désigné par le sujet. Or certaines propositions ont la formule *p*, plus abstraite, réduite au procès sans sujet.

Les plus simples expriment des phénomènes atmosphériques :

Il pleut.   Il fait beau.   Il tonne.

Le pronom *il* dans ces phrases désigne-t-il un "hors-moi" (atmosphère, nuages, ciel) tenu pour siège ou pour cause du phénomène ? Comme il ne peut, en tout cas, représenter un nom antécédent (**Les nuages, il pleut*), ni recevoir une épithète détachée (**Il tonne, assourdissant*), le plus sûr est de le tenir pour un élément morphologique indissociable du verbe conjugué, marque de la **tournure impersonnelle.**

Il existe donc une **conjugaison impersonnelle** ne possédant que l'Infinitif et les temps personnels, lesquels neutralisent l'idée de personne sous la marque *il.*

La conjugaison impersonnelle caractérise aussi par nature quelques verbes et locutions introductifs de termes dépendants, comme *il y a, il faut, il s'agit*. Ces verbes retrouvent donc une formule *p(y)*, avec un *y* non sujet.

Enfin, des verbes quelconques peuvent adopter dans le discours la "construction impersonnelle" où le sujet *x* est transporté en position *y*, dans des conditions relevant uniquement de la syntaxe : *Il est venu trois personnes, Il a été perdu une montre* (§ 224).

Remarque : Devant les verbes de la première catégorie, le français populaire peut remplacer *il* par *ça* — qui désigne expressément le hors-moi : *Ça pleut* (comparer : *Ça tombe*).

Devant les verbes de la 2e catégorie, le français familier supprime souvent *il* (survivance d'un usage ancien) : *Y a du monde. Faut partir, S'agit d'aller vite.*

V. Présentatifs

210. UNE DERNIÈRE PARTIE DU DISCOURS, LES PRÉSENTATIFS :

Le IIe chapitre de l'étude des Mots, commencé au § 111, a été un inventaire, avec définitions, des *classes grammaticales* ou *parties du discours* (§ 20).

Tous les mots de la langue n'y ont pas trouvé place. Ainsi, la locution *est-ce que* ne rentre dans aucune des catégories passées en revue ; mais, étant la seule unité lexicale apte à remplir la fonction qu'elle assume dans la phrase interrogative, elle ne demande pas d'autre mention que celle qui en est faite aux paragraphes 159 et 245.

Dans le résidu, composé surtout d'unités complexes, on observe au contraire une propriété commune pouvant servir à définir une classe. Elle apparaît dans les exemples suivants :

1. **Voici** *Paul.*
2. **Ci-gît** *Paul.*
3. **Vive/A bas** *Paul.*
4. **Voici** *dix francs.*
5. **Ci-joint** *dix francs.*
6. **Soit** *un triangle.*

Les mots ou locutions imprimés en gras servent normalement de base à des phrases où ils sont suivis d'un nom de personne (1, 2, 3) ou de chose (4, 5, 6) en position de propos. On les appelle **présentatifs.**

Cette fonction leur est commune avec certains verbes impersonnels (§ 209 et 223, 224).

Les phrases commençant par un des présentatifs énumérés plus haut ne sont pas créées et interprétées comme des ellipses de discours (§ 26). On peut les tenir pour des **types de proposition** réguliers, cantonnés pour la plupart dans des types de discours très particuliers :

—*Voici (voilà)* remonte à la seconde personne du verbe *voir* (à l'Impératif ou à l'Indicatif) suivie de *ci* (ou *là*) ; à la différence des autres présentatifs, il est d'un usage oral très fréquent. Ses propriétés syntaxiques, très semblables à celles d'*il y a,* seront étudiées dans la VIe Partie. En français écrit, l'opposition *ci/là* y a les mêmes valeurs que dans les formes des démonstratifs (§§ 147-148).

—*Ci-gît* est la construction archaïquement inversée d'un vieux verbe et d'un vieil adverbe, maintenue sur les tombes.

—*Ci-joint, ci-inclus* apparaissent dans les lettres où un document est joint. Logiquement invariables dans la fonction de présentatifs, ils peuvent être accordés avec le nom dans la fonction épithète : *La photographie ci-jointe.* Mais l'arrêté du 28-12-1976 autorise l'accord dans tous les cas.

—*Soit* et *vive* sont des subjonctifs archaïquement construits sans *que,* usités le premier dans les démonstrations logiques, le second dans les démonstrations en faveur des personnes ou des idées. Ils sont facultativement accordés avec le terme présenté.

—*A bas*, fruit d'une ellipse oubliée, est l'antonyme de *vive.*

LA PHRASE

211. MOTS BASES DE PHRASE :

Il est montré au § 22 que la "proposition", **unité de groupement** composée d'un sujet et d'un verbe, n'est pas à confondre avec la « phrase », **unité d'énonciation** dont la fonction est d'exprimer un propos. Deux faits bien connus, vérifiés par les chiffres du sondage mentionné à la Remarque b du même paragraphe, empêchent cette identification :

1° L'existence de phrases (plus d'une sur deux dans le sondage) se composant de **plusieurs propositions**, éventuellement coordonnées entre elles ou corrélatives, agencement différent de celui du sujet avec le verbe (v. plus loin, Chapitre III).

2° L'existence de phrases **ayant pour base un mot non verbal ou un verbe sans sujet.**

La nomenclature du 22-7-1975 distingue, des phrases **verbales,** les phrases **nominales,** comportant seulement "un ou plusieurs groupes nominaux". On peut en donner pour exemples :

Elections anticipées le 7 juillet en Israël (journal du 19- 1- 1981)

Isabel Peron bientôt libérée? (ibid.)

Soudain, des coups de feu. Une fusillade enragée. Des flammes qui sortent du canon des fusils et s'éteignent aussitôt. (J. et J. Tharaud)

Qu'il s'agisse de titres d'informations journalistiques (deux premiers exemples) ou d'énoncés littéraires de caractère descriptif ou narratif (dernier exemple), il y a propos, donc phrase.

Le second exemple a la modalité interrogative, les autres déclarative. Il existe aussi des phrases nominales impératives :

Halte!   *Départ à 10 heures.*

et exclamatives :

La belle robe!   *Quel brave garçon!*

Il suffirait d'invoquer des ellipses (§ 26) pour ramener ces phrases à la norme :

(Des) élections anticipées (auront lieu) le 7 juillet en Israël.
Isabel Peron (sera-t-elle) bientôt libérée?

Soudain, (on entend) des coups de feu. Une fusillade enragée (s'engage). (On voit) des flammes etc.

Les énoncés ainsi ramenés à l'ordre sont moins économiques (pour les titres) et moins saisissants (pour le récit) : l'ellipse serait des plus justifiées. Mais il est toujours difficile, dans de pareils cas, de distinguer l'effacement de l'esquisse, la phrase réduite de la phrase ébauchée. Dans le dernier exemple, il est évident que la rapidité de l'expression vise une rapidité de compréhension : l'effet serait manqué si le décodage du texte imposait au lecteur le rétablissement préalable des termes d'une phrase complète. Il vaut mieux penser que ces constructions à base non verbale, nées **peut-être** de la norme propositionnelle par répétition d'une ellipse, sont devenues des unités complexes marginales propres aux titres ou à certains types de discours narratif ou autre, où leur forme attendue devient la norme.

On y reconnaît souvent sans difficulté un thème et un propos :

Thème	Propos
Isabel Peron	*bientôt libérée?*

Ce partage est souligné par la subordination relative dans un tour exclamatif de la langue familière :

> *La voiture qui s'en va toute seule !*
> *Votre sac que vous oubliez !*

Le terme de "phrase nominale", bienvenu, est pourtant insuffisant ; il existe, dans le discours affectif, des phrases **adjectivales** :

> **Magnifique,** *votre robe !* (Propos + Thème)
> **Impossible** *de dormir* (Propos + Thème)

adverbiales :

> **Doucement** *les basses !* (Propos + Thème)
> **Au diable** *les contrats !* (Propos + Thème)

Les "adverbes" *oui, non, si* (§ 127, Rem. d) sont des mots-phrases grammaticalisés.

La phrase **verbale** elle-même n'est pas forcément "propositionnelle" : un Infinitif sans sujet peut être la base de phrases déclaratives (§ 243), interrogatives (§ 244), impératives (§ 245) ou exclamatives (§ 246).

Remarque : Parmi les **présentatifs** mentionnés au § 210, les uns remontent à des formes personnelles du verbe figées dans une morphologie et une syntaxe du Moyen Age *(ci-gît, soit, vive)*, les autres à des participes bases de phrase *(ci-joint, ci-inclus)*.

CHAPITRE 1

Syntaxe de la Proposition

A. Les fonctions

212. CANON DE LA PROPOSITION :

En se fondant sur l'observation statistique plutôt que sur le postulat d'une théorie en évolution depuis sa récente naissance (la "grammaire générative"), on peut tenir que le **canon** de la proposition (le modèle le plus fréquent par référence auquel se définissent tous les autres), s'observe dans la phrase déclarative de la langue écrite tenue non littéraire, celle des journaux et revues destinés au grand public. D'un sondage fait par un chercheur (J.-Cl. Corbeil) sur 1 315 phrases déclaratives de ce type de discours, il ressort que les cinq **chaînes propositionnelles** les plus fréquentes sont les suivantes :

Sujet - Verbe - Complément d'objet direct	415 fois
Sujet - Verbe - Attribut	244 fois
Sujet - Verbe	234 fois
Sujet - Verbe - Complément d'objet indirect	115 fois
Sujet - Verbe - Complément d'agent	42 fois

Remarque : Ce tableau ne fait pas état des "compléments circonstanciels", qui peuvent apparaître à toute place (§ 225).

Chaque fonction, sauf la fonction verbe, peut être remplie par un mot ou un groupe de mots de type "monarchique" (§ 21) : le tableau ne fait donc pas état des compléments de nom ou d'adjectif (§§ 231-237).

Les propositions subordonnées sont comptées au même titre que les mots (sujets, attributs ou compléments), mais le verbe est toujours un verbe principal.

213. FORMES ET SENS DE LA FONCTION SUJET :

Le sujet, normalement, précède le verbe, et peut avoir la forme :

1° d'un **nom** ou d'un **pronom** :

Mon poste *est en panne.* **Il** *est en panne.*

2° d'un **verbe à l'Infinitif** :

Tailler *les arbres est un art.*

3° d'une **proposition subordonnée** (§ 261) :

Qu'il ait du succès *ne me surprend pas.*

La place préverbale ne suffit pas pour reconnaître le sujet, parce qu'il peut être séparé du verbe et même lui être postposé (§ 241). On peut accepter pour critère du sujet d'un verbe à un mode personnel l'épreuve de **la question** *qui est-ce qui ?* **ou** *qu'est-ce qui ?* **posée devant le verbe** mis à la 3e personne du singulier. Contrairement à l'objection qu'on fait quelquefois à ce procédé d'analyse, le choix de la forme animée ou inanimée du pronom n'implique pas la connaissance préalable de la réponse ; on peut très bien essayer successivement les deux questions ; exemple :

*Qui est-ce qui est en panne ?...
Qu'est-ce qui est en panne ? mon poste.

On donne quelquefois, surtout pour la réfuter, une définition "de sens" du sujet selon laquelle il désignerait l'être ou la chose "qui fait l'action énoncée par le verbe", formule résumée sous le terme d'"agent" du procès.

Cette définition convient pour des phrases comme *Paul est venu, le cheval galope* ; elle ne s'applique pas à *Mon poste est en panne,* où il n'y a pas d'action, encore moins à *Le chien reçoit des coups* ou *Le marronnier sera taillé*, où le sujet désigne l'animal ou la chose qui subit l'action.

Dans chaque cas, une définition extralinguistique peut paraître pertinente : "le nom *poste* désigne la chose dont l'état est indiqué par le verbe et son complément", "le nom *cheval* désigne l'animal qui contracte ses muscles pour produire le galop", "le nom *marronnier* désigne l'arbre dont les branches vont subir l'action de tailler". Mais aucun élément commun n'apparaît dans ces formules.

La définition extralinguistique de ces sens est un faux problème : **le sens du sujet est donné par chaque verbe**, et l'on peut dire tout simplement que le nom *poste* désigne ce qui *est en panne*, le verbe *tailler* ce qui *est un art, cheval* ce qui *galope, chien* ce qui *reçoit des coups, marronnier* ce qui *sera taillé.*

Pour un même verbe, la relation extralinguistique du sujet au procès peut être diverse ; comparer :

1. *Le médecin a guéri Paul avec des tisanes.* (Le médecin est l'"agent" du procès).

2. *Les tisanes ont guéri Paul.* (Les tisanes sont un "moyen").

3. *Paul a guéri.* (Paul est le "bénéficiaire" ou "patient").

Mais cette diversité n'est pas libre : avec le verbe *soulager,* les constructions 1 et 2 sont possibles, et non 3 ; avec *soigner*, seule la première existe. C'est donc le verbe seul qui définit le sens du sujet, exprimant telle ou telle relation selon des modèles enregistrables, pour chaque verbe, au dictionnaire.

Remarques : a) Le sujet n'est pas exprimé devant l'Impératif, mais il est implicite, marqué par la personne du verbe ; il commande éventuellement l'accord de l'attribut : *Sois discrète.*

b) Quand deux propositions coordonnées ont pour sujet une même personne ou une même chose désignée dans la première par un nom ou un pronom de la 3e personne.

sauf *on* ou *ce*, le sujet est sous-entendu dans la seconde (sauf après diverses conjonctions comme *car* et *or*), ou exprimé seulement par un pronom personnel :

> *Paul partira ou (il) se taira.*   *Elle s'est levée et (elle) a applaudi.*

(Mais : *Tu partiras ou* **tu** *te tairas. On s'est levé et* **on** *a applaudi).*

214. ACCORD DES FORMES PERSONNELLES DU VERBE :

Les formes personnelles du verbe (formes simples ou auxiliaires des formes composées) s'accordent en **personne** et **en nombre** avec le sujet :

> *Je le* **regarde.**   *Je les* **regarde.**   *Vous* **avez** *marché.*
>
> *Sur la route* **passent** *de lourds chariots.*

Si le sujet est un groupe nominal, le verbe s'accorde, en principe, avec le nom chef de groupe :

> **La cime** *des arbres* **s'incline** *au vent.*

Le nom sujet peut avoir pour "déterminant" un adverbe ou une locution de quantité comme *assez, beaucoup, combien, la plupart, peu, quantité, trop* (§ 108) ; c'est avec le nom que s'accorde, généralement, le verbe, même si le nom est sous-entendu :

> *La plupart des gens* ignorent *cela.*   *Combien l'*ignorent ?

Après *plus d'un*, le verbe est mis facultativement au singulier ou au pluriel (arrêté du 28-12-1976) :

> *Plus d'un l'*ignore *ou l'*ignorent.

Après un **nom collectif au singulier** suivi d'un complément au pluriel, on peut se demander si le nom chef de groupe est le premier ou le second ; il faut réfléchir au sens ; comparez :

> *Une foule de gens* ignorent *cela.*
> *Une foule de curieux* bloquait *la circulation.*

(L'arrêté du 28-12-1976 rend l'accord facultatif).

Si un verbe a plusieurs sujets, il se met au pluriel :

> *Mon père, au bureau, et ma mère, à la maison,* **travaillent.**

Le singulier n'est possible que si plusieurs sujets au singulier sont coordonnés par *ou, ni :*

> *Mon père ou ma mère* **répondra** *au téléphone.*
> *Ni mon père ni ma mère ne* **répondra** *au téléphone.*

(L'arrêté du 28-12-1976 permet le pluriel).

Il se met obligatoirement à la 1re personne du pluriel s'il y a parmi les sujets un pronom de la 1re personne, à la 2e du pluriel s'il y a un pronom de la 2e personne :

> *Paul et moi* **irons** *vous voir.*
> *Paul ou toi* **répondrez** *au téléphone.*

Remarques : a) Le singulier ou le pluriel est facultatif, selon l'arrêté du 28-12-1976, avec des sujets au singulier réunis par *avec, comme, ainsi que :*

Le français, comme (avec, ainsi que) l'italien, **vient** ou **viennent** du latin.

(La présence des virgules rend pourtant plus logique le singulier.)

b) Pour l'accord du verbe *être* avec le sujet *ce*, v. § 221.

215. FORMES ET SENS DU COMPLÉMENT D'OBJET DIRECT :

Le **complément d'objet** (ou **objet** tout court) est le complément **propre au verbe transitif** (§ 170). Une importance particulière est attachée au **complément d'objet direct** (COD) qui se rattache au verbe sans préposition.

L'objet, normalement, suit le verbe, et peut avoir la forme :

1° d'un **nom** ou d'un **pronom** :

> Les nuages cachent le **soleil.**   Je connais **quelqu'un.**

Par exception, les pronoms conjoints sont placés avant le verbe :

> Je **le/la/les** connais.

2° d'un **verbe à l'Infinitif** :

> Il sait **tailler** les arbres.

3° d'une **proposition subordonnée (§ 262)** :

> Je sais/conviens **qu'il a du succès.**

Pas plus que le sujet, l'objet ne peut être identifié par sa seule position dans la phrase. Il suit normalement le verbe, mais peut en être plus ou moins éloigné, et il le précède non seulement sous la forme d'un pronom conjoint, mais dans des types de propositions non déclaratives (§§ 244, 245) et de propositions subordonnées (§§ 252, 265).

Pour distinguer l'objet des autres compléments directs de type circonstanciel (§§ 225, 226), on pratique l'épreuve des questions *qui ?* ou *quoi ?* posées (successivement) après le verbe ; exemple :

> } Les nuages cachent qui ?...
> } Les nuages cachent quoi ? le soleil.

(Cette manière d'interroger appartenant au français oral familier, les grammairiens puristes préconisent plutôt les questions *qui est-ce que ?* ou *qu'est-ce que ?* : Qu'est-ce que les nuages cachent ?).

Ce critère a plusieurs défauts, principalement de ne pas distinguer le nom objet d'un nom attribut *(Paul est médecin : Paul est quoi ? médecin)* ou d'un nom sujet inversé *(Ici est mort Voltaire : Ici est mort qui ? Voltaire)*. On y remédie en associant à la question *qui ?* ou *quoi ?* deux sous-épreuves :

1° la **substitution d'un adjectif** :

L'attribut *médecin* peut être remplacé par un adjectif *(Paul est grand)* ; un objet ne le peut pas *(*Je connais grand)*.

2° la **substitution d'un pronom conjoint** *(le/la/les)* :

On peut dire *Je le connais*, on ne dit pas **Ici l'est mort.*

Le sens de l'objet, comme celui du sujet, paraît très différent selon les verbes : il semble indiquer un rapport de lieu dans *Je quitte la France ;* de moyen dans *J'emploie ce produit*, de cause dans *Elle regrette mon échec*, de but dans *Paul veut gagner*, de conséquence dans *Le machinisme entraîne le chômage.*

En fait, toutes ces relations sont exprimées par le sémantisme des verbes, et non par la fonction objet. Il n'existe pas une "relation d'objet" comme il existe des "relations de lieu", "de temps", etc. ; le rapport d'objet est purement grammatical (et c'est pourquoi il n'est pas nécessaire de dire "complément d'objet" comme "complément de lieu", etc.) La valeur sémantique de chaque objet est donnée par le verbe : le nom *France* désigne ce que l'on *quitte*, le nom *produit* ce qu'on *emploie*, etc.

La différence entre le sujet et l'objet est que le premier est la "source", le second le "but" de la relation, pour parler en termes de mathématique.

Une autre différence est à noter : l'accomplissement du procès a pour résultat un état nouveau soit du sujet, soit de l'objet, que peut exprimer le participe passé simple :

	PROCÈS	RÉSULTAT
Verbes intransitifs	*Paul naît* *La Seine déborde*	*Paul* (sujet) *est* **né** *La Seine* (sujet) *est* **débordée**
Verbes transitifs	*Les nuages cachent le soleil* *Je quitte la France*	*Le soleil* (objet) *est* **caché** *La France* (objet) *est* **quittée**

Ce fait de grammaire a favorisé la définition de l'objet comme le mot désignant l'être ou la chose qui "subit l'action", en d'autres termes le "patient". Mais le patient est sujet dans la "tournure passive" (§ 204).

Remarque : Les verbes intransitifs ont été définis comme ceux qui n'admettent pas de complément d'objet (§ 170). Cependant, un petit nombre peuvent être suivis d'un **complément d'objet interne**, reprenant sous forme d'un nom l'idée du verbe ou une idée voisine pour y ajouter une détermination : *dormir son dernier sommeil, pleurer des larmes amères, vivre sa (propre) vie, tourner mille tours.*

216. LA PHRASE AU PASSIF ; "COMPLÉMENT D'AGENT" :

La "voix passive" (§ 204) inverse la relation qu'exprime le sémantisme verbal, de telle sorte que le "but" occupe la position de sujet. Dans ce cas, l'élément source de la relation peut être inexprimé ; comparer :

1. *Les nuages cachent le soleil* (objet).

2. *Le soleil* (sujet) *est* **caché**.

Si l'on tient à exprimer la source, ce sera par un complément facultatif, de type "circonstanciel", appelé **complément d'agent** :

3. *Le soleil est caché* **par les nuages**.

Le complément d'agent se confond par la forme avec d'autres compléments, indiquant par exemple une relation de lieu, de cause :

4. *Paul est passé* **par le jardin**.

5. *Je suis monté le voir* **par habitude**.

On l'en distingue en essayant de retourner la phrase à l'actif, chose impossible pour 4 et 5.

● Le complément d'agent peut être introduit par *de* ; comparer :

6. **Une éclaircie** *suit l'orage.*

7. *L'orage est suivi* **d'une éclaircie**.

De est employé de préférence avec les verbes

— de **sentiment** :

Il est aimé de ses voisins

— de **succession** :

L'orage est suivi d'une éclaircie

— d'**opération mentale** :

Son nom est connu de tous

— d'**"action interne"** :

Il est pris d'une grande pitié.   *Il est envahi de doutes.*

La même épreuve qu'avec *par* permet de reconnaître les compléments d'agent des autres compléments en *de*.

● Le recours à la tournure passive peut être motivé par les raisons suivantes :

1° Renversement du rapport Thème/Propos :

On sait que le sujet exprime ordinairement le thème de la phrase (§ 15). Le verbe est donc choisi tel qu'il ait pour source l'ensemble le mieux déterminé dans la situation d'énonciation :

Paul a perdu ce matin un portefeuille.

Si une personne à qui l'on présente un portefeuille trouvé y reconnaît celui de Paul, elle pourra dire, en choisissant un verbe qui mette le nom *portefeuille* en position de sujet :

Ce portefeuille appartient à Paul.

Mais si elle veut apporter en même temps l'information que Paul a constaté le matin la perte de son portefeuille, elle emploiera le verbe *perdre,* à la voix passive :

Ce portefeuille a été perdu ce matin par Paul.

La tournure passive est particulièrement indiquée **si l'agent est indifférent ou inconnu** ; en ce cas, il n'y aura pas de complément d'agent :

Toutes les boîtes aux lettres ont été forcées.
Un portefeuille a été perdu.

2° Commodités syntaxiques :

Certains contextes favorisent l'expression du patient en position de sujet ; exemples :

– *Paul, qui a été mordu par un chien non tenu en laisse, a porté plainte.*

Le relatif doit être près de son antécédent ; donc le pronom *qui,* représentant *Paul,* ne peut figurer qu'en tête de la proposition subordonnée : indiquant le patient du procès "mordre", il est sujet du verbe au passif ; le volume du groupe agent empêche d'employer *que* suivi d'un verbe actif *(Paul, qu'un chien non tenu en laisse a mordu...).*

– *Un seul livre n'a pas été vendu.*

La tournure active *On n'a pas vendu un seul livre* aurait un sens très différent, cf. § 25.

Remarque : L'emploi d'un complément d'agent précédé de *par* est impossible avec un verbe pronominal de sens passif (§ 207), mais il se rencontre après un infinitif associé à l'auxiliaire *faire, laisser* ou *voir* dans les constructions étudiées au § 208.

217. OBJET INDIRECT :

Dans les phrases suivantes :

1. *Paul doute de mon talent.*

2. *Paul se fie à son intuition.*

les prépositions *de* et *à* ne sont remplaçables par aucune autre (**Paul doute à mon talent,* **se fie de son intuition,* **doute sur mon talent,...).* Chacune des deux est étroitement associée au verbe qui la précède, et forme avec ce verbe une unité lexicale de sens constant (le verbe *douter-de* ou *se-fier-à)* qu'on appelle **"verbe transitif indirect"**, et qui met en relation le sujet *Paul* avec un nom *(talent* ou *intuition)* qu'on appelle **complément d'objet indirect**.

Cette fonction ne se confond pas avec les "compléments circonstanciels" (§ 225), dont le sens est donné par la préposition ; exemple : *Paul va à la maison* (on pourrait dire, *Paul va vers la maison, dans la maison, sur la maison, sous la maison).*

● Un même verbe peut présenter plusieurs sens différents, définis dans le dictionnaire, selon qu'il est employé seul ou associé avec *à* ou avec *de* ; comparer :

>*Paul tenait fortement la rampe* (il la serrait dans sa main)
>*Paul tenait beaucoup à ce livre* (il y attachait un grand prix)
>
>*Paul a manqué un cours* (il n'y a pas assisté)
>*Paul manque d'argent* (il n'en a pas assez).

A l'objet indirect introduit par *à* répond souvent, sous la forme conjointe, le pronom adverbial *y* ; à *de* répond *en* :

>*Paul y tient beaucoup.*   *Paul en manque.*

On reconnaît l'objet indirect à ce que la préposition ne peut être supprimée ou modifiée sans incorrection ou sans changer le sens du verbe.

Beaucoup de verbes transitifs se construisent directement si l'objet est un nom, et indirectement si c'est un verbe à l'infinitif :

>*Il cherche un travail.*   *Il cherche à travailler.*

● Il existe des verbes à double objet (direct et indirect) comme *prier, priver, accuser, féliciter (qn de), pousser, exhorter (qn à) :*

>*J'accuserai Paul de mensonge, je le priverai de sortie.*
>*Il m'a poussé à accepter ce poste, il m'y a exhorté.*

218. COMPLÉMENT D'ATTRIBUTION :

La grammaire traditionnelle pose l'existence d'un **complément d'attribution** que la nomenclature de 1975 donne pour une variété de complément d'objet indiquant "l'être ou la chose au bénéfice ou au détriment desquels s'accomplit l'action" :

>*J'ai donné un livre / un coup* à **Paul**.

Une telle définition a le défaut de s'appliquer à beaucoup de compléments d'objets directs, comme *Le médecin guérit le malade, Le juge condamne l'accusé ;* on a vu (§ 215) que l'objet direct désigne le plus souvent un être ou une chose "subissant le procès".

● La grammaire moderne élimine catégoriquement toute distinction n'ayant pas, dans la langue, de marque formelle. Or il en est une pour le complément d'attribution : comme le complément d'objet direct (§ 213), il est remplaçable par un pronom conjoint ; comparer :

| objet : | *Paul voit* **moi** | *Paul* **me** *voit* |
| attribution : | *Paul parle* **à moi** | *Paul* **me** *parle* |

L'identité de ces deux *me* n'est qu'apparente : à la 3e personne, le complément d'objet direct est remplacé par le "cas régime" *le/la/les* (§ 139), et le complément d'attribution par le "datif" *lui/leur :*

>*Paul* **le** *voit,* **les** *voit.*
>*Paul* **lui** *parle,* **leur** *parle.*

On peut donc définir le complément d'attribution comme **le complément du verbe pouvant être remplacé par un pronom conjoint au datif.**

● Beaucoup de verbes appelant un complément d'attribution sont des verbes à double transitivité, comme *donner, accorder, laisser, prêter, remettre, demander, emprunter, ôter, voler, prendre, rendre :*

Je **le lui** *donne / accorde / laisse,* etc.

Aussi certains grammairiens ont-ils proposé d'appeler le complément d'attribution "complément d'objet second". Mais :

1º Il y a des verbes avec lesquels il est seul complément d'objet : *Je* **leur** *ai nui, Ce livre* **lui** *appartient.*

2º Il ne manque pas de compléments d'objets seconds qui sont introduits par *de : féliciter/punir/soupçonner/accuser quelqu'un* **de quelque chose.**

3º C'est ne pas faire état de nombreux emplois du complément d'attribution avec un verbe pourvu par ailleurs d'un objet suffisant :

J'ai joué **à Marie** *cette sonate.*
Je **lui** *réparerai sa chaudière.*

Cet emploi, fréquent avec les verbes transitifs, est exclu avec les intransitifs, à moins qu'on ne tienne pour complément d'attribution un emploi comme :

Je roule **pour vous.**

Le remplacement par *à vous* ou par un datif conjoint est impossible.

● Le complément d'attribution peut donc être complément d'objet (impliqué par le sens du verbe) ou ne pas l'être, et porter seul dans ce dernier cas la signification fonctionnelle qu'on peut définir par deux traits :

1º Il désigne généralement une personne ;

2º Cette personne est intéressée, au premier ou au second titre, au procès.

Le premier trait est vérifié par la comparaison d'énoncés comme :

Il court après l'autobus ⟶ *Il court après*
Il court après le voleur ⟶ *Il* **lui** *court après.*

Les infractions s'expliquent soit par l'humanisation d'un animal ou d'une chose, soit par la commodité de la construction :

*Le moteur peine, donne-***lui** *des gaz.*
*La table boite, mets-***lui** *une cale.*

Du second trait découlent différents emplois particuliers, tels que :

— Indication du **possesseur** pour un objet possédé inaliénable :

Je **lui** *coupe* **les** *cheveux* (comparer : *Je coupe* **son** *livre).*

— **Mise en relation** d'une personne avec l'objet de **certains** verbes *(datif épistémique* de Nicolas Ruwet) :

Je **lui** *connais* **trois maisons.**
Je **lui** *crois* **de grandes qualités.**

(Mais non : **Je lui pense / *Je lui estime de grandes qualités)*

— Indication de l'**agent** (en concurrence avec *par,* § 216, Rem.) dans la construction factitive ou tolérative (§ 208) :

Paul a fait/laissé payer ses dettes **à Jean**
Paul **lui** *a fait/laissé payer ses dettes.*

● De cette valeur générale dérive l'emploi particulier des pronoms de la première et de la seconde personne appelé **datif éthique** :

*Range-***moi** *tes jouets* (ça me fera plaisir)
Pierrot **m**'*a fait une rougeole* (j'ai été inquiète)

Le père mort, les fils **vous** *retournent le champ* (La Fontaine intéresse son lecteur à l'action).

Le français populaire va jusqu'à doubler l'effet :

Elle **te vous** *l'attrape !*

Le datif éthique peut voisiner avec un complément d'attribution :

Qu'on **me lui** *fasse griller les pieds !* (Molière)

Remarque :

Je m'adresse **à elle.**   *Elle me présente* **à eux.**

Dans de telles phrases, l'emploi de *lui* ou *leur* devant le verbe après *me, te, se, nous* ou *vous* est impossible (cf. p. 178, tableau, Rem. b) ; mais la fonction complément d'attribution est établie par l'analogie de phrases comme :

Je l'adresse **à elle.**   *Elle le présente* **à eux.**

(ou : Je le **lui** *adresse).*   (ou : *Elle le* **leur** *présente).*

219. FORMES ET SENS DE L'ATTRIBUT DU SUJET :

L'attribut du sujet (§ 170) suit normalement le verbe, et peut avoir la forme :

1° d'un **nom** ou d'un **pronom** :

Paul est **mon frère.**   *L'aîné est* **celui-ci.**

Solange est **pharmacienne.**

Par exception, le pronom relatif *que,* le pronom personnel *le,* les pronoms interrogatifs *qui* et *que* précèdent le verbe :

le révolté **que** *tu deviens*   **Qui** *sont vos amis ?*

2° d'un **adjectif,** d'un **Participe passé** ou d'un **adverbe adjectivé** :

Paul est **spirituel.**   *Il est très* **connu.**   *Il n'est pas* **mal..**

Par exception, l'adjectif interrogatif *quel* précède le verbe : **Quel** *est ton nom ?*

3° d'un **groupe prépositionnel** à valeur qualificative :

Paul est **sans scrupules.**   *Nos verres sont* **à pied.**

4° d'un **groupe nominal solidaire** :

Il était **pieds nus.**   *Il resta* **la main tendue.**

5° d'un **verbe à l'Infinitif** :

Souffler n'est pas **jouer.**

6° d'une **proposition subordonnée** (§ 263) :

Son défaut est **qu'il ment.**

Il existe des attributs **indirects** :

Paul passe pour **mon frère.**   *Elle passe pour* **savante.**

Son défaut est **de mentir.**

L'attribut adjectif est facile à reconnaître. L'attribut nom ou pronom se confond formellement avec l'objet, dont on le distingue **en essayant de lui substituer un adjectif,** comme il est montré au § 215. On fera aussi état de la différence de sens.

● Le sens de la fonction attribut est lié au sens du verbe comme il est montré au § 170. La liste des verbes proprement attributifs est relativement courte ; tous expriment l'**attribution d'une propriété ou d'une identité** à l'ensemble que désigne leur sujet. Le verbe *être* la donne pour **permanente** *(Elle est savante, Elle est ma sœur)* ; certains expriment lexicalement des nuances aspectuelles : **entrée** dans l'état *(Elle devient savante)*, **maintien** dans l'état *(Elle reste/demeure savante)* ; d'autres **atténuent l'affirmation** *(Elle paraît-/semble/a l'air/passe pour savante)*.

Certains verbes intransitifs qui ne sont pas normalement attributifs le deviennent en étant suivis d'adjectifs dont la fonction ne peut être qu'attribut :

Balzac **mourut** *pauvre.*   *Paul* **est né** *anglais.*

Dans ces deux phrases, l'adjectif n'est pas "complément de manière" (§ 229) ; "pauvre" n'est pas une manière de mourir, ni "anglais" une manière de naître. Les deux verbes datent l'attribution : "Balzac en mourant était pauvre", "Paul à sa naissance était anglais". De même, on dira que *tomber* est attributif dans *tomber malade,* puisqu'il indique l'entrée dans l'état qu'exprime l'adjectif.

Le verbe *faire,* transitif dans *faire une omelette,* est intransitif et attributif dans : *Elle* **fait** *sérieuse,* où il peut être remplacé par *avoir l'air.*

Aux verbes précédemment cités, il faut ajouter le passif des verbes **transitifs attributifs** (§ 222) :

Paul **est tenu pour** *un as.*   *Il* **sera élu** *président.*

● Le sens de l'attribut n'est pas complètement donné par le verbe : il dépend aussi de la classe grammaticale du mot attribut.

Un adjectif apporte à la représentation suscitée par le sujet son signifié qualificatif constant (§ 108).

Un nom attribut peut apporter :

— le contenu *p* de son signifié (attribut de "conceptualisation") :

Solange est **pharmacienne** (propriété essentielle, § 111)

Paris est **(la) capitale de la France** (propriété référentielle)

— le contenu *x1* de son signifié (attribut d'"identification") :

Mon médecin est **le docteur Auger** (identité).
La capitale de la France est **Paris** (identité).
Le Bossu était **Lagardère** (identité).

Dans les trois dernières phrases, le verbe exprime une relation d'**égalité** : Le Bossu = Lagardère (les deux ensembles désignés n'en font qu'un). Au contraire, un verbe transitif exprime une relation d'extériorité : dans une phrase comme *Lagardère tue Gonzague,* les deux ensembles désignés sont disjoints.

Il ne faut pas s'autoriser du fait qu'en mathématique la relation d'égalité est symétrique (*a* = *b,* donc *b* = *a*) pour prétendre que, dans les exemples donnés, les noms *Paris* et *Lagardère* peuvent être tenus pour sujets, et les noms *capitale* et *le Bossu* pour attributs. La relation attributive établie par *être* est aussi bien orientée que celle d'un verbe comme *devenir* ("a devient b" n'entraîne pas "b devient a").

● Les attributs ont d'ailleurs une propriété secondaire qui définit leur sens **sur le plan de la phrase,** et non plus de la proposition : **ils expriment ordinairement le propos** (§ 14) **dont le sujet est le thème.** Telle est la différence entre :

Un chien **blanc** *m'a mordu (blanc* est épithète de *chien).*
Le chien qui m'a mordu était **blanc** *(blanc* est attribut de *chien).*

La suppression de *blanc* n'est possible que dans la première phrase.

Cette propriété explique l'emploi de la formule *c'est... qui, c'est... que* pour donner valeur de propos à n'importe quel terme de la phrase (§ 16).

La fonction attribut n'est pourtant pas une marque absolue de la portée du propos ; dans le dicton bien connu :

C'est en forgeant qu'on devient forgeron.

l'attribution de la propriété "forgeron" est passée dans le thème, dont le propos est énoncé par *en forgeant.*

● La définition fondamentale du nom attribut par la relation d'égalité interdit de voir un attribut dans une phrase comme :

Le chien est **dans la cour.**

Si *dans la cour* est bien le propos rapporté au sujet *le chien,* les noms *chien* et *cour* désignent ici deux ensembles disjoints qu'associe une relation de lieu exprimée par *dans.* Au verbe *est,* on peut substituer *dort, couche, aboie,* mais non *devient, passe pour ;* il exprime non plus l'attribution d'un état, mais la présence, l'existence quelque part (on questionne : *Où est le chien ?*).

Remarque : En français familier, si l'attribut est un pronom personnel, le verbe *être* peut être construit indirectement :

Si j'étais de toi, de lui, etc.

220. ACCORD DE L'ATTRIBUT DU SUJET :

1° Attribut adjectif ou participe passé :

L'accord se fait en genre et en nombre avec le sujet exprimé ou sous-entendu :

Sa femme est **coquette.**   *Ne sois pas* **coquette.**

Etre **coquette** *n'est pas un défaut.*

Je reproche à ces joueurs d'être **brutaux.**

Avec les sujets *nous, vous* et *on,* l'accord est fait selon le sens :

Nous sommes **attaché** *au principe de l'analyse formelle* (auteur d'un manuel).

Ne soyez pas **coquette** (pluriel de politesse).

On était **contentes.**   *On reste* **liés.**

Si un attribut a plusieurs sujets, il se met au pluriel ; si les sujets sont de même genre, à ce genre ; s'ils sont de genre différent, au masculin :

Ma fille et ma nièce sont **contentes.**
Ma femme et moi sommes **désolés.**

2° Attribut nom ou pronom :

Un nom virtuel attribut (§ 112) s'accorde comme un adjectif :

Ma femme et moi sommes **acteurs.**

Si le nom attribut est actuel, il n'y a plus accord à proprement parler. L'identité de référent entraîne normalement l'identité de genre et de nombre :

Mon fils est **un acteur.**   *Ma fille est* **une actrice.**

Des désaccords sont possibles ; on dit très bien :

Mon fils est **une grande vedette.**
Mes enfants sont **toute ma fortune.**

mais il est plus difficile de faire suivre un verbe au singulier d'un attribut au pluriel :

Toute ma fortune est **mes enfants.**

La solution couramment adoptée est le recours au relais neutre *ce* (§ 221).

Le pronom personnel conjoint attribut a toujours la forme neutre *le,* que le mot représenté soit un adjectif :

> *Etes-vous* **bien portante ?** *– Je* **le** *suis.*

ou un nom virtuel ou actuel :

> *Je ne voulais pas être* **présidente,** *je* **le** *suis malgré moi.*

> *Elle n'est pas encore* **ma femme,** *mais elle* **le** *sera bientôt.*

221. LE RELAIS NEUTRE *CE* :

Si l'on compare ces deux phrases :

> 1. *Les chiens sont malades.*

> 2. *Les chiens sont carnivores.*

on devine que *les chiens* désigne en 1 plusieurs chiens particuliers *(x1, x2, x3, ...),* mais en 2 toute l'espèce ''chien'' *(x).* La portée générale de la phrase 2 peut être marquée sans ambiguïté si l'on dit :

> 3. *Les chiens,* **c'est** *carnivore.*

Le pronom neutre *ce,* à la différence des formes *celui, celle* (§ 148), efface les traits lexicaux et morphologiques du nom représenté, donc n'assume pas son genre et son extension ; on ne dirait pas :

> 4. **Solange, c'est pharmacienne.*
> 5. **Mes chiens, c'est malades.*

Mais *ce* convient si l'attribut lui-même apporte une extension :

> *Solange, c'est* **ma pharmacienne.**
> *Mes chiens, c'est* **Sam, Flipper** *et* **Lisa.**

L'extension étant donnée par l'attribut, le verbe peut être mis au pluriel dans ce dernier exemple : *ce* **sont** *Sam, Flipper et Lisa.*

Le relais neutre *ce* résout ainsi le problème logique que pose une différence de nombre entre sujet et attribut (§ 220) :

> *Toute ma fortune,* **c'est** *ou* **ce sont** *mes enfants.*

Avec un attribut de la 1re ou de la 2e personne, le verbe reste à la 3e personne du singulier :

> *C'est moi/toi/nous/vous.*

222. L'ATTRIBUT DE L'OBJET :

Comparer :

> 1. *Nous avons tous admiré ce film* **audacieux.**
> 2. *Nous avons tous trouvé ce film* **audacieux.**

En 1, *audacieux* est épithète du nom *film,* et pourrait être placé entre *ce* et le nom ; sa suppression ne modifierait pas le sens des autres mots. En 2, il est attribut de l'objet *film,* et pourrait être placé avant *ce ;* sa suppression modifierait le sens du verbe *trouver.*

L'attribut de l'objet peut être construit **indirectement** :

J'ai Paul **pour ami.** *Nous le considérons* **comme audacieux.**

L'attribut s'accorde avec un support objet comme avec un support sujet (§ 220).

La classe grammaticale des attributs de l'objet est fortement conditionnée par le sens du verbe : certains verbes comme *trouver, juger, estimer, rendre* veulent un attribut adjectif : d'autres comme *nommer, proclamer, élire* veulent un nom :

Le peuple a élu de Gaulle **président.**

Un petit nombre admettent les deux :

Je vous déclare **champion** *toutes catégories.*
Je vous déclare **apte** *au service.*

Dans des phrases comme :

J'aime le café fort.   *Je l'aime fort.*   *Je le veux fort.*

la qualité ''fort'' est attribuée à l'objet par le sens du verbe (j'aime que le café soit fort, etc.)

Mais dans le vers de Racine :

Je t'aimais inconstant, qu'aurais-je fait fidèle ?

l'adjectif est épithète avec une valeur concessive dans la première proposition et hypothétique dans la seconde ; Hermione n'a jamais aimé que Pyrrhus fût inconstant.

> **Remarque** : Le verbe *avoir* est souvent attributif : exemple :
>
> > *Paul a les yeux bleus* (= les yeux de Paul sont bleus).
>
> On pourrait dire *Il les a bleus,* mais non **Paul a les yeux.*
>
> L'analyse est moins sûre avec l'article indéfini :
>
> > *Paul a des yeux bleus.*   *Paul a des cheveux blancs.*
>
> Le propos peut être réduit à l'adjectif — alors attribut — ou porter sur le groupe nominal entier — complément d'objet. Le sens du dernier exemple est ambigu (tous ou quelques-uns ?).

223. RÉGIME DES VERBES ESSENTIELLEMENT IMPERSONNELS ET DE *VOILA :*

La classe des verbes impersonnels (§ 209) se définit par l'absence de sujet *(il* n'est ici qu'une marque invariable de la tournure impersonnelle.) Mais une partie des verbes **impersonnels par essence** sont introducteurs d'un terme dépendant qu'on appellera leur **régime** :

Il y a **du monde.**   *Il faut* **un chef.**

Ce régime, normalement placé après le verbe lorsqu'il a la forme d'un nom, répond comme un complément d'objet direct à la question *qui ?* ou *quoi ?* postposée ou à la question *qui ?* ou *que ?* préposée :

Il y a quoi ?/ Qu'y a-t-il ? – Du monde.
Il faut quoi ?/ Que faut-il ? – Un chef.

Dans la subordination relative, il est représenté par *que :*

le monde **que,** *ce matin, il y a...*
le chef **que,** *selon moi, il nous faut.*

Mais, à la différence de l'objet direct, il ne peut devenir sujet du verbe mis au passif (**Du monde y est eu, *Un chef est fallu*). Il peut être représenté par *le/la/les* avec le verbe *falloir (Il les faut tout de suite),* mais non avec *y avoir (*Il les y a).* Enfin, du point de vue du sens, il n'est pas mis en relation avec le sujet, qui par définition n'existe pas.

La position après le verbe convient (§ 15) aux termes constituant le **propos** de la phrase. Le régime du verbe impersonnel tend à exprimer totalement ou partiellement le propos, et c'est pourquoi il a par prédilection **un sens indéterminé.** Ainsi, la question posée après *il faut* est plus souvent *quoi* que *qui* (ne questionnant que sur l'identité, cf. § 158) ; *il y a,* qui refuse le pronom conjoint *le/la/les,* admet très bien *en,* de sens indéfini : *Il y en a* (=il y a *du* monde, *des* gens...).

Comme pour le sujet (§ 213) et l'objet (§ 215), le sens de la fonction régime **est donné par le verbe,** et diffère selon qu'on parle d'*il y a,* d'*il faut* ou d'*il s'agit.*

IL Y A ET VOILA

Il s'impose de rapprocher d'*il y a* le présentatif *voici/voilà* (§ 210), dont la construction est très semblable ; tous les deux incluent originellement un adverbe de lieu, *y, ci* ou *là,* qui explique leur sens principal : *il y a* attache le régime à un lieu désigné par anaphore, *voici* (à peu près abandonné dans l'usage courant) et *voilà* indiquent la présence de l'être ou de la chose nommés au repère ICI du locuteur :

A 2 km, *il* **y** *a la maison de Paul (y* représente à *2 km).*

*Voici/voi*là *notre maison* (= *Vois* ou *tu vois ici/là notre maison).*

Il y a et *voilà* peuvent fonctionner comme bases propositionnelles ou comme prépositions.

● Comme **bases propositionnelles,** *il y a* et *voilà* mettent en rapport l'existence d'un être ou d'une chose avec un lieu :

En Bretagne, il y a des pingouins.

Voilà des pingouins (au zoo ou sur une image).

Le régime peut être un nom ou un pronom, mais seul *voilà* admet un pronom personnel conjoint :

La maison que voilà est à nous.   *La voilà.*

Le régime peut être un groupe à valeur de nom :

Il y a à manger.   *Voilà à boire.*

Il peut être une proposition conjonctive :

Qu'y a-t-il de neuf ? – *Il y a que Paul veut se marier.*

Voilà que Paul veut se marier.

Alors que *voilà* est rivé au lieu et à l'instant présents, *il y a* peut s'en éloigner :

Il y avait/aura ici/là-bas un stade.

L'adverbe *y* peut désigner l'univers en général, et la locution *il y a* énonce un **jugement d'existence :**

Il y a un Dieu.   *Il n'y a pas de Dieu.*

Quand le régime est complexe, deux valeurs sont à distinguer selon le partage en thème et propos :

	THÈME	PROPOS
1	*Chez Paul,*	*il y a des tulipes bleues*
2	*Il y a des tulipes*	*bleues*

En 1, *bleues* est épithète du nom *tulipes,* base du groupe nominal régime (= des tulipes bleues existent chez Paul).

En 2, *bleues* est attribut du nom *tulipes,* régime d'*il y a (=* certaines tulipes sont bleues).

Dans les deux cas, l'adjectif peut être remplacé par la proposition relative *qui sont bleues.* En 2, la substitution souligne la valeur d'attribut de l'adjectif :

Il y a des tulipes qui sont bleues.

On analysera de même une phrase comme

Il y a Paul (thème) *qui va se marier* (propos).

Cette construction concurrence en français familier la proposition canonique : *Paul va se marier.*

Les mêmes emplois existent avec *voilà* :

Te voilà blonde !   *Voilà Paul qui va se marier !*

Il y a et *voilà* sont également capables de prendre une valeur temporelle (en ce cas, *y, ci* et *là* réfèrent à un point du temps) ; le fait mis en rapport avec le repère *y* ou *là* est exprimé par une proposition conjonctive :

Il y a / Voilà dix ans qu'il est marié.

ou représenté par *de cela* :

Il y a dix ans de cela (de ça).

● Comme **prépositions,** *il y a* et *voilà* introduisent un complément de temps (précision d'intervalle) :

Il s'est marié il y a / voilà dix ans.

IL FAUT

Il faut a pour régime, comme *il y a,* un nom, un pronom, un groupe de valeur nominale, une proposition conjonctive :

Il faut des verres.   *Il en faut.*   *Il faut à boire.*

Il faut qu'on monte de la bière.

Il admet le pronom conjoint *le / la / les :*

Les verres, il les faut tous.   *Repose-toi, il le faut.*

A la différence d'*il y a,* il admet un Infinitif direct :

Il faut monter de la bière.

Un pronom au datif peut indiquer l'agent du procès exprimé à l'Infinitif :

Il lui faut monter de la bière (comparer : *Il faut lui...*).

Il faut, exprimant la nécessité, a perdu tout lien de sens avec la locution impersonnelle *il s'en faut :*

Il s'en est fallu de peu que je me casse la jambe.

IL S'AGIT

Un nom ou pronom régime de *s'agir* est introduit par *de :*

Il s'agit de plantes dans ce livre.   *De qui s'agit-il ?*

Un tel régime indique l'être ou la chose concernés. Avec pour régime un verbe à l'Infinitif, la locution prend une valeur de nécessité (approchant de *il faut)* :

Il s'agit de nous dépêcher !

224. CONSTRUCTION IMPERSONNELLE ; ''SUJET RÉEL'' :

Un verbe à variation personnelle peut être **construit impersonnellement ;** comparer :

1. *Des bateaux passent.*
2. *Il passe des bateaux.*

La relation sémantique entre les "bateaux" et le procès "passer" est la même en 1 et 2. Aussi l'usage s'est-il anciennement établi d'appeler le régime, en 2, **"sujet réel"**, tandis que *il* est **"sujet apparent"** ou **"sujet grammatical"**. En fait, il n'est pas plus indiqué dans ce cas que pour les verbes comme *il pleut* ou *il faut* d'analyser *il* indépendamment du verbe, dont il est une marque morphologique. Mais le terme de "sujet réel" peut très bien être employé en concurrence avec "régime".

On construit impersonnellement les verbes **intransitifs** :

Il court *des voitures dans l'avenue.*
Il dormait *un chat sur chaque fauteuil.*

Un verbe **transitif** ne peut recevoir la construction impersonnelle, parce que son sujet devenu régime serait confondu avec le complément d'objet direct ; une phrase comme :

Le règlement impose une tenue correcte

ne peut devenir :

*Il impose le règlement une tenue correcte.

Cet inconvénient disparaît au passif, où les verbes transitifs peuvent donc être construits impersonnellement :

Il est exigé une tenue correcte.

On rencontre même en construction impersonnelle des verbes "transitifs indirects" dont la mise au passif est impossible en construction personnelle :

Il sera procédé à un interrogatoire
(on ne dit pas : **Un interrogatoire sera procédé).*

Le principal avantage de la construction impersonnelle est de placer en position de propos le terme qui, en vertu du sémantisme du verbe choisi, est source de la relation verbale :

Dans l'avenue, le trafic est incessant ; il passe surtout **des camions.**

De ce fait, le verbe ainsi construit est rarement attributif, l'attribut étant en principe le propos de la phrase où il figure ; on ne dit pas : **Il est malade ma chienne.*

Mais une autre raison de recourir à cette construction est la facilité qu'elle offre pour donner au verbe un sujet complexe souvent volumineux comme un **verbe à l'Infinitif** (et les mots qui s'y rapportent) ou une **proposition conjonctive** :

Il est dangereux **de se pencher à la portière.**
Il importe **que ce projet soit remis à l'étude.**

Remarque : Dans une phrase de style littéraire comme :

Il pleut des vérités premières. (Courteline).

la construction du verbe *pleuvoir* avec un "sujet réel" est liée à un emploi personnel :

Les vérités (les flèches, les feuilles, etc.) *pleuvent.*

On expliquera de même :

On dirait qu'il neige de l'or. (Fr. Coppée).

225. COMPLÉMENTS CIRCONSTANCIELS ; DÉFINITION :

On appelle en principe **complément circonstanciel** un complément du verbe **portant en lui-même la caractérisation de sa fonction,** par exemple un adverbe comme *là,* qui est complément de lieu qu'il se rapporte au verbe *habiter,* au verbe *lire,* au verbe *manger,* etc.

La différence entre un nom complément circonstanciel et un nom complément d'objet apparaît dans les exemples suivants :

1. *Paul précède Jean. / Paul suit Jean.*

2. *Paul marche devant Jean. / Paul marche derrière Jean.*

En 1, *Jean* est complément d'objet ; en 2, le groupe *devant / derrière Jean* est complément circonstanciel.

Dans la mesure où il porte en lui toute la marque de sa fonction, le complément circonstanciel n'a pas, comme le sujet, l'objet ou l'attribut, une place fixe dans la proposition : c'est pourquoi il n'en est pas fait état dans les "chaînes propositionnelles" canoniques données au § 212. Pourtant il ne figure normalement qu'après le verbe (comme dans la phrase 2) ou, pour certains adverbes, entre l'auxiliaire et le participe passé des formes composées :

Paul a remarquablement sauté.

Les compléments circonstanciels placés avant le sujet ou entre le sujet et le verbe sont en position *détachée* (§ 62 et § 243).

Il est montré au § 217 comment le complément circonstanciel se distingue du complément d'objet indirect par le choix possible de la préposition.

● L'opposition entre les deux classes de compléments n'est pas toujours aussi tranchée qu'il apparaît dans les phrases 1 et 2. Souvent le signifié lexical du verbe amorce le signifié relationnel que nuance le choix de la préposition : des verbes comme *aller, venir* contiennent l'idée d'un déplacement que le choix de la préposition ne fait qu'infléchir vers tel ou tel but : *aller à Paris, vers Paris, dans Paris, près de Paris, devant Paris.* Ces verbes ont une **semi-transitivité circonstancielle,** et leurs compléments, ne jouissant que d'une partielle autonomie, ne sont pas déplaçables (on ne dit pas : **A Paris, il va,* mais on dit : *A Paris, la neige tombe).* Des grammairiens distinguent cette fonction en les appelant "compléments de verbe", les circonstanciels déplaçables étant "compléments de phrase". Pratiquement, il suffit de dire "compléments de lieu" dans les deux cas qu'illustrent ces exemples, et il n'y aurait que des inconvénients à réunir en une même classe les "compléments de lieu" du verbe avec les compléments d'objet.

● Mais il est une catégorie de compléments circonstanciels qu'il importe particulièrement de distinguer des compléments d'objet dont ils ont **la construction directe :**

Ma voiture stationne **place Gambetta.**
Paul travaille **la nuit.**

Ces compléments directs de lieu et de temps

— répondent aux questions *où ?* et *quand ?* et non à la question *qui ?* ou *quoi ?*

— ne peuvent pas être remplacés par un pronom conjoint,

— ne peuvent être transformés en sujets de verbes passifs,

— enfin, sont détachables :

Place Gambetta, *on danse le 14 juillet.*
La nuit, *on confond tous les chats.*

Dans une certaine mesure, ces compléments sans préposition portent en eux une marque de leur fonction : l'absence d'actualisateur devant *place Gambetta* (ou *rue Victor Hugo, boulevard Arago,* etc.) suffit à le distinguer d'un nom objet ; quant à *la nuit,* il est remplaçable par quelques noms directs sans article *(lundi, mardi,* etc.) et surtout par beaucoup de noms indirects *(à midi, à deux heures, au printemps, à Pâques) ;* l'usage est capricieux : le français courant dit *au printemps,* mais *l'été, l'hiver ;* le français familier dit : *le midi.*

La grammaire traditionnelle range encore parmi les circonstanciels certains compléments directs du verbe d'une nature assez différente, dont il sera parlé au § 227.

226. FORMES ET SENS DES COMPLÉMENTS CIRCONSTANCIELS :

Le complément circonstanciel peut être :

— un **adverbe** (ou une **locution adverbiale**) éventuellement précédé d'une préposition :

<blockquote>

Paul veille **tard.** *Il habite* **loin.**

Il est parti **sur-le-champ.** *Il reviendra* **avant longtemps.**

</blockquote>

— un **nom** (ou un **pronom**) **précédé de préposition :**

<blockquote>

Il part **dès l'aube.** *Il habite* **à Paris, chez moi.**

</blockquote>

— un **nom sans préposition :**

<blockquote>

Il habite **place Gambetta.** *Il travaille* **la nuit.**

Il a parlé **deux heures.**

</blockquote>

— un **adjectif,** accordé ou non (§ 229).

— un **verbe** à l'**Infinitif** ou au **Gérondif** (§ 230).

— un **groupe solidaire non verbal** (§ 236).

— une **proposition subordonnée** (§§ 267-274).

En principe, le sens du complément circonstanciel est donné par la préposition comme celui du complément d'objet direct est donné par le verbe (§ 215), mais comme les prépositions, peu nombreuses, ont un sens beaucoup plus abstrait que la plupart des verbes, la polysémie et la synonymie jouent au maximum. Si l'on peut dire que la préposition *devant* exprime une relation spatiale assez précise, il n'en est pas de même de prépositions comme *à, de, pour.* L'inventaire des relations appelées "circonstances" est donc, finalement, un classement extralinguistique. L'ensemble des circonstances n'a pas d'unité : le trait d'"extériorité" suggéré par le préfixe *circum* (autour) de l'ancêtre latin *circumstantia* est contredit par les compléments de manière *(Elle dansait avec grâce)* et de quantité *(Il souffre beaucoup).*

L'inventaire le plus simple est proposé aux écoliers en référence aux questions *où* (**lieu**) ?, *quand* (**temps**) ?, *pourquoi* (**cause, but**) ?, *comment* (**moyen, manière**) ?, *combien* (**quantité, prix, poids**) ? Les grammaires plus approfondies y ajoutent l'**origine** *(descendre de Charlemagne),* l'**échange** *(troquer un tableau contre un vase),* le **point de vue** *(exceller en calcul mental),* l'**opposition** ou **concession** *(dormir malgré le bruit),* la **privation** *(vivre sans amis),* l'**hypothèse** *(en cas de malheur),* le **changement** *(se transformer en papillon),* etc. etc. Il n'y a pas de raison d'en exclure le complément d'**agent** (§ 216) ; quant au complément d'**attribution,** on sait qu'il est circonstanciel quand il n'est pas exigé par le sens du verbe (§ 218).

La liste des relations dites circonstancielles n'est jamais close ; leur identification pose d'infinis problèmes aux lexicographes, mais n'intéresse les grammairiens que dans le mesure où elle corrobore un classement formel non lexical : ainsi, la classe "agent" est justifiée par la transformation passive, la classe "attribution" par la substitution possible des pronoms conjoints *lui* ou *leur.* D'autres classes formelles seront distinguées dans les prochains paragraphes.

Mise à part l'impossibilité d'être détaché, le complément d'objet indirect (§ 217) se confond formellement avec le complément circonstanciel, dont on perdrait son temps à vouloir le distinguer toujours par le sens.

227. ENTRE L'ATTRIBUT ET LE CIRCONSTAN-CIEL :

On peut grouper par un trait commun les phrases suivantes :

1. *Cette bouteille sent* **le pétrole.**
2. *Ce bahut pèse* **cent kilos.**
3. *Ce bahut mesure* **trois mètres.**
4. *Ce tableau coûte/vaut* **mille francs.**

En 1, le complément *(le pétrole)* caractérise le procès "sentir", mais en même temps la chose désignée par le sujet *cette bouteille,* dont il note un trait essentiel (l'odeur s'attache à la bouteille). Sans modifier le sens du verbe *sentir* on pourrait remplacer le nom complément par un adjectif *(bon, mauvais, fort)* caractérisant à la fois le procès et le nom sujet, mais ne s'accordant pas avec ce dernier comme un attribut. Cette construction est particulière au verbe *sentir* intransitif ; dans un emploi transitif (ex. : *Sentez cette bouteille),* le complément direct aurait la valeur d'un complément d'objet ordinaire (extérieur au sujet).

De même, en 2 et en 3, *cent kilos* et *trois mètres* donnent des indications de poids et de longueur caractérisant le bahut désigné par le sujet. On pourrait substituer au premier l'adjectif *lourd,* caractérisant le sujet autant que le procès.

En 4, *mille francs* caractérise le tableau en même temps que le procès "coûter" ou "valoir", et pourrait être remplacé par *cher* (applicable au sujet).

Les compléments de ces quatre phrases sont remplaçables par *le/la/les* comme un complément d'objet, mais ne peuvent devenir sujets de ces verbes mis au passif (**Le pétrole est senti par cette bouteille).* Comme l'adjectif qui peut remplacer certains d'entre eux ne peut être accordé à la manière d'un attribut (**Cette bouteille sent bonne),* on ne les classe ni dans les compléments d'objet ni dans les attributs. Les verbes qui les introduisent ont une transitivité particulière, indépendante de celle qu'ils ont avec un complément d'objet ordinaire (comparer : *J'ai senti cette bouteille, j'ai pesé l'armoire, je l'ai mesurée, Cette réponse m'a valu des compliments).*

Faute d'un terme commun (tel que *prisance* proposé par les grammairiens Damourette et Pichon), on dira qu'on a en 2 un complément de **poids,** en 3 un complément de **longueur,** en 4 un complément de **prix ;** pour l'emploi de la phrase 1, aucun terme n'est en usage.

Le rattachement aux compléments circonstanciels est favorisé pour les compléments des types 2, 3 et 4 par le fait qu'ils répondent à la question *combien ?* Le dernier se rapprocherait cependant de l'attribut par sa construction possible avec un objet pour support :

J'ai payé/acheté/vendu ce tableau **mille francs.**

228. ACCORD DU PARTICIPE PASSÉ DES FORMES VERBALES COMPOSÉES :

Dans les formes composées, l'auxiliaire s'accorde selon les mêmes règles que les formes simples ; le participe passé suit une règle particulière :

● **Cas général :**

1° **Verbes conjugués avec l'auxiliaire "être" :**

Le participe passé s'accorde en genre et en nombre **avec le sujet** comme l'attribut (§ 220) :

Les hirondelles sont **parties.**

Il en est de même si le verbe *être* est auxiliaire de passif :

Elles sont **chassées** *par le froid.*

2° Verbes conjugués avec l'auxiliaire "avoir" :

Le participe passé s'accorde **avec le complément d'objet direct** s'il précède le verbe :

Je sais la règle, je l'ai **apprise** *(la* élidé est l'objet du verbe)

la règle que j'ai **apprise** *(que* est l'objet du verbe)

Quelle règle as-tu **apprise**? *(règle* est l'objet du verbe).

Mais il reste invariable si l'objet suit le verbe (on peut ignorer son genre et son nombre au moment où l'on énonce le verbe) :

J'ai **appris** *cette règle.*

J'ai **lu** *ce roman et ces deux revues.*

ou s'il n'y a pas d'objet :

Elle a **travaillé.**

● Cas des verbes pronominaux (§ 207) :

Les verbes pronominaux se conjuguent tous avec l'auxiliaire *être ;* donc ils accordent en principe leur participe avec le sujet :

La tour s'est **écroulée.**   *Les choristes se sont* **tus.**

Cette opération s'est **effectuée** *en deux mois.*

Mais **quand le pronom réfléchi a la fonction de complément d'attribution** (*me* = à moi, *te* = à toi, etc.), l'accord se fait comme si l'auxiliaire était *avoir ;* comparez :

Elles se sont **serrées** *pour faire une place (se* est complément d'objet).
Elles se sont **serré** *la main (se* est complément d'attribution.

Nous nous sommes **écrit** *(nous* est complément d'attribution ; il n'y a pas de complément d'objet).

Les lettres que nous nous sommes **écrites** *(nous* est complément d'attribution ; l'objet est *que,* placé avant le verbe).

Remarque : Dans les verbes *se plaire, se rire* et *se rappeler,* bien que le pronom réfléchi ne soit guère analysable, on considère qu'il est complément d'attribution ; on écrit donc :

Elle s'est **ri** *de moi.*
Ils se sont **plu** *à nous mystifier.*
Elles se sont **rappelé** *ces noms. Les noms qu'elles se sont* **rappelés.**

● Cas des verbes impersonnels (§ 209, § 224) :

Les verbes impersonnels ou construits impersonnellement, quel que soit leur auxiliaire, sont **invariables,** puisque :

— d'une part leur sujet grammatical est le pronom *il* invariable :

Il est **tombé** *de la pluie.*

— d'autre part ils n'ont jamais de complément d'objet :

Les soins qu'il m'a **fallu.**

● L'objet est le pronom neutre "le" :

On doit écrire :

La blessure est plus grave que je ne l'avais **pensé**

parce que le complément d'objet ici n'est pas le pronom féminin *la,* mais le pronom neutre *le* (§ 140) ; on dirait, s'il n'était pas élidé :

La blessure est plus grave que je ne **le** *pensais.*

● **L'objet est le pronom "en":**

Jusqu'en 1976 on devait écrire:

Il y a des pommes: j'en ai **vu**

parce que l'objet est le pronom adverbial *en* (§ 142), qui signifie *de cela* et ne contient pas forcément une idée de pluriel; on dit aussi bien *J'en ai vu une* que *J'en ai vu plusieurs.*

L'arrêté du 28-12-1976 autorise l'accord lorsque *en* représente un pluriel.

● **L'objet est l'adverbe "combien" suivi d'un pluriel:**

On doit écrire:

Combien de livres avez-vous **achetés?**

Combien avez-vous **acheté** *de livres?*

On écrit indifféremment:

Combien **en** *avez-vous* **achetés** *ou* **acheté?**

La commission de 1976 ne s'est pas penchée sur ces cas.

● **Faux objets:**

Certains compléments circonstanciels se construisent sans préposition (§ 225 et § 227); comme ils peuvent être représentés par le relatif *que,* ils risquent d'être confondus, pour l'accord, avec des compléments d'objet; l'usage, jusqu'en 1976, était de laisser invariable le participe passé dans des phrases comme les suivantes:

Pardonnez-moi les dix minutes que vous avez **attendu** (complément de temps)

Elle ne pèse plus les cent kilos qu'elle a **pesé** (complément de poids)

Je regrette les mille francs que ce tableau m'a **coûté** (complément de prix).

Mais on accordait ces participes quand le pronom *que* était un véritable objet:

Voici les personnes que nous avons **attendues.**

Je ne prends pas les poulets qu'il m'a **pesés.**

Je ne regrette pas les efforts que ce succès m'a **coûtés.**

L'arrêté du 28-12-1976 autorise l'accord dans tous les cas.

● **Participe passé suivi d'un Infinitif:**

On distinguait autrefois par l'accord:

L'actrice que j'ai **vue** *jouer (que* est objet de *j'ai vu).*

La pièce que j'ai **vu** *jouer (que* est objet de *jouer).*

L'arrêté ministériel du 26-2-1901 a mis fin à cette distinction en admettant l'invariabilité de tout participe suivi d'un verbe à l'infinitif.

On laisse invariable, en particulier, tout verbe auxiliaire devant un infinitif:

Les fautes qu'il a **pu** *commettre* (cf. § 244)
Les sanctions qu'il a **dû** *prendre* (cf. § 246)
Les fautes qu'il a **fait** *commettre* ⎫
Les personnes qu'il a **fait** *passer* ⎬ (cf. § 208)
Les personnes qu'il a **laissé** *passer* ⎭

229. ADJECTIFS DE MANIÈRE :

On distingue deux sortes d'adjectifs à valeur de complément circonstanciel de **manière** :

1°   *Nous assistions* **attentifs** *à l'expérience.*

L'adjectif *attentifs* est grammaticalement attribut du sujet *nous,* avec lequel il s'accorde ; s'il était détaché entre virgules, il en serait épithète. Mais, avec ou sans virgules, il indique autant une manière d'assister qu'une qualité du sujet ; le sens est :

Nous assistions **attentivement** *à l'expérience.*

Les hirondelles volent **bas.**

Dans cette phrase l'adjectif *bas* est réellement devenu un adverbe, et comme tel est invariable (§ 127).

Comparer : Parler *haut, parler* **net,** *chanter* **juste,** *chanter* **faux,** *boire* **ferme,** *crier* **fort,** *sentir* **bon,** etc.

Des adjectifs de manière antéposés constituent avec des participes passés des **adjectifs composés** comme *court-vêtu, frais éclos* (§ 95), où le premier élément est parfois invariable, parfois variable (§ 126).

230. INFINITIF ET GÉRONDIF COMPLÉMENTS CIRCONSTANCIELS :

Différentes prépositions peuvent exprimer devant l'Infinitif les circonstances les plus diverses, par exemple :

— le temps : *Regarde le ciel* **avant de sortir.**

— la cause : *Il est malade* **d'avoir trop fumé.**

— le but : *Elle ne lit pas* **pour s'instruire.**

— la manière : *Il a répondu* **sans sourciller.**

La préposition *en* entraîne le Gérondif (§ 200) qui exprime :

— le temps : *Je l'ai rencontré* **en sortant.**

— la cause : *Elle a réveillé son frère* **en criant.**

— la manière : *Il a répondu* **en hésitant.**

— la concession (précédé de *tout*) : *Il refusait* **tout en tendant** *la main.*

Remarque : L'Infinitif est employé **sans préposition** avec une nuance de **but** après certains verbes de mouvement :

— intransitifs : *Je vais/cours* **voir** *Paul.*

— transitifs : *Je mène le troupeau* **boire.**

Les verbes recteurs ayant une transitivité circonstancielle (§ 225), ces compléments de but ne sont pas déplaçables *(*Voir Paul, je cours).*

231. FORMES DES COMPLÉMENTS DU NOM :

Le nom, base du groupe nominal (§ 21), reçoit dans le discours, outre l'article (§ 137) et les adjectifs non qualificatifs (§ 121) qui l'actualisent, le quantifient et le déterminent, et indépendamment de sa fonction relative au verbe (§§ 212-227), des compléments pouvant avoir la forme :

1° d'un **adjectif** ou d'un **Participe,** appelé *"épithète"* (§ 232).

2º d'un **nom** ou d'un **pronom** précédé ou non de préposition (§ 234).

3º d'un **verbe à l'Infinitif :**

la volonté **de réussir**   *une poudre* **à récurer**   *un mot* **pour rire.**

4º d'un **adverbe,** précédé ou non de préposition :

la porte **de derrière** (§ 127)   *des gens* **bien** (ibid. Rem. a)

5º d'un **groupe solidaire non verbal** (§ 336).

6º d'une **proposition,** relative (§ 252) ou conjonctive (§ 264).

232. L'ADJECTIF OU PARTICIPE ÉPITHÈTE :

La participe épithète, quand il n'est pas détaché (§ 243), est toujours placé **après le nom :**

une gomme **effaçant** *l'encre*
une maison **construite** *en trente jours*

L'adjectif épithète, quand il n'es pas détaché, se place immédiatement **après ou avant le nom,** selon divers facteurs dont l'apprentissage est un difficile problème pour les étrangers.

● Certains adjectifs se placent normalement **après le nom ;** ce sont :

— les adjectifs **de couleur :** *une robe bleue ;*

— les adjectifs **tirés de participes passés :** *une robe démodée, une tournure vieillie, une jambe tordue ;*

— les adjectifs **de sens relationnel** (§ 122) : *une boucherie chevaline, une carie dentaire, les côtes françaises, les fermes bretonnes ;*

— **quelques** adjectifs qualificatifs comme *creux, neuf, rond, sec, laid, plat.*

● Beaucoup d'adjectifs peuvent être placés **avant ou après le nom :**

un **habile** *médecin*   une **importante** *contribution*
un médecin **habile**   *une contribution* **importante**

Plusieurs facteurs **favorisent l'antéposition :**

1º Valeur **non caractérisante :**

Les adjectifs dénotant moins la qualité que la quantité, le nombre, le rang, tendent à être antéposés comme les déterminants, parmi lesquels certains peuvent être rangés :

une grande foule, un petit inconvénient, une légère blessure, une forte douleur, une double rasade, le dernier jour, la seule occasion, l'unique préoccupation, le prochain départ, la précédente circulaire...

C'est aussi le cas des adjectifs dont le sens se rapproche de celui de *même :*

une semblable raison, de pareilles plaintes, un égal succès.

2º Valeur **adverbiale :**

On tend à placer devant le nom, comme un adverbe devant l'adjectif (ex. : *remarquablement intelligent),* l'adjectif qui caractérise l'élément *p* du sens du nom (c'est-à-dire son sens lexical) plutôt que sa substance *x* (§ 108) ; comparer :

un **bon** *professeur* est un homme qui "enseigne bien" ;

un professeur **bon** est un enseignant qui est bon en tant qu'homme.

Beaucoup d'adjectifs de sens appréciatif ont ainsi pour fonction d'indiquer si les propriétés constituant le signifié lexical du nom sont bien ou mal remplies :

un misérable (= maigre) *dîner, un mauvais chef, une excellente cuisinière, un parfait abruti, un vrai régal, un beau fouillis, un beau menteur, un authentique exploit, une extraordinaire vivacité, un gros mangeur, un grand buveur, un petit fumeur...*

D'autres adjectifs notent des circonstances dont l'expression est habituellement réservée aux adverbes : *un vieil ami* (= anciennement ami).

Cette valeur adverbiale doit être notée au lexique, car elle ne se confond pas avec la valeur des mêmes adjectifs postposés (comparer : *un vieil ami/un ami vieux).*

Le sens adverbial ne peut apparaître en position d'attribut : *Ce fumeur est petit* n'a pas le sens de *C'est un petit fumeur.*

3° Valeur d'**implication sémantique** :

une étroite cellule   la blanche neige

Ces groupes ne diffèrent des précédents que sur un point : si l'on peut être bon ou mauvais chef, une cellule est toujours étroite, la neige toujours blanche. Le signifié de ces adjectifs est **impliqué** dans celui des noms qu'ils précèdent, il est au nombre de leurs sèmes.

De ce type sont les **"épithètes de nature"** comme :

les rouges tomates, de vertes olives.

L'implication n'est pas toujours lexicale, elle peut être référentielle, c'est-à-dire rappeler des caractères préc4demment révélés, ou donnés par la situation :

le bouillant Achille, la bavarde Catherine, votre géniale idée,

Un stupide oiseau s'est engouffré dans le réacteur.

● Avec les adjectifs **pouvant occuper, sans différence de sens, les deux places,** l'antéposition est en principe exclue si l'adjectif a dans l'énoncé une valeur **déterminative** (détermination essentielle, § 111); comparer ces deux phrases :

1. *Sépare-toi de tes* **dangereux** *amis.*

2. *Sépare-toi de tes amis* **dangereux.**

En 1, l'adjectif concerne tous les éléments de l'ensemble désigné par *tes amis;* en 2, il restreint cet ensemble aux seuls amis tenus pour dangereux.

Le sens peut être déterminatif sans que la détermination soit achevée :

Cherches-tu un dentiste **beau** *ou un dentiste* **adroit ?**

La postposition est normale pour l'adjectif notant une sous-catégorie dans des groupes en voie de figement comme *navigation aérienne, pin sylvestre* (§ 81). Aussi dit-on *un blessé léger, un débile profond,* quoique *léger* et *profond* aient la valeur adverbiale.

● La **postposition** s'impose pour une raison de clarté autant que de rythme lorsque l'**épithète est volumineuse,** particulièrement s'il s'agit d'un groupe adjectival de complémentation ou de coordination :

un jardin grand comme la main un nez un peu trop long
un visage osseux et blafard

L'antéposition d'un groupe de coordination est littéraire :

un osseux et blafard visage

Le partage du groupe est impossible en français moderne :

*un osseux visage et blafard.

L'emboîtement de plusieurs épithètes par subordination n'est pas soumis aux mêmes contraintes ; on dit couramment :

un **bon vieux petit** *homme (bon* a pour support *vieux petit homme,* etc.)

le **premier** *métro* **aérien suspendu français.**

Remarque : Un nom complément admet dans certains cas une épithète indirecte :

Paul a deux filles **de mariées.**

Le propos porte sur l'adjectif *deux* qui dit expressément le nombre de filles mariées, et non pas le nombre des filles de Paul. La préposition ne serait pas employée si Paul n'avait que deux filles. Le sens est : *Les filles mariées de Paul sont deux.*

233. ACCORD DE L'ÉPITHÈTE :

1° L'adjectif se rapporte à un seul nom :

L'adjectif s'accorde en genre et en nombre avec le nom :

une cravate **blanche**   *des gants* **blancs**

Distinguer :

Une collection de timbres **français**
Une collection de timbres **importante**

(L'épithète se rapporte à *timbres* dans le premier groupe, et à *collection* dans le second).

Dans certains cas, le sens permet les deux accords :

Un groupe d'enfants **bruyant** *ou* **bruyants.**

2° L'adjectif se rapporte à plusieurs noms :

L'adjectif se met au pluriel ; si les noms sont de genre différent, le masculin l'emporte :

Il portait une cravate et un veston **blancs.**

On évite un rapprochement qui choquerait l'oreille, comme :

Il portait un veston et une cravate **blancs.**

Jusqu'en 1976, une règle de la langue écrite imposait de mettre au singulier l'épithète se rapportant à deux noms de contenu sémantique très voisin :

Avec une verve et une gaieté communicative (E. Henriot).

L'arrêté du 28-12-1976 permet le pluriel.

3° Plusieurs adjectifs à supports confondus :

Repassez mes deux robes **blanche** *et* **beige.**
(Il y a une robe blanche et une robe beige.)

Les **neuvième** *et* **dixième** *siècles.*
(Application de la même règle).

Remarque : Le Participe présent est invariable, mais l'adjectif verbal s'accorde selon la règle (§ 202).

234. LE NOM OU PRONOM COMPLÉMENT DE NOM :

Comme le verbe, le nom reçoit des compléments directs et indirects. Plus encore que pour le verbe, la présence ou l'absence de préposition est un mauvais critère pour distinguer les fonctions grammaticalement et sémantiquement pertinentes.

• La plupart des noms compléments de nom sont liés à leur support par une préposition, qui marque la relation entre les ensembles désignés par le support et le complément. On peut distinguer (v. §111):

— des **compléments de relation référentiels,** de sens actualisé; *le chien* **du berger,** *le procès* **de Zola,** *la couleur* **de tes cheveux**;

— des **compléments de relation essentiels,** de sens virtuel: *un chien* **de berger,** *du papier* **pour écolier.**

• Un complément de nom direct provient souvent par ellipse d'un complément indirect; on peut expliquer:

le procès Zola	par *le procès de Zola*
du papier écolier	par *du papier pour écolier*
un lavage minute	par *un lavage à la minute*
un paquet cadeau	par *un paquet pour un cadeau*
le style sauterelle	par *le style d'une sauterelle*
un pantalon safran	par *un pantalon de la couleur du safran*
une carrosserie alu	par *une carrosserie en aluminium.*

La réduction et le figement (§81) conduisent aux noms composés du type *timbre poste* (§94); sur cette voie sont les groupes *papier écolier, lavage minute, paquet cadeau,* tandis que *le procès Zola, le style sauterelle, un pantalon safran, une carrosserie alu* relèvent de l'**ellipse de discours** (§ 26), où les noms *Zola, sauterelle, safran, alu* sont remplaçables par un nombre illimité d'autres noms.

On notera que l'ellipse de la préposition s'accompagne de celle de tout déterminant pour le nom complément—qui est **virtuel** comme un élément de composition.

• Il est d'autres noms compléments directs du nom, **qui ne résultent pas d'une ellipse:**

le poète Verlaine, la note do, le gaz hydrogène, une discussion fleuve, une fille cruche, un employé modèle.

Dans ces groupes, le rétablissement d'une préposition, fût-ce *de,* est impossible. Un point commun de ces compléments directs est qu'**ils désignent le même ensemble que le nom auquel ils se rapportent**; on peut les transformer en attributs (et inversement):

Ce poète est Verlaine	*Cette discussion est un fleuve*
Cette note est do	*Cette fille est une cruche*
Ce gaz est l'hydrogène	*Cet employé est un modèle.*

De tels compléments sont appelés **appositions.**

Le nom apposition est au nom attribut ce que l'adjectif épithète est à l'adjectif attribut; comparer:

un employé parfait	*Cet employé est parfait.*

Le terme **apposition,** emprunté au latin, a d'ailleurs originellement un sens très voisin (''position à côté'') du terme *épithète,* emprunté au grec (''posé à côté'').

Dans les trois premiers exemples, l'apposition a un sens déterminatif: *Verlaine* est plus précis que *poète, do* plus que *note, hydrogène* plus que *gaz*; on ne conçoit pas **un poète Verlaine,* **une note do,* **un gaz hydrogène.*

Dans les groupes suivants, l'apposition, détachée, ne détermine pas le nom complété; elle a sa propre détermination, éventuellement marquée par l'article:

Un poète, **Verlaine,** *remit en honneur les vers impairs.*
Une note, **le do,** *revient constamment dans cette mélodie.*
Un gaz, **l'hydrogène,** *est une source inépuisable d'énergie.*

Elle peut aussi être purement explicative, ou appréciative selon les cas :

L'hydrogène, **corps le plus commun dans la nature,** *remplacera le pétrole.*

Le petit train d'utilité locale nous emmène, **sorte de jouet mécanique assez solide pour porter une douzaine de voyageurs et quelques paniers de poisson.** (J. Renard)

L'apposition explicative est quelquefois introduite par *c'est-à-dire* ou *à savoir.* L'apposition énumérative a une marque écrite propre, le *deux-points* (§ 60).

L'apposition liée déterminative est un nom propre *(Verlaine)* ou en a le sens *(la note* **do,** *le chiffre* **quatre).** On peut tenir pour tels les mots employés *materialiter,* c'est-à-dire avec leur signifiant pour signifié comme lorsqu'on dit : *le mot* **café** *a deux syllabes, le terme* **ictère** *est médical (café* est en apposition à *mot, ictère* à *terme).*

● Or certains noms propres ont, dans cette fonction, **la construction indirecte :** au lieu de **la ville Paris, *le pays France,* on dit *la ville de Paris, le pays de France.* La préposition *de,* dans cet emploi, est de sens "vide". La construction indirecte y est une variante non significative de la construction directe, puisqu'on ne peut pas non plus dire : **le poète de Verlaine, *la note de do ;* le choix de la construction n'est pas donné : directe avec les noms propres de personne, elle est indirecte avec les noms propres de ville, de pays, d'île *(l'île de Malte),* de fleuve *(le fleuve de la Seine) ;* on parle d'apposition dans tous ces cas, comme pour *le poète Verlaine,* parce que le même critère formel **(la transformation en attribut)** y recouvre le même signifié **(identité de référent).**

Il n'est pas indifférent d'observer qu'en allemand la construction est directe pour les noms de ville *(die Stadt Paris),* et qu'en bas latin la construction ancienne *urbs Roma* était concurrencée par *urbs Romae.*

Remarques : a) On discute quelquefois de la fonction du nom propre dans des groupes comme *le square Verlaine, l'avenue Gambetta.* Là, le critère de la transformation en attribut est inapplicable *(Ce square est Verlaine !).* Il ne s'agit pas d'appositions, mais de compléments de relation construits directement par une ellipse particulière dans cet emploi aux noms propres de personne (comparer : *square des Peupliers, avenue de la Liberté, rue de Lyon).*

b) L'opinion périodiquement émise selon laquelle l'apposition serait le nom *poète* dans les groupes comme *le poète Verlaine* n'est pas à retenir ; le nom support est celui qui commande l'accord : **Les frères** *Dalton* **sont** *à l'ombre,* **La vedette** *Charlie Chaplin est* **morte** *la nuit de Noël.*

c) Le rapport d'identité référentielle entre le complément et son support dans un groupe comme *la ville de Paris,* impliquant *Paris est une ville,* est à l'origine d'un tour à valeur stylistique très répandu en français courant — et qu'on retrouve dans beaucoup de langues (comme le latin, l'allemand, l'anglais) :

Cette canaille d'épicier *m'a vendu des tomates pourries.*

Le vrai sujet de la phrase est ici le nom *épicier* (formellement apposition) ; le support *canaille* ne fait que qualifier la personne désignée (*l'épicier* est une *canaille).*

Le rôle de support qualificatif est souvent tenu par des adjectifs substantivés : *cet* **imbécile** *de Paul, une* **drôle** *de guerre,* etc.

235. COMPLÉMENTS DU PRONOM :

Les différentes sortes de pronoms ne reçoivent pas les mêmes compléments :

● L'épithète liée, adjectif ou adverbe, est obligatoirement introduite par *de* quand elle se rapporte aux pronoms absolus *ceci, cela, qui, que, quoi, personne, pas un, rien, quelqu'un, quelque chose, autre chose, grand-chose ;* l'adjectif est alors invariable :

Personne **de connu** *ne m'a épaulé.*
La promenade avait ceci **de bon** *qu'elle ne coûtait rien.*
Que demandez-vous **de mieux ?**

Remarques : a) *Personne d'autre* et *rien d'autre* sont remplaçables par *personne autre* et *rien autre.*

b) La construction indirecte d'un adjectif après le pronom représentant *en* complément d'objet ou régime est un cas différent :

Des huîtres ? J'en ai/en voilà de bonnes.

Ici *de* est la forme d'article remplaçant *des* devant un adjectif (§ 138), comme il apparaît si l'extension est réduite à un élément ou si l'aspect est continu :

Une langouste ? J'en ai une bonne.
Du tabac ? J'en ai du bon.

Dans le français oral le plus courant, *des bonnes* remplace *de bonnes.*

On revient à l'épithète indirecte si le propos porte sur la quantité : *J'en ai* une de bonne (§ 232 Rem.)

● L'épithète liée est construite directement après les pronoms représentants répartiteurs de portée (§ 239) :

On vit arriver les équipes, l'une bleue, l'autre verte.

Les pronoms *celui, celle* n'admettent normalement pour épithète qu'un participe (§ 148).

● Les pronoms reçoivent des appositions détachées :

Maire *d'un village des Alpes,* **il** *a favorisé les sports d'hiver.*

● Des compléments de relation se rapportent par prédilection aux pronoms démonstratifs simples (§ 148) : *celui* **de ton père ;** mais non exclusivement : *quelque chose* **sans sucre.**

La plupart des pronoms (mais non les personnels et les possessifs) acceptent un complément partitif : *chacun* **de nous,** *quatre* **d'entre eux,** *un autre* **de mes amis,** *qui* **de vous ?**

● La plupart des pronoms peuvent être complétés par des propositions relatives ; *même* et *autre* admettent, de plus, des propositions comparatives elliptiques : *un autre* **que moi,** *le même* **que toi.**

236. GROUPES SOLIDAIRES NON VERBAUX :

La proposition peut contenir des termes complexes aux éléments solidaires, qui se rapportent globalement soit au verbe, soit à un nom, soit aux deux à la fois ; exemples :

On pense à boire, à boire comme des bêtes, **la tête dans un seau.** (R. Dorgelès)

Un pêcheur basané, **les cheveux blancs, la pipe à la bouche,** *reprisait son filet.*

Déjà Tartarin, **l'œil en feu, la poitrine haletante,** *se ramassait sur lui-même comme un jaguar.* (A. Daudet)

Dans le second de ces groupes, par exemple, on ne peut supprimer *les cheveux* en laissant *blancs,* ni l'inverse.

Les groupes des trois exemples expriment (par les rapports contextuels des sens lexicaux) la qualité ou la manière ; d'autres peuvent exprimer (aussi implicitement) le temps, la cause, la condition :

Demachy, **sa musette déjà vide,** *a ramassé les grenades d'un copain tombé.* (R. Dorgelès)

Le plus souvent détachés, ces groupes solidaires peuvent pourtant être liés :

N'habille pas ton bébé **la cigarette à la bouche.**

Ils peuvent même être attributs (§ 219) :

Paul était **pieds nus.**

Le terme support est quelquefois le second ; le premier tend alors à l'invariabilité : *Il était nu-pieds* (§ 126).

Remarques : a) Si le terme complément est un verbe au Participe, le groupe solidaire devenu verbal prend le nom de **proposition participiale** (§ 267).

b) Ces groupes peuvent être introduits par *avec (avec la cigarette à la bouche)* ; l'élément à valeur de propos peut alors être un attribut indirect :

Nous avons visité Florence avec Pierre **pour/comme guide.**

ou une proposition relative :

Avec son mari **qui est malade,** *elle ne pourra pas venir.*

237. COMPLÉMENTS DES AUTRES CLASSES DE MOTS :

L'**adjectif** et l'**adverbe** peuvent avoir pour compléments :

1° un **adverbe** (antéposé) :

Le ciel était **étrangement** *livide, la nuit tomba* **très** *vite.*

2° un **nom** ou un **pronom** (indirect) :

un cadeau digne **de vous**   *une herbe bonne* **pour les lapins**

une vitesse supérieure **à la mienne**

conformément **à la loi**   *malheureusement* **pour vous**

de préférence **à cela**

Un complément introduit par *de* indique le référentiel d'un superlatif relatif (§ 123) :

la plus grande **des voitures**   *Elle va le plus vite* **de toutes**

3° un **verbe à l'Infinitif :**

un cadeau digne **de vous plaire**
un orateur habile **à esquiver** *les questions*

4° une **proposition subordonnée :**

digne **que je vous l'offre**   *content* **qu'il vous ait plu**

Heureusement **qu'il vous a plu !**

la plus rapide **que je connaisse**   *le plus vite* **qu'il peut**
plus rapide **qu'on ne croit**   *aussi vite* **qu'il peut**

Les mots de contenu lexical pauvre, tels que l'article, la préposition, la conjonction ne reçoivent pas de compléments. Dans des suites comme *tout contre le mur, presque dans l'eau,* les adverbes *tout* et *presque* se rapportent au groupe prépositionnel introduit et non à la préposition introductrice (à laquelle ils ne sont jamais soudés).

L'**interjection** a des compléments variés :

Gare **à vous !**   *Tant pis* **pour toi !**   *Merci* **à tous pour tout.**

Elle se renforce récursivement :

Zut de zut de zut... etc.

238. HARMONIE DES TERMES COORDONNÉS :

Plusieurs termes coordonnés peuvent avoir un complément commun :

> *Cet enfant aime et respecte* **ses parents.**
> *Je rencontre et accompagne* **Pierre.**
> *L'angle ABC est inférieur ou égal à* **l'angle BCA.**

Cette construction est parfaitement correcte. Elle ne l'est pas quand le complément commun se construit différemment avec les mots auxquels il se rapporte ; il est incorrect de dire :

> **Cet enfant aime et obéit* à **ses parents.**
> **Je rencontre et fais route* avec **Pierre.**
> **L'angle ABC est plus petit ou égal à* **l'angle BCA.**

Il faut dire :

> *Cet enfant aime* **ses parents** *et* **leur** *obéit.*
> *Je rencontre* **Pierre** *et fais route* **avec lui.**
> *L'angle ABC est plus petit* **que l'angle BCA** *ou* **lui** *est égal.*

239. RÉPARTITEURS DE PORTÉE :

Dans le rapport syntaxique de complémentation, le signifié du complément porte en principe sur tout son support :

> *Des robes* **neuves** *étaient jetées à la poubelle.*

L'épithète *neuves* porte sur tous les *x* de l'ensemble désigné par *des robes.*

Il est possible de restreindre la portée du complément à une partie des éléments de l'ensemble :

> *Des robes,* **quelques-unes neuves,** *étaient jetées à la poubelle.*

L'adjectif *neuves* ne porte plus que sur quelques éléments de l'ensemble ; le pronom *quelques-unes* joue ici le rôle de **répartiteur de portée,** dérivant de la fonction apposition (§ 231).

La plupart des pronoms indéfinis jouent couramment ce rôle (§ 149 et sv.) :

> *Elle a beaucoup de robes,* **les unes** *excentriques,* **d'autres** *distinguées,* **d'autres** *banales.*

On peut préciser que le complément s'applique à tout l'ensemble :

> *Elle a beaucoup de robes,* **toutes** *excentriques.*

ou qu'il s'applique seulement à l'ensemble (on utilise alors l'adjectif *seul) :*

> *Le docteur Cohen,* **seul** *disponible, est venu en hâte.*

Les mots numéraux sont aussi très employés comme répartiteurs :

> *Elle a acheté quatre robes,* **deux** *rouges,* **une** *verte et* **une** *blanche.*

Le pronom *dont* est souvent usité en association avec les répartiteurs :

> *Elle a dix robes,* **dont trois** *rouges.*

Les pronoms démonstratifs ou possessifs apportent dans cette fonction leur capacité de détermination :

> *J'ai attribué les sièges,* **celui-ci** *à Paul,* **celui-là** *à sa femme.*

> *Nous mettrons nos vêtements* **les tiens** *dans l'armoire,* **les miens** *dans le placard.*

Comme on le voit par ces derniers exemples, la répartition de portée peut concerner les rapports complexes noués par le verbe *(les tiens* est complément d'objet, *dans l'armoire* complément de lieu).

Elle concerne aussi bien le rapport de l'attribut au nom qu'il qualifie :

Ils étaient **lui** *anglais,* **elle** *française.*
Ces arbres sont **la plupart** *malades.*

Remarque : Lorsque *chacun,* reprenant un nom (ou un pronom de la 3ᵉ personne), est suivi d'un possessif, celui-ci, en vertu de l'arrêté du 28-12-1976, peut renvoyer indifféremment à *chacun* ou au mot pluriel qu'il reprend :

Remets ces livres **chacun** *à* { **sa** *place*
{ **leur** *place.*

B. Ordre des mots

240. L'ORDRE CANONIQUE :

On peut représenter par le schéma suivant les trois chaînes propcsition-nelles les plus employées selon les indications données au § 212, en ajoutant un complément circonstanciel facultatif à sa place normale :

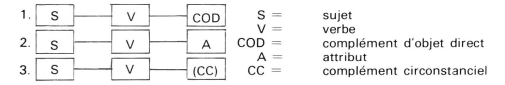

1. S — V — COD			S =	sujet	
			V =	verbe	
2. S — V — A			COD =	complément d'objet direct	
			A =	attribut	
3. S — V — (CC)			CC =	complément circonstanciel	

Ce schéma ne tient compte que des termes liés, c'est-à-dire énoncés sans pause (sans virgule dans l'écriture).

L'attribut et les compléments passent avant le verbe s'ils sont exprimés par des pronoms conjoints.

Le sujet manque si le verbe est à l'Impératif.

L'ordre des mots du débit oral est celui dans lequel se présentent les chaî-nons successifs si l'on saisit chaque chaîne par le chaînon S.

Cet ordre peut être modifié par **inversion du sujet,** par **dislocation** ou par **détachement.**

241. INVERSION DU SUJET :

Il faut distinguer nettement deux types d'inversion :

1º   INVERSION DE LA CHAINE :

Si l'on saisit la chaîne 1 par le chaînon objet, la chaîne 2 par le chaînon at-tribut, la chaîne 3 par le chaînon complément circonstanciel ou, à défaut, par le chaînon verbe, **le retournement de la chaîne a pour conséquence l'inver-sion du sujet.** Cette inversion peut être appelée **caténale,** de *catena,* "chaîne".

Elle se produit dans plusieurs cas :

● Dans l'**interrogation partielle** (§ 245), le mot sur lequel porte la question peut être jeté en tête de la phrase ; si c'est un chaînon postverbal, l'inversion du sujet s'ensuit :

COD anticipé : **Que** *demande le peuple ?*
A anticipé : **Quel** *est votre nom ?*
CC anticipé : **Quand** *cessera le froid ?*

Il en est de même en français littéraire dans les propositions interrogatives subordonnées :

Je me demande **ce que** *fera le Président.*
Dites-moi **quand** *cessera le froid.*

Ce type d'inversion est dans l'interrogation une marque grammaticale — presque éliminée en français oral par d'autres marques ne changeant pas l'ordre canonique.

● Elle se rencontre en français écrit dans les propositions **incises** (§ 250) : comme : *dit Ganelon, demanda le tailleur, pensa le chat ;* cet ordre y a pour effet de placer en position de propos (§ 15) le nom du locuteur à qui doit être imputé l'énoncé rapporté au discours direct.

● Le **volume du sujet** est un facteur fréquent d'inversion dans les textes administratifs, par exemple s'il s'agit d'une liste de noms :

Sont déclarés admis : Ballaguy Jeanne, Brahimi Norbert, de Capdeville Roland, etc.

En français littéraire, un grand nombre de facteurs peuvent amener l'inversion caténale ; **ayant tous une valeur stylistique,** ils sont étudiés dans le volume *Procédés annexes d'expression.*

2°   INVERSION MORPHOLOGIQUE :

Un complément circonstanciel peut très bien se rapporter au verbe des chaînes 1 et 2, rivalisant avec l'objet ou l'attribut pour la place postverbale. Si pour une raison quelconque ce complément circonstanciel doit être anticipé (par exemple s'il supporte l'interrogation), le verbe prendra la seconde place et le sujet rivalisera avec l'objet ou l'attribut pour la troisième. Or **le français a toujours évité la rencontre de deux noms de construction directe,** génératrice de confusion ; on ne dit pas :

*Quand verra Paul Jeanne ?
*Peut-être est votre voisin votre voleur.

La difficulté est résolue par le recours à une **marque verbale d'inversion** qui dispense de modifier la place du nom sujet :

Quand Paul **verra-t-il** *Jeanne ?*
(ou : *Quand Jeanne* **verra-t-elle** *Paul ?*)

Peut-être votre voisin **est-il** *votre voleur.*
(ou : *Peut-être votre voleur* **est-il** *votre voisin).*

La marque consiste dans la postposition au verbe d'un pronom sujet conjoint du genre et du nombre du nom sujet *(il, elle, ils, elles).*

Cette **inversion morphologique** se rencontre :

● Dans l'**interrogation,** totale ou partielle (§ 245) :

Paul viendra-t-il ?
Quand le froid cessera-t-il ?

Les deux types d'inversion sont autorisés dans l'interrogation partielle quand le propos interrogatif amène en tête un adverbe *(quand, où, comment, combien)* sauf *pourquoi :*

Pourquoi Paul vient-il? (et non : **Pourquoi vient Paul?*)

Mais l'inversion morphologique s'impose dès que la phrase contient, de plus, un objet ou un attribut :

Quand le docteur opérera-t-il Paul?
(et non : **Quand opérera le docteur Paul?*)

Elle est aussi préférée quand la question porte sur l'objet :

Quel malade le docteur opérera-t-il?
(et non : **Quel malade opérera le docteur?* ambigu)

● En français littéraire, dans certaines phrases d'**exclamation**, principalement **négatives** :

Que d'ennuis Paul nous a-t-il causés!
Quelles sottises cet enfant n'a-t-il pas faites!

● En français littéraire, dans certaines propositions **concessives** au Subjonctif imparfait :

J'achèterai ce vase, le prix en fût-il exagéré.

● En français littéraire, après **certains adverbes** anticipés, de fonctions et de sens divers : *ainsi, à peine, à plus forte raison, à tout le moins, au moins, aussi* (= c'est pourquoi), *aussi bien, de même, du moins, encore, encore moins, en vain, peut-être, probablement, sans doute, tout au plus, tout juste, vainement, volontiers :*

A peine Paul était-il parti...
En vain le malheureux secoua-t-il la grille.

Remarques : a) L'inversion caténale et l'inversion morphologique se confondent, par la force des choses, quand il n'y a pas d'autre sujet qu'un pronom conjoint *(je, tu, il, elle, nous, vous, ils, elles, on)* ou le pronom *ce* suivi du verbe *être :*

Viens-tu?   Vient-il?   Dussé-je y perdre ma fortune.
Du moins pouvons-nous affirmer...   Est-ce vrai?

b) Le français populaire a achevé la grammaticalisation de l'inversion morphologique en rendant invariable le pronom conjoint postposé, sous la forme *-ti,* et en l'employant même après un pronom sujet :

J'y vais-ti?   Tu viens-ti?   I vient-ti?

C'est une manière de supprimer toute inversion, en affectant le verbe d'une marque d'interrogation.

242. DISLOCATION :

Le français courant oral inverse le moins possible la chaîne propositionnelle, mais il peut, tout en la respectant formellement, substituer à l'ordre grammatical un ordre logique ou psychologique. Il pratique pour cela la **dislocation.**

N'importe lequel des termes de la proposition peut figurer auprès du verbe sous la forme régulière d'un pronom, et être exprimé par anticipation ou par reprise hors des limites de la chaîne canonique avec son contenu lexical et toutes ses déterminations ; exemple :

Ta cousine, *nous l'avons vue à Hendaye,* **mon frère et moi.**

Nous l'avons vue à Hendaye est une phrase complète, où l'ordre est canonique. Le signifié du complément d'objet *l'* (= *la*) est désigné par anticipation au début de la phrase : *ta cousine;* le nom *ta cousine* peut être appelé **complément d'objet anticipé.** L'anticipation sert essentiellement à poser le mot comme thème de la phrase.

Le signifié du sujet *nous* est désigné par reprise en fin de phrase : *mon frère et moi;* ce groupe peut être appelé **groupe sujet repris.** La reprise sert à expliquer ou déterminer un pronom qu'on juge après coup imprécis, ou même à le qualifier : *Je ne l'inviterai plus,* **ce gaffeur.**

Anticipation et reprise peuvent porter sur d'autres partenaires du verbe que le sujet et l'objet :

Attribut anticipé : **Intelligente,** *elle* **l'**est à sa façon.

Complément d'objet indirect anticipé : **Ton ami,** *je ne m'***y** *fie pas / je m'***en** *méfie.*

Complément d'attribution anticipé : **Le maître,** *on* **lui** *fera un beau cadeau.*

La préposition peut manquer devant les compléments indirects anticipés, mais non devant les compléments repris :

> *Je ne m'***y** *fie pas,* **à ton ami.**   *Je m'***en** *méfie,***de ton ami.**
> *On* **lui** *fera un beau cadeau,* **au maître.**

En français familier, l'anticipation peut concerner le possesseur indiqué par un adjectif possessif :

> **Ton ami, sa** *tête ne me revient pas.*

243. DÉTACHEMENT :

Comparer :

> 1. *Les enfants âgés de six ans paient place entière.*
> 2. *Paul et Jean, âgés de six ans, paient place entière.*

En 1, le propos *paient place entière* a pour support l'ensemble sujet *Les enfants âgés de six ans,* thème ; le groupe épithète *âgés de six ans* est indispensable à la définition du support : il restreint l'extension du nom *les enfants ;* sa suppression donnerait un énoncé faux.

En 2, le propos est le même : *paient place entière ;* il a pour support l'ensemble désigné par le groupe *Paul et Jean,* parfaitement défini en extension ; le groupe épithète *âgés de six ans* peut être supprimé sans donner un énoncé faux. Cette possibilité est marquée par les deux virgules. On dit que l'épithète est **liée** en 1, et **détachée** en 2.

La place de l'épithète détachée est assez libre ; on peut écrire :

> *Agés de six ans, Paul et Jean paient place entière.*
> *Paul et Jean paient place entière, âgés de six ans.*

Le détachement d'un complément, **marqué par deux virgules, ou par une seule s'il commence ou termine la phrase** (§ 62), **n'a pas de signifié constant.** C'est un moyen commode, proprement littéraire, de **grouper en une seule phrase plusieurs propos entre lesquels la pensée établit un lien.**

Dans la phrase 2, l'épithète détachée équivaut à une proposition comme *Paul et Jean sont âgés de six ans,* et implique un rapport de cause.

Dans la phrase 3 ci-après, l'épithète détachée apporte un second propos en économisant un verbe attributif :

> 3. *Paul a une fille, blonde.*
> (= Paul a une fille, elle est blonde).

Dans la phrase 4, l'épithète exprime une condition :

> 4. *Arrosées de citron, les bananes coupées ne noircissent pas*
> (= Si on les arrose de citron, etc.)

Pas plus que la dislocation, le détachement ne modifie l'ordre des termes essentiels de la proposition (représenté par le schéma du § 240). Tout au plus peut-il insérer le terme détaché entre le verbe et ses partenaires privilégiés **qui**

n'en sont pas détachables. La double virgule marque alors que l'enchaînement, suspendu, n'est pas rompu.

Mais le détachement rend très libre la place des **compléments du nom,** épithète et surtout apposition (§ 234), et des **compléments circonstanciels;** exemple :

> **Devant moi, sur un arbre, étrange oiseau,** *se perche*
> *La pleine lune avec ses ailes de brouillard.* (Charles Derennes.)

Les deux compléments de lieu placés en tête situent la vision; l'apposition *étrange oiseau* donne pour première perception l'image d'un oiseau bizarre, bientôt identifié à la lune : l'ordre des sensations, à la faveur du détachement, prime l'ordre grammatical courant.

Remarques : a) La nomenclature de 1975 donne l'*apposition* comme une des fonctions de l'adjectif et du participe; ce terme vise apparemment l'épithète détachée, et il faut entendre ''mis en apposition'' par ''mis entre virgules''. Si l'on veut utiliser ce terme, on devra, pour être logique, l'étendre à tous les compléments détachés, même circonstanciels; d'autre part, on le distinguera soigneusement de l'emploi homonyme, bien plus ancien, défini au § 234, qui n'implique pas la virgule. Les deux acceptions n'ont qu'une intersection : l'apposition nominale détachée.

b) L'apposition proprement dite a été définie comme un complément du nom. Lorsqu'elle est détachée, elle peut se rapporter à toute la phrase :

Tout à coup, **chose tragique,** *à la gauche des Anglais, à notre droite, la tête de la colonne des cuirassiers se cabra.* (V. Hugo)

> *Le cerf, hors de danger,*
> *Broute sa bienfaitrice, ingratitude extrême.* (La Fontaine)

c) On évite de placer en tête de la phrase un adjectif ou participe épithète ou un nom apposition ne se rapportant pas au sujet du verbe, s'il en résulte une ambiguïté comme dans les phrases suivantes :

> **Agé de six ans, mon père me conduisait à l'école.*
> **Forçat libéré, l'évêque seul accueillit Jean Valjean.*

Mais des phrases comme les suivantes, sans ambiguïté grammaticale, sont souvent écrites au fil de la plume :

> *Forçat libéré, personne n'accueillait Jean Valjean.*
> *Heureux d'avoir de vos nouvelles, écrivez-moi quand vous serez installé.*

Chapitre II

Expression des modalités

244. MARQUES DES PHRASES DÉCLARATIVES :

Il est montré au § 192 comment l'aptitude de l'Indicatif à un repérage chronologique très précis du procès en fait le mode par excellence des phrases déclaratives.

On engage sérieusement sa parole quand on dit :

> *J'***ai vu** *cette femme voler un sac.*
> *Je vous* **paierai** *avant le mois d'août.*

● Une marge d'erreur peut être prudemment réservée par l'emploi d'**auxiliaires** tels que *pouvoir, devoir, sembler :*

> *Il* **peut** *être dix heures.*
> *Il* **doit** *être dix heures.*
> *Paul* **semble** *avoir grandi.*

● Deux temps de l'Indicatif permettent d'exprimer quelque réserve sur le fait énoncé :

— Les journalistes expriment au **Conditionnel** (mode de l'action hypothétique, § 197) des informations peu sûres, dont ils ne se portent pas garants. Le Présent du Conditionnel exprime un fait présent ou futur :

Après cette date, quelques adoucissements **seraient enregistrés** (Bulletin météorologique).

Le Passé du Conditionnel exprime un fait passé :

Selon les premières estimations, le séisme **aurait fait** *2.500 victimes.*

— Le **Futur** exprime quelquefois un fait présent en le donnant comme probable :

D'abord elle se dit : Voilà quelqu'un qui lui ressemble, ce **sera** *son frère aîné.* (Stendhal)

(La même nuance serait rendue par : "Vous verrez que c'est son frère aîné").

S'il s'agit d'un fait passé, on emploie le **Futur antérieur** :

Paul n'est pas là : il **aura manqué** *son train.*

(Même sens : "Vous verrez qu'il a manqué son train").

— D'une manière plus courante, le **Futur** et le **Conditionnel** sont employés pour atténuer poliment l'expression d'un désir ou d'un ordre :

Je vous **prierai** *de me rendre ce livre.*
Je **voudrais** *que vous fermiez la porte.*
*J'***aurais voulu** *vous poser une question.*

● Les diverses nuances de la déclaration ont des marques extérieures au verbe, qui sont les adverbes comme *certes, certainement, absolument, bien sûr, assurément, peut-être, sans doute, probablement, certainement pas, pas du tout, en aucune manière,* etc.

"Il a **parfaitement** *répondu"* peut signifier, selon les circonstances : "Il a répondu d'une manière parfaite", ou : "Réellement, il a répondu".

Remarques : a) Au cours d'un récit, dont les coordonnées temporelles sont bien établies dans le contexte, l'Indicatif peut faire place à l'**Infinitif** dit **de narration,** introduit par la préposition *de* et précédé le plus souvent d'un sujet avec ou sans article :

Il s'en alla passer sur le bord d'un étang :
Grenouilles aussitôt de sauter *dans les ondes.* (La Fontaine)

Le villageois écoute, accepte la partie,
On se lève, **et d'aller.** (André Chénier)

Cet emploi présente une action comme la conséquence logique, mais réelle, et rapide de l'action précédente ; fréquent chez les écrivains, ce tour se rencontre en français parlé dans quelques régions.

b) Si l'action principale dépend d'une condition donnée comme irréelle, le Conditionnel remplace l'Indicatif présent, passé ou futur sans nuance d'incertitude :

*S'il m'invitait, j'***accepterais.**

*S'il m'avait invité, j'***aurais accepté.**

245. PHRASES INTERROGATIVES :

La plupart des langues connaissent deux types d'énoncés interrogatifs :

● L'interrogation est **totale** quand on peut y répondre par *oui* ou *non;* exemple :

Est-ce que Paul a acheté ce tableau en Italie ?

Répondre *oui* équivaut à répéter la question sous forme d'une phrase déclarative :

Paul a acheté ce tableau en Italie.

L'énoncé d'interrogation totale se compose en somme d'une proposition déclarative marquée d'un signe d'interrogation, qui est ici la locution *est-ce que.*

Au lieu d'*est-ce que,* la langue peut marquer l'interrogation par l'**inversion morphologique** du sujet (§ 241) :

Paul a-t-il acheté ce tableau en Italie ?

En français parlé, l'intonation interrogative (§ 41) distingue souvent seule l'énoncé interrogatif du déclaratif :

Paul a acheté ce tableau en Italie ?

Remarques : a) Quelle que soit la marque employée *(est-ce que,* ou l'inversion, ou la seule intonation), le locuteur peut faire sentir qu'il attend une réponse positive en donnant à l'énoncé la forme négative (§ 129) ; on a donc, en français tenu :

Paul n'a-t-il pas acheté ce tableau en Italie ?

et en français parlé :

Paul n'a pas acheté ce tableau en Italie ?

L'idée négative peut être exprimée en dehors du verbe ; après l'énoncé déclaratif positif, la langue tenue ajoute *n'est-ce pas ?,* la langue familière *pas ?* ou *non ? :*

Paul a acheté ce tableau en Italie, non ?

Dans tous ces cas, la réponse *oui* est remplacée par *si.*

b) L'attente d'une réponse négative est exprimée par la locution *par hasard,* souvent associée au mode Conditionnel :

Cherches-tu (Chercherais-tu) par hasard à me vexer ?

c) Dans les exemples donnés, la portée du propos interrogatif n'est pas précisée. Elle peut l'être par l'emploi de la locution *c'est... qui/c'est... que* dans les conditions indiquées au § 16 :

Est-ce Paul qui a acheté ce tableau en Italie ?

Est-ce en Italie que Paul a acheté ce tableau ?

L'interrogation est encore totale dans ces énoncés auxquels on répond par *oui* ou *non.*

d) *Est-ce que* est remplacé par *si* dans l'interrogation double :

Descends-tu ou **si** *je dois monter ?*

De là, en français parlé, la formule d'interrogation simple :

Tu descends **ou quoi ?**

● L'interrogation est **partielle** quand on ne peut pas répondre par *oui* ou *non.* Dans ce cas, le propos interrogatif porte exclusivement sur une détermination de l'action exprimée par un **mot interrogatif** qui peut être un pronom *(qui ? lequel ?),* un adjectif *(quel ?),* un adverbe *(ou ? quand ? pourquoi ? comment ? combien ?).*

Le reste de la phrase (censé connu) constitue le thème :

Propos	Thème
Qui	*a acheté ce tableau en Italie ?*
Quel tableau	*Paul a-t-il acheté en Italie ?*
Où	*Paul a-t-il acheté ce tableau ?*

Dans la langue tenue, le mot interrogatif est placé obligatoirement **en tête de la phrase,** contrairement à la tendance précédemment observée qui veut que le thème occupe cette place.

Le sens interrogatif doit encore être marqué par l'un des deux procédés grammaticaux de l'interrogation totale :

— soit l'**inversion du sujet,** comme dans les exemples ci-dessus (mais l'inversion est impossible si la question porte sur le sujet : *Qui a acheté... ?)*

L'inversion caténale et l'inversion morphologique sont en concurrence dans les conditions exposées au § 241 :

Où est parti Paul ?   *Où Paul est-il parti ?*

— soit **la locution** *est-ce que (est-ce qui* pour le sujet) :

Qui **est-ce qui** *a acheté ce tableau en Italie ?*
Quel tableau **est-ce que** *Paul a acheté en Italie ?*
Où **est-ce que** *Paul a acheté ce tableau ?*

En français parlé familier, le mot interrogatif placé en tête est une marque suffisante :

Quel *tableau Paul a acheté en Italie ?*
Où *Paul a acheté ce tableau ?*

Il peut même être laissé à sa place normale avec une montée interrogative de l'intonation :

Paul a acheté **quel tableau** *en Italie ?*
Paul a acheté ce tableau **où ?**

La langue populaire remplace *est-ce que* par *c'est que, que c'est que, c'est que c'est que* ou *que* tout court :

Où c'est que (c'est que) Paul a acheté ce tableau ?

● L'emploi des modes dans les phrases interrogatives est en principe le même que dans les déclaratives qu'elles impliquent. L'**Indicatif** domine ; l'auxiliaire *pouvoir* exprime l'incertitude :

Quelle heure est-il ?   *Quelle heure* **peut**-*il être ?*

Le Conditionnel fait planer un doute :

Serait-il *malade ?*

à moins que le fait ne dépende d'une condition irréelle :

S'il t'invitait, **accepterais**-*tu ?*

Mais un emploi particulier de l'**Infinitif,** dit **délibératif** (§ 195), se rencontre dans l'interrogation partielle, quand la réalisation de l'action est incertaine, dépendant de la **réponse** qui sera donnée à la question :

Où **trouver** *la clef ?*   *Comment* **payer** *mes dettes ?*

246. MARQUES DES PHRASES IMPÉRATIVES :

Dans les conditions normales de l'énonciation, un ordre est donné par le locuteur à un ou plusieurs destinataires ; quelquefois, le locuteur s'associe au(x) destinataire(s) dans l'exécution de l'ordre ; le **mode Impératif,** propre à cette modalité, a donc trois personnes :

Marche.   *Marchez.*   *Marchons*

Il arrive cependant qu'une personne se donne un ordre à elle-même, principalement au théâtre quand un personnage exprime à haute voix ses pensées ; on recourt à ce cas à la 1re personne du pluriel :

Je m'accuse déjà trop de négligence :
Courons *à la vengeance.* (Corneille)

Il arrive aussi qu'on ait à exprimer à la 3e personne un ordre donné par intermédiaire ; on recourt au **Subjonctif,** mode indiqué pour un procès encore virtuel (§ 195) :

Un client désire vous voir. – **Qu'il entre.**

L'**Infinitif** exprime un ordre adressé à une personne indéterminée :

Entrer *sans frapper.*   **Ralentir.**

La défense s'exprime comme l'ordre, mais en employant les mots négatifs :

Ne *viens* **pas.**   *Qu'il* **n'**entre **pas.**   **Ne pas** *fumer.*

Remarques : a) L'ordre peut être renforcé par des **interjections** comme *va, allons, allez, donc, hein !*

Allons, *marche !*   *Ne t'en fais pas,* **va.**

Ne bouge pas, **hein !**

Il peut être atténué par l'emploi de de l'auxiliaire de politesse *Veuillez,* ou de la locution *s'il vous plaît :*

Veuillez *vous retirer.*   *Retirez-vous,* **s'il vous plaît.**

b) On peut exprimer à l'**Indicatif futur** un ordre qui ne doit pas être immédiatement réalisé (instructions à un subordonné, à un domestique, à un élève, règle de morale) :

Quand vous aurez passé la paille de fer, vous **cirerez.**

Tu ne **tueras** *pas.*

c) Le verbe *devoir* employé comme auxiliaire modal exprime une obligation morale :

On **doit** *respecter les subalternes.*   *Tu ne* **dois** *pas tuer.*

d) L'ordre est présenté comme une simple suggestion par l'emploi de *si* + Imparfait de l'Indicatif :

Si vous fermiez la porte ?

e) Un mot non verbal peut exprimer l'ordre avec l'intonation convenable (§ 211) :

Halte !   *Doucement !*

247. MARQUES DES PHRASES EXCLAMATIVES :

On groupe sous le chef de l'exclamation plusieurs types de réactions affectives du locuteur à l'idée d'un fait réel ou imaginaire :

Surprise, joie, tristesse, admiration, réprobation devant un fait réel :

Les diverses réactions devant un fait réel s'expriment le plus ordinairement par une **intonation exclamative** (§ 41) appliquée à l'énoncé déclaratif (qui constitue le thème) :

Il vous a dit ça !

Un grand nombre d'**interjections** (§ 27) peuvent souligner le sentiment :

Fichtre, *il vous a bien traités !*   **Zut,** *je n'ai pas de timbre !*

L'exclamation emprunte souvent les marques de l'interrogation, le locuteur feignant l'incrédulité :

Est-ce beau !   *Que dis-tu là !*   *Où sommes-nous tombés !*

L'adjectif *quel* est très employé :

A quelle vitesse conduisez-vous !

Cependant l'exclamation peut se distinguer de l'interrogation de trois manières :

— En général, quand l'exclamation est partielle, la langue d'aujourd'hui ne fait plus l'inversion du sujet :

Quelle audace il montre !   *Avec quel sang-froid il nous a conduits !*

— L'exclamation dispose de deux adverbes qui lui sont propres, *comme* et *que :*

Comme *tu as maigri !*   **Que** *vous avez de grandes dents !*

— L'exclamation est moins faite pour communiquer une représentation que pour exprimer un sentiment ; aussi use-t-elle souvent de mots sans fonction (§ 211) :

Quelle sotte !   *Quel sang-froid !*   *La belle robe !*

et d'ellipses (§ 26) :

Et comment !   *Il est d'une politesse... !*

Mais un nom ou pronom exclamatif base de phrase devient souvent sujet par le relais d'un pronom relatif (§ 258) :

Le rôti qui brûle !   *(Et) moi qui croyais vous faire plaisir !*

Un fait réel dont on veut souligner le caractère incroyable peut être exprimé à l'**Infinitif** —mode du procès virtuel (§ 195) :

Répondre *à son père !*   *Vous* **avoir dit** *ça !*

De là vient la locution exclamative *Dire que...* suivie de l'énoncé déclaratif :

Dire que *je lui faisais confiance !*

Goût et dégoût, désir, crainte et regret devant un fait pensé :

Un fait désiré ou redouté, qu'on ne peut pas ou qu'on ne veut pas croire vrai, est exprimé aux formes de l'irréel, c'est-à-dire :

— au **Conditionnel** (§197) :

J'ouvrirais pour si peu le bec ! aux Dieux ne plaise ! (La Fontaine)

— à l'**Imparfait** et au **Plus-que-parfait** irréels (§198) après *si, Ah ! si, si seulement :*

> *Ah ! si Paul* **venait !** (désir)
>
> *Ah ! si Paul* **était / avait été** *ici !* (regret)

Dans le désir, l'''irréel'' masque un vœu secret de réalisation future. Le regret est sans espoir, étant démenti par la réalité présente ou passée.

— au **Subjonctif,** précédé de *que* ou d'une locution de sens modal :

> *Moi, des tanches ! dit-il : moi, Héron,* **que je fasse**
> *Une si pauvre chère !* (La Fontaine)
>
> **Que** *le ciel vous* **protège !** (souhait)
>
> **Pourvu que** *Paul* **vienne !** (désir)
>
> **Pourvu** *que Paul* **ne vienne pas !** (crainte = désir négatif).

— à l'**Infinitif** présent ou passé, avec ou sans sujet exprimé :

> *Mais moi* **vivre** *à Paris ! Eh ! qu'y voudrais-je faire !* (Boileau)
>
> *Oh !* **pouvoir** *exprimer les choses avec grâce !* (Edmond Rostand).
>
> *O* **n'avoir pas suivi** *les leçons de Rollin,*
> **N'être pas né** *dans le grand siècle à son déclin.* (Verlaine)

Remarques : a) Deux procédés d'expression du désir, de la crainte et du regret sont propres à la langue littéraire :

— le Subjonctif de *pouvoir* suivi de l'Infinitif présent ou passé :

> *Puisse-t-il venir !   Puisse-t-il être venu !*

— le Subjonctif précédé de *plaise au ciel que* (désir) ou *plût au ciel que* (regret) :

> *Plaise au ciel qu'il vienne !*
>
> *Plût au ciel qu'il fût ici !*
>
> *Plût au ciel qu'il fût venu !*

Le regret peut encore s'exprimer dans la langue littéraire par l'Indicatif précédé de *que ne* (= ''pourquoi ne'') :

> *Que n'est-il ici !   Que n'est-il venu !*

b) L'emploi du Subjonctif sans *que* dans l'ancienne langue a laissé quelques souvenirs : *Dieu vous* **bénisse !** *Le diable m'***emporte !**

Vive... est un ancien Subjonctif qui autrefois s'accordait toujours avec le sujet :

> **Vivent** *les rats !* (La Fontaine)

Aujourd'hui l'accord est facultatif : **Vive (vivent)** *les vacances !*

Chapitre III

**La phrase
complexe**

A. Délimitation et analyse

248. LA PHRASE, UNITÉ D'ÉNONCIATION :

Alors que le **mot** et la **proposition** sont des unités définies formellement sur le plan de la langue, l'un comme le premier groupe de phonèmes significatifs (§ 8), l'autre comme un groupe de mots solidaire à base verbale (§ 22), la **phrase** se définit comme l'unité d'énonciation, fondée sur l'**unité de propos** (§ 14).

Aucun des critères **formels** proposés pour identifier la phrase ne résiste à l'examen.

Les marques d'**intonation** (§ 41) et de **ponctuation** (§ 61) ne sont évidemment que les **manifestations d'une unité intuitivement conçue** dont l'essence est plus profonde. Les poètes modernes ont souvent supprimé toute ponctuation, sans qu'on puisse dire que leur texte n'est pas fait de phrases ; exemple :

> *Vous y dansiez petite fille*
> *Y danserez-vous mère-grand*
> *C'est la maclotte qui sautille*
> *Toutes les cloches sonneront*
> *Quand donc reviendrez-vous Marie*
> (G. Apollinaire, *Alcools, Marie*)

Au lecteur de partager ce texte en phrases : le poète nous donne toute liberté. Mais sommes-nous libres ? Le premier vers est de modalité déclarative, le second interrogative : unité de propos impliquant unité de modalité, comment ne pas en faire deux phrases ? Le 5e vers, interrogatif, est une phrase aussi. Restent le 3e et le 4e vers, deux propositions qui peuvent faire deux phrases ou n'en faire qu'une.

En effet, un propos peut être complexe, comme est complexe le signifié lexical d'un mot (§ 69) ; dans le texte de Maupassant cité au début du § 41, les 2e, 3e et 4e propositions ne font qu'une phrase, par le sens et par l'intonation qui en découle et que traduit la ponctuation.

Les exégètes d'Apollinaire savent que la maclotte était dansée par Marie Dubois, jeune fille belge admirée par le poète en 1899, et que les cloches du 4e vers sont sans doute celles du mariage rêvé avec Marie Laurencin, jeune femme connue en 1907 et qui l'a quitté. L'identité onomastique des deux Marie ne suffit pas à faire de ces deux vers une unité d'énonciation : un point entre les deux n'est sans doute pas de trop, ou des points de suspension.

De tels exemples, multipliables à l'infini, démontrent que l'organisation de l'énoncé en phrases peut être affaire de sentiment et de raison, sur un plan extralinguistique.

Dans le texte de Maupassant, la phrase était une unité linéairement supérieure à la proposition. Dans celui d'Apollinaire, la phrase se coule dans le moule propositionnel. Un usage moderne de la ponctuation produit des phrases linéairement inférieures à la proposition, comme dans ce passage du dernier livre écrit par Saint Exupéry, peignant l'exode de 1940 :

On avait donné dans le Nord un grand coup de pied dans la fourmilière, et les fourmis s'en allaient. Laborieusement. Sans panique. Sans espoir. Sans désespoir. Comme par devoir.

Chacune des cinq dernières phrases est réduite à un complément, propos ayant pour thème la 2e proposition de la 1re phrase.

On conclura que phrase et proposition ne sont pas des unités réductibles l'une à l'autre, même si la première, dans la majorité des cas, prend la forme d'une proposition, ou d'un nombre entier de propositions.

249. TECHNIQUES ET FORMULES D'ANALYSE :

J'allais tenir compagnie à ma sœur Catherine pendant qu'elle s'occupait des vaches et je lui faisais la lecture. (Emilie Carles)

Cette phrase est clairement composée de trois propositions, puisqu'elle contient trois verbes à un mode personnel dotés chacun d'un sujet *(j'allais, elle s'occupait, je faisais).* La technique traditionnelle d'analyse de la phrase, appelée **analyse logique,** formule ainsi le découpage :

Segment 1 : *J'allais tenir compagnie à ma sœur Catherine :* proposition principale.

Segment 2 : *pendant qu'elle s'occupait des vaches :* proposition subordonnée, complément circonstanciel de temps du verbe *allais.*

Segment 3 : *et je lui faisais la lecture :* proposition indépendante, coordonnée par *et* à la principale.

Cette tradition repose sur trois définitions :

— ''Une proposition sujet, attribut, épithète, apposition ou complément d'une autre proposition est dite **subordonnée.**''

— ''Une proposition qui a une ou plusieurs subordonnées sans être elle-même subordonnée est dite **principale**''.

— ''Une proposition qui n'est ni subordonnée ni principale est dite **indépendante**'' (Nomenclature de 1975).

Cette technique s'est longtemps imposée par l'avantage qu'elle comporte de couper la phrase en segments juxtaposés **sans chevauchement et sans reste,** comme l'analyse en mots (dite **grammaticale**) découpe la proposition.

Elle a des inconvénients sérieux :

1° **Elle méconnait les structures chevauchantes de la phrase :**

Puisque toute conjonction de coordination implique l'égalité des termes qu'elle associe (§ 134), la conjonction *et,* dans l'exemple, donne pour unités du même plan ce qui la précède et ce qui la suit : on devrait appeler **proposition complexe** l'ensemble 1 + 2 qui a la structure d'une proposition (sujet - verbe - complément de but - complément d'attribution - complément de temps), et **proposition simple** le segment 3. Une troisième proposition (le segment 2) serait identifiée comme un terme de la première.

Il n'est pas logique de donner la proposition "principale" pour une unité à part entière tout en l'amputant de ses membres constitués par des propositions subordonnées. Ce traitement en fait un tronc propositionnel, éventuellement privé du sujet même, et qu'on appellerait moins improprement **segment.**

D'autre part, le découpage sans chevauchement et sans reste entraîne trop souvent à rattacher à la proposition dans laquelle ou à côté de laquelle ils figurent les termes "hors proposition" tels que les interjections et les mots en apostrophe (§ 27), ou les compléments se rapportant à plusieurs propositions coordonnées (**A six heures,** *les lampes s'allumaient et les stores se baissaient,* § 24).

2º **Elle oppose indûment "principale" à "indépendante" :**

En spécifiant que la "principale" n'est pas elle-même "subordonnée" (c'est-à-dire dépendante), la nomenclature de 1975 place ce type de proposition au même niveau de la phrase que l'"indépendante". Le terme **indépendante** conviendrait très bien aux deux, et l'on distinguerait dans la phrase d'Emilie Carles :

— une indépendante complexe (segments 1 et 2)

— une indépendante simple (segment 3).

Le terme **principale** devrait logiquement désigner une proposition — ou plus exactement un segment — ayant sous sa dépendance une ou plusieurs propositions, qu'il soit lui-même autonome ou dépendant. Ainsi, dans cette phrase de Victor Hugo :

Ils savent que je suis un homme qui les aime.

on aurait une principale indépendante *(Ils savent)* et une principale subordonnée *(que je suis).*

En remplaçant comme il est dit plus haut *proposition* par *segment* lorsqu'il s'agit d'une principale, en appelant *autonome* toute proposition non dépendante, et *recteur* tout segment principal, on formulerait de façon plus adéquate l'analyse du vers de Victor Hugo :

Ils savent : segment autonome recteur.

que je suis un homme qui les aime ; proposition complexe subordonnée.

que je suis un homme : segment subordonné recteur.

qui les aime : proposition subordonnée.

3º Le formulaire de l'analyse logique traditionnelle ne fait pas état de tous les **cas intermédiaires entre la coordination et la subordination,** c'est-à-dire des cas de **corrélation** (§ 23, § 251).

250. PROPOSITIONS INCISES :

"Une proposition principale ou indépendante enclavée dans une autre proposition est dite incise" (Nomenclature 1975); exemple :

Il n'est, **dit le meunier,** *plus de veaux à mon âge.* (La Fontaine)

Dans cet exemple, la proposition incise interrompt l'énoncé, qui est ensuite repris ; elle est proprement "enclavée", ce que peuvent marquer dans l'écriture les signes de ponctuation énumérés au § 63. Mais dans bien des cas, une proposition présentant le même caractère est placée en fin de phrase :

Il n'ira pas très loin avec ce plan-là, **dit Meaulnes en se levant.**
(Alain-Fournier)

Dans les deux cas, l'incise a pour locuteur l'auteur du livre (La Fontaine, Alain-Fournier), dans un contexte attribué à un autre locuteur (le meunier, Meaulnes) : il y a **juxtaposition de deux discours.**

L'inversion du sujet est particulière aux incises indiquant ainsi le locuteur d'un propos rapporté, ou le "cogiteur" d'une pensée rapportée (§ 241, 1º). Le français populaire, ignorant l'inversion, remplace l'indépendante incise par une proposition relative :

A mon âge, **qu'il a dit,** *y a plus d'veaux.*

Beaucoup d'incises ont pour fonction d'établir un décalage non pas entre les discours de deux locuteurs, mais entre **deux modes d'énonciation** ou entre **deux plans de discours dans l'esprit du même locuteur**. La marque d'inversion disparaît :

Hubert a mis son costume anglais et papa, **tiens-toi bien**! *a choisi une cravate à pois!* (G. Cesbron)

Effectivement – **et ceci, je le dis sans l'ombre d'une hésitation** *– le premier devoir d'un philosophe est de combattre le fanatisme sous quelque forme qu'il se présente.* (G. Marcel)

Beaucoup d'écrivains parsèment leur texte de propositions incidentes disant leur réflexions à propos de l'idée qu'ils expriment ou de la manière dont ils l'expriment.

En bonne logique, on ne devrait pas considérer les incises comme partie constituante des phrases où elles s'insèrent. Il n'y a pas proprement de "phrase complexe" dans les exemples de La Fontaine et d'Alain-Fournier donnés au début de ce paragraphe.

Dans le texte suivant, l'auteur, Georges Blond, décrivant le bonheur des Américains pendant la visite de Disneyland (1957), insère une réflexion qui mérite, par son décalage, le nom d'incise, bien qu'elle figure entre deux phrases :

Ils étaient heureux sans se forcer, sans avoir bu. (Rien que des boissons non alcoolisées dans toute l'enceinte.) Ils devaient retrouver là quelque chose qui leur manque dans le siècle présent. (Mary Marner)

Beaucoup d'interjections et de compléments détachés relèvent du même besoin, pour le sujet parlant ou écrivant, d'exprimer la manière dont il est lui-même affecté par les faits ou les pensées qu'il expose.

251. COORDINATION, SUBORDINATION, CORRÉLATION :

1. *Le brouillard est froid, la bruyère est grise.* (Hugo)
2. *Le brouillard est froid, mets ta veste.*
3. *Le brouillard est froid, donc mets ta veste.*
4. *Il fait si froid, mets ta veste.*
5. *Il a beau faire froid, Paul ne veut pas se couvrir.*
6. *Plus il fait froid, plus il faut se couvrir.*
7. *Il fait froid, de sorte qu'il faut se couvrir.*
8. *Il fait si froid qu'il faut se couvrir.*

En 1, les deux propositions sont unies par le sens : elles concourent à la description d'un paysage triste ; aucune des deux n'implique logiquement l'autre (on pourrait dire qu'elles sont *équipollentes).* Grammaticalement, elles sont **coordonnées** par juxtaposition (§ 23).

En 2, les deux propositions sont encore **coordonnées** par juxtaposition ; la différence de modalité, alors qu'une simple virgule les sépare, suppose que l'une seulement exprime la modalité de la phrase : c'est la seconde. La première lui est associée par un rapport logique : elle exprime la cause dont la seconde dit la conséquence. Du point de vue de l'énonciation, la seconde est la principale (exprimant la modalité phrastique) ; du point de vue logique, aucune ne prévaut, mais la première est antérieure à la seconde ; c'est la *protase* ("placée devant") dont la seconde est l'*apodose* ("qui découle") ; antériorité logique sans lien obligatoire avec la place dans l'énoncé ; le rapport ne change pas si l'on dit :

Mets ta veste (apodose), *le brouillard est froid* (protase).

La phrase 3 diffère de la phrase 2 par le mot *donc,* qui exprime le rapport de conséquence latent en 2 ; c'est une conjonction de **coordination** (§ 134), c'est-à-dire un mot dénotant à la fois une relation (§ 131, case 4 du tableau) et l'égalité fonctionnelle des termes qu'il associe, ici deux propositions indépendantes ; la relation est exprimée par un élément **interpropositionnel.**

La phrase 4 diffère de la phrase 2 par le mot *si,* adverbe complément de la locution *faire froid ;* l'emploi de *si* donne le froid pour une cause, dont il fait attendre la conséquence. Il y a toujours **coordination,** mais une relation entre les deux propositions est exprimée dans la 1re par un élément **propositionnel.** La 2e proposition n'implique pas l'existence de la première.

En 5, le cas est semblable ; les deux propositions sont **coordonnées** par juxtaposition ; elles sont liées par une relation logique de *concession* (§ 272) : le froid n'empêche pas que Paul refuse de se couvrir. Ici la relation est impliquée dans la 1re proposition par la locution auxiliaire *avoir beau,* élément **propositionnel** ; les deux propositions sont indépendantes et la seconde n'implique pas la première.

En 6, les deux propositions sont indépendantes, et liées par un rapport logique de proportionnalité, menant à la causalité. Dans la 1re, un élément **propositionnel,** l'adverbe *plus* complément du verbe *faire froid,* implique l'existence d'un autre adverbe, *plus* (ou *moins*), lui répondant au sein d'une 2e proposition ; cette implication est réciproque : le second *plus,* complément de *couvrir,* suppose le premier et la proposition dont il est membre. Les deux propositions forment un **système corrélatif** : il y a à la fois **coordination** et **corrélation.**

En 7, la 1re proposition peut se passer de l'autre (elle est autonome, selon la terminologie proposée au § 249). La seconde est introduite par la conjonction de subordination *de sorte que,* élément **interpropositionnel** marquant à la fois la relation de conséquence et la **subordination** de la 2e proposition, qu'on peut tenir pour membre de la phrase totale au même titre que le serait un complément circonstanciel.

En 8, l'adverbe *si,* terme **propositionnel,** fait attendre une seconde proposition, dont le mot introducteur, la conjonction *que,* suppose une première proposition : implication réciproque qu'on peut appeler **système corrélatif.** Il y a **subordination** et **corrélation.**

Remarques : a) Beaucoup de cas de subordination remontent historiquement à des systèmes corrélatifs, souvent latins. Ainsi, le pronom relatif *qui* pouvait, en latin, répondre à un adjectif *is :*

Quo *modo ages,* **eo** *modo agam.*
(De la manière que tu agiras, de cette manière j'agirai.)

Quomodo est devenu en français la conjonction *comme,* et a perdu son corrélatif, mais le même système est représenté aujourd'hui par *de même que... de même.*

Le resserrement et le figement d'une suite composée d'un adverbe corrélatif et de *que* produit une conjonction, par exemple *avant que,* dont le premier élément a d'abord été un terme de l'apodose :

Il est parti **avant** $\mid$ **que** *j'arrive.*

Le corrélatif par excellence de *que* est le démonstratif neutre *ce,* qui entre dans la composition d'un bon nombre de conjonctions (§ 133).

b) L'élément **propositionnel** faisant attendre une seconde proposition peut être une simple variation morphologique du verbe, ou une marque de modalité fictive :

Il **ferait** *froid, je mettrais ma veste.*
Qu'il fasse froid, *je mettrai ma veste.*

Dans ces deux exemples, la 1re proposition a la valeur d'une protase de condition, sans être tenue pour subordonnée à la seconde.

B. Propositions relatives

252. FONCTIONS DES PROPOSITIONS RELATIVES AVEC ANTÉCÉDENT :

Les propositions relatives commencent par un **pronom,** un **adjectif** ou un **adverbe relatif** *(qui, que, quoi,* §158 ; *lequel,* §160 ; *où,* §161 ; *dont,* §162) ; elles ont ordinairement pour support un **antécédent** (§135) dont elles peuvent être :

— complément :

> *Paul a été bousculé par un homme* **qui courait.**

La fonction de *qui courait* est la même que celle du participe *courant* qui pourrait y être substitué : on dit que la proposition relative est **épithète** de son antécédent.

— attribut :

> *Paul a le cœur* **qui bat.**

La proposition *qui bat* exprime un état attribué au complément d'objet *le cœur* par le verbe *avoir,* comme dans la phrase *Paul a le pouls rapide,* ou *Paul a les yeux bleus* (§222, Rem.).

La fonction de la proposition relative n'a rien à voir avec celle du pronom relatif, qui se définit dans la proposition qu'il introduit. Dans tous les exemples donnés précédemment, le pronom relatif, à la forme *qui,* est sujet du verbe de sa proposition ; mais il prend dans d'autres contextes toutes les autres fonctions du nom.

Le pronom relatif étant invariable en genre et en nombre (§158), le repérage de son antécédent serait souvent ambigu si l'on n'observait la règle de **placer la proposition relative immédiatement après son antécédent,** quitte à interrompre la proposition en cours :

> *Un homme* **qui courait** *a bousculé Paul*
> (différent de : *Un homme a bousculé Paul qui courait).*

Remarque : Il ne manque pas d'exemples d'infractions à cette règle chaque fois qu'il ne peut y avoir de confusion, soit dans la langue littéraire, soit dans la langue ancienne :

> *Un loup survient à jeun, qui cherchait aventure.* (La Fontaine)

On rencontre des relatives séparées de leur antécédent par d'autres épithètes :

> *C'était un garçon jeune, courageux, qui pouvait faire une brillante carrière.*

S'il y a possibilité de confusion, on fait précéder le relatif de la conjonction *et :*

> *Un homme coiffé d'un chapeau mou* **et** *qui marchait d'un pas rapide.*

253. SENS DES PROPOSITIONS RELATIVES ÉPI-THÈTES :

Une longue tradition veut qu'on distingue deux sortes de relatives épithètes, appelées respectivement :

1. - **déterminatives** (ou **restrictives**) :

> *Les hommes qui n'étaient pas armés ont pris la fuite.*

2 - **explicatives** (ou **non restrictives**) :

> *Les hommes, qui n'étaient pas armés, ont pris la fuite.*

Le même problème, en fait, est soulevé par n'importe quelle épithète; comparer :

> *Les pommes gâtées ont été jetées.*
> *Les pommes, gâtées, ont été jetées.*

L'intonation ou la ponctuation marque la différence dans les exemples donnés, mais l'absence de virgule, dans bien des contextes, n'implique pas un sens déterminatif :

> *Marie console Paul qui pleure.*

La seule certitude est qu'une relative, comme tout autre complément, **ne peut être détachée si elle a le sens déterminatif.**

La valeur déterminative ressort du contexte, sans qu'on puisse donner des règles absolues. En principe, un nom propre antécédent n'a pas besoin de détermination; pourtant, on distingue *Jean qui pleure* et *Jean qui rit.*

Une relative non déterminative peut être :

— **explicative** (exemples donnés plus haut).

— **descriptive** :

> *Son manteau, qui a été bleu, tombe en loques.*

— **concessive** :

> *Paul, qui a le cœur faible, compte monter au Cervin.*

Très souvent une relative sert à enchaîner deux propositions qu'on pourrait aussi bien coordonner :

> *Un cosaque survint qui prit l'enfant en croupe.* (Hugo)

De là découle le "relatif de liaison" (§ 255).

254. FONCTIONS DU MOT RELATIF, RELATIVES COMPLEXES :

Les différentes fonctions marquées par la variation morphologique du mot relatif *(qui, que, quoi, lequel, où, dont)* ont été étudiées avec la morphologie (§§ 158-162).

● Le français populaire, malhabile au choix des formes casuelles et à l'articulation prépositionnelle des pronoms relatifs (comme dans : *l'homme près de la maison duquel j'habite),* tend à dissocier la marque casuelle de la marque de relation en employant une **conjonction relative invariable,** *que :*

> *l'homme que j'habite près de sa maison*
>
> *la dame que je lui* (= à qui je) *porte son pain.*

● La fonction du mot relatif ne se détermine pas toujours au niveau du premier verbe qui le suit; il arrive qu'il introduise une proposition complexe avec la marque fonctionnelle que justifie son rôle dans la seconde proposition; exemple :

> *Il y a des heures de ma vie qu'il faut que tu ignores.* (Fr. Coppée)

La proposition complexe *il faut que tu les ignores* est transformée en une relative où *les* est remplacé par *que.*

> *J'allais de préférence à la bibliothèque municipale, où je trouvais qu'il faisait plus chaud.*

La proposition complexe *je trouvais qu'il y faisait plus chaud* est transformée en une relative où *y* est remplacé par *où.*

Un problème se pose quand le pronom à remplacer par un relatif est sujet, par exemple *il* dans *j'espère qu'il sera élu;* si cette proposition complexe doit être transformée en une relative épithète d'un nom, par exemple *candidat,* la règle appliquée précédemment devrait donner :

le candidat qui j'espère que sera élu.

Cette construction n'a jamais existé. La langue littéraire, prolongeant l'usage classique, intervertit *qui* et *que :*

le candidat que j'espère qui sera élu.

Le français populaire rejoint ce tour en recourant à la conjonction relative *que,* suivie d'un *que* banal élidé devant *il* prononcé [i] devant consonne :

le candidat que j'espère qu'i(l) sera élu.

Le français courant écarte ces deux tours (qui n'en font peut-être qu'un) et, dans son usage le plus tenu, les remplace par :

le candidat **que** *j'espère devoir être élu* (§ 266)
le candidat **dont** *j'espère qu'il sera élu.*
le candidat **qui,** *je l'espère, sera élu* (§ 250)

255. NATURE DE L'ANTÉCÉDENT ; ACCORD DU VERBE :

Les formes *qui* (sujet), *que* et *dont* admettent n'importe quel antécédent, nom ou pronom animé ou neutre :

la personne **qui** *passe,* **que** *nous voyons,* **dont** *nous parlons*

ce **qui** *passe, ce* **que** *nous voyons, ce* **dont** *nous parlons.*

L'emploi de *qui* et de *quoi* régimes indirects est exposé au § 158.

Lequel, pronom, ne représente que des noms ou des pronoms ayant genre et nombre.

Le pronom relatif doit être pris dans la même extension que son antécédent (§ 135, 2°).

La langue littéraire peut donner à *que* un antécédent adjectif ou Participe :

Insensé que je suis ! (Musset).

● Le verbe qui a pour sujet *qui* pronom relatif s'accorde comme s'il avait pour sujet le ou les antécédent(s) de ce pronom :

C'est moi qui **ai** *commencé.*   *C'est vous qui* **avez** *commencé.*

Ton père et toi, qui **êtes** *valides...*

O feuille qui me **viens** *effleurer le visage.* (Jean Moréas)
(Le nom *feuille* désigne la chose destinataire du message).

● Le groupe *ce qui, ce que* ne doit pas être tenu pour un pronom composé neutre ; *ce* y reste remplaçable par un nom (comme *la chose).* Une phrase comme :

Ce qui rampe sur la terre était allé trouver ce qui s'épanouit dans l'air.
(Hugo)

doit être analysée ainsi :

ce était allé trouver ce : segment autonome recteur ;

qui rampe sur la terre : proposition relative épithète du premier *ce ;*

qui s'épanouit dans l'air : proposition relative épithète du second *ce.*

● Le pronom relatif prend souvent pour antécédent une proposition ou une phrase entière, emploi où il perd sa valeur subordonnante au profit d'une fonction de liaison relevant de la coordination (§ 134) ; la ponctuation peut être plus forte qu'une virgule :

Ils ont joué ; **après quoi** *ils sont rentrés chez eux.*

Dans cet emploi, les formes *qui* et *que* sont précédées d'un *ce,* apposition du groupe représenté :

> *Il ne fume plus.* **Ce qui** *ne lui a guère coûté.*
>
> *Il m'a soutenu.* **Ce que** *je n'oublierai jamais.*

C'est le **relatif de liaison.**

256. ORDRE DES MOTS DE LA PROPOSITION RE- LATIVE :

Le placement obligatoire du mot relatif au début de la proposition (ou après un complément s'y rapportant *(près de la maison duquel,* (§ 254), en- traîne en français littéraire l'inversion caténale (§ 241, 1°) quand le sujet est un nom :

> *la chanson que chantait ma mère*
> *le château où vécut Montaigne.*

Le français courant laisse le sujet à sa place normale :

> *la chanson que ma mère chantait*
> *le château où Montaigne a vécu.*

257. MODE DES PROPOSITIONS RELATIVES :

L'emploi des modes en proposition relative découle de leurs sens fonda- mentaux exposés dans la IIIe Partie :

1° L'Indicatif donne un fait comme réel :

> *J'ai un ouvrier qui* **connaît** *son travail.*
> *Je cherche le chemin qui* **conduit** *à la ville.* (Il existe)

2° Le Conditionnel présente un fait comme irréel :

> *Je donnerais ma fille à celui qui* **vaincrait** *le monstre.*

3° Le Subjonctif et l'Infinitif conviennent si le procès est présenté comme virtuel :

> *Je cherche un ouvrier qui* **connaisse** *ce travail* (Existe-t-il ?)
> *Je cherche un chemin qui* **conduise** *à la ville* (Y en a-t-il un ?)

> *Vous dormirez en paix, ô riches,*
> *Vous et vos capitaux,*
> *Tant que les gueux auront des miches*
> *Où* **planter** *leurs couteaux.* (Th. Botrel)

Dans tous ces exemples, la virtualité s'allie à une idée de finalité. Dans d'autres contextes, une restriction est apportée à la réalité du fait, la principale étant négative ou interrogative :

> **Il n'y a pas** *d'ouvrier qui* **connaisse** *mieux ce travail.*
> **Y a-t-il** *un ouvrier qui* **connaisse** *mieux ce travail?*

ou le fait étant donné comme rare :

> *Il est* **le seul** *ouvrier qui* **connaisse** *ce travail.*
> *Il y a* **peu** *d'ouvriers qui* **sachent** *le faire.*

C'est le cas lorsque la relative est précédée d'un adjectif au superlatif (§ 257) ou d'un adjectif comme *le premier, le dernier :*

> *C'est* **le meilleur** *ouvrier que nous* **ayons.**

Armstrong est le premier astronaute qui **ait** *marché sur la Lune.*

Toutefois, dans les quatre derniers exemples, on peut employer l'Indicatif si l'on veut insister non pas sur la rareté du fait, mais sur sa réalité.

Remarque : En termes de mathématique, l'Indicatif exprime l'affirmation d'une propriété pour un élément e d'un ensemble E, alors que le subjonctif exprime la négation de la même propriété pour les éléments du sous-ensemble complémentaire $\{E - e\}$.

258. RELATIVES ATTRIBUTIVES :

Les relatives attributives, présentées au §252, ont été rencontrées dans l'étude des mots non verbaux bases de phrase (§211), de la locution imperson-nelle *il y a* et du présentatif *voilà* (§223), des groupes solidaires non verbaux (§236).

Un assez grand nombre de verbes peuvent comme le verbe *avoir* faire sui-vre leur complément d'objet d'une telle relative. Ce sont surtout :

— des verbes de perception : *apercevoir, aviser, deviner, observer, regar-der, voir, écouter, entendre, sentir;* ex. :

Je vois les jours **qui passent.**

— des verbes comme *montrer* (= faire voir) : *évoquer, filmer, peindre, photographier, représenter ;* ex. :

J'ai peint l'avion **qui explosait.**

— des verbes comme *trouver : découvrir, dénicher, surprendre ;* ex. :

J'ai surpris Rose **qui écoutait.**

Le verbe *être* accompagné d'une détermination de lieu admet une telle proposition pour attribut de son sujet :

Il est là **qui pleure.**

259. RELATIVES SANS ANTÉCÉDENT :

Certaines propositions relatives n'ont pas d'antécédent exprimé ; généra-lement, il est facile de sous-entendre un antécédent indéterminé, qui sera, si l'on veut, le pronom *celui* pour le pronom *qui:*

1. **Qui aime bien** *châtie bien* (= celui qui aime bien)
2. *Interrogez* **qui vous voudrez** (= celui que vous voudrez).

De telles propositions ne sont pas compléments de leur antécédent, puisqu'il n'y a pas d'exprimé ; tout se passe comme si l'antécédent *celui* était un corrélatif effacé (§ 251) : la proposition commençant par le corrélatif *qui* prend dans l'apodose la fonction qu'aurait *celui.* En d'autres termes, la relative, en 1, est sujet de *châtie,* en 2 complément d'objet d'*interrogez.*

D'autres fonctions sont possibles :

Je ne suis pas **qui vous croyez** (attribut)

Donne ces fleurs **à qui tu voudras** (complément d'attribution)

Le pronom *quiconque* (§154) s'emploie exclusivement sans antécédent, avec une nuance toujours indéfinie.

Le pronom *quoi* s'emploie dans les mêmes conditions (avec l'antécédent *ce* sous-entendu) comme régime indirect non animé :

C'est **à quoi je pensais** (attribut)

Qui, que et *quoi* sans antécédent s'emploient aussi avec ou sans préposition devant un Infinitif dans des contextes donnant à l'ensemble une fonction d'objet :

Je n'ai **que faire** de vos dons.

Il n'a pas trouvé **à qui parler**.   Il a **de quoi vivre**.

Ces Infinitifs n'ayant pas de sujet, on pourrait les tenir pour des mots compléments, mais il existe une **solidarité** entre le pronom absolu et l'Infinitif qui en fait incontestablement un groupe non réductible à la base verbale, donc une proposition. Ces propositions ont ici le sens relatif, ailleurs le sens interrogatif (§ 265) **en fonction du seul contexte.**

Une proposition relative introduite par l'adverbe *où* sans antécédent prend la fonction qu'aurait dans la principale l'antécédent *là* sous-entendu, et devient une subordonnée circonstancielle de lieu :

Où tu iras *j'irai.*

C. Propositions conjonctives pures

260. FORMES ET FONCTIONS DES CONJONCTIVES PURES :

On appelle *conjonctive* une proposition introduite par une conjonction de subordination (§ 133). La conjonction *que* exprime le plus souvent la subordination pure, c'est-à-dire, selon la définition du § 251 (exemple 4), le fait qu'une proposition devient globalement un terme d'une autre proposition.

Les **conjonctives pures** introduites par *que* peuvent remplir les fonctions suivantes :

— **sujet** :

Que tu viennes *sera utile.*

— **complément d'objet** :

Je souhaite **que tu viennes.**

— **attribut** :

L'essentiel est **que tu viennes.**

— **régime** d'un verbe impersonnel :

Il faut / Il sera utile **que tu viennes.**

— **apposition** :

Le seul fait **que tu viennes** *peut tout arranger.*

Ces propositions peuvent aussi remplir des fonctions de compléments indirects si elles sont précédées

— soit de prépositions *(pour, outre, sauf)* ne formant pas avec *que* une locution conjonctive :

Je suis pour qu'on soit gai dans la vie (H. Lavedan).
(On n'a pas ici la conjonction de but *pour que,* remplaçable par *afin que).*

— soit du relais neutre *ce,* précédé d'une préposition *(à, de, en, sur) :*

Elle est parvenue à ce que nous soyons tous brouillés.

Il est coupable en ce qu'il n'a pas observé les signaux.

Remarques : a) La conjonction *que,* sans être associée à un autre mot, prend une valeur relationnelle implicite dans certains contextes :

Descends, **que** (= pour que) *je t'embrasse.* (La Fontaine)

Ces emplois, généralement familiers, seront signalés dans l'étude des "circonstancielles".

b) Le français populaire tend à étendre la marque *que* à toute subordination, en l'ajoutant aux autres marques :

Si qu'on allait où qu' t'habites?

261. CONJONCTIVES SUJETS :

Les propositions conjonctives sujets, introduites par *que,* sont toujours au **subjonctif** quand elles précèdent le verbe :

Que 9 soit le carré de 3 est un fait bien connu.

L'emploi du subjonctif dans les cas où le fait est bien réel a beaucoup intrigué les grammairiens. La meilleure explication qu'on en ait donnée est que la proposition sujet, dans de telles phrases, est explicitement donnée comme **thème** de la phrase, donc exclue du **propos déclaratif** que marque l'Indicatif.

Dans la phrase suivante :

Que 9 est le carré de 3, nous le savons tous

la proposition conjonctive est non plus sujet, mais objet anticipé ; elle participe donc au propos et l'Indicatif apparaît.

La conjonctive sujet en début de phrase n'existe qu'en français littéraire :

Que ses amis le méconnusssent le remplisait d'amertume. (Romain Rolland)

Le français courant préfère **construire impersonnellement le verbe du segment recteur.** Le mode du verbe de la conjonctive devenue **régime** (ou **"sujet réel"**) est alors déterminé par le sens du verbe recteur ou de l'attribut qu'il introduit, selon les mêmes facteurs que dans les conjonctives objets (§ 262) ; comparez :

Il est souhaitable que tu viennes   *Il est certain qu'il est venu*
Je souhaite que tu viennes   *J'affirme qu'il est venu*

262. CONJONCTIVES COMPLÉMENTS D'OBJET :

On construit généralement avec une conjonctive pure les verbes qui **lexicalisent** les modalités, comme il est montré au § 14, par exemple *penser, dire, croire, vouloir, regretter, craindre ;* les verbes de sens interrogatif en sont pourtant exclus, les mots interrogatifs *(qui, quand,* etc.) tenant la place d'une conjonction (§ 265).

Le mode des conjonctives pures dépend du sens et de la construction des verbes dont elles dépendent ; on peut répartir ceux-ci en deux grandes classes :

1° **Verbes posant la réalité du fait :**

On rangera dans cette classe (appelée "verbes thétiques" par G. Moignet) les verbes exprimant principalement la constatation *(découvrir, trouver, s'apercevoir),* la perception *(voir, entendre, sentir),* la croyance *(croire, penser, espérer, douter),* la connaissance *(savoir),* la déclaration *(dire, affirmer, prétendre, soutenir, nier).*

Si le verbe principal affirme la réalité du fait, le mode de la subordonnée est l'Indicatif :

Je sais que Paul **est arrivé.**   *Je crois qu'il* **viendra.**

Le Conditionnel remplace l'Indicatif si le fait dépend d'une condition irréelle :

Je crois qu'il **viendrait** *si je l'invitais.*

Si le verbe principal **nie la réalité du fait ou la met en doute,** le mode de la subordonnée est le Subjonctif :

Je nie qu'il **soit arrivé.**   *Je doute qu'il* **soit arrivé.**

Quand le verbe principal est accompagné d'une **négation** ou fait l'objet d'une **interrogation** ou d'un **doute,** le mode de la subordonnée peut être l'Indicatif ou le Subjonctif ; on dit alors :

Sa mère ne croit pas qu'il **a volé** ou : *Sa mère ne croit pas qu'il* **ait volé.**
Croyez-vous qu'il **viendra ?**   ou : *Croyez-vous qu'il* **vienne ?**
Si vous croyez qu'il **est arrivé.**   ou : *Si vous croyez qu'il* **soit arrivé.**
Je ne nie pas qu'il **soit arrivé.**   ou : *Je ne nie pas qu'il* **est arrivé.**
Je ne doute pas qu'il **soit arrivé.**   ou : *Je ne doute pas qu'il* **est arrivé.**

Le principal facteur du choix est la portée de la négation (ou de l'interrogation) ; ainsi le premier exemple signifie, avec l'Indicatif : *Il a volé, mais sa mère ne veut pas le croire ;* avec le Subjonctif : *Sa mère croit qu'il n'a pas volé.*

L'Indicatif est préféré quand il faut marquer le Futur *(Je ne crois pas qu'il* **sera** *content),* ou l'Imparfait *(Je ne crois pas qu'il* **était** *content),* ou l'irréel *(Je ne crois pas qu'il* **serait** *content) ;* dans tous ces cas, l'emploi du Subjonctif est ambigu, ou impose des formes disparues de la langue courante (**qu'il* **fût** *content).*

2° **Verbes de volonté, de sentiment, d'attente :**

Les verbes de volonté *(ordonner, défendre, obtenir, empêcher),* de sentiment *(désirer, craindre, regretter, s'étonner, se réjouir, s'indigner),* d'attente *(attendre, s'attendre à ce que)* sont suivis de conjonctives au Subjonctif (la réalité du procès n'existant pas ou ne faisant pas l'objet du propos) :

> *Je veux qu'on* **soit** *sincère.*
> *Je regrette que Paul* **soit** *parti.*
> *Je me réjouis qu'il* **vienne.**
> *Je m'attends à ce qu'il* **vienne.**

Remarques : a) Certains verbes peuvent être pris dans plusieurs sens et par suite admettent des constructions différentes ; ainsi le verbe *dire* peut être :

> Un verbe d'affirmation : *Je dis* **qu'il est venu.**
> Un verbe d'interrogation : *Dis-moi* **s'il est venu.**
> Un verbe de volonté : *Je dis* **qu'il vienne.**

b) Le verbe d'une conjonctive régime du verbe impersonnel *il faut* est mis au Subjonctif comme après un verbe de volonté : *Il faut qu'on* **soit** *sincère.*

c) Certains verbes admettant la construction directe pour une conjonctive objet (ex. : *se plaindre que)* sont construits indirectement lorsque l'objet est un nom ou un Infinitif *(se plaindre d'une insulte, d'être insulté) ;* on observe alors une tendance à construire indirectement la conjonctive au moyen du relais *ce : Il se plaint* **de ce** qu'on l'ait insulté *;* c'est alourdir inutilement l'expression, à moins qu'on ne préfère le second tour pour la liberté qu'il donne d'employer l'Indicatif en soulignant la réalité du procès : *Il se plaint de ce qu'on l'*a **insulté.**

d) Certains verbes du second groupe peuvent être suivis en français écrit du *ne* explétif (§ 129).

e) La langue littéraire use d'une proposition **infinitive** après certains verbes du premier groupe dans les relatives complexes (§ 266).

263. CONJONCTIVES ATTRIBUTS :

Le mode des conjonctives pures attributs dépend du sens du sujet, et non du verbe ; comparer :

> *La vérité est qu'il ne* **connaît** *pas ses parents.*
> *La règle est qu'il ne* **connaisse** *pas ses parents.*

La situation joue aussi son rôle :

> Avant l'opération : *L'important est que tu* **sois** *sauvé.*
> Après l'opération : *L'important est que tu* **es** *sauvé.*

Remarque : Le français courant familier emploie comme attribut des propositions introduites par *quand :*

> *L'aphasie, c'est quand on ne peut pas parler.*

264. CONJONCTIVES APPOSITIONS :

Les propositions conjonctives en apposition se rapportent le plus souvent à un nom comme *le fait, la pensée, la nouvelle, la certitude.*

Le mode est déterminé par les mêmes facteurs que dans les propositions objets ; ces noms exprimant la réalité du fait, l'Indicatif est normal :

> *N'étiez-vous pas au courant du fait que Paul* **s'est marié ?**

Mais le Subjonctif est très fréquent dans la fonction sujet :

> *Le fait que 9* **soit** *le carré de 3 m'est indifférent.*

Les mots *l'idée, la pensée que* sont suivis de l'Indicatif s'ils posent le fait comme réel (sens "thétique"), et du Subjonctif s'ils ont le sens de "supposition" :

> *Elle s'affole à l'idée que tu* **as** *cette moto.*
> *Elle s'affole à l'idée que tu* **aies** *un accident.*

D. Subordonnées interrogatives

265. MARQUES DE L'INTERROGATION INDIRECTE :

Un verbe d'interrogation comme *demander, s'enquérir,* ou impliquant une question comme *dire, savoir,* peut être suivi d'une proposition subordonnée objet au "discours indirect" (§§ 13, 14) se distinguant d'une autonome interrogative de plusieurs façons :

● par l'**intonation,** qui n'est interrogative que si le verbe principal fait lui-même l'objet d'une question ; comparer :

> *Je te demande si tu as froid* (intonation déclarative)
> *Tu as demandé si j'avais froid?* (intonation interrogative).

● par l'**absence de pause** entre la principale et la subordonnée ; comparer :

> *Il demande : Qui est là ?* (deux propositions indépendantes)
> *Il demande qui est là.* (interrogation indirecte).

● par tous les **"décalages de coordonnées"** du discours indirect (§ 13).

● par la **suppression des marques syntaxiques de l'interrogation directe** (§ 245) :

1° **La locution** *est-ce que* **est supprimée :**

Dans l'interrogation **totale,** elle est remplacée par la conjonction *si :*

> *Dis-moi* **si** *tu as froid.*

(La conjonction *si* perd dans cet emploi sa valeur hypothétique).

Dans l'interrogation **partielle,** elle est exclue ainsi que les formes "renfor-cées" du pronom :

> *Dis-moi quand tu reviendras.*
> *Je demande qui a sonné.*

(On entend toutefois dans l'usage familier :

> *Dis-moi quand est-ce que tu reviendras.*
> *Je demande qui est-ce qui a sonné.)*

Comme le pronom sujet interrogatif n'existe pour les choses qu'à la forme renforcée *(qu'est-ce qui ?),* on recourt pour cette fonction au tour *ce qui* (anté-cédent + relatif) :

> *Je sais* **ce qui** *te ferait plaisir.*

Le pronom objet ou attribut *qu'est-ce que* est remplacé parallèlement par *ce que,* qui n'a pas l'inconvénient de se confondre, comme l'interrogatif *que,* avec la conjonction *que :*

> *Je sais* **ce que** *tu voudrais avoir.*

Le parallélisme s'étendant, le français écrit en vient à remplacer (facultati-vement) *de quoi* par *ce dont* et (lourdement) *à quoi* par *ce à quoi, sur quoi* par *ce sur quoi,* etc. :

> *Je sais* **ce dont** *tu rêves.*
> *Je sais* **ce à quoi** *tu penses.*

2° L'inversion morphologique est supprimée :

> *Je demande si Paul viendra* (et non : **si Paul viendra-t-il).*

L'inversion caténale, conséquence mécanique de l'anticipation d'un terme postverbal, reste possible (en français littéraire) sauf dans les cas où elle se confond avec l'inversion morphologique (§ 241, 2°, Rem. a) ; on écrit donc :

> *Je me demande où ira Paul.*

mais non :

> **Je me demande où iras-tu.*

L'inversion caténale est obligatoire si le mot interrogatif est *qui* ou *quel* at-tribut avec un nom pour sujet :

> *Je demande qui* (ou *quel) est cet homme.*

mais : *Je demande qui tu es.*

Le français populaire dit donc (sans inversion) :

> *Je demande qui* **c'est** *cet homme (homme* est "sujet repris").

Le mode du verbe est le même que dans l'interrogation directe, et l'on peut tenir pour propositions subordonnées les groupes solidaires à l'Infinitif délibératif (§ 259) :

> *Je ne sais* **que faire.**   *Je me demande* **où trouver la clef.**

Remarques : a) La plupart des subordonnées interrogatives sont compléments d'objet comme dans les exemples précédents. Exceptionnellement, elles peuvent dépendre d'un adjectif ou d'un nom contenant une idée d'interrogation :

> *Je suis encore très incertain si je me retirerai à Londres.* (Voltaire)
> *Nous agitâmes la question, si l'on publierait tout de suite une édition du Gaulois.* (Fr. Sarcey)

b) Comme il existe des propositions relatives complexes (§ 254), il existe des interrogatives complexes :

> *Où crois-tu que je suis né ?*

E. Subordonnées aux modes non personnels

266. PROPOSITIONS INFINITIVES :

Il existe deux types de propositions infinitives subordonnées :

● Comparer :

1. *Jean invite Paul à jouer.*
2. *Jean accuse Paul de tricher.*
3. *Jean regarde Paul jouer.*

En 1 et 2, l'objet *Paul* peut devenir sujet du verbe mis au passif : *Paul est invité par Jean à jouer, Paul est accusé par Jean de tricher.* On dit que les verbes *inviter* et *accuser* sont construits avec un **double objet ;** ils ont une double transitivité. L'ensemble *Paul à jouer* ou *Paul de tricher* ne peut pas être remplacé par un groupe nominal comme *le jeu de Paul, la tricherie de Paul.* Le nom *Paul* peut être remplacé dans les deux phrases par un pronom personnel conjoint, et le verbe à l'Infinitif en 1 par *y* et en 2 par *en : Jean l'y invite, Jean l'en accuse.*

En 3, *Paul* ne peut être transformé en sujet : **Paul est regardé jouer par Jean.* L'ensemble *Paul jouer* est globalement objet de *regarder,* et pourrait être remplacé par *le jeu de Paul.* Le nom *Paul* peut être remplacé par un pronom conjoint *(Jean le regarde jouer),* mais non l'Infinitif *jouer (*Jean le regarde Paul).* L'ensemble *Paul jouer* est une **proposition infinitive.**

Cinq verbes exprimant une action des sens acceptent cette construction :

regarder, voir, écouter, entendre, sentir.

Dans ces deux vers d'Apollinaire, le verbe *entendre* est construit avec deux objets coordonnés, un groupe nominal et une proposition infinitive :

Bonsoir la compagnie J'entends un bruit de rames
Dans la nuit sur le Rhin et **le coucou** chanter

Dans cet extrait de Zola, trois propositions infinitives sont même construites en apposition (au nom *chose) :*

Misard et Cabuche, les bras en l'air, Flore, les yeux béants, virent cette chose effrayante : le train se dresser debout, sept wagons monter les uns sur les autres, puis retomber avec un abominable craquement, en une débâcle informe de débris.

Le sujet de l'Infinitif peut être placé après :

Jean regarde jouer **Paul.**

sauf si l'Infinitif a un objet propre :

Jean regarde **Paul** *donner* **les cartes.**

La proposition infinitive ne présente pas le trait de solidarité qui caractérise en principe la proposition ; on peut supprimer l'un des deux termes sans priver de sens la phrase :

Jean regarde Paul.   Jean regarde jouer.

Toutefois, la suppression du nom est impossible après *sentir :*

J'ai senti mon cœur battre.   *J'ai senti battre.

Une phrase comme la suivante est ambiguë :

J'ai entendu **appeler Paul.**

Paul est-il sujet d'*appeler* dans une proposition infinitive, ou objet d'*appeler* lui-même objet d'*entendre* ? La réponse n'est donnée que par le contexte.

Remarques : a) Au lieu d'exprimer par un nom direct sujet l'agent du procès à l'Infinitif, on peut recourir, comme avec les groupes *faire/laisser* + Infinitif (§ 208), à un complément circonstanciel précédé de *par :*

> *J'ai entendu dire cela* **par ma mère.**

ou à un complément d'attribution (§ 218), ambigu :

> *J'ai entendu dire cela* **à ma mère.**

On peut donc employer concurremment :

> *Je l'ai entendue dire cela.*　　*Je lui ai entendu dire cela.*

b) Dans l'usage familier, l'Infinitif de ces propositions est souvent remplacé par une proposition "relative attributive" (§ 258) : *Jean regarde Paul qui joue, J'ai senti mon cœur qui battait.*

● Le français littéraire emploie une proposition infinitive propre aux relatives complexes où le verbe personnel a le sens de "dire", "penser", "savoir" :

> *Je ramenai la conversation sur des sujets que je savais l'intéresser.* (Benjamin Constant).

Des constructions concurrentes sont analysées au § 254.

267. PROPOSITIONS PARTICIPIALES :

Les **propositions participiales** ont la composition des "groupes solidaires non verbaux" étudiés au § 236, à cela près que le nom ou pronom sujet y est suivi d'un participe, présent ou passé :

> **La nuit tombant,** *on alluma la lampe.*
>
> **La ville prise,** *on signa la paix.*

Elle a par rapport au verbe dont elle dépend la fonction d'un complément de temps ou de cause ; le contexte seul suggère cette relation (les deux "circonstances" sont mêlées dans les exemples ci-dessus).

Une valeur temporelle de postériorité peut être soulignée par la locution *une fois :*

> *Nous ferons la paix* **une fois la ville prise.**

Remarques : a) Dans certains cas, le participe prend la première place ; il tend alors à l'invariabilité :

> *Etant donné* (ou *donnée) la situation...*

b) L'ancienne langue usait au participe, sans sujet, de quelques verbes impersonnels : *Venant à pleuvoir...* (La Bruyère). Cet emploi absolu du participe, à classer avec les propositions participiales, n'existe plus guère qu'avec *s'agir* (en français écrit) :

S'agissant *de la qualité génétique, l'espèce perd sur tous les tableaux.* (Jean Rostand)

F. Propositions circonstancielles

268. RELATION DE TEMPS :

1° COORDINATION :

Il existe de nombreuses conjonctions de coordination (§ 134) à valeur temporelle : *puis, ensuite, alors, d'abord, enfin,* etc.

L'emploi d'un "temps relatif" peut suffire à marquer un rapport temporel :

Je l'ai connu, il **avait** *sept ans* (le premier procès s'est produit pendant le second).

Je suis arrivé, il **était parti** (Le premier procès est postérieur au second).

On verse à peine dans la subordination si la seconde proposition est introduite par *que,* qui est ici un indice minimum de dépendance temporelle, et non de substantivation ; l'ordre des propositions ne peut être modifié.

2° CORRÉLATION (§ 251) :

La conjonction *que* en relation avec une marque corrélative telle que *à peine, ne... pas, ne... pas encore, ne... pas plus tôt* exprime la succession immédiate de deux procès :

*Vous étiez à **peine** sortie **qu'***il arrivait.*
*Je **n'***étais **pas** à *dix mètres **qu'***il me rappela.*

Ces constructions ont une particularité : la proposition introduite par *que,* où les grammairiens voient ordinairement une subordonnée, y exprime le propos ; on dit qu'il y a **subordination inverse.**

3° SUBORDINATION :

Le classement des rapports temporels exprimés par la subordination est compliqué du fait que le sens des conjonctions y interfère avec les valeurs aspectuelles des temps et l'ordre de procès du verbe(§ 181). Par rapport au procès subordonné, le procès principal peut être :

● **Concomitant :**

C'est ce que marque la conjonction *quand* dans les phrases suivantes :

*Quand vous **viendrez** nous voir, les paulownias **seront** en fleurs.*
*Je l'***ai connu** quand il **avait** sept ans.*

La concomitance n'est pas si rigoureuse si les deux verbes sont de sens limité :

*Quand on **sonnera,** vous **irez** ouvrir* (Le procès principal fera suite au procès subordonné).

Le caractère immédiat de la succession peut être souligné par *aussitôt que :* **Aussitôt qu'***on sonnera,* etc.

La langue écrite peut remplacer *quand* par *lorsque,* avec les mêmes valeurs.

Quand et *lorsque* se prêtent à un emploi de "subordination inverse" où la subordonnée, placée en fin de phrase, constitue le propos ; le procès subordonné s'inscrit à un moment de la durée du procès principal :

*On était au fromage **quand** un orage éclata.*

Comme, de ton littéraire, a des emplois différents de *quand.* Ainsi, il n'exprime jamais la répétition, et ne peut donc remplacer *quand* dans la phrase suivante :

Quand il allait voir Paul, il passait devant chez nous.

En revanche, *comme* est permis, et *quand* exclu, si le procès subordonné n'est pas supposé connu du destinataire :

Quand *j'avais vingt ans,* **comme** *je passais des vacances à Londres, j'ai découvert ma vocation.*

Pendant que et *tandis que* expriment un aspect sécant (§ 181), et par suite, dans un récit au passé, sont suivis par prédilection de l'Imparfait (§ 186) :

Pendant que je passais des vacances à Londres.

Si les deux procès sont continus, on peut marquer leur concomitance dans la durée par *pendant tout le temps que,* ou seulement *tout le temps que, aussi longtemps que, tant que :*

Tout le temps que tu as dormi, j'ai lu.

La concomitance de deux procès limités est marquée par *en même temps que,* ou *à l'instant où* :

> *En même temps qu'un avion part, un autre arrive.*

Toutes ces propositions sont à l'Indicatif : il s'agit de procès donnés pour réels et expressément situés dans la chronologie.

● **Postérieur** :

L'antériorité du procès subordonné peut être exprimée par l'emploi d'un "temps antérieur", c'est-à-dire composé ; *quand,* marquant la concomitance de l'état accompli du procès subordonné avec le déroulement du procès principal, devient une marque de postériorité (du procès principal) :

> *Quand vous* **serez parti,** *les paulownias* **fleuriront.**

Après que marque exclusivement la postériorité. Son emploi correct exige un décalage par composition ou surcomposition relativement au verbe principal :

> *Après que vous* **serez parti,** *les paulownias* **fleuriront.**
> *Après que vous* **avez été parti,** *les paulownias* **ont fleuri.**

Depuis que fait coïncider avec un fait passé le début d'un état présent exprimé dans la principale :

> *Depuis que vous* **êtes parti,** *les paulownias* **sont** *en fleurs.*

Le procès subordonné par *depuis que* peut aussi être continu et présent, son début ayant coïncidé avec le début du procès principal :

> *Depuis que je* **suis** *marié, je ne* **fume** *plus.*

Par confusion des deux tours, la langue familière exprime abusivement au Présent après *depuis que* un fait passé totalement révolu :

> *Depuis que je suis toute petite, je parle anglais.*

Le mode de ces propositions est encore l'Indicatif, car elles énoncent toujours un procès donné pour réel. Pourtant le français courant, et même littéraire, tend fortement à substituer le Subjonctif à l'Indicatif après la conjonction *après que* :

> *Elle a accompagné Giuseppe quand il a dû s'exiler ; un peu après que j'en* **sois réduit** *à la même extrémité.* (J. Giono)

Cette conjonction semble avoir emprunté le mode de son antonyme *avant que,* et subi en même temps l'influence de l'Infinitif précédé d'*après,* qui se contente d'une seule forme composée pour exprimer la postériorité par rapport à n'importe quel temps.

● **Antérieur** :

L'antériorité du procès principal est exprimée par *avant que,* suivi du Subjonctif (et facultativement du *ne* explétif, cf. § 29, 2°) :

> *Vous* **partirez** *avant que les paulownias (ne)* **soient** *en fleurs.*
> *Les paulownias* **fleuriront** *avant que vous (ne)* **soyez parti.**

Le procès principal est limité dans ces exemples. *Jusqu'à ce que* convient s'il est continu :

> *Vous* **resterez** *jusqu'à ce qu'ils fleurissent.*

D'ici (à ce) que souligne la durée de l'intervalle :

> *D'ici que le train arrive, nous pouvons boire un verre.*

Dans tous ces cas, le Subjonctif exprime la virtualité du procès. Si l'on tient à marquer que sa réalisation est certaine, on remplace *avant que, jusqu'à ce que* par *avant le moment où, jusqu'au moment où,* suivis de l'Indicatif.

Remarque : Les propositions participiales (§ 267) expriment la relation de temps : procès en cours au Participe présent, postériorité du procès principal au Participe passé.

269. RELATION DE CAUSE:

1° COORDINATION :

Les conjonctions *car, en effet,* marquent spécifiquement la cause (§ 134).

L'intonation, et la marque écrite du deux-points, peut suffire à marquer une relation de cause :

Paul tremble : **il a froid.**

Un rapport temporel prend souvent un sens causal :

Il pleure : **il est tombé.**

Une marque modale exclamative dans la seconde proposition peut aussi en faire une protase causale :

Il est vert, **tant** *il a froid.*   *Il pardonnera, il est* **si** *bon.*

La seconde proposition est la protase ; elle indique qu'un phénomène atteint le degré d'intensité à partir duquel le procès de l'apodose a normalement lieu. La variation d'intensité n'est que dans la protase.

2° CORRÉLATION :

Deux variations d'intensité peuvent être en relation de cause à effet ; cette relation s'exprime alors par les corrélatifs *plus* (ou *moins)* ; la première proposition exprime la cause :

Plus l'huile est chaude, *plus elle est fluide.*
Plus on bat cet âne, *moins il obéit.*

3° SUBORDINATION :

On est dans la subordination si la protase est signalée par *que :*

Il obéit **d'autant moins qu'***on le bat* **plus.**

La variation d'intensité peut manquer dans la protase (le procès est alors donné comme une cause ajoutée) :

Il obéit d'autant moins qu'on le bat.

L'expression de la cause sans degré revient aux conjonctions de subordination, qu'on peut classer selon le mode du verbe régi :

● Les unes, introduisant un fait donné comme cause réelle, sont suivies de l'Indicatif :

Il brait **parce qu'***il* **a été battu.**

Que peut remplacer *parce que* dans un contexte où il introduit expressément le propos :

S'il brait, **c'est** *(parce)* **qu'***il a été battu.*

Les conjonctions *puisque, du moment que, dès lors que, attendu que, vu que,* introduisent une justification logique censée connue :

Reste au lit, **puisque** *tu es malade.*

Parce que introduit une cause non donnée pour connue :

L'eau de mer est salée **parce que** *les fleuves qui s'y déversent apportent tous les sels de la terre.*

Une conjonction, *d'autant que,* est propre à la langue littéraire. Une autre, *surtout que,* à la langue familière.

● Les autres présentent la cause comme fausse *(non que, sans que)* ou incertaine *(soit que... soit que)* ; elles sont suivies du Subjonctif :

C'est rare qu'il braie **sans qu'***on* l'**ait battu.**
Il brait souvent, **soit qu'***il* **ait** *faim,* **soit qu'***on* l'**ait battu.**

Remarques : a) Les propositions participiales (§ 267) peuvent exprimer la cause.

b) Une épithète détachée peut marquer la cause :

Paul, (qui est) très gourmand, a mangé les quatre gâteaux.

La construction suivante souligne le rapport causal :

Paul, gourmand qu'il est (ou *comme il est),* etc.

Il arrive qu'on fasse précéder d'une conjonction de cause une épithète de valeur causale :

Cette ville est triste, **parce que** *dépeuplée.*

270. RELATION DE CONSÉQUENCE :

1° COORDINATION :

Les conjonctions *donc, par conséquent, par suite, c'est pourquoi,* en français familier *aussi, total,* expriment la conséquence.

Puisqu'il s'agit d'un rapport de *cause* à *effet,* les mêmes procédés qui servent à suggérer la cause peuvent, avec une intonation différente, suggérer l'effet.

Deux propositions indépendantes qui se suivent expriment tout naturellement la relation "consécutive", avec une intonation appropriée :

Il tombe, il pleure (montée d'attente sur *tombe).*

Un décalage temporel souligne le rapport :

Il pleut: les salades **pousseront** (ou **vont pousser).**

Une modalité exclamative a le même effet (mais en sens inverse) que dans le cas de la cause :

Il est **si** *bon : il* **pardonnera.**

2° CORRÉLATION :

Le même système corrélatif que pour la cause peut exprimer la conséquence (dans la seconde proposition) :

Plus l'huile est chaude, **plus elle est fluide.**
Plus on bat cet âne, **moins il obéit.**

3° SUBORDINATION :

Mais des systèmes spécifiques sont constitués par une protase exprimant le degré suivie d'une apodose subordonnée par *que :*

Il est **si** *bon / Sa bonté est* **telle qu'***il pardonne tout.*
Il travaille **si** *bien* **que** *je devrais l'augmenter.*
Il l'a demandé d'une **telle manière que** *je n'ai pu refuser.*
Il fait **tellement** *sombre* **qu'***on ne se voit plus.*

La conséquence étant donnée pour réelle, l'Indicatif est le mode de toutes ces apodoses, à moins que la protase soit négative ou comporte une idée de doute :

Il **ne** *travaille* **pas** *si bien que je* **doive** *l'augmenter.*
Est-il *si bon qu'il* **puisse** *pardonner ça?*

Les systèmes corrélatifs ont donné par figement des conjonctions de conséquence comme *de (telle) sorte / manière / façon que, si bien que, au point que :*

Il parle fort, de manière que tout le monde l'entend.

Le Subjonctif apparaît si la principale est négative ou dubitative :

Il **ne** *parle* **pas** *de manière que tout le monde l'*entende.

En dehors de ces cas, l'emploi du Subjonctif fait verser la conséquence dans le but (§ 271).

Remarques : a) Dans les systèmes corrélatifs, la conjonction de but *pour que* peut être employée avec un sens consécutif (conséquence non voulue) ; le mode reste pourtant le Subjonctif :

Il est **assez** *bon* **pour** *qu'on* **puisse** *espérer son pardon.*
Que *lui as-tu dit* **pour qu'***il se* **mette** *à pleurer ?*
Il suffit *qu'on batte cet âne* **pour qu'***il n'*obéisse *plus.*

b) Une conséquence normale qui ne se produit pas est exprimée par *sans que* suivi du Subjonctif :

Il parle **sans** *qu'on l'*entende.

Si la principale est négative, *sans que* introduit une conséquence effective :

Je **ne** *le croise* **jamais sans** *qu'il me dise bonjour.*

Le français littéraire emploie dans ce cas *que ne :*

Il **ne** *voit* **pas** *un brin d'herbe à terre,* **qu'***il* **ne** *vous dise comment cela s'appelle en latin.* (Musset)

271. RELATION DE BUT :

Le but visé est la **conséquence voulue** d'un acte.

La relation de but s'exprime donc souvent par les mêmes procédés que la conséquence, mais le Subjonctif marque la virtualité du procès voulu :

*Il parle de manière qu'on l'*entende.

De manière que peut alors être remplacé par *de manière à ce que :*

Il parle **de manière à ce qu'***on l'entende.*

En français écrit tenu, *afin que* suivi du Subjonctif marque spécifiquement le but :

L'orateur doit parler fort, **afin qu'***on l'*entende.

En français courant, *pour que* suivi du Subjonctif exprime le but avec ou sans corrélatif :

L'orateur doit parler (assez) fort **pour qu'***on l'*entende.

On voit au § 270 que cette conjonction en vient à exprimer la pure conséquence quand la principale n'implique aucune volonté de provoquer le procès subordonné.

En français familier, *que* peut suffire à exprimer le but dans un contexte impératif :

Parle fort, **qu'***on t'entende.*

La crainte, désir négatif (§ 247), peut être un facteur d'action ; aussi les conjonctions *de peur que, de crainte que (ne)* expriment-elles non seulement la crainte, mais le but négatif :

Elle rentre ses nappes de peur qu'il (ne) pleuve et qu'elles (ne) soient mouillées.

Le simple but négatif est exprimé par *pour que... ne... pas :*

Elle rentre ses nappes pour qu'elles ne soient pas pas mouillées.

Sous l'influence de *pour ne pas* + Infinitif, le français courant tend à remplacer *pour que... ne... pas* par *pour ne pas que* (amalgamant toutes les marques grammaticales de la relation) :

> *pour ne pas qu'elles soient mouillées.*

Le français populaire dit *pour que... pas* ou *pour pas que.*

272. RELATION DE CONCESSION :

1° COORDINATION ET CORRÉLATION :

On appelle traditionnellement "concession" un rapport d'opposition entre deux faits dont l'un devrait entraîner l'autre, et ne l'entraîne pas :

> *Tu l'appelles, il ne répond pas.*

Plusieurs conjonctions de coordination marquent ce rapport devant l'apodose : *pourtant, cependant, toutefois, néanmoins...*

Des verbes et locutions auxiliaires peuvent le marquer dans la protase, excluant l'emploi des conjonctions :

> *Tu* **peux** / *Tu* **as beau** *l'appeler, il ne répond pas.*

D'autres procédés sont empruntés à la condition (§ 274), comme la modalité impérative dans la protase :

> *Appelle-le, il ne vient pas.*
> *Qu'on l'appelle ou non, il ne vient pas.*

L'hypothèse d'une condition irréelle peut souligner l'inefficacité du procès de la protase :

> *Tu le* **battrais**, *il ne* **bougerait** *pas.*

Si l'irréel, comme ici, est marqué dans les deux propositions, il y a corrélation.

La langue littéraire maintient un emploi du Subjonctif imparfait ou plusque parfait irréel en ce sens (§ 199, Rem.).

Comme dans les systèmes coordonnés à valeur temporelle (§ 268), la conjonction *que* peut être employée au début de la seconde proposition :

> *Tu le battrais,* **qu'***il ne bougerait pas.*

Une nuance d'indétermination peut aussi renforcer l'effet concessif :

> *Appelle* **toujours** / *Dis* **n'importe quoi,** *il ne vient pas.*

La locution *ne... pas moins* peut souligner dans la seconde proposition l'inefficacité de la protase. En ce cas, la première peut être marquée ou ne pas l'être :

> *C'est mon ami, je* **ne** *le blâme* **pas moins.**
> *Il* **a beau** *être mon ami, je* **ne** *le blâme* **pas moins.**

Si les deux propositions sont marquées, il y a corrélation.

2° SUBORDINATION :

On distingue deux sortes de subordonnées concessives :

● **Les "relatives indéfinies" :**

Les mots relatifs indéfinis (§ 154), suivis du Subjonctif, ont pour fonction spécifique d'exprimer la concession :

> *qui que tu sois, quoi que tu fasses, où que tu ailles, quelle que soit ta fortune,...*

La même fonction est exercée par l'adverbe intensif *si* (plutôt qu'*aussi,* comparatif), auquel la langue littéraire peut substituer *quelque :*

> **Si** / **quelque** *doué* **qu'***il* **soit**, *il court à un échec.*

Dans toutes ces propositions relatives, le Subjonctif s'impose par son sens virtuel § 195).

L'Indicatif peut reprendre ses droits avec *tout... que,* qui rappelle la réalité d'une qualité (mais en faisant pressentir qu'elle sera inopérante) :

Tout *doué* **qu'***il* **est** (ou **soit**), *il court à un échec.*
Tout *Napoléon* **qu'***il* **était** (ou **fût**), *il perdit la bataille.*

La même liberté existe avec *pour,* remplaçant *tout* en français littéraire :

Pour *doué* **qu'***il* **est** (ou **soit**), *il court à un échec.*

● Les conjonctives :

Des conjonctions de subordination concessives sont nées par figement soit de relatifs indéfinis *(quoique),* soit de différents groupes *(encore que, mal-gré que);* elles sont suivies du Subjonctif :

Quoiqu'*il te connaisse, il ne vient pas.*

Il faut veiller à distinguer *quoique,* conjonction remplaçable par *bien que,* de *quoi que,* relatif indéfini qui exerce la fonction de complément d'objet ou d'attribut dans la proposition qu'il introduit :

Quoi que *tu dises, il ne vient pas.*
Quoi que *soit cette graine, plantons-la.*

L'indétermination concessive peut prendre la forme d'une alternance, exprimée par *(soit) que... (soit) que* et le Subjonctif :

Que tu sois riche (ou/,) *que tu sois pauvre, tu as droit au bonheur.*

On réduit l'expression par *ou non: Que tu sois riche* **ou non,**...

La conjonction *sans que,* qu'elle marque l'absence d'une cause (§ 269) ou d'une conséquence (§ 270), s'apparente à la concession.

Plusieurs conjonctions concessives sont suivies d'un autre mode :

— **même si,** construit comme *si* hypothétique (§ 274) :

Même si tu es pauvre, tu as droit au bonheur.
Même si j'étais riche, je ne serais pas plus heureux.

— **quand même,** suivi de l'Indicatif ou du Conditionnel :

Il reste immobile, quand même vous l'appelez.
Il ne bougera pas, quand même vous le battriez.

Le français littéraire emploie en ce sens *quand* sans *même,* et *lors même que :*

Quand je serais milliardaire, je ne serais pas plus heureux.

— On classera ici, quoiqu'il s'agisse moins de concession proprement dite que d'"'opposition" ou de "contraste", l'emploi des conjonctions **si** et **tan-dis que** avec l'Indicatif dans des phrases comme :

Si *Paul excelle dans les jeux de société, il n'a (en revanche) aucun goût pour les sports.*

Je veux être médecin **tandis que** *Paul veut tourner des films.*

273. RELATION DE COMPARAISON :

1° COORDINATION :

Des conjonctions comme *ainsi, de même, pareillement,* expriment la comparaison dans la coordination :

L'eau coule sous le pont Mirabeau; **ainsi** *s'en vont les jours.*

La comparaison favorise le système corrélatif. Certains adverbes et adjectifs accusent le parallélisme entre la protase (qu'on peut appeler l'*étalon* de comparaison) et l'apodose : *plus (moins)... plus (moins), tel... tel, autant... autant, aussi... aussi, meilleur... meilleur, mieux... mieux :*

Tels *ils étaient alors,* **tels** *je les vois aujourd'hui* (G. Duhamel).

Par ellipse sont nées les locutions comme *aussitôt dit, aussitôt fait.*

3° SUBORDINATION :

Si l'étalon passe en second, son corrélatif est remplacé par la conjonction de subordination *que :*

Je les vois aujourd'hui **tels** *qu'ils étaient alors.*

D'autres corrélatifs, comme *même, autre,* sont possibles devant *que :*

Il peint avec la **même** *sécheresse* **qu'***il parle.*

Une comparaison d'inégalité entraîne ordinairement le *ne* explétif (§ 129) :

Paul est moins riche que Jean (ne) l'est.

Les deux propositions ayant souvent des termes en commun, on fait l'ellipse de ceux qu'on peut :

Paul est moins riche que Jean (ne l'est).

Même si *que* n'est suivi que d'un mot, ce mot doit être tenu pour une proposition elliptique ; dans la phrase suivante :

Paul aime mieux son père que sa mère

le sens est différent selon que le locuteur sous-entend :

que (Paul n'aime) sa mère

ou

que sa mère (n'aime son père).

Dans le premier cas, *mère* est objet, dans le second cas sujet d'une comparative elliptique.

Le verbe *faire* est appelé ''verbe vicaire'' lorsqu'il est employé dans la proposition comparative pour représenter le verbe de la principale :

Paul aime mieux son père que ne (le) fait sa mère.

L'oncle regarda son neveu avec un certain plaisir, comme il **eût fait** *un beau cheval.* (Aragon)

La conjonction *comme* introduit des subordonnées sans corrélatif qui indiquent ordinairement la **manière** par le biais de la comparaison :

Comme il sonna la charge, il sonne la victoire. (La Fontaine)

L'ellipse peut jouer après *comme* aussi bien qu'après *que :*

Il m'a reçu comme un prince

avec les mêmes risques d'ambiguïté (comme un prince reçoit ? comme on reçoit un prince ?).

Comme est parfois remplacé par *ainsi que, de même que.*

La proposition étalon peut commencer par *à mesure que,* locution à laquelle répond dans la principale un mot de comparaison ou impliquant un changement :

Le maquis était **plus** *dense* (ou **s'épaississait**) **à mesure que** *nous avancions.*

(Le sens est à la fois comparatif et temporel).

Toutes les propositions de comparaison sont à l'**Indicatif**.

Remarque : La phrase suivante :

Tel l'avion s'éleva, telle vole une flèche.

peut être réduite de deux façons :

1. *L'avion s'éleva,* **telle** *une flèche.*
2. *L'avion s'éleva* **tel** *qu'une flèche.*

En 1, *telle* est le corrélatif de l'étalon, il est au féminin ; en 2, *tel* appartient à la première proposition, il est au masculin. Mais le masculin est permis en 1.

274. RELATION DE CONDITION

Un **"système hypothétique"** (ou "conditionnel") se compose de deux propositions, soit *a* et *b*, dans un rapport logique d'implication : *a* ⇒ *b ; a* est la protase et *b* l'apodose (§ 251).

1° COORDINATION :

L'idée d'implication peut résulter du seul rapprochement de deux indépendantes, avec l'intonation d'attente à la fin de la première :

Tu l'appelles, il vient tout de suite.

Un décalage temporel peut souligner la postériorité logique de l'apodose :

Tu l'appelles, il **viendra** *tout de suite.*

La valeur conditionnelle de la protase peut être suggérée par une marque de modalité, interrogative ou impérative :

L'appelles-tu, il vient tout de suite.
Appelle-le, il vient tout de suite.
Qu'on l'appelle, il vient tout de suite.

La langue littéraire maintient dans cet emploi un vieux Subjonctif sans *que,* avec inversion caténale du sujet :

Vienne *une guerre, nous serons sans défense.*

2° CORRÉLATION :

Le français courant peut user d'un double Conditionnel, avec ou sans le *que* de "subordination inverse" (§ 268) ; il y a alors corrélation :

Une guerre **arriverait,** *(que) nous* **serions** *sans défense.*

Le français littéraire connaît aussi ce double irréel, mais au Subjonctif plus-que-parfait, avec inversion morphologique marquant facultativement la protase, et le *que* facultatif :

On lui eût dit que c'étaient des nègres, elle l'eût peut-être cru. (R. Ikor)
Le corps eût-il été plus sec, l'accident n'aurait pas eu lieu. (Gide)

Il use aussi des locutions *n'était* et *n'eût été,* équivalant à des prépositions comme *excepté, hormis,* mais facultativement accordées avec le sujet qui les suit :

On se fût imaginé loin de la guerre, n'étaient les vols d'avions qui traversaient le ciel. (Fr. Ambrière).

3° SUBORDINATION

● **CONJONCTION** *si :*

L'hypothèse trouve son expression la plus appropriée aux besoins de la pensée active dans les systèmes fondés sur la conjonction *si.* L'emploi des modes et des temps dans la protase et dans l'apodose y est régi par des règles instituant entre les deux propositions une interdépendance qui rendrait impossible d'étudier l'une sans l'autre.

Deux groupes de cas sont à distinguer selon que la protase est donnée comme de l'ordre des faits réels :

Si a = b, b = a.   *S'il pleut, nous resterons.*

ou de l'ordre des faits irréels :

Si j'étais sa mère, je l'habillerais autrement.

Cette dualité s'applique à l'avenir comme au présent et au passé. Le locuteur place (intentionnellement) la phrase dans l'ordre des faits réels ou dans l'ordre des faits irréels selon qu'il dit :

*Si un jour tu me **quittes**,...*
*Si un jour tu me **quittais**,...*

A. Protase de l'ordre du réel :

Le mode est l'Indicatif :

– *Si a **est** égal à b, b **est** égal à a.*

C'est une vérité permanente, d'où le Présent (§ 185).

– *Si mon oncle **voyait** un mendiant, il **faisait** un détour.*

L'Imparfait marque la répétition dans le passé (§ 187).

– *Si je **rencontre** Paul, je l'**inviterai**.*

Il s'agit d'un fait à venir. On attendrait le Futur dans la protase comme dans l'apodose ; il est remplacé par le Présent selon une règle appliquée depuis les premiers textes français, et qu'on explique par le souci de marquer le décalage (souvent temporel, toujours logique) entre le procès conditionnant et le procès conditionné (cf. 1°).

Le Passé composé remplace le Futur antérieur dans la protase en vertu de la même règle :

*Si demain tu ne l'**as pas rencontré**, je lui **écrirai**.*

Remarques : a) Le Futur n'est interdit après *si* que dans le sens hypothétique. Il est normal après *si* interrogatif (§ 265) : *Dis-moi si tu viendras.* Dans la phrase suivante, le fait énoncé après *si* n'est pas hypothétique, et l'on doit comprendre "s'il est vrai que", "puisque c'est un fait que" :

Pardon (...) si je ne puis t'aimer, si je ne t'aimerai jamais !
(Romain Rolland, *Jean-Christophe*).

b) Un emploi du Présent au lieu du Futur dans l'apodose est signalé au § 185 (Présent *d'anticipation*).

B. Protase rejetée du réel :

*Si j'**étais** sa mère, je l'**habillerais** autrement.*

L'apodose est au Conditionnel présent — marquant un procès irréel dans le présent (§ 197). Comme le Conditionnel est un emploi dérivé du Futur du passé, l'application de la règle de décalage du Futur entraîne ici l'emploi de l'Imparfait dans la protase, Imparfait de sens irréel (§ 198).

Dans le passé, les temps composés correspondants conservent le décalage :

*Si Paul **était venu**, il **aurait mangé** du canard.*

On sait que le Conditionnel présent et l'Imparfait irréel situent le procès dans l'avenir aussi bien que dans le présent (§ § 197, 198) ; d'où l'emploi du même système pour un fait rejeté du réel dans l'avenir :

*Si Paul **venait** dimanche, je lui **ferais** un canard.*

Cette expression de l'irréel perd sa force du fait de l'incertitude que comporte l'avenir. Si Paul refuse l'invitation pour dimanche, et si l'on veut lui révéler ce qu'il manque en ne venant pas, il faudra lui dire, pour souligner l'irréalité du procès futur :

*Si vous **étiez venu** dimanche prochain, vous **auriez mangé** du canard.*

Remarques : a) L'interdiction du Conditionnel après *si* souffre les mêmes exceptions que celle du Futur. On dit très bien : *Dis-moi si tu viendrais.* Dans ce passage de Molière souvent cité, *si* a valeur de contraste signalée au § 272 :

Si **vous auriez** *de la répugnance à me voir votre belle-mère, je n'en aurais pas moins sans doute à vous voir mon beau-fils.*

b) La langue littéraire peut remplacer les temps composés du système passé par le Plus-que-parfait du Subjonctif irréel (§ 199).

c) Le français populaire emploie le Conditionnel dans la protase comme dans l'apodose :

Si j'aurais su, je s'rais pas v'nu.

d) La protase et l'apodose ne se situent pas forcément à la même époque ; rien n'interdit des systèmes comme :

Si Paul **avait été invité** (passé), *il* **serait** *parmi nous* (présent)

Si tu **étais** *plus malin* (présent), *tu n'***aurais** *pas* **joué** *ce cheval* (passé).

e) Un emploi de l'Imparfait au lieu du Conditionnel dans l'apodose est signalé au § 187, Rem. a (Imparfait d'*anticipation*).

f) La conjonction *si* entre dans la composition des locutions conjonctives *comme si, même si, excepté si, sauf si,* régies par les mêmes règles de mode et de temps.

● **AUTRES CONJONCTIONS :**

D'autres conjonctions que *si* expriment l'hypothèse :

— **que :** L'emploi de *que* comme conjonction "vicaire" (§ 26) reprenant toutes les autres dans la coordination, s'applique aux propositions conditionnelles, où il doit être suivi du Subjonctif :

Si un jour tu me quittes, et **qu'on doive** *se partager les meubles,...*

En français littéraire, la nuance irréelle peut être conservée par l'emploi de l'Imparfait : *... et que nous* **dussions** *nous partager les meubles* (§ 194, Rem. d).

En français courant, il faudrait reprendre *si : et si on devait...*

— **à (la) condition que** et le Subjonctif :

Je te le prête à condition que tu le **rendes** *vite.*

L'Indicatif est autorisé pour appuyer ou préciser la situation dans le futur :

Je te le prête à condition que tu le **rendras** *jeudi.*

— **pourvu que, pour peu que** et le Subjonctif :

Je veux bien que tu l'emportes, pourvu que tu le **rendes.**

— **à moins que (ne)** et le Subjonctif :

Je le garde, à moins que tu (ne) **veuilles** *l'acheter.*

— **supposé que, à supposer que, en admettant que, si tant est que, mettons que,** et le Subjonctif :

Supposé que tu le prennes, quand le rendras-tu ?

— **au cas où** et le Conditionnel :

Au cas où tu **voudrais** *l'acheter, il vaut 20 F.*

Remarque : Les propositions participiales (§ 267) peuvent exprimer la condition ; c'est l'origine de la locution *le cas échéant.*

INDEX

(Les numéros renvoient aux pages)

A

D

E

F

G

H

I

J

L

M

P

Q

R

S

T

TABLE DES MATIÈRES

2e PARTIE
LES SONS ET L'ÉCRITURE

3e PARTIE
LES MOTS

CHAPITRE II
Etude grammaticale

4ᵉ PARTIE
LA PHRASE

N° d'Éditeur : 6070 – Dépôt légal : Janvier 1983

IMPRIMERIES MONT-LOUIS P.R. — Dépôt légal : N° 833.

De nombreux professeurs ont manifesté l'intérêt qu'ils portaient à l'élaboration de cet ouvrage, en répondant aux questionnaires-enquêtes qui leur ont été soumis, et en adressant leurs suggestions. Nous donnons ici les noms de la majorité d'entre eux, classés par département et par ordre alphabétique.

02. Rouillère — **03.** Antigny — **05.** Alphand — **07.** Duvert — **08.** Godin - Lepolard - Verillard — **09.** Jordy - Vandenbrouck — **10.** Boucraut - Dupuy - Gaussot - Ricoux — **11.** Lamolinerie — **13.** Delfino - Lemot - Milhaud - Tuffery - Vallet — **14.** Fleury - Larsonneur - Muris — **15.** Miquel - Vaurie — **16.** Claveyrolas - Pacton - Peltier - Perez — **17.** Baro - Liot — **21.** Aubry - Raffin - Vaillon — **24.** Levrier — **25.** Couranjou — **29.** Cadoret - Clivio - Le Menn - Moal - Quiniou — **31.** Pelisson — **33.** Franc — **34.** Bontant - Haitaian - Lutz - Moreno — **35.** Brière - Henri — **36.** Henault — **38.** Baltinger - Bouvat - Jiguet - Mathon - Molinatti - Peurière — **39.** Cauquil - De Mattia - Klur — **44.** Pacteau - Savariau — **45.** Jamet — **46.** Roland - Vigier — **47.** Petillot — **49.** Poirier - Gramain — **51.** Dewez - Miroux — **53.** Delahaie — **54.** Blanpied - Chevrier - Frindel - Gallet - Martinez - Valois — **55.** Gillet — **56.** Videlo — **57.** Dillengcheider - Lebrun - Lespin — **58.** Lefaure - Mongin - Pignault — **59.** Aulas - Carrier - Casail - Deswarte - Fagart - Flipo - Friscourt - Loubier - Ouillon - Pique - Plichon - Plouviez - Rouzet - Soules - Thery - Thomas — **60.** Hedouin — **61.** Bisson — **62.** Ducrocq - Meluc - Morzewski - Tancre — **63.** Chastang - Desfougères - Desrumaux - Gaulon - Gilbert — **66.** Py — **67.** Grenier — **68.** Maurel — **69.** Belhomme - Brinnel - Dufourt - Durand - Finand - Joatton — **70.** Paillet — **71.** Cazal — **72.** Buchmanw - Coulmeau - Malbernard — **74.** Bruel - Huguet — **75.** Choisnard - Gaunin - Malzac - Rollin - Stac — **76.** Leduc - Wellen — **77.** Perrin - Tournery — **78.** Descoules - Toulemonde — **79.** Bonnard - Briand - Hervé — **80.** Gascon — **81.** Palaprat - Protet — **83.** Abril - Brizio - Guenot — **87.** Lardieg - Pirault - Portalier — **88.** Blaise — **90.** Glasson — **91.** Briand - Heriveaux - Kennedy — **92.** Calais - Meurice — **93.** Govère - Raisky - Rey — **94.** Arnau - Fleischl - Lagrange - Michaux — **95.** Manceau.